House of Gucci

SARA GAY FORDEN

House of Gucci

Traduit de l'anglais (États-Unis) par
EMMANUELLE FARHI
avec la collaboration de
SIBYLLE ANDRÉ *et* SANTIAGO ARTOZQUI

Harper
Collins

HARPERCOLLINS FRANCE
83-85, boulevard Vincent-Auriol, 75646 PARIS CEDEX 13
Tél. : 01 42 16 63 63

www.harpercollins.fr

ISBN 979-1-0339-1121-0

À Julia

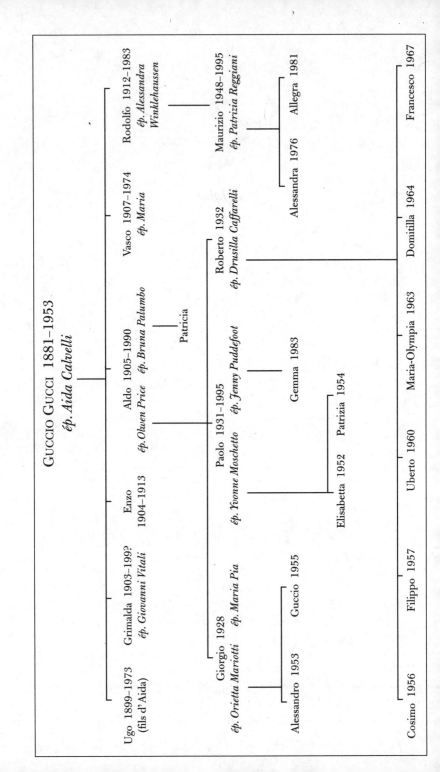

1

Une mort

À 8 h 30, le lundi 27 mars 1995, Giuseppe Onorato déblayait les feuilles mortes jonchant l'entrée du bâtiment où il était employé. Comme tous les jours, il était arrivé à 8 heures sonnantes pour ouvrir le double portail massif du 20 de la via Palestro. Cet immeuble d'habitation et de bureaux de quatre étages, construit dans le style Renaissance, se trouvait dans l'un des quartiers les plus élégants de Milan. De l'autre côté de la rue, s'étendaient les superbes pelouses parsemées de cèdres et de peupliers des Giardini Pubblici, véritable oasis de verdure et de sérénité au milieu de cette cité embrumée et frénétique.

Durant le week-end, un vent chaud avait dénudé les arbres et chassé la chape de pollution qui planait en permanence sur la cité. Dès son arrivée, Onorato avait entrepris de nettoyer le passage. De son passé militaire il avait conservé un sens profond de l'ordre et du devoir, qui n'entachait en rien sa bonne humeur. Âgé de cinquante et un ans, il était toujours impeccablement vêtu, avec une moustache taillée à la perfection et des cheveux coupés ras. Comme tant d'autres, ce Sicilien, originaire de la ville de Casteldaccia, avait émigré vers le Nord en quête d'une situation et d'une vie meilleures. Retraité de l'armée en 1980, après quatorze ans de service en qualité de sous-officier, il avait décidé de s'installer à Milan, où il occupa divers postes avant d'être engagé comme portier de cet édifice en 1989. Il habitait avec sa femme dans un appartement au nord-ouest de la métropole et se rendait tous les matins à son travail en scooter.

Cet homme doux, aux yeux bleus et au sourire timide, se faisait un point d'honneur à maintenir l'entrée de l'immeuble dans un état immaculé. Les six marches extérieures en granite rouge soigneusement polies, l'étincelante porte vitrée et le sol en pierre du hall, luisant de propreté, témoignaient de ses efforts. Au fond du vestibule, il disposait d'une petite cabine vitrée en bois, équipée d'une table et d'une chaise, où il ne passait que peu de temps, préférant se consacrer aux diverses tâches qu'impliquait sa fonction. Onorato ne s'était jamais vraiment senti chez lui à Milan. Certes, il y avait trouvé un gagne-pain, mais guère davantage. Il était très sensible aux préjugés qu'affichaient beaucoup d'Italiens du Nord envers les *Meridionali* – les gens du Sud –, et la moindre lueur de mépris dans un regard le hérissait. Cependant, il ne répondait jamais aux provocations et manifestait une obéissance sans faille à ses supérieurs, tout en refusant de courber l'échine.

« J'ai autant de valeur que tout autre être humain, quelles que soient sa fortune ou ses origines familiales », pensait-il.

En relevant la tête, alors qu'il balayait, Giuseppe remarqua un homme sur le trottoir d'en face. Il se tenait déjà là, derrière une petite voiture verte, garée perpendiculairement à la chaussée, en direction des Giardini Pubblici, lorsque le portier avait ouvert le bâtiment. La via Palestro demeurait l'une des seules voies du centre-ville au stationnement gratuit et, dans la journée, on n'y trouvait pas une place libre. Cependant, à cette heure matinale, le seul véhicule garé devant l'édifice était cette automobile, dont la plaque d'immatriculation avait été fixée si bas qu'elle touchait presque le sol. Onorato se demandait quel genre d'affaire avait amené l'individu en cet endroit aussi tôt. Rasé de près et bien habillé, il portait un pardessus brun clair et scrutait la rue comme s'il attendait quelqu'un. En caressant machinalement son crâne chauve, le portier regarda avec envie la chevelure sombre, épaisse et ondulée de l'inconnu.

Il restait toujours vigilant depuis qu'une voiture remplie de dynamite avait explosé non loin de là en juillet 1993. L'attentat avait tué cinq personnes et détruit le Padiglione d'Arte Contemporanea, le musée d'art moderne, qui s'était effondré dans un amas de ciment, de métal et de poussière. Le même soir, à Rome, une autre bombe avait endommagé l'église San Giorgio Velabro, dans le centre historique de la capitale. Ultérieurement, on put établir un lien entre ces deux incidents et un troisième, encore antérieur, survenu à Florence sur la via dei Georgofili, qui avait fait cinq morts et trente blessés, anéantissant des dizaines d'œuvres d'art entreposées dans un bâtiment voisin.

Tous ces méfaits furent attribués à un parrain de la mafia sicilienne, Salvatore « Toto » Riina, arrêté plus tôt la même année, pour l'assassinat, en 1992, du plus célèbre juge anti-mafia d'Italie, Giovanni Falcone. En représailles contre son incarcération, le malfrat avait commandité la destruction de certains des monuments culturels les plus importants du pays et fut condamné à la fois pour homicide et terrorisme. Il purgea deux peines d'emprisonnement à perpétuité jusqu'à sa mort en 2017. À l'époque, les agents de la police politique italienne, spécialement mandatés pour lutter contre les actes de terrorisme, avaient interrogé tous les *portinai* – portiers – du quartier, et Onorato leur avait parlé d'un individu à l'allure suspecte, garé près d'une porte du parc. À compter de ce jour, il consignait, sur un carnet qu'il gardait dans sa cabine, tout détail sortant de l'ordinaire.

« Nous sommes les yeux et les oreilles du voisinage, se plaisait-il à dire à l'un de ses anciens camarades de l'armée. Nous savons qui entre ou sort. Cela fait partie de notre fonction d'observer toutes les allées et venues. »

Penché sur son balai, Onorato entendit des pas rapides sur les marches et une voix familière qui lui lançait :

— *Buongiorno !*

Maurizio Gucci, dont les bureaux se situaient au premier étage, arrivait comme tous les matins, grimpant l'escalier extérieur avec son énergie habituelle, vêtu de son souple pardessus beige.

— *Buongiorno, dottore*, répondit le portier en le saluant de la main avec un sourire.

Maurizio faisait partie de la famille Gucci de Florence, qui avait fondé la célèbre entreprise de luxe. En Italie, ce nom était associé à l'élégance et au chic. Les Italiens ont toujours été très fiers de leur créativité et de leur tradition artisanale. Gucci s'inscrivait dans la lignée de ces marques qui, comme Ferragamo et Bulgari, incarnaient la qualité et le savoir-faire. Dans ce pays ayant également engendré certains des plus grands stylistes du monde, comme Giorgio Armani et Gianni Versace, Gucci apparaissait comme un pionnier.

Maurizio avait été le dernier des Gucci à diriger l'entreprise familiale avant de la vendre, deux ans auparavant, à ses partenaires financiers qui avaient récemment mis à l'étude un plan pour la faire coter en Bourse. À présent, il n'était désormais plus du tout impliqué dans les activités de la firme et avait ouvert ses propres bureaux sur la via Palestro au printemps 1994.

Il habitait tout près de là, dans un imposant *palazzo* sur le corso Venezia et se rendait à pied au travail, où il arrivait entre 8 heures et 8 h 30. Parfois, il entrait avec ses propres clés et était déjà dans son bureau lorsque Onorato ouvrait le grand portail en bois.

L'employé se demandait souvent à quoi devait ressembler la vie d'un tel personnage. Cet homme jeune, riche et séduisant fréquentait une superbe créature blonde à la silhouette de mannequin. Elle l'avait aidé à aménager les salles du premier avec des antiquités chinoises, des tentures chatoyantes, des tableaux de valeur, des canapés et des fauteuils élégamment tapissés. Elle venait souvent déjeuner avec lui, habillée en tailleur Chanel et impeccablement coiffée. Aux yeux d'Onorato, ils formaient un couple parfait menant une existence parfaite.

Lorsque Maurizio atteignit la dernière marche et s'apprêta à pénétrer dans le vestibule, le portier vit l'inconnu aux cheveux bruns franchir la porte et en déduisit qu'il attendait Gucci. Il se demanda cependant pourquoi ce visiteur s'était arrêté au bas de l'escalier intérieur, sans appeler le *dottore*, qui se dirigeait tranquillement vers l'étage.

C'est alors que l'homme ouvrit son manteau d'une main et de l'autre dégaina une arme qu'il pointa sur le dos de Maurizio Gucci. Onorato, qui se trouvait à moins d'un mètre de lui, resta pétrifié, le balai dans la main. Sous le choc, il se sentait incapable de bouger et assistait, immobile, à cette scène horrifiante.

Il entendit trois coups rapides et sourds.

La première balle toucha la victime à la hauteur de la hanche droite, la deuxième juste en dessous de l'épaule gauche. Le tissu de son pardessus tressaillait à chaque impact.

Gucci se retourna avec une expression d'effarement. Il regarda son agresseur, ne semblant pas le reconnaître, puis ses yeux se posèrent sur Onorato, comme pour lui demander : « Que se passe-t-il ? Pourquoi ? Pourquoi moi ? »

La troisième balle lui effleura le bras droit.

Le blessé s'écroula sur le sol en gémissant. Le malfaiteur l'acheva d'une dernière balle sur la tempe droite. Il fit volte-face et se figea brusquement en voyant le portier. Il leva les sourcils de surprise, comme s'il n'avait pas pris garde à sa présence auparavant.

Il dirigea son bras encore tendu sur l'employé. Celui-ci remarqua la main longue, aux ongles manucurés et le silencieux fixé au canon de l'arme.

Pendant un instant qui sembla durer une éternité, il regarda l'homme, épouvanté. Puis il lâcha :

— Nooon !

Il se pencha en arrière et se protégea de sa main gauche, comme pour dire : « Je n'ai rien à voir là-dedans. »

Le meurtrier tira encore deux fois sur Onorato avant de s'enfuir. Le portier perçut le cliquetis des cartouches rebondissant sur le sol en granite.

S'étonnant de ne ressentir aucune douleur, il se demanda si Gucci avait eu mal.

C'est ici que ma vie s'achève, songea-t-il. *Quel dommage de partir de cette façon ! Ce n'est pas juste.*

Puis il se rendit compte qu'il était toujours debout. Il baissa les yeux sur son bras gauche, qui pendait bizarrement. Du sang coulait de sa manche. Lentement, il s'assit sur la première marche.

Se préparant mentalement au trépas, il repensa à son épouse, à sa carrière militaire, à la mer et aux montagnes que l'on voit depuis Casteldaccia. Puis, comprenant qu'il était seulement blessé et ne risquait aucunement de mourir, il fut envahi par une vague de bonheur.

Le corps inerte de Maurizio Gucci gisait en haut de l'escalier dans une mare de sang. Il était étendu sur le côté droit, la tête posée sur le bras. Onorato essaya de crier au secours, mais le son de sa voix se perdit sous les hurlements d'une sirène. Une voiture de police freina en crissant devant le 20 de la via Palestro et quatre carabiniers en uniforme en sortirent, armes au poing.

— C'était un homme avec un revolver, leur murmura le portier tandis qu'ils se précipitaient à l'intérieur.

2

La dynastie Gucci

Des taches rouge vif éclaboussaient les portes et les murs blancs du hall où gisait Maurizio Gucci, cerné de cartouches éparses sur le sol. Le propriétaire d'un kiosque dans les Giardini Pubblici, qui avait entendu les cris d'Onorato, avait appelé les carabiniers sans attendre.

— C'est le *dottor* Gucci, leur dit l'employé.

De son bras droit valide, il désigna le corps étendu sur les marches.

— Il est mort ? demanda-t-il.

L'un des agents s'agenouilla devant la victime et pressa les doigts sur son cou. Il hocha la tête : il ne sentait pas de pouls. L'avocat de Maurizio, Fabio Franchini, qui était arrivé quelques minutes plus tôt pour une entrevue avec son client, se recroquevilla au côté de la dépouille de Maurizio. Il ne bougea pas pendant les quatre heures suivantes, tandis que les représentants de l'ordre et les équipes médicales s'affairaient autour de lui. À mesure qu'affluaient véhicules de police et de secours, un groupe de curieux se rassembla devant l'immeuble. Les médecins s'occupèrent rapidement d'Onorato et le firent monter dans une ambulance quelques instants avant l'entrée en scène de la brigade criminelle. Le caporal Giancarlo Togliatti, un grand blond qui accusait douze ans d'expérience dans le domaine des homicides, examina le cadavre. Depuis quelque temps, son travail se bornait à enquêter sur des meurtres d'immigrants albanais impliqués dans une guerre de clans. Il était rare qu'u'un membre de l'élite milanaise soit abattu de sang-froid en plein cœur de la ville.

— Qui est la victime ? demanda Togliatti.

— Maurizio Gucci, lui répondit l'un de ses collègues.

— C'est ça, et moi je suis le couturier Valentino, lança son interlocuteur, sardonique.

Pour lui, le nom de Gucci évoquait la célèbre maroquinerie de Florence. Que diable faisait donc ce personnage à Milan ?

« Ce n'était qu'un cadavre comme tant d'autres », devait-il confier plus tard.

L'officier tira en douceur quelques coupures de presse maculées de sang que Maurizio tenait encore dans sa main flasque et ôta sa montre, une Tiffany, dont la trotteuse marchait encore. Il passait en revue le contenu des poches du défunt quand le procureur Carlo Nocerino arriva. L'agitation était à son comble : les reporters et cameramen bousculaient infirmiers et enquêteurs.

L'Italie dispose de trois forces de sécurité bien distinctes : les *carabinieri*, équivalant à nos gendarmes, la *polizia*, dépendant du ministère de l'Intérieur, et la *guardia di finanzia*, ou brigade du fisc. Voulant préserver d'éventuels indices, Nocerino demanda à la ronde quel corps était arrivé le premier. En effet, l'une des principales règles tacites au sein des trois groupes de maintien de l'ordre est que le premier arrivé sur les lieux se voit chargé de l'affaire. Apprenant que les carabiniers avaient pris leurs collègues de vitesse, Nocerino congédia la *polizia*. Puis il ordonna de verrouiller les portes du hall et d'entourer le trottoir d'un cordon de sécurité afin de garder à distance la foule qui s'amassait. C'est alors seulement qu'u'il gravit les marches pour rejoindre Togliatti, lequel se penchait sur le corps de Maurizio Gucci.

De prime abord, Nocerino et les enquêteurs estimèrent que ce crime s'apparentait aux exécutions courantes dans la mafia. La peau et les cheveux cernant la plaie avaient brûlé : on avait tiré à bout portant.

— Il s'agit d'un travail de professionnel, conclut Nocerino.

Il scrutait à présent le sol où les techniciens avaient entouré à la craie six cartouches.

— C'est le *colpo di grazia* classique, approuva le capitaine Antonello Bucciol, le collègue de Togliatti.

Cependant, les hommes étaient perplexes. On avait tiré trop de coups de feu. Or deux témoins oculaires, Onorato et une jeune femme qui avait bousculé l'assassin en fuite, avaient été épargnés. Était-ce vraiment là le travail d'un tueur à gages chargé d'administrer un *coup de grâce* ?

15

Togliatti consacra une heure et demie à examiner Maurizio, mais il lui faudra trois ans pour découvrir chaque élément de son existence. Il expliquera quelque temps après :

« Maurizio Gucci nous était quasiment inconnu. Il nous fallait explorer sa vie et la parcourir comme un livre. »

Afin de mieux cerner Maurizio Gucci et la famille dont il était issu, il convient avant tout de comprendre le tempérament toscan. Contrairement à leurs compatriotes émiliens, plutôt affables, aux Lombards, d'un naturel austère, ou aux Romains chaotiques, les Toscans ont tendance à se montrer individualistes et hautains. Ils s'autoproclament responsables de l'essor artistique et culturel en Italie et tirent une immense fierté du rôle déterminant qu'u'ils ont joué dans l'élaboration de la langue italienne moderne, en grande partie au travers de Dante Alighieri. Certains les surnomment les « Français d'Italie », eu égard à leur arrogance, à leur suffisance et à leur rapport hermétique aux étrangers.

Dans son *Enfer*, Dante décrit Filippo Argenti comme « *il Fiorentino spirito bizzarro* ». Ce curieux esprit florentin ou toscan peut aussi se révéler tranchant, sarcastique, prompt à la repartie, ainsi que l'a démontré Roberto Benigni, réalisateur et acteur de *La vie est belle*.

Lorsqu'en 1977 un journaliste de *Town & Country* demanda à Roberto Gucci, le cousin de Maurizio, si Gucci aurait pu naître dans une autre région de son pays, l'interviewé jeta un regard stupéfait à son interlocuteur.

— Et pourquoi pas me demander si le chianti pourrait être produit en Lombardie ? rugit-il. Ce ne serait pas du chianti, et Gucci ne serait plus Gucci. Comment pourrions-nous ne pas venir de Florence, étant donné ce que nous sommes ?

C'est que le sang bouillonnant des marchands florentins coulait dans les veines des Gucci. En 1293, les Ordonnances de justice concédèrent à Florence le statut de république indépendante. Jusqu'à la prise de pouvoir des Médicis, la cité était gouvernée par les *arti*, vingt et une guildes de marchands et d'artisans, dont certaines rues portent encore les noms : *via Calzaiuoli* (la rue des chausseurs), *via Cartolai* (cartonniers), *via Tessitori* (tisseurs), *via Tintori* (teinturiers), etc. Gregorio

Dati, un négociant en soie de la Renaissance, écrivait : « Un Florentin qui n'est pas marchand, qui n'a pas voyagé de par le monde, n'a pas rencontré de peuplades étrangères, pour revenir nanti de richesses, ne jouit d'aucune estime. »

Aux yeux du commerçant florentin du *Quattrocento,* la fortune était une vertu qui s'accompagnait de certaines obligations, telles que financer des bâtiments publics, vivre dans un *palazzo* majestueux pourvu d'un jardin extraordinaire, subvenir aux besoins de peintres, sculpteurs, poètes et musiciens. Cet amour de la beauté – et la fierté de contribuer à la créer – ne s'éteignit jamais, en dépit des guerres, des épidémies, des inondations et de l'instabilité politique. De Giotto et Michel-Ange aux artisans d'aujourd'hui, toutes les formes d'art, encouragées par les marchands de la région, se sont épanouies.

Aldo, l'oncle de Maurizio, déclarait en plaisantant :

« Neuf Florentins sur dix sont marchands et le dixième est prêtre. Gucci est aussi florentin que Johnnie Walker est écossais. Je doute que quiconque puisse enseigner à un Florentin quoi que ce soit en matière de commerce ou d'artisanat. Nous autres Gucci sommes des marchands depuis 1410. Et quand on cite notre nom, on ne pense pas à une chaîne de grands magasins bas de gamme. »

Un de leurs employés dit de ses anciens patrons :

« C'étaient des gens simples, incroyablement humains, mais dotés d'un épouvantable caractère toscan. »

Le grand-père de Maurizio, Guccio Gucci, était le fils de chapeliers de Florence qui avaient le plus grand mal à joindre les deux bouts. Pour fuir sa famille et la banqueroute paternelle, vers la fin du XIXᵉ siècle, Guccio s'enrôla à bord d'un bateau qui le conduisit en Angleterre. Là, il trouva un emploi au célèbre hôtel Savoy[1] de Londres. Sans doute fut-il étourdi par l'étalage de bijoux, les vêtements de luxe et les montagnes de bagages des clients. Malles, valises, boîtes à chapeau, toutes en cuir et frappées d'armoiries ou d'initiales impressionnantes, envahissaient le hall du palace, véritable Mecque de la haute société victorienne. Les clients étaient tantôt riches ou célèbres, tantôt désireux de côtoyer les grands de ce monde. Lilly Langtry, la maîtresse du prince de Galles,

---

1. Selon quelques témoins, il y aurait travaillé comme plongeur, chasseur, serveur et maître d'hôtel, mais le Savoy n'a gardé aucune trace de son passage.

y louait pour 50 livres une suite à l'année, où elle aimait à recevoir. Le grand acteur sir Henry Irving venait souvent dîner au restaurant, et Sarah Bernhardt déclarait que le Savoy était devenu sa « deuxième maison ».

Guccio travaillait dur pour un maigre salaire, mais il apprenait vite, et cette expérience devait le marquer profondément. Il ne lui fallut pas longtemps pour comprendre que cet étalage de possessions représentait un gage d'importance et de bon goût. Et dans ce domaine, les bagages, que les chasseurs poussaient le long des couloirs capitonnés ou dans les ascenseurs, donnaient le ton. Il reconnaissait le cuir : il l'avait côtoyé dans les peausseries de sa jeunesse à Florence. À en croire ses fils, quand il quitta le Savoy, Guccio fut engagé par la Compagnie des wagons-lits. Il fit le tour de l'Europe en train, tout en servant – et en observant – les opulents voyageurs ainsi que leur aréopage de domestiques et leur montagne de sacs et de malles. Il rentra à Florence quatre ans plus tard, ses économies en poche.

De retour chez lui, Guccio tomba amoureux d'Aida Calvelli, couturière et fille de tailleur. Le fait que la jeune femme eût déjà un fils, Ugo, né d'une liaison avec un homme atteint de tuberculose, ne le dissuada pas. Le 20 octobre 1902, un peu plus d'un an après son retour en Italie, Guccio épousa Aida et adopta Ugo. Il avait vingt et un ans, elle vingt-quatre. Elle attendait déjà leur fille aînée Grimalda, qui vint au monde trois mois après les noces, et devait donner quatre autres enfants à son mari : Enzo, qui mourut à neuf ans, Aldo, né en 1905, Vasco, en 1907, et Rodolfo en 1912.

D'après Rodolfo, Guccio avait d'abord occupé un emploi chez un antiquaire. Ensuite, il entra dans une entreprise de cuir, où il apprit les rudiments du métier avant d'être promu gérant. Lorsque la Première Guerre mondiale éclata, il fut mobilisé en tant que chauffeur. Il avait trente-trois ans et une grande famille à nourrir. À la fin du conflit, il travaillait pour Franzi, une maroquinerie de Florence, et s'initiait à la sélection des cuirs. Il y apprit le tannage et l'art de travailler avec différentes variétés de peaux. Il devint responsable de la succursale romaine et s'installa seul dans la capitale, Aida ayant opposé un refus catégorique à la perspective de quitter Florence. Guccio rentrait chez lui tous les week-ends et était impatient de créer sa propre affaire dans sa cité, où il entendait servir des connaisseurs.

Un dimanche de 1921, lors d'une promenade avec son épouse, il remarqua une petite boutique à louer dans une étroite ruelle, la via della Vigna Nuova, située entre l'élégante via Tornabuoni et la piazza Goldoni, sur les berges de l'Arno. Le couple discuta de la possibilité de s'en porter acquéreur. Grâce aux économies de Guccio et, selon un témoignage, à un prêt d'une connaissance, ils fondèrent la première entreprise de l'empire Gucci, la Valigeria Guccio Gucci, qui deviendrait ultérieurement l'Azienda Individuale Guccio Gucci. À deux pas de la rue la plus chic de Florence, le quartier convenait à merveille à la clientèle que le commerçant espérait attirer.

Entre le xvᵉ et le xviiᵉ siècle, quelques-unes des plus riches familles aristocratiques de la ville – les Strozzi, Antinori, Sassetti, Bartolini Salimbeni, Cattani et Spini Feroni – avaient construit de somptueuses demeures le long de la via Tornabuoni. Dès le début des années 1800, des restaurants et des magasins de luxe ouvrirent aux rez-de-chaussée : le Caffè Giacosa, inauguré en 1815 et fournisseur officiel de la famille royale italienne ; le Ristorante Doney, fondé en 1827 et traiteur attitré de la noblesse ; Procacci, réputé pour ses alléchants sandwichs à la truffe ; Rubelli, qui vend encore ses somptueux tissus vénitiens ; la Profumeria Inglese ; l'Albergo Londres et Suisse où séjournaient les riches Européens de passage dans la cité, non loin de l'agence de voyages américaine Thomas Cook & Sons, à l'angle de la via del Parione.

Au début, Guccio achetait des produits en cuir de haute qualité à des artisans toscans, allemands et britanniques, qu'il proposait aux touristes qui affluaient alors, comme aujourd'hui, à Florence. Il choisissait des sacs et des bagages résistants, bien conçus, à un prix raisonnable. S'il ne trouvait pas satisfaction auprès de ses fournisseurs, il passait des commandes particulières. Lui-même aspirait à une certaine distinction, et affectionnait les chemises élégantes et les costumes impeccables.

« C'était un homme d'un goût remarquable, goût dont nous avons tous hérité, se rappelle son fils Aldo. On retrouvait son empreinte dans chacun des articles qu'il vendait. »

Guccio entreprit ensuite d'ouvrir un petit atelier dans son arrière-boutique pour faire fabriquer lui-même des articles en sus de ceux qu'il importait. Il se spécialisa aussi dans le rapiéçage et le raccommodage, service qui se révéla très vite rentable. Il embauchait de la main-d'œuvre locale et, peu à peu, jouit d'une réputation enviable. Au terme de la première année, il fit l'acquisition d'un vaste local de l'autre côté du pont Santa Trinità, sur l'avenue Lungarno Guicciardini. Guccio sommait sa soixantaine d'employés de travailler jusque tard dans la nuit si les commandes l'exigeaient.

Le quartier Oltrarno, au sud de l'Arno, abritait quantité de petites fabriques, qui tiraient parti de la force hydraulique du fleuve pour actionner les machines servant à traiter et à tisser la laine, la soie et le brocart. Dans les larges artères tout comme dans les venelles traversant ce voisinage ouvrier, résonnaient les bruits de tous ceux qui façonnaient le bois, le textile ou le cuir. Antiquaires, encadreurs et artisans divers s'installaient dans les parages. Sur l'autre rive du fleuve, la piazza della Repubblica était devenue le cœur des échanges commerciaux et financiers de Florence, tout comme au Moyen Âge, quand cette place servait de quartier général aux puissantes guildes marchandes.

Au fil du temps, les enfants de Guccio entrèrent dans l'affaire de leur père, à l'exception d'Ugo, qui ne paraissait pas s'y intéresser. Aldo était doté du sens du commerce le plus aigu et Vasco, surnommé *Il Succube*, l'opprimé, s'impliquait dans la production – même si son activité préférée demeurait la chasse dans la campagne toscane. Grimalda, surnommée *La Pettegola*, la cancanière, tenait la caisse en compagnie d'un assistant vendeur que Guccio avait engagé. Rodolfo était encore trop jeune pour participer à l'effort collectif. Mais, en grandissant, il préféra chercher à réaliser son rêve de faire carrière dans l'industrie cinématographique.

Guccio élevait ses enfants à la dure et exigeait qu'ils le vouvoient. À table, il n'hésitait pas à les souffleter au moyen d'une serviette s'ils ne se conformaient pas à ses vœux. Quand la famille passait le week-end dans sa maison de campagne près de San Casciano, le patriarche harnachait un cheval à une charrette de bois où se hissaient Aida et les petits, et il les conduisait à travers champs pour assister à la messe.

« Il avait une très forte personnalité, qui incitait au respect et à une certaine distance », précise Roberto Gucci, l'un de ses petits-fils.

D'un naturel économe, Guccio veillait à ce que l'on coupe le prosciutto en tranches aussi fines que possible, afin de le faire durer. Il imprima ces valeurs sur sa progéniture au point qu'Aldo prit l'habitude de remplir des bouteilles d'eau minérale avec de l'eau courante. Cependant, ce personnage sévère goûtait également aux plaisirs de la vie, parmi lesquels les savoureux plats qu'Aida préparait pour toute la maisonnée. En réaction, peut-être, à sa jeunesse misérable, il se laissa aller sur ses vieux jours. La succulente cuisine aidant, son épouse et lui prirent de l'embonpoint avec l'âge.

« Je me souviendrai toujours de lui, un havane à la bouche, avec une chaîne de montre quasi infinie à la taille », dit Roberto.

Guccio tâchait de ne faire aucune différence entre Ugo et ses propres enfants, mais le garçon ne semblait pas vouloir se conformer au schéma familial. Sa taille imposante et ses manières brusques lui valurent, au sein de sa fratrie, le sobriquet de *Il Prepotente*, la brute. Comme il ne manifestait pas la moindre envie d'épauler les siens à la boutique, Guccio lui trouva un emploi auprès de l'un de ses bons clients, le baron Levi, grand propriétaire terrien. Ugo devint le sous-directeur de l'une de ses fermes non loin de Florence. Un arrangement idéal, en somme. Bientôt, le jeune homme, qui était déjà marié, se mit à clamer sa réussite sur tous les toits. Et son père, désireux de régler les dettes qu'il avait contractées, lui demanda un prêt.

En réalité, Ugo connaissait lui-même des difficultés financières, dues à une maîtresse capricieuse qu'il fréquentait en secret, et il éprouvait une certaine honte à l'admettre. Aussi avança-t-il la somme désirée. Entre-temps, Guccio s'était entendu avec un banquier pour lui emprunter les fonds nécessaires grâce auxquels il remboursa une partie de ses créances. Après avoir réglé la banque, il accepta de restituer les sommes qu'il devait à Ugo par échéancier, et avec intérêts. Or il ignorait que son fils adoptif, se refusant à avouer ses problèmes pécuniaires, avait volé 70 000 lires au baron Levi. Il avait donné à son père les 30 000 lires qu'il lui avait demandées et dépensé le reste pendant trois semaines de villégiature avec sa petite amie, danseuse dans un théâtre local.

Lorsque Levi lui fit part des soupçons qu'il nourrissait à l'égard d'Ugo, toute la joie que Guccio avait éprouvée en remboursant son associé s'envola. Il n'arrivait pas à croire son fils coupable d'un larcin. Pourtant les faits ne laissaient pas place au doute. Il résolut de dédommager le baron au rythme de 10 000 lires par mois.

Ugo contrariait ses parents de mille autres manières. En 1919, un certain Benito Mussolini avait fondé les *Fasci di Combattimento*, mouvement précurseur du Parti fasciste, et, en 1922, après que Mussolini eut été élu au Parlement, le *Partito Nazionale Fascista* avait attiré plus de 320 000 membres dans tout le pays, y compris des fonctionnaires, des industriels, et des journalistes. Ugo y adhéra à son tour – peut-être en rébellion contre Guccio – et en devint le représentant à Florence. Il utilisa son pouvoir pour terroriser le baron et d'autres notables de la région, s'imposant chez eux à toute heure du jour ou de la nuit, entouré d'une bande de soudards, pour exiger à manger et à boire.

Guccio peinait pour faire prospérer son affaire. En 1924, quelques-uns des fournisseurs qui lui avaient vendu de la marchandise à crédit lui réclamaient leur dû. Certains clients pour leur part ne réglaient pas leurs factures. Un soir, lors d'une réunion à huis clos avec les membres de sa famille et ses plus proches collaborateurs, l'entrepreneur, en larmes, annonça qu'il allait être contraint de mettre la clé sous la porte.

— À moins d'un miracle, dit-il, je ne peux ouvrir un jour de plus.

Giovanni Vitali, alors fiancé à Grimalda, se rappelle aujourd'hui que Guccio ressemblait à un condamné à mort. Expert en immobilier, Vitali avait été le camarade de classe d'Ugo puis d'Aldo au collège catholique de Castelletti. De ce fait, il connaissait bien les Gucci. Grâce à l'emploi qu'il occupait dans la société de construction de son père, il avait mis de l'argent de côté pour son ménage avec Grimalda. Il proposa à Gucci de lui venir en aide. Ce dernier accepta avec humilité et remercia son futur gendre d'avoir sauvé sa petite entreprise. Il ne lui fallut que quelques mois pour restituer l'intégralité de cet emprunt.

Les affaires reprenant, Gucci agrandit l'atelier et exhorta ses artisans à créer des pièces originales. Il recruta des hommes doués et bâtit peu à peu une équipe qualifiée de peaussiers et de tanneurs qui se révélèrent davantage des artistes que des manouvriers. Ils produisaient de ravissants sacs en chevreau ou en chamois, des porte-monnaie munis de goussets et des valises inspirées de celles que Guccio avait admirées au Savoy. Ils façonnaient aussi des portants à manteaux, des boîtes à chaussures, des porte-bagages spécialement conçus pour le linge de maison (à l'époque, les riches voyageurs ne se déplaçaient jamais sans leurs propres jeux de draps).

L'affaire se révéla si florissante qu'en 1923 Guccio ouvrit une deuxième boutique sur la via del Parione et continua d'étendre celle de la via della Vigna Nuova. Par la suite, celle-ci devait changer plusieurs fois d'emplacement dans la même rue, pour finir au numéro 47-49, où se trouvent de nos jours les magasins de Valentino et d'Armani.

Aldo se mit au service de l'entreprise en 1925, à l'âge de vingt ans. Il livrait des paquets avec sa charrette et son cheval dans tous les grands hôtels. Il s'acquittait aussi des corvées les plus simples : il balayait et rangeait le magasin, aidait parfois à la vente ou à l'arrangement des présentoirs.

D'emblée, sa volonté de combiner le travail et le plaisir sauta aux yeux. En plus de perfectionner ses talents de vendeur, Aldo se faisait un devoir d'entreprendre les jolies clientes. Jeune homme séduisant et élancé, avec un regard bleu pétillant, des traits finement ciselés et un sourire chaleureux, il charmait toutes les femmes qui passaient par la boutique. Conscient de l'effet que produisait sa personnalité, Guccio fermait les yeux sur ses quelques frasques amoureuses. Jusqu'au jour où l'une des plus prestigieuses habituées du magasin, la princesse en exil Irène de Grèce, vint le voir et lui demanda un entretien en privé. Guccio la conduisit à son bureau. L'explosion ne se fit pas attendre :

— Votre fils fréquente ma femme de chambre ! dit-elle. Il faut que cela cesse, sinon je serai forcée de la renvoyer. Je suis responsable d'elle, voyez-vous.

Guccio, réticent à l'idée d'ordonner à son fils de faire le tri parmi ses conquêtes, ne voulait cependant pas offenser une dame de cette importance. Alors il convoqua Aldo.

Ce dernier avait fait la connaissance d'Olwen Price, une ravissante rouquine aux yeux vifs originaire de la campagne anglaise, lors d'une réception donnée au consulat britannique de Florence. La domestique s'était rendue plusieurs fois à la boutique pour prendre des articles destinés à sa maîtresse. Fille de charpentier et couturière de formation, elle avait accepté avec joie d'entrer au service d'une aristocrate du continent. Sa timidité, sa pudeur, ses manières simples, son accent chantant conquirent Aldo. Ce dernier la convainquit de le rencontrer en secret et il eut tôt fait de découvrir que son calme apparent dissimulait une nature passionnée. Devenus amants, ils disparaissaient au fin fond de la campagne toscane pour étancher leur désir. Aldo sut rapidement que sa relation avec Olwen représentait plus qu'une passade. Quand Guccio et la princesse Irène lui demandèrent des comptes, il les surprit tous les deux en leur annonçant son intention de se marier.

— Dorénavant, déclara-t-il à la princesse, le sort d'Olwen ne vous concerne plus. Elle est mienne et je vais prendre soin d'elle.

Il passa sous silence le fait qu'Olwen était déjà enceinte de ses bons offices.

Il amena donc sa fiancée chez lui et la confia à sa sœur Grimalda, tout en continuant de la voir en cachette. Il l'accompagna en Angleterre pour rencontrer sa famille. Leur union fut célébrée le 22 août 1927 dans l'église du village d'Oswestry, près de West Felton, la ville natale d'Olwen. Il avait vingt-deux ans et elle dix-neuf. Giorgio, leur aîné, qu'Aldo appela toujours *il figlio del amore*, le fils de l'amour, vit le jour en 1928. Deux garçons suivirent : Paolo, né en 1931, et Roberto, en 1932.

Hélas, ce mariage ne devait pas se poursuivre dans le bonheur. Si leurs équipées amoureuses dans la nature les avaient comblés, la vie de famille se révéla autrement plus complexe. D'abord, le couple était hébergé par Guccio et Aida, ce qui obligeait Olwen à se plier aux mœurs familiales italiennes et à l'autoritarisme de son beau-père. Ils s'entassaient tous dans l'appartement de la piazza Verzaia, non loin de la porte San Frediano, vestige de la muraille de la ville. Les tensions s'apaisèrent lorsqu'ils eurent emménagé dans leur propre logement de la via Giovanni Prati. Olwen se dévouait corps et âme à ses trois fils et Aldo s'investissait de plus en plus dans l'affaire de son père. Son épouse ne maîtrisa jamais tout à fait l'italien. Souffrant d'une timidité maladive, elle avait du mal à se faire des amis. Plus son époux élargissait ses horizons professionnels, plus elle devenait possessive et amère.

« Aldo était un bon vivant, et elle freinait ses envies, se rappelle Grimalda. Elle faisait en sorte qu'il ne l'emmène nulle part, ses enfants lui servant de prétexte pour ne pas sortir de chez elle. Mais il ne l'avait pas épousée afin qu'elle se cantonne à ce rôle de mère. »

Rodolfo, le benjamin de la fratrie, ne manifestait pas le moindre désir de travailler à la boutique, contrairement à ses frères et sœur qui y œuvraient déjà. Il nourrissait d'autres rêves : il voulait devenir acteur. « Foffo » expliquait à son père :

— Je ne suis pas né pour tenir un commerce. Je veux jouer dans des films.

Guccio ne comprenait pas comment de telles idées s'étaient infiltrées dans le crâne de son fils, et il essayait de le dissuader. En 1929, il envoya Rodolfo, âgé de dix-sept ans, à Rome pour livrer un colis à un client prestigieux. Le réalisateur Mario Camerini repéra le garçon dans le hall de l'hôtel Plaza et lui proposa de faire un bout d'essai. Peu après, un télégramme du cinéaste confirmant le rendez-vous parvenait chez les Gucci à Florence. Quand Guccio en prit connaissance, il explosa :

— Tu es fou ! Le milieu du cinéma pullule de gens insensés ! Certes, tu peux avoir un peu de chance et connaître cinq minutes de gloire, mais que se passera-t-il si on vient à t'oublier et que tu cesses de travailler ?

Guccio finit par se rendre à l'évidence : son cadet était bien déterminé. Il le laissa donc retourner dans la capitale pour passer une audition qui se révéla concluante. Rodolfo, qui portait encore des culottes courtes, dut emprunter un pantalon long à son frère Aldo pour l'occasion. Camerini lui donna un rôle dans *Rotaie*, l'un des chefs-d'œuvre du cinéma italien de ces années-là, racontant l'histoire de deux jeunes amants qui décident de se donner la mort dans un hôtel sordide. Le comédien débutant possédait un visage expressif et sensible, convenant parfaitement à l'esthétisme de l'époque. Après *Rotaie*, sa renommée lui fut assurée par des rôles comiques, ses mimiques et ses facéties évoquant celles de Charlie Chaplin. Il adopta le pseudonyme de « Maurizio D'Ancora ». Ses films ultérieurs ne connurent pas le même succès, mais il joua également dans *Finalmente Soli*, au côté de la jeune Anna Magnani, avec qui, selon la rumeur, il eut une liaison.

Au cours d'un de ses premiers tournages, Rodolfo remarqua une blonde pétillante qui tenait un rôle mineur. Vive et dotée d'une liberté d'esprit peu courante pour l'époque, Alessandra Winklehaussen – Sandra Ravel à l'écran – était la fille d'un Allemand, ouvrier dans une usine de produits chimiques et d'une Suissesse, née Ratti, originaire de la région de Lugano. Peu après cette rencontre initiale, Alessandra lui donna la réplique dans *Together in the Dark*, l'un des premiers films parlants, narrant les péripéties d'une starlette qui pénètre par erreur dans la chambre d'hôtel du personnage incarné par Rodolfo et se couche dans son lit.

Dans le film comme dans la vie, son partenaire tomba éperdument amoureux d'elle. Leur idylle cinématographique mena à une liaison à la ville. En 1944, Alessandra et Rodolfo s'unirent à Venise, au cours d'une cérémonie très romantique. Le marié fit filmer les noces ainsi qu'une promenade en gondole dans les eaux vénitiennes et quelques moments choisis de la réception où ils trinquèrent à leur bonheur.

Quand leur fils naquit, le 26 septembre 1948, ils l'appelèrent Maurizio en référence au nom d'emprunt de son père.

En 1935, pendant que Rodolfo cherchait à se bâtir une carrière dans l'industrie du cinéma, Mussolini envahit l'Éthiopie. Quoique éloigné des côtes italiennes, cet événement affecta grandement les affaires de Gucci, la Société des nations ayant décrété un embargo sur l'Italie. Puisque cinquante-deux États refusaient désormais le moindre échange commercial avec son pays, Guccio ne pouvait plus importer les matières raffinées nécessaires à la confection de ses produits de luxe. Certains affirment que c'est la crainte de voir péricliter sa petite entreprise comme la chapellerie de son père qui l'incita à monter une fabrique de chaussures destinées à l'armée.

Guccio devait faire preuve d'ingéniosité, au même titre que les entrepreneurs de son temps, tels que Salvatore Ferragamo qui élabora ses modèles de souliers les plus remarquables pendant cette difficile période en utilisant des matériaux aussi inhabituels que le liège, le raphia ou la cellophane. Les Gucci rassemblèrent autant de cuir que possible de toute l'Italie et commencèrent à employer le *cuoio grasso* d'une tannerie de Santo Croce. Ce cuir particulier provenait de petits veaux élevés dans le luxuriant val di Chiana et nourris dans leurs granges pour éviter que leur peau ne s'abrase. Cette dernière était mise à sécher et enduite de graisse de poisson afin de l'attendrir et de l'assouplir. Les défauts disparaissaient en un clin d'œil.

Le *cuoio grasso* devint bientôt la marque de fabrique de Gucci. Guccio s'essaya également à de nouvelles matières afin de réduire la quantité de cuir dans chaque article. Il confectionnait des sacs de toile avec des coutures en cuir. Il commanda du chanvre tissé de Naples qu'il déclina dans une gamme de bagages solide, légère et originale que la clientèle ne tarda pas à s'arracher. Il créa aussi le premier logo de l'entreprise – l'ancêtre du célèbre double G. Ce symbole, constitué de séries de petits losanges entrelacés, de couleur marron sombre sur un fond beige, était conçu de manière à conserver le même aspect quel que soit l'angle sous lequel on le regardait. Guccio diversifia également sa production. Il avait compris qu'en vendant des accessoires de taille plus petite que les sacs – comme les ceintures ou les portefeuilles – il attirerait dans sa boutique des personnes que les grosses pièces n'intéressaient pas, et cela générerait des rentrées appréciables.

À cette époque, Aldo parcourait l'Italie et l'Europe afin d'évaluer l'intérêt que suscitait la marchandise Gucci sur le marché. L'écho favorable qu'il trouva à Rome d'abord, puis en France, en Suisse et en Grande-Bretagne, acheva de le convaincre que le potentiel de la firme demeurerait limité tant qu'elle ne s'implanterait pas ailleurs qu'à Florence. Si tant d'acheteurs venaient à Gucci, pourquoi Gucci n'irait-il pas à eux ? Aussi Aldo s'employa-t-il à persuader son père de la nécessité de s'installer dans d'autres villes.

Guccio ne voulait pas en entendre parler.

— Songe au risque que cela représente ! À l'investissement gigantesque ! Où allons-nous trouver l'argent ? Demande donc à la banque de financer ton idée et tu verras ce qu'on te répondra !

Cependant, malgré ses objections ouvertes à chaque suggestion de son fils, il alla en secret défendre son projet auprès des établissements financiers.

C'est ainsi qu'Aldo obtint gain de cause. Le 1er septembre 1938, la maison Gucci ouvrait ses portes à Rome, au numéro 21 de l'élégante via Condotti, dans le Palazzo Negri, un immeuble chargé d'histoire. Ses voisins n'étaient autres que la grande joaillerie Bulgari et la chemiserie de luxe Enrico Cucci, qui comptaient parmi leurs clients Winston Churchill, Charles de Gaulle et la famille royale italienne.

Bien avant l'ère de la *dolce vita*, Aldo avait vu dans la capitale de l'Italie l'un des centres touristiques favoris de l'élite internationale. Tandis que son père s'inquiétait du montant des factures, Aldo dépensait sans compter pour faire de la boutique romaine un aimant susceptible d'attirer des voyageurs riches et cultivés. Elle était aménagée sur deux niveaux, on y pénétrait par des doubles portes vitrées, garnies de poignées en ivoire en forme d'olives empilées les unes sur les autres.

« Nous avions copié les poignées de la via della Vigna Nuova et elles demeurent l'un des premiers emblèmes de Gucci », précise Roberto, le troisième fils d'Aldo.

Les articles mis en vente reposaient dans des vitrines imposantes encadrées de bois d'acajou, les sacs à main et les accessoires au rez-de-chaussée, les cadeaux et les bagages à l'étage. Un linoléum lie-de-vin couvrait le sol, et les murs étaient tapissés dans une teinte assortie, de même que l'escalier et le couloir.

Aldo s'installa à Rome avec sa famille, dans un appartement au-dessus du magasin, aux deuxième et troisième étages. Quand la Seconde Guerre mondiale éclata, Olwen, qui avait emmené ses enfants avec elle en Angleterre, décida de rentrer en Italie. Les Alliés décrétèrent la capitale ville ouverte et décidèrent de ne pas la bombarder. Aldo tenait les rênes de sa florissante boutique ; ses enfants allaient en classe dans une école dirigée par des religieuses et son épouse prêtait main-forte à des prêtres irlandais qui aidaient des prisonniers alliés à s'échapper. Toutefois, au cours des dernières semaines du conflit, les avions anglo-américains bombardèrent des chemins de fer à l'extérieur de la ville. Aldo envoya Olwen et les garçons à la campagne, mais fut forcé de rentrer à Rome quand le conseil municipal ordonna aux commerçants de ne pas cesser leur activité.

Au cours de la guerre, les Gucci s'étaient dispersés. Ugo, qui avait participé à la Marche sur Rome en 1922, était devenu l'un des hauts responsables fascistes de Toscane. Rodolfo s'était engagé dans l'unité de divertissement de l'armée et avait accompagné les soldats pour qui il reprenait ses rôles comiques. Quant à Vasco, après un bref service militaire, il s'était vu octroyer la permission de rentrer à l'usine de Florence où il supervisait la production de chaussures pour l'armée.

Après le conflit, on décerna à Olwen une décoration pour sa bravoure. Loyale envers sa famille italienne, elle usa de ses relations pour améliorer les conditions de détention d'Ugo, que l'armée britannique retenait captif à Terne, et pour le faire libérer. Elle se rendit également à Venise avec Aldo afin de rapatrier Rodolfo, retenu avec les contingents après la capitulation de l'Italie.

Le pays mit du temps à se reconstruire. L'usine de l'avenue Lungarno Guicciardini était coupée de la maison mère depuis que les Allemands en débâcle avaient fait sauter les ponts de Florence, y compris celui de la Santa Trinita de Michel-Ange. Les Gucci entreprirent de dénicher un nouveau site de production. Guccio redoutait au plus haut point que le nouveau gouvernement démocratique décide de mettre sous séquestre les parts d'Ugo en représailles de son engagement mussolinien. Aussi proposa-t-il à son fils de les lui céder en échange d'une propriété terrienne et d'une somme d'argent importante. Ugo accepta le marché et partit à Bologne où il créa un atelier de cuir. Il fabriquait des sacs à main comme d'autres accessoires féminins, et fournissait les Gucci en divers articles.

L'industrie cinématographique italienne connut de grands bouleversements après-guerre. Le cinéma parlant avait depuis longtemps supplanté le muet, et les nouveaux réalisateurs italiens, Rossellini, Visconti et Fellini, ne recherchaient pas le même type d'acteurs que leurs prédécesseurs. Rodolfo s'aperçut bientôt qu'on ne lui proposerait plus de grands rôles ou de scénarios intéressants. Ayant une femme et un enfant à charge, il demanda à son père, sur l'insistance d'Alessandra, la permission de rejoindre l'affaire. Aldo, ardent partisan du caractère familial de l'entreprise, pressa Guccio d'accepter. L'affaire s'était agrandie, le besoin d'aide se faisait sentir, aussi Guccio posta-t-il Rodolfo à la boutique de la via del Parione. L'acteur conquit aussitôt les clientes, enchantées de se voir servir par un jeune homme aussi aimable et séduisant. Les plus hardies n'hésitaient pas à lui demander :

— Ne seriez-vous pas Maurizio d'Ancora ? Vous lui ressemblez tellement !

Une lueur espiègle pétillant dans son regard, il esquissait une courbette galante et répondait :

— Non, madame, je m'appelle Rodolfo Gucci.

Guccio observa son fils à l'œuvre pendant un an et finit par admettre qu'il lui donnait entière satisfaction. Dévoué, déterminé et attentif aux difficultés de la société, Rodolfo avait prouvé qu'on pouvait compter sur lui. En 1951, Guccio proposa au jeune couple de s'installer à Milan pour gérer la nouvelle boutique de la via Monte Napoleone, la principale artère commerçante de la ville, entre la via Alessandro Manzoni et le corso Matteotti. C'était l'adresse des grands joailliers, des tailleurs et des fabricants de cuir, à l'instar de la via Tornabuoni à Florence ou de la via Condotti à Rome. Ce magasin attirait entre autres les écrivains et les artistes qui se retrouvaient dans la toute proche trattoria Bagutta.

Dans le même temps, le pari qu'Aldo avait fait en établissant l'enseigne dans la capitale portait ses fruits. Les contingents anglais et américains restés en Italie après la guerre achetaient des sacs de cuir, des ceintures et des portefeuilles en souvenir de leur séjour prolongé dans le pays. En particulier, les soldats jetaient leur dévolu sur des valises-penderies recouvertes de *canapa* que les officiers utilisaient pour transporter leurs uniformes. Pendant un temps, Florence resta à la traîne de Rome sur le plan des affaires, mais elle rattrapa son retard dès que les touristes des États-Unis affluèrent sur la péninsule pour y admirer ses monuments et y dépenser leurs dollars. Bientôt, Gucci se heurta à la nécessité de produire assez pour répondre à une demande croissante. En 1953, Guccio ouvrit un atelier dans le quartier Oltrarno de l'autre côté du fleuve, dans un immeuble ancien de la via delle Caldaie. Cette unité joua un rôle important pour l'entreprise jusque dans les années 1970.

La via delle Caldaie, qui doit son nom aux cuves gigantesques employées au XIIIe et au XIVe siècle pour teindre la laine, prenait naissance à la piazza Santo Spirito. Le *palazzo* que Gucci acheta avait longtemps été un magasin où l'on vendait du feutre et de la laine ; au début du XVIe siècle, une famille de marchands du nom de Biuzzi avait fait bâtir une vaste demeure sur le site. Au cours des siècles suivants, ce palais est mentionné dans divers comptes rendus de diplomatie. À partir de 1800, plusieurs éminentes familles florentines possédèrent tour à tour la maison, jusqu'à ce qu'elle revienne à Guccio Gucci. Des fresques aux couleurs passées couraient sur les murs, les plus ouvragées recouvrant le plafond et les cloisons des grandes pièces du premier étage où les façonniers coupaient et cousaient le *cuoio grasso* et le transformaient en sacs de toute beauté. Au rez-de-chaussée, sous les plafonds en voûte des couloirs, d'autres travailleurs confectionnaient des bagages.

À mesure que la demande croissait, on embauchait de jeunes ouvriers et on les confiait aux bons soins des plus âgés, sous l'œil vigilant d'un chef d'atelier. Chaque équipe, constituée d'un apprenti et d'un artisan plus expérimenté, se voyait attribuer un banc de travail, ou *banco*, et chacun devait arborer une épingle portant l'emblème de la marque et un numéro d'identification – figurant aussi sur la carte qu'il poinçonnait dans la pointeuse matin et soir. Lorsque les Gucci ouvrirent une usine moderne dans la banlieue de Florence en 1971, le nombre de leurs employés avait plus que doublé : ils étaient désormais cent trente.

Dans sa corporation, Gucci était considéré en Toscane comme le meilleur des employeurs, offrant à son personnel une sécurité de l'emploi du berceau à la tombe, en dépit des fluctuations du marché.

« C'était comme devenir fonctionnaire, dit Carlo Bacci, qui entra via delle Caldaie en qualité d'apprenti dans les années 1960. Une fois qu'on mettait le pied dans la société, on savait qu'on y resterait pour la vie. D'autres entreprises renvoyaient leur main-d'œuvre dès que la demande se raréfiait, mais chez les Gucci, on était en sécurité. Ils n'arrêtaient pas de produire : ils savaient qu'ils finiraient bien par écouler tout le stock. »

Après onze ans au service de Gucci, Bacci ouvrit son propre atelier, comme bon nombre de ses confrères, et il continue de fournir Gucci aujourd'hui.

Dante Ferrari, un autre employé de longue date, se souvient de ses conditions de travail :

« Nous arrivions à l'atelier tous les jours entre 8 heures et 8 h 30. La pause-café était à 10 heures. Et si le *capo operaio* vous voyait grignoter un panini sous votre banc, il vous dénonçait en haut lieu. La perte de temps n'était pas seule en cause : on craignait que vous abîmiez le cuir avec des mains poisseuses. »

Une partie des employés apprêtait le cuir tandis que l'autre s'occupait de la confection des articles. À l'époque, la première opération exigeait souvent que l'on gratte l'intérieur des peaux pour détacher les lambeaux de tissus qui y adhéraient encore. Certains découpaient les pièces et d'autres lissaient les rebords au moyen d'un outil spécial, afin de faciliter le travail de couture – cette technique s'appelle la *scarnitura*.

Les véritables artistes, toutefois, demeuraient les hommes qui fabriquaient les sacs. Chacun était chargé de la confection d'une pièce dans son intégralité, tâche qui demandait parfois d'assembler une centaine d'éléments et nécessitait en moyenne dix heures.

« Chaque ouvrier était responsable de son travail et il inscrivait son numéro d'identification dans le sac qu'il façonnait, précise Ferrari. Ainsi, si l'on remarquait le moindre défaut, on lui renvoyait son ouvrage. Il ne s'agissait donc pas d'un travail à la chaîne où l'un fabrique les poches et l'autre les manches d'un vêtement. »

Il a conservé des dizaines de petits carnets noirs où il a dessiné et numéroté chaque modèle de sac qu'il a créé pour en garder une trace – il en existe d'ailleurs une copie dans les archives Gucci.

« Hormis les machines à coudre, on n'avait besoin que d'une table, d'une bonne paire de mains et d'une tête bien faite. »

La plupart du temps, les croquis des sacs émanaient des Gucci eux-mêmes, qui encourageaient cependant leurs employés à élaborer de nouveaux styles, dans la mesure où ils soumettaient leurs idées à la famille et qu'ils en recueillaient l'approbation.

Le sac à anse de bambou, dont le numéro de code 0633 servit longtemps de nom, vint au monde sans doute de cette manière. Bien qu'il ne reste plus de trace de la naissance et de l'auteur de ce modèle, l'historienne de la mode Aurora Fiorentini, qui a collaboré à la création des archives Gucci, évoque son apparition en 1947. L'introduction du bambou dans la confection correspond à l'utilisation de matériaux nouveaux en raison de l'embargo d'avant-guerre. D'aucuns pensent que le premier « sac bambou » fut conçu conjointement par Aldo et le chef d'atelier de l'époque, à partir d'un modèle qu'Aldo avait rapporté d'un voyage à Londres. Sa forme caractéristique était inspirée d'une selle. Sa singularité résidait dans sa texture rigide, qui l'apparentait davantage à une petite valise qu'aux créations plus souples de la maison. Le bambou, modelé à la main au-dessus d'un feu, conféra aux produits Gucci leur aspect reconnaissable et sportif. En 1953, dans le *Voyage en Italie* de Roberto Rossellini, Ingrid Bergman arbore un sac bambou et un parapluie Gucci.

Les Gucci établirent une relation amicale et étroite avec leur personnel. Ils passaient du temps dans les ateliers, appelaient les artisans par leur prénom, donnaient des tapes amicales dans le dos des maîtres et leur demandaient des nouvelles de leur famille.

« Nous connaissions chacun par son prénom et nous savions tout de ses enfants, de ses soucis, de ses joies, dit Roberto Gucci. S'ils avaient besoin d'aide pour acheter une voiture ou pour verser un acompte sur l'achat d'une maison, ils venaient nous voir. Après tout, nous partagions le même gâteau… même si certains avaient des fourchettes plus grandes que les autres ! » ajoute-t-il, d'un air taquin.

Vasco Gucci, nommé responsable de l'usine, sillonnait Florence sur son Motor, un scooter à la mode, et les ouvriers de la via delle Caldaie savaient qu'il arrivait au vacarme de l'engin qui résonnait dans la ruelle.

« Lorsqu'on l'entendait, on disait : "*Uffa ! Eccolo arrivato*", se rappelle Ferrari. Vasco possédait un don de psychologue : il sentait si votre travail vous intéressait ou non. »

Les ouvriers finissaient par entretenir une relation d'amour-haine avec la famille Gucci. Ils étaient tout disposés à se démener pour que Guccio, Aldo, Vasco ou Rodolfo les félicitent d'un chaleureux « Bravo ! »

Au printemps 1949, Aldo, toujours en quête de nouveaux débouchés, s'était rendu à l'une des premières foires de la maroquinerie qui se tenait à Londres. Il avait repéré un stand où s'étalaient des peaux de porc et fut saisi par leur magnifique couleur gingembre. Il commanda plusieurs pièces au tanneur, un Écossais du nom de Holden, et lui demanda s'il lui était possible de teindre quelques-unes des peaux en différents coloris, y compris en bleu et en vert. Aldo se souvient de leur conversation :

« Le tanneur m'a répondu : "Eh bien, mon garçon, on ne l'a jamais fait jusqu'à présent, mais si c'est ce que vous souhaitez, on va essayer." Il m'a montré six peaux de teintes différentes en secouant la tête et il m'a dit : "C'est vous qui voyez. Nous, on trouve ça affreux." »

D'après le témoignage de membres de la famille, M. Holden fournit aussi la peau de porc mouchetée qui allait devenir l'un des grands modèles Gucci et qui, à en croire la légende, provenait initialement d'une erreur commise pendant le processus de tannage.

« Ça m'a l'air très original », dit Aldo, qui ordonna qu'on confectionne des sacs à partir de cette peau.

Que cette décision fût ou non due à une certaine parcimonie – ainsi que quelqu'un le laissa entendre –, elle valut à la maison Gucci un emblème supplémentaire qui, des années plus tard, allait aussi se révéler un rempart contre les contrefaçons, dans la mesure où ce modèle était extrêmement difficile à reproduire. Les peaux de porc revêtirent une telle importance qu'Aldo acheta la tannerie en 1971.

Les années de l'après-guerre marquèrent l'évolution d'Aldo au sein de la société et l'émergence de techniques de marketing ingénieuses qui rendirent le nom de Gucci célèbre dans le monde entier. Guccio, prenant de l'âge, voulait consolider sa boutique de Florence. Et comme il rechignait à risquer le fruit de tout son labeur en suivant les projets déraisonnables d'Aldo, il contestait ses idées.

D'un geste théâtral, en tirant avec humeur sur son havane, il plongeait la main dans la poche gauche de son pantalon – la poche droite renfermant sa montre de gousset – et il la ressortait vide :

— As-tu l'argent ? demandait-il. Si tu as l'argent, fais comme tu veux.

Cependant, Guccio reconnaissait volontiers le flair d'Aldo. La boutique de Rome était florissante. Les stars hollywoodiennes, venues se délasser dans la Ville éternelle, donnaient à Gucci un cachet qui lui amenait davantage de clients. Peu à peu, Guccio laissa carte blanche à son fils. Il continuait à le contredire dès qu'ils abordaient les projets d'expansion d'Aldo, mais, en cachette, il le soutenait et entreprit de nouveau les banques pour obtenir leur appui financier.

De son côté, Aldo avait des vues sur New York, Londres et Paris. Son raisonnement était le suivant : pourquoi attendre que les clients viennent à eux ? Pourquoi ne pas aller à leur rencontre ? Il ne paraissait pas nourrir d'inquiétude quant à l'aspect pécuniaire de ses desseins. En dépit des réserves de son père, il avait la certitude qu'ils seraient profitables.

Avec son sens inné du marketing, Aldo s'inspira de l'engagement de qualité de Guccio et frappa, en lettres d'or sur des plaques tendues de peau de porc, la devise : « La qualité demeure longtemps après qu'on a oublié le prix. » Il disposa ces inscriptions dans des endroits stratégiques de chaque boutique.

Il élabora aussi le « concept Gucci », qui consistait en une harmonie de styles et de coloris, laquelle conférait une cohérence à l'ensemble des produits et permettrait de les identifier du premier coup d'œil. Il puisa quantité d'idées dans la sphère équestre. La couture double, employée dans la fabrication des selles, les sangles rouge et vert, les boucles et les fermoirs en forme d'étrier ou de mors devinrent les signes de reconnaissance de la marque. Très vite, grâce au génie marketing d'Aldo, la rumeur circula que les Gucci avaient été au Moyen Âge les selliers attitrés des monarques. Cette image convenait à merveille à la clientèle huppée de l'enseigne. Accessoires hippiques et articles de sellerie disposés dans les boutiques pour corroborer le mythe trouvèrent même acquéreur. La légende perdura. Aujourd'hui encore, les membres de la famille et leurs anciens employés revendiquent cette version. Mais certains s'en démarquent :

« Je veux que la vérité éclate, déclara Grimalda à un journaliste en 1987. Nous n'étions pas des selliers. Les Gucci descendent d'une famille originaire du quartier de San Miniato à Florence. »

D'après un ouvrage retraçant le passé des familles florentines, les Gucci de San Miniato officiaient depuis 1224 comme avocats et notaires – quoique, selon l'historien Fiorentini, cela constitue peut-être une exagération de la vérité. Leurs armoiries représentaient une roue bleue et une rose sur une bannière d'or flottant au-dessus de rayures verticales rouge, bleu et argent. Roberto dépensa beaucoup d'argent en recherches héraldiques et reprit la rose et la roue – censées symboliser la poésie et le leadership – dans le logo de la société. Le premier emblème de la marque représentait un groom portant dans une main une valise et dans l'autre un sac de voyage. Le succès arrivant, un chevalier en armure remplaça l'humble chasseur.

Au début des années 1950, un sac ou un bagage Gucci situaient son propriétaire comme un être raffiné et de bon goût. La princesse Élisabeth d'Angleterre, peu avant son couronnement, visita la boutique de Florence, à l'instar d'Eleanor Roosevelt, d'Elizabeth Taylor, de Grace Kelly et de Jacqueline Bouvier, future épouse de John F. Kennedy. De nombreuses vedettes de cinéma que Rodolfo avait fréquentées dans sa jeunesse devinrent clientes ; parmi elles Bette Davis, Katharine Hepburn, Sophia Loren et Anna Magnani.

« Dans les années qui suivirent la Seconde Guerre mondiale, l'Italie devint le centre du luxe : chaussures de cuir faites main, sacs et bijoux de qualité, se rappelle Joan Kaner, vice-présidente actuelle de la chaîne des grands magasins américains Neiman Marcus, dont elle est également la directrice de mode. Gucci fut l'une des premières enseignes européennes à s'exporter. Après tant d'années de privations, les gens voulaient à tout prix faire étalage de leur réussite. C'est à ce moment-là que le nom de Gucci suscita mon attention. Les clients pensaient que la qualité du produit valait l'argent qu'ils dépensaient. »

À la même époque, les premiers grands couturiers italiens gagnaient leurs galons. Un jeune aristocrate florentin, Giovan Battisti Giorgini, à la tête d'un bureau d'achats destinés aux magasins américains depuis 1923, avait géré une boutique de cadeaux pour les soldats alliés dès la fin de la guerre. En février 1951, il organisa un défilé de mode dans sa demeure juste après les présentations de collections à Paris. Il y convia les plus grands journalistes de mode et les acheteurs des importantes chaînes de magasins américains tels que Bergdorf Goodman, B. Altman & Co, ainsi que I. Magnin. Conquis tant par le style original des vêtements que par leur côté pratique, les critiques ne tarirent pas d'éloges et les acheteurs réclamèrent à leurs maisons des rallonges de budget. C'est ainsi que Giorgini lança les premiers défilés de prêt-à-porter italien, où des noms comme Emilio Pucci, Capucci, Galitzine, Valentino, Lancetti, Mila Schôn, Krizia et d'autres firent leurs débuts sous les lustres scintillants de la Sala Bianca dans le palais Pitti.

3

Gucci part pour l'Amérique

Devant l'intérêt grandissant des Américains pour les créations italiennes, Aldo décida de transporter Gucci aux États-Unis, et en particulier à New York. Les Américains étaient ses meilleurs clients. Ils appréciaient la qualité et le style des sacs faits main et des accessoires de luxe. Informé de ce projet, Guccio réagit comme à son habitude. Il plongea la main dans la poche gauche de son pantalon et tempêta :

— Tu peux risquer ta peau si ça te chante, mais ne compte pas sur moi pour que je te finance ! Si nécessaire, va voir les banquiers toi-même et regarde un peu s'ils sont prêts à te suivre !

Mais, tout à coup, il se reprit :

— Tu as peut-être raison. Après tout, je suis un vieillard. Je crois encore qu'on cultive les meilleurs légumes dans son propre potager.

Aldo n'avait pas besoin d'en entendre davantage. À sa manière, son père venait de lui donner son feu vert. Il partit pour New York en avion, voyage qui prenait alors une vingtaine d'heures, avec des escales à Rome, Paris, Shannon et Boston, il s'entretint avec l'avocat Frank Dugan qui affirmait pouvoir l'épauler. Quelque temps plus tard, il refit le voyage accompagné de Rodolfo et de Vasco. À leur arrivée en ville, ils arpentèrent la Cinquième Avenue de long en large. Au comble de l'enthousiasme, Aldo gesticulait devant les vitrines des boutiques élégantes.

— N'aimeriez-vous pas voir le nom de Gucci étalé en gros caractères sur cette artère ? demanda-t-il à ses frères.

Ils fixèrent leur choix sur un petit magasin au 7 de la 58ᵉ Rue Est, à deux pas de la Cinquième Avenue. Avec l'aide de Dugan, ils fondèrent la première succursale américaine du groupe, Gucci Shops Inc., avec un capital initial de 6 000 dollars. Cette nouvelle société avait la permission d'utiliser la marque Gucci sur le territoire américain – c'est la seule fois où l'enseigne fut octroyée en dehors de l'Italie : les autres compagnies étrangères dépendant de Gucci devraient se contenter de franchises.

Aldo envoya un télégramme à son père pour l'informer qu'il avait été nommé président honoraire de la nouvelle société. Fulminant, Guccio répondit aussitôt par le message : « Rentrez sur-le-champ, espèces de fous ! »

Il traita ses fils d'idiots, d'irresponsables, leur rappela qu'il n'était pas encore mort et les menaça de les rayer de son testament s'ils persévéraient sur cette voie. Mais Aldo eut raison de ses idées préconçues. Il l'amena même à New York pour admirer la nouvelle boutique avant sa mort. Elle plut tant à Guccio qu'il n'hésitait pas à clamer à ses amis qu'il en était l'initiateur !

— Oh ! *Commendatore* ! s'extasiaient ses connaissances, en utilisant le titre que lui avait décerné un ordre national lié à l'ancienne monarchie italienne. Vous êtes un visionnaire !

Comme l'expliquerait ultérieurement Grimalda, son père eut la chance de vivre assez longtemps pour se rendre à l'évidence : les idées d'Aldo n'étaient pas aussi fantasques qu'il l'avait cru.

À soixante-dix ans, Guccio avait toutes les raisons de s'estimer heureux. Son affaire prenait de l'essor à grande vitesse. Le nom de Gucci était aussi bien accueilli dans cette lointaine Amérique qu'en Italie. Ses trois fils s'investissaient corps et âme dans l'entreprise et avaient eux-mêmes des descendants qui prendraient le relais. Chaque fois qu'un petit-enfant voyait le jour, Guccio disait :

— Faisons-lui respirer un morceau de cuir, c'est l'odeur de son avenir.

Guccio encourageait Giorgio, Roberto et Paolo à travailler au magasin, comme leurs parents l'avaient fait. Qu'ils viennent donc emballer des paquets ou livrer des commandes ! Dans son esprit, la meilleure façon d'apprendre le métier consistait à en connaître toutes les facettes, depuis la base. À l'époque, Maurizio, le fils de Rodolfo, vivait à Milan et était alors un tout jeune garçon. Il n'avait pas encore été initié aux principes de l'école Gucci.

Quinze jours après qu'Aldo eut inauguré la boutique new-yorkaise en 1953, Guccio succomba à une crise cardiaque un soir de novembre à l'âge de soixante-douze ans. Il se préparait à aller au cinéma avec

Aida et, ne le voyant pas redescendre, cette dernière était montée au premier et avait trouvé son mari étendu dans la salle de bains. Le médecin déclara que son cœur s'était tout simplement arrêté de battre, un peu comme une montre usagée. Son épouse dévouée le suivit dans la tombe deux ans plus tard, à l'âge de soixante-dix-sept ans. Misérable plongeur sa jeunesse, Guccio était devenu millionnaire et avait fondé une affaire désormais célèbre sur deux continents. Ses fils assuraient la relève de l'empire qu'il avait créé. Il fut épargné par les querelles familiales, qui caractérisèrent par la suite la dynastie Gucci, bien qu'il y eût largement contribué. En effet, ce père avait souvent monté ses garçons les uns contre les autres, persuadé que l'esprit de compétition se révélerait un bon stimulant.

« Il les mettait au défi de prouver quel sang coulait dans leurs veines », se rappelle Paolo.

Guccio causa également la première grave division familiale à titre posthume, en excluant de tout héritage Grimalda, son unique fille et l'aînée de ses enfants. Celle-ci, qui avait cinquante-deux ans à la mort de son père, avait longtemps travaillé dans la boutique, et son époux Giovanni avait sauvé l'affaire de la faillite en 1924. Par ce geste, le vieux patriarche transmettait à ses fils une dernière volonté non écrite : seuls les hommes pouvaient hériter du contrôle de l'entreprise. Grimalda ne prit conscience de ce qui se passait que lorsque ses frères refusèrent qu'elle participe aux décisions importantes. À son grand effarement, elle découvrit qu'ils avaient obtenu des parts égales dans l'affaire. Quant à elle, son héritage se limitait à une ferme, quelques lopins de terre et une modeste somme d'argent.

Roberto en conviendrait quelques années plus tard :

« C'était une idée archaïque. Je n'ai jamais vu les statuts, mais mon père m'a dit qu'aucune femme n'avait le droit d'être associée dans Gucci. »

À l'issue de vains efforts pour parvenir à un arrangement amiable, Grimalda fit appel à un avocat pour tenter d'obtenir son dû. Sans résultat. À l'en croire, elle comprit mal un point clé pendant l'audience au tribunal et, sans y prendre garde, signa un accord stipulant qu'elle renonçait à ses droits dans l'affaire en échange d'une compensation financière. Pendant des années, elle resta amère.

« Ce que je voulais en réalité, c'était un rôle dans le développement d'une entreprise que j'avais vue grandir à partir de rien », dit-elle.

Très attachée à ses frères, elle ne pouvait imaginer qu'ils chercheraient à prendre avantage sur elle.

« Elle n'a certes pas obtenu de parts, mais elle a acquis d'autres biens, explique Roberto. Cependant, il ne fait aucun doute que la société a pris énormément de valeur avec le temps. »

Pour ses fils, la disparition de Guccio représenta à la fois une douloureuse perte et une chance. Certes, sa main ferme et dirigiste leur manquait, mais pour la première fois ils étaient libres de suivre leurs propres objectifs. Ils répartirent l'affaire en trois sphères d'influence, ce qui, au départ, satisfaisait les trois hommes. Aldo, qui pouvait désormais poursuivre à sa guise l'expansion de Gucci à l'étranger, voyageait sans cesse. Rodolfo supervisait la boutique milanaise et Vasco dirigeait l'usine de Florence. Si l'harmonie régnait, c'était parce que Rodolfo et Vasco ne contestaient pas l'autorité d'Aldo, sauf quand ils jugeaient que leur frère s'éloignait trop des valeurs de leur père.

Aldo installa Olwen dans une résidence spacieuse qu'il fit construire à côté de la majestueuse villa Petacci, où, selon la rumeur, la maîtresse de Mussolini, Clara Petacci, avait vécu. Elle était située tout près de la via della Camilluccia, une rue idyllique bordée de verdure, qui remontait jusqu'aux collines à l'extérieur de Rome et qui abrite aujourd'hui certaines des demeures les plus prestigieuses de la ville. Toujours par monts et par vaux, Aldo y passait peu de temps.

Même s'il ne devait divorcer d'Olwen que longtemps après, son couple battait déjà de l'aile. Il choisit une vendeuse de la boutique sur la via Condotti pour devenir son assistante à New York. Bruna Palumbo, à la chevelure de jais qui lui donnait des faux airs de Gina Lollobrigida, devint sa compagne et emménagea dans son petit appartement au 25, 54ᵉ Rue Ouest, en face du musée d'Art moderne. Au début, leur cohabitation resta secrète. Aldo adorait Bruna, la couvrait de cadeaux onéreux et essayait de partager avec elle l'enthousiasme que lui procurait la croissance de Gucci. Il la suppliait de l'accompagner dans ses déplacements, mais elle hésitait, en partie à cause de son statut illégitime. Il finit par épouser sa maîtresse aux États-Unis, et ce alors même qu'Olwen n'avait pas consenti à officialiser leur séparation. Après leur mariage, Bruna accepta parfois de suivre son conjoint dans des réceptions ou des inaugurations, où il la présentait comme : « Mme Gucci. »

Entre-temps, Rodolfo concevait les sacs à main les plus chers de Gucci.

Francesco Gittardi, qui travailla dix-huit ans pour la maison et géra la boutique de Milan, sous les ordres de Rodolfo, de 1967 à 1973, évoque ce dernier : « Il avait un goût très raffiné. C'est lui qui dessina les fermoirs en or dix-huit carats pour les sacs en croco. Il aimait cela et y passait des heures. »

Rodolfo, le plus romantique des trois frères, s'habillait comme l'acteur qu'il était naguère. Il affectionnait les vestes en velours aux teintes peu communes comme le vert forêt ou l'or, les pochettes de soie brillante et, en été, il portait des costumes de lin beige et de singuliers chapeaux de paille.

Vasco pour sa part avait commencé à produire ses propres modèles à l'usine de Florence, où il gardait un œil sur son neveu Paolo, entré à l'atelier en 1952. Les passe-temps favoris de Vasco demeuraient la chasse, sa collection d'armes et sa Lamborghini – des violons d'Ingres qui lui valurent le surnom de « Rêveur ».

Des trois fils de Guccio, Aldo était le moteur : il prenait les décisions les plus importantes, veillant cependant à toujours consulter ses frères au préalable.

« Aldo recherchait l'approbation de tous les siens, constate Gittardi. Même si les idées venaient de lui, le conseil de famille tranchait. Cela dit, il obtenait gain de cause la plupart du temps parce qu'il possédait un instinct très sûr, en particulier pour les nouveaux sites de boutique. »

Aldo partageait son temps entre l'Europe et les États-Unis. En 1959, il déménagea la boutique romaine au 8, via Condotti, où elle demeure encore aujourd'hui, face au Caffè Greco. En 1960, il consolida la branche américaine de la firme en créant une succursale dans l'hôtel St. Regis, à l'angle de la 55e Rue. L'année suivante, Gucci ouvrit ses portes au cœur de la station balnéaire de Montecatini, ainsi qu'à Londres, sur Old Bond Street, et au Royal Poinciana Plaza de Palm Beach. En 1963, la boutique parisienne du faubourg Saint-Honoré vit le jour et, en 1972, une deuxième apparut rue Royale.

Aldo se tuait à la tâche et s'octroyait à peine trois ou quatre jours de répit par an. Il se rendait au moins dix fois à l'étranger en douze mois, possédait un pied-à-terre à Londres comme à New York et acheta une demeure en bord de mer à Palm Beach, seul endroit, selon lui, où il pouvait réellement se détendre. Quand on lui demandait s'il avait des loisirs, il éclatait de rire. Même le dimanche, il trouvait un prétexte quelconque pour aller parcourir des dossiers ou vérifier la marchandise à la boutique. Tous les quinze jours en moyenne, il se réunissait avec Rodolfo et Vasco à Florence. Comme il n'y possédait plus de logement, il séjournait à l'hôtel de la Ville, sur la via Tornabuoni, établissement qui, depuis son ouverture dans les années 1950, faisait de la concurrence aux vénérables Excelsior et Grand Hôtel.

À l'instar de son père, Aldo incita ses fils à entrer dans l'affaire. Grâce à Olwen, ses enfants parlaient couramment l'anglais – et ils appelaient même leur père *daddy*. C'est ainsi qu'il emmena son benjamin, Roberto, à New York pour l'aider à préparer l'ouverture de la boutique de la 58ᵉ Rue. Le garçon devait y rester dix ans, jusqu'en 1962, quand il rentra à Florence afin d'organiser les nouveaux bureaux administratifs et les showrooms au siège de la société. Il fut l'instigateur de la première franchise bruxelloise à la fin des années 1960. Cette initiative servit de modèle à l'expansion de la branche américaine. Il créa également un service après-vente à Florence. Aldo se reposait de plus en plus sur Roberto, qu'il appelait affectueusement « *Sonny* ».

En 1956, Roberto avait épousé Drusilla Cafferelli, jolie blonde aux yeux bleus d'une grande piété, issue d'une lignée d'aristocrates romains. Ils eurent six enfants : Cosimo, en 1956 ; Filippo, en 1957 ; Uberto, en 1960 ; Maria-Olympia, en 1963 ; Domitilla, en 1964 ; et Francesco, en 1967. Des trois fils d'Aldo, Roberto était le plus conservateur et le plus obéissant, docile, respectueux de ses parents. Paolo le surnommait « *il prete* », le prêtre, à cause de son austérité et de ses croyances religieuses. Aldo lui-même trouvait parfois son cadet un peu sinistre. L'été, ce dernier, sa femme et leur progéniture prenaient leurs quartiers dans la villa Bagazzano, une maison de campagne qui appartenait à la famille de Drusilla. L'hiver, ils réinvestissaient leur appartement en ville.

« Quand nous invitions Aldo à déjeuner ou à dîner dans notre maison de campagne, se souvient Roberto, il scrutait les portraits de la Vierge dans la salle à manger et me disait : "Mon Dieu ! Roberto, j'ai l'impression d'être dans un cimetière !" »

Giorgio rejoignit Roberto à New York pour quelque temps avec sa première épouse, Orietta Mariotti, et leurs deux fils : Alessandro, né en 1953, et Guccio, né en 1955. Orietta mitonnait des grands plats de spaghettis dans le petit appartement de location et nourrissait tout le clan à la mode italienne. Mais le rythme effréné de New York et le fait de vivre dans l'ombre de son père pesaient à Giorgio. Il rentra en Italie, prit les rênes de la boutique romaine et s'occupa de sa mère, qu'il emmenait passer des vacances au bord de la mer à Porto Santo Stefano.

« Giorgio était très timide, se rappelle Chantal Skibinsa, engagée par Aldo et chargée des relations publiques pour l'Europe comme de la coordination de mode pour l'international. Il se sentait écrasé par la personnalité gigantesque de son père. »

Comme Guccio, Aldo se révélait un père strict et dominateur. Un jour, alors que Paolo, âgé de quatorze ou quinze ans, avait commis une bêtise, Aldo chassa son chien de la maison en guise de punition. Fou de chagrin lorsqu'il s'aperçut de la disparition de son compagnon adoré, l'adolescent pleura pendant toute une semaine.

« Mon père était beaucoup plus sévère avec ses fils qu'avec ses employés », confirme Roberto.

Paradoxalement, Giorgio avait été le premier à s'extraire du carcan familial. En dépit de sa timidité, Giorgio possédait une volonté propre et il suscita le courroux de son père et de son oncle Rodolfo en 1969 quand il décida d'ouvrir à Rome son propre magasin, la Gucci Boutique, en association avec Maria Pia, une ancienne vendeuse qui allait devenir sa seconde épouse. Située sur la via Borgognona, parallèle à la via Condotti, cette succursale obéissait à des normes quelque peu différentes des précédentes boutiques. Giorgio visait une clientèle plus jeune et, pour ce faire, proposait des articles et des accessoires à bas prix. Maria Pia et lui créèrent une ligne de sacs et de produits fabriquée au sein des ateliers Gucci. Cette rébellion prit l'ampleur d'une trahison ; cependant, elle demeurait bien légère comparée aux dissensions familiales ultérieures.

Un journaliste demanda à Aldo son point de vue sur Giorgio et sa boutique romaine. Il répondit : « C'est le mouton noir de la famille. Il a déserté un paquebot de croisière pour ramer dans un canoë, mais il reviendra ! »

Aldo avait vu juste. En 1972, la Gucci Boutique rentra dans le giron de l'entreprise, tout en demeurant sous la férule de Giorgio et de Maria Pia.

Paolo, le plus jeune fils d'Aldo, s'établit à Florence. Considéré par certains comme le plus créatif des trois frères, il commença par épauler son oncle Vasco à l'usine, où il ne tarda pas à se découvrir un réel talent artistique. Il mit ses idées en œuvre, donnant naissance à une nouvelle gamme de modèles. Conscient de la difficulté de côtoyer sans cesse son père, Paolo refusa longtemps de le rejoindre à New York, préférant continuer de concevoir ses propres créations à Florence. En 1952, il épousa Yvonne Moschetto, jeune fille de la région. Ils eurent deux filles, Elisabetta, en 1952, et Patrizia, en 1954.

Dépourvu de la déférence et de la diplomatie de ses frères aînés, Paolo souffrait beaucoup de l'attitude tyrannique de son père. Il gardait un souvenir cuisant des années humiliantes de sa jeunesse, passées à travailler dans la boutique de Rome. Il se laissa pousser la moustache, un acte de mutinerie contre les règles dictées par son grand-père Guccio, qui ne supportait que les visages glabres.

Paolo s'épanouit tant qu'on lui donna carte blanche pour mettre au point de nouveaux produits. Il créa la première ligne de prêt-à-porter de la marque. Durant ses loisirs, il élevait des pigeons voyageurs et en hébergeait près de deux cents dans une volière. Par la suite, il introduisit des motifs de colombes et de faucons sur les foulards qu'il dessina.

Son père comprit rapidement qu'il ne se rangerait pas facilement à l'esprit familial.

« Aldo disait souvent que Paolo, amateur de chevaux, était un pur-sang qui, hélas, ne se laisserait jamais monter », déclare Gittardi.

La fougue, l'énergie et les idées d'Aldo paraissaient illimitées. À New York, s'il n'avait pas à assurer l'ouverture d'une nouvelle boutique ou à donner d'interview, il se levait entre 6 h 30 et 7 heures du matin et prenait son petit déjeuner avec Bruna qui surveillait son alimentation, lavait son linge et s'occupait de lui plus généralement. Après avoir mangé, il se rendait à la boutique Gucci et saluait par son prénom chaque membre du personnel.

« N'abordez jamais un client en lui demandant : "Puis-je vous aider ?", conseillait-il à ses employés. Dites toujours : "Bonjour, madame", ou "Bonjour, monsieur !" »

Ensuite il contrôlait la marchandise et les présentoirs avant de passer des coups de téléphone en Europe. Un jour qu'il inspectait un magasin, il s'aperçut qu'une épaisse couche de poussière recouvrait une étagère. Il annula aussitôt le contrat de franchise.

Aldo ne cessait de réfléchir à de nouveaux produits, de nouveaux sites, de nouvelles stratégies. Il faisait les cent pas de jour comme de nuit, dans son bureau comme dans sa chambre, et ne s'arrêtait que pour noter une idée.

« Il était une agence de marketing à lui tout seul », confie un ancien employé.

« Il faisait toujours irruption dans la boutique avec une allure de globe-trotter, se souvient Chantal Skibinska. Il grimpait quatre à quatre les marches de l'escalier de la boutique de Rome, les vendeurs s'agitant autour de lui. »

Ses employés lui vouaient une loyauté sans faille, due en grande partie au dévouement de leur patron et à sa conviction qu'ils œuvraient tous ensemble pour un objectif de valeur. Traitant ses salariés comme des proches, Aldo obtenait en échange un engagement et une fidélité intangibles – un schéma commun à la plupart des sociétés italiennes gérées par une famille.

Quoique sévère et parfois grave, Aldo pouvait tour à tour se montrer tyrannique ou chaleureux, voire paternel.

Enrica Pirri, qui travailla via Condotti, évoque le personnage : « J'avais vingt et un ans quand je suis entrée au service d'Aldo. Je le considérais comme un père ou un frère aîné. »

En effet, Enrica n'hésitait pas à lui demander de l'aide, notamment lorsqu'elle eut besoin d'un prêt pour verser un acompte sur un appartement. Et Aldo répondit favorablement à sa requête.

« Mais il était parfois très dur à mon égard. Si je commettais une erreur, il me hurlait dessus et m'arrachait des larmes. Cependant, il avait toujours du temps à nous accorder. Nous pouvions plaisanter avec lui. Il aimait beaucoup rire. »

Joueur et espiègle comme un enfant, Aldo charmait des clients capricieux et les tournait en dérision dès qu'ils avaient le dos tourné. Ses vendeurs avaient bien des difficultés alors à garder leur sérieux. Aldo fit hélas des émules et, plus tard, l'accueil indélicat que l'on réservait aux acheteurs chez Gucci serait décrié dans la presse.

Lors d'un dîner à Londres, une Anglaise demanda innocemment à Aldo pourquoi il y avait tant de Gucci. L'interpellé prit grand plaisir à lire l'expression indignée de son interlocutrice lorsqu'il lui répondit :

— Parce qu'en Italie nous commençons à faire l'amour à un âge très précoce !

Aldo aimait les femmes et entretenait de nombreuses maîtresses. À en croire les racontars au sein de la compagnie, il avait même installé l'une d'elles dans un appartement luxueux aux abords de Rome, et accédait directement à sa chambre à coucher – à l'insu des domestiques et des enfants de sa belle – par un passage spécialement aménagé depuis l'entrée. Il flirtait sans vergogne et, en guise de salut, embrassait à pleine bouche les journalistes de mode qu'il affectionnait. Il se montrait toujours galant, pleinement conscient que les femmes constituaient l'essentiel de sa clientèle.

« C'était un chenapan, se rappelle Enrica Pirri, le sourire aux lèvres. Il savait parfaitement que chaque baisemain à une milliardaire de Palm Beach équivalait à la vente d'un sac à main. »

Aldo possédait également le don d'embellir la vérité à sa convenance et devint probablement le principal auteur de la légende séculaire des Gucci. Domenico De Sole, le P-DG actuel de la firme, fit connaissance avec Aldo dans sa jeunesse. Il n'était alors qu'un jeune avocat chargé de représenter la famille et se souvient du flegme avec lequel Aldo se laissait aller à des affirmations que la logique la plus élémentaire parvenait à réfuter.

« C'était le genre d'homme qui, par jour de pluie, vous assenait les yeux dans les yeux que la météo était au beau fixe. »

S'il était en proie à la contrariété, Aldo faisait les cent pas plus vite que d'habitude, tout en marmonnant et en se caressant le menton. Lorsque, enfin, il donnait libre cours à sa colère, son visage se congestionnait, les veines de son cou gonflaient, ses yeux sortaient de leurs orbites et il frappait le bureau de ses poings, avant de briser un objet quelconque. Un jour, il cassa même sa propre paire de lunettes et, en constatant les dégâts qu'il venait de causer, les fracassa avec plus de vigueur sur la table.

— Vous ne connaissez pas Aldo Gucci ! rugissait-il. Une fois ma décision prise, j'obtiens ce que je veux !

Ses employés ont vu des fers à repasser et des machines à écrire voler à travers une pièce au cours de l'une de ces crises.

Aldo avait hérité du sens de la parcimonie de son père Guccio. À New York, il déjeunait souvent, seul ou avec l'un des membres de la firme, à la cafétéria des employés située sous l'hôtel St. Regis, où l'on servait un repas chaud pour la modique somme de 1,50 dollar. Il fréquentait aussi le Primeburger, le restaurant Schraft's, où il se délectait d'un club sandwich et d'une tarte aux pommes, ou le Reuben's, spécialiste du sandwich au rosbif, en face de la boutique de la 58ᵉ Rue. Un dîner au « 21 » ou à La Caravelle marquaient un grand événement. Mais son caractère regardant se manifestait de façon sélective et contradictoire.

« Il lésinait sur des hors-d'œuvre pour un déjeuner de presse et, dans le même temps, il dépensait un argent fou en coups de téléphone à l'étranger pour l'organiser », explique Logan Bentley Lessona, une journaliste américaine basée en Italie qu'Aldo avait chargée des relations avec les médias dès 1968.

Toujours impeccable, Aldo avait beaucoup d'allure dans ses chemises et costumes fabriqués sur mesure en Italie. L'hiver, il arborait des chapeaux de feutre, des manteaux de cachemire, des blazers marine et des pantalons de flanelle gris. L'été, il s'habillait de lin clair assorti de chaussures blanches. Jusqu'au milieu des années 1970, il dédaigna les mocassins Gucci, jugés trop féminins à l'époque, leur préférant des modèles italiens classiques confectionnés à Londres. Il parachevait l'ensemble d'une fleur à la boutonnière.

« Ses costumes étaient légèrement étriqués, il avait toujours l'air trop apprêté », se rappelle Lessona.

Aldo tirait avantage autant que possible de la licence honorifique en économie que lui avait décernée le collège San Marco de Florence. En 1983, il reçut le titre de docteur en sciences humaines de la City University de New York. Il adorait qu'on l'appelle *dottore* en Italie et « *Doctor* Aldo » aux États-Unis.

Il persévérait dans la volonté d'ouvrir de nouveaux points de vente. C'est lui qui reconnut l'extraordinaire potentiel de Rodeo Drive, à Beverly Hills, qui deviendrait bien plus tard une adresse prisée des enseignes de luxe. En octobre 1968, pour l'inauguration, il organisa un défilé et une grande réception où affluèrent les stars, cibles privilégiées de la boutique. Quelque peu en retrait du tumulte de North

Rodeo Drive, cette dernière était agrémentée d'une loggia garnie de plantes d'où les maris pouvaient admirer les allées et venues des jeunes Californiennes tandis que leurs épouses faisaient leur choix. La porte massive, tout en verre et en bronze, donnait sur un intérieur élégant, orné d'un tapis vert émeraude et éclairé par huit lustres en verre de Murano et en bronze florentin inspirés de Giotto. Rodolfo demanda même à une équipe de tournage de filmer l'inauguration.

Un an plus tôt, un vieux rêve devenait réalité : Gucci ouvrait ses portes sur la via Tornabuoni de Florence. L'établissement incarne le summum de l'élégance et du luxe jusqu'à nos jours : portes d'entrées raffinées, décor pastel, riches moquettes, présentoirs de noyer éclatants, miroirs discrets. Un ascenseur, tapissé de cuir et décoré du motif rouge et vert, permettait aux membres du personnel et à leurs patrons de se déplacer sur les quatre étages où s'étendaient magasin et bureaux. On avait également pourvu le bureau de Rodolfo d'écrans vidéo, lui permettant de surveiller chacun des angles de la boutique.

« Je pouvais tout contrôler, dit-il avec un rire espiègle. Mais au bout de trois ans, les syndicats m'ont forcé à me débarrasser de ce dispositif, sous prétexte que je violais la vie privée de mes employés. »

Ces derniers s'étaient vus contraints d'adopter un uniforme : chemise blanche, veste noire, cravate noire et pantalon noir strié de gris pour les hommes ; tailleur pour les femmes, bordeaux en hiver, beige en été. Les vendeuses chaussaient des escarpins simples : à l'époque, on aurait jugé inconvenant que le personnel portât les mocassins Gucci ou d'autres accessoires proposés aux clients.

L'ouverture de la boutique sur la via Tornabuoni, prévue en décembre 1966, avait été retardée par la crue de l'Arno qui, en novembre, inonda toute la ville et anéantit bon nombre de ses trésors historiques. Bureaux et commerces étaient noyés sous plusieurs mètres d'eau. Lorsque l'on donna l'alerte, au matin du 4 novembre 1966, Roberto, Paolo, Vasco et Giovanni, le mari de Grimalda, étaient les seuls membres de la famille présents à Florence. Ensemble, ils transportèrent la marchandise – valant des centaines de milliers de dollars – du sous-sol au deuxième étage de l'ancienne boutique.

« Nous étions censés procéder au transfert quelques semaines plus tard et le stock se trouvait encore via della Vigna Nuova », raconte Giovanni.

Au bout d'un moment, les quatre hommes sentirent la moquette gondoler sous leurs pieds. Ils terminèrent leur ouvrage avec de l'eau jusqu'à la taille.

« Le local était dans un état lamentable, mais nous avions sauvé 90 % des articles, rapporte Paolo. En plus, nous n'étions pas obligés de faire de grosses dépenses pour les travaux, puisque le nouveau point de vente devait ouvrir quelques mois plus tard. On peut dire que nous avons eu de la chance. »

Par bonheur, l'usine de la via delle Caldaie ne subit presque aucun dommage. Mais si les eaux de l'Arno finirent par s'assécher, le flot de commandes, lui, redoubla. Les artisans qui travaillaient sans relâche ne parvenaient pas à satisfaire ces demandes croissantes. Il fallait s'agrandir. En 1967, les Gucci achetèrent un site de production à Scandicci, dans la banlieue de Florence. Giovanni fut désigné pour bâtir une nouvelle usine. Celle-ci occuperait une surface de quinze mille mètres carrés, et abriterait à la fois les créateurs, la main-d'œuvre ouvrière et les entrepôts. Aldo projetait aussi d'y attacher un service hôtelier ainsi que des salles de réunion pour les assemblées semestrielles de la compagnie, mais son idée ne vit jamais le jour.

En 1966, Rodolfo créa, avec le concours de l'artiste Vittorio Accornero, une nouvelle icône Gucci, le foulard Flora. Un jour où Grace de Monaco entra dans la boutique milanaise, Rodolfo se précipita pour l'accueillir et lui faire visiter les lieux. Au moment de prendre congé, il proposa à la princesse de lui offrir un cadeau. Devant l'insistance de son interlocuteur, elle s'inclina et dit :

— Eh bien, puisque cela vous tient tellement à cœur, pourquoi ne pas me donner un foulard, par exemple ?

Ce que Grace ignorait, c'était que Gucci n'avait quasiment pas de foulards à vendre, excepté de petits carrés de soixante-dix centimètres, dont les motifs ne conviendraient assurément pas à la dame. Pris au dépourvu et désireux de gagner du temps, Rodolfo lui demanda des précisions quant au genre de modèle auquel elle pensait.

— Avec des fleurs, peut-être, répliqua-t-elle.

Rodolfo se sentait perdre pied. Son cerveau travaillait à toute allure.

— Votre Altesse, dit-il avec un sourire charmeur, il se trouve que nous sommes justement en train de travailler sur une création de ce type. Dès que nous l'aurons réalisée, je vous promets que vous serez la première à la recevoir.

Sur ce, il lui offrit le sac à anses de bambou et lui dit au revoir. Aussitôt qu'elle eut franchi le seuil, Rodolfo contacta Vittorio Accornero, qu'il avait jadis rencontré dans le milieu cinématographique.

— Vittorio, peux-tu venir à Milan immédiatement ? Quelque chose de formidable est arrivé !

Son ami s'exécuta sans se faire prier et Rodolfo lui rapporta la visite de la princesse.

— J'ai besoin que tu dessines un foulard qui soit une explosion de fleurs ! Je ne veux pas d'un motif linéaire, je veux une explosion ! Quel que soit l'angle, on devra y voir des fleurs !

Accornero accepta la mission. Il dessina une corne d'abondance magnifique déversant des fleurs. Impressionné par ce résultat correspondant en tout point à ses vœux, Rodolfo demanda à Fiorio, l'un des plus éminents imprimeurs sur soie, dont les ateliers se trouvaient dans le quartier du Como, au nord de Milan, d'en faire un grand carré de quatre-vingt-dix centimètres. Fiorio avait mis au point une technique proche de la sérigraphie qui lui permettait d'imprimer plus de quarante couleurs différentes sans que les teintes fuient. Rodolfo alla lui-même remettre le foulard à la princesse. Le Flora catalysa l'essor de la gamme foulards de Gucci et fut repris aussi bien sur des vêtements, des sacs, des accessoires, et des bijoux. Une version réduite, le « Mini-Flora », connut également son heure de gloire. Le modèle donnerait aussi naissance quelques années plus tard à une ligne de vêtements ou d'accessoires vestimentaires, et Accornero créerait deux à trois nouveaux motifs de foulards chaque année pour Gucci.

Vers le milieu des années 1960, Gucci n'était encore connu que des élites aristocratiques, qui appréciaient la qualité, le raffinement et l'aspect pratique des articles proposés. Cependant, le produit qui allait asseoir Gucci comme symbole de statut social dans le monde entier ne jouissait pas encore d'une immense notoriété. Il s'agissait d'un classique mocassin plat avec un mors métallique sur le dessus. La version masculine était appelée Model 175. Son pendant féminin allait bientôt suivre.

« Gucci n'était pas encore au faîte de sa renommée, explique Logan Bentley Lessona. La grande bourgeoisie connaissait la marque, mais les classes moyennes supérieures ne l'avaient pas encore adoptée. C'est le mocassin qui aida l'enseigne à prendre son envol. »

On dit qu'il fut créé au début des années 1950, sur l'instigation d'un employé de l'atelier dont l'un des parents travaillait dans la chaussure. Son prix en Italie fut fixé à l'équivalent de 14 dollars. À l'époque où l'on mit en vente ces souliers plats à New York, les talons aiguilles faisaient rage et le modèle Gucci, jugé étrange, ne fit guère sensation. Il ne fallut cependant pas longtemps pour que des femmes élégantes l'adoptent.

Le mocassin pour dames Gucci, connu au sein de la firme sous le numéro 360, était constitué d'un cuir souple et lisse, agrémenté du mors métallique. La double couture se resserrait à la base des orteils et s'élargissait ensuite. En 1968, le modèle original subit quelques menues modifications. Il fut rebaptisé Model 350, et copié à maintes reprises. Légèrement plus habillé que son précurseur, il avait un talon de cuir compensé, orné d'une fine chaînette d'or, identique à celle du dessus. Il existait dans sept matériaux (veau, lézard, autruche, porc, alligator, veau retourné, cuir verni) et toute une nouvelle gamme de coloris, y compris beige rosé et vert amande. L'*International Herald Tribune* accorda un long article et une grande photographie au lancement de cette chaussure : « Gucci a créé un nouveau mocassin, qui, en soi, vaut presque une visite à Rome », écrivit Hebe Dorsey, la célèbre critique de mode.

En 1969, Gucci vendait déjà quelque quatre-vingt-quatre mille paires par an aux États-Unis, dont vingt-quatre mille à New York. À l'époque, Gucci était l'une des rares enseignes italiennes à posséder sa propre boutique à Manhattan. C'était notamment le cas de son compatriote, le couturier Emilio Pucci, que Giorgini et les défilés de mode de la Sala Bianca avaient propulsé au sommet. Les New Yorkais branchés n'avaient plus que « Gucci-Pucci » à la bouche.

Certains observateurs restent perplexes devant l'engouement extraordinaire que suscita le mocassin Gucci jusqu'au début des années 1980. Paul P. Woolard, vice-président des cosmétiques Revlon et grand amateur de chaussures, manifestait son étonnement devant la capacité de Gucci de faire l'événement et la mode avec ce qu'il considérait comme un courant bien établi.

— Ce n'est rien d'autre qu'un bon vieux mocassin italien, déclarait-il en 1978 au *New York Times*.

Aldo associa son succès au moment où les épouses des grands industriels italiens s'étaient mises à le porter en voyage. Elles avaient été conquises par son talon plat, son confort et sa forme assortie aussi bien à des jupes qu'à des pantalons.

« Les signes extérieurs de richesse ont longtemps été confidentiels, partagés par des femmes amoureuses de la mode et portés comme l'insigne d'un club », écrivit la chroniqueuse de mode Eugenia Sheppard.

Pourtant, vendu 32 dollars, le mocassin Gucci était l'un des emblèmes de réussite les plus abordables qui soient. La clientèle s'élargit : secrétaires et bibliothécaires s'arrachaient le modèle. Ce triomphe sans précédent s'accompagnait cependant de nouveaux écueils.

« Il y avait tellement de secrétaires et de vendeuses dans les boutiques que la clientèle habituelle se sentait négligée, et fort mécontente », se rappelle Lessona.

Par un trait de génie, Aldo passa un accord avec l'hôtel St. Regis en automne 1968 et investit l'espace alloué jusque-là au bureau de tabac et au kiosque à journaux pour le transformer en magasin de chaussures. Les femmes actives de New York pouvaient y essayer des modèles à loisir, tandis que la boutique principale de la Cinquième Avenue se concentrait sur sa clientèle huppée.

On devait aussi retrouver le fameux mocassin au pied des députés et politiciens de Washington D.C. En 1985, le Metropolitan Museum of Art, sous la houlette de Diana Vreeland, lui consacra une exposition, et cette chaussure fait désormais partie de la collection permanente du musée.

Les hommes aimaient également le concept de « signe extérieur de richesse », aussi les créatifs de Gucci adaptèrent-ils le modèle à leur intention. La boutique de Beverly Hills n'avait pas encore ouvert ses portes que Frank Sinatra y dépêchait son assistante pour en acheter une paire, qui s'ajouta à ses innombrables paires de chaussures Gucci. La ligne masculine continua de s'étendre, des ceintures aux bijoux en passant par des porte-cartes et même des sacs à main masculins rebaptisés « porte-documents ». L'acteur Red Skelton possédait un ensemble de valises en croco, Peter Sellers un attaché-case du même cuir. Laurence Harvey commanda une « mallette-bar », avec les compartiments nécessaires pour les bouteilles, les verres et le seau à glaçons. Sammy Davis Jr pour sa part acheta deux sofas de cuir blanc identiques à ceux de la boutique de Beverly Hills. On compte aussi parmi les éminents amateurs de Gucci le sportif Jim Kimberly, Nelson Doubleday, Herbert Hoover III, Charles Revson, le sénateur Barry Goldwater, et des vedettes du grand écran telles que George Hamilton, Tony Curtis, Steve McQueen, James Garner, Gregory Peck et Yul Brynner.

À mesure que les sacs et les chaussures Gucci s'enracinaient comme signes extérieurs de richesse, la firme opéra sa transition vers le prêt-à-porter, défi qui allait se poursuivre pendant les décennies suivantes. Paolo imagina les premiers costumes, pour la plupart en cuir ou ornés de cuir, dans les années 1960. Gucci présenta ses premières robes au cours de l'inauguration de la boutique de Beverly Hills en 1968. La robe trapèze en soie à manches longues et aux motifs floraux existait en trente et un coloris différents. Trois chaînes d'or attachées par de minuscules boutons de nacre accentuaient le col cosaque et la fente à l'avant. Des teintes vives, reprises du motif central, bordaient le col, les manches et l'ourlet. On vit aussi des modèles avec des boutons d'argent en forme de fer à cheval. L'année suivante, Gucci sortit sa première robe-foulard, composée de quatre carrés de soie, mêlant motif Flora et insectes.

À l'été 1969 naquit le monogramme GG, qui remplaça le logo aux losanges. Dans cette nouvelle incarnation, les deux G se faisaient face, l'un à l'endroit, l'autre la tête en bas, et étaient disposés en losange sur les tissus. Il apparut sur une nouvelle ligne de bagages – où ne manquaient ni le vanity-case pour les dames, ni la trousse de toilette pour les messieurs, à la manière de Louis Vuitton. Cette ligne fut présentée devant un auditoire enthousiaste, lors d'un séminaire sur la mode qui se tenait au Smithsonian Institute, lequel remettait un prix à Aldo. En une manière de clin d'œil, Gucci avait habillé des mannequins hommes et femmes dans un tissu assorti aux malles, sacs et valises lors de la présentation. Le défilé se conclut par un tonnerre d'applaudissements.

Gucci organisa son premier véritable défilé de mode en juillet 1969, pendant la semaine Alta Moda de Rome. Les tenues étaient sportives et décontractées : Aldo voulait que les femmes portent du Gucci chaque jour de la semaine, pas uniquement pour les grandes occasions. Il avait coutume de dire :

— L'élégance, c'est comme les bonnes manières. On ne peut pas être poli le mercredi ou le jeudi seulement. Si on est élégant, il faut l'être chaque jour de la semaine. Sinon, ce n'est pas de l'élégance.

La collection comprenait entre autres un tailleur-pantalon de tweed clair avec une tunique bordée de cuir, une longue robe du soir en cuir avec un ourlet en peau de renard et des bretelles assorties, de courtes jupes sport, des jupons, ainsi qu'un ensemble composé d'un soutien-gorge et d'une jupe en daim, qu'on pouvait relier à la taille au moyen de fermoirs.

Eugenia Sheppard, la chroniqueuse de mode de l'*International Herald Tribune*, ne tarissait pas d'éloges au sujet de ces vêtements. Un imperméable de cuir noir avec des manches raglan et une large ceinture rouge et bleu, coordonné à l'un des sacs à main les plus populaires de la marque, avait retenu son attention. Elle mit aussi l'accent sur les nouveaux bijoux d'émail et les montres de malachite au cadran en œil de tigre.

Au début des années 1970, Gucci vendait aussi bien des porte-clés à 5 dollars que des ceintures en or dix-huit carats pesant près d'un kilogramme et valant plusieurs milliers de dollars. Au cours de la décennie suivante, la diversification de l'enseigne se poursuivrait à un rythme effréné.

« Il était difficile pour quiconque de sortir d'une boutique Gucci les mains vides, explique Roberto, parce que chacun pouvait y trouver quelque chose dans ses moyens. Les sous-vêtements mis à part, on pouvait s'y habiller de la tête aux pieds, en toute occasion, que l'on reste chez soi, que l'on aille pêcher, monter à cheval, skier, jouer au tennis ou au polo, et même faire de la plongée sous-marine. Nous avions plus de deux cents produits différents ! »

À la fin des années 1970, Gucci représentait le symbole de la réussite sur trois continents. Dix succursales opéraient dans les principales capitales, tandis que la première boutique sous franchise, à Bruxelles, fonctionnait sous l'œil attentif de Roberto. Dès lors, comment s'étonner de ce que le Président Kennedy lui-même ait surnommé Aldo « premier ambassadeur d'Italie aux États-Unis », eu égard à l'immense popularité du style classique chic des Gucci dans son pays ?

4

Révolte de jeunesse

— Prends garde, Maurizio, grommela Rodolfo. J'ai reçu des informations sur cette fille. Je n'aime pas ça du tout. On m'a dit qu'elle était vulgaire, arriviste, obsédée par l'argent. Elle n'est pas pour toi, mon fils.

Luttant afin de garder contenance, Maurizio se dandinait pour résister à la tentation de s'enfuir de la pièce en courant. Il détestait les affrontements, et en particulier avec son dominateur de père.

— Papa, répliqua-t-il, je ne peux pas la quitter. Je l'aime.

— L'amour ! railla Rodolfo. L'amour n'a rien à y voir. Cette créature n'a qu'une envie : s'emparer de ta fortune. Mais elle n'en fera rien ! Il faut l'oublier ! Que dirais-tu d'un séjour à New York ? Tu sais bien combien de femmes tu y rencontrerais !

Maurizio retenait à grand-peine ses larmes de colère.

— Depuis que maman est morte, tu ne m'as pas accordé une pensée ! explosa-t-il. À tes yeux, il n'y a que ton travail qui compte ! Tu ne te soucies ni de ce qui m'importe ni de mes sentiments ! Tu me considères comme un robot qui t'obéit au doigt et à l'œil. Eh bien, c'est terminé, papa ! Je vais épouser Patrizia, que ça te plaise ou non !

Rodolfo était stupéfait. Son fils, d'un naturel timide et docile, ne lui avait jamais parlé sur ce ton. Maurizio tourna les talons, sortit en trombe et monta au premier, avec une détermination à toute épreuve qu'il ressentait pour la première fois. Il était bien décidé à faire ses bagages. Discuter avec son père ne menait à rien. Il n'avait pas l'intention de faire une croix sur Patrizia : il préférait couper les ponts avec les siens.

— Je vais te déshériter ! hurla Rodolfo. Tu m'entends ? Tu n'auras pas un centime, et elle non plus !

Dès leur première rencontre, le 23 novembre 1970, Patrizia Reggiani, avec ses yeux violets et sa silhouette de rêve, avait subjugué Maurizio. Pour lui, ce fut le coup de foudre ; pour elle, le premier pas vers la conquête de l'un des plus beaux partis milanais, issu d'une glorieuse dynastie italienne. Il avait vingt-deux ans, elle vingt et un.

Maurizio connaissait presque tous les invités au bal des débutantes organisé en l'honneur de son amie Vittoria Orlando. L'appartement des Orlando donnait sur la via dei Giardini, une avenue prestigieuse bordée d'arbres, au cœur du quartier où les chefs d'entreprise les plus prospères avaient élu domicile. Les invités, filles et fils des grandes familles milanaises, se retrouvaient l'été sur les plages liguriennes de Santa Margherita, à trois heures de Milan en voiture. Là-bas, ils aimaient à se réunir au Bagno del Covo, un club privé pourvu d'un restaurant en bord de mer et d'une discothèque, où venaient se produire des vedettes de la chanson, telles que Patty Pravo, Milva et Giovanni Batisti.

Maurizio ne buvait pas, ne fumait pas, et n'excellait pas encore dans l'art de la conversation mondaine. Avec son allure dégingandée, il n'avait guère eu de succès auprès de la gent féminine, hormis quelques amourettes pendant son adolescence. Rodolfo avait tué dans l'œuf ses rares tentatives d'escapades romantiques et l'avait enjoint de ne fréquenter que des demoiselles issues de la haute société.

Maurizio trouvait la soirée plutôt ennuyeuse jusqu'à ce que Patrizia fît son entrée, vêtue d'une robe rouge flamboyant qui moulait avantageusement ses courbes. Il était incapable de la quitter des yeux. Vêtu lui-même d'un curieux smoking sans revers, un verre à la main, il observait du coin de l'œil cette superbe créature, qui riait et discutait avec des amis. Les yeux de la jeune femme, dont l'éclat était rehaussé par un épais mascara et un trait d'eye-liner noir, croisaient son regard de temps à autre, puis se détournaient, feignant de ne pas avoir remarqué l'intérêt que lui portait depuis son arrivée cet invité à la tignasse blonde. En réalité, elle savait tout à fait qui il était. Vittoria, dont elle était la voisine, lui en avait longuement parlé.

Maurizio se pencha vers l'ami qui se tenait près de lui et murmura à son oreille :

— Qui est cette fille là-bas, qui ressemble à s'y méprendre à Elizabeth Taylor ?

Son interlocuteur sourit.

— Elle s'appelle Patrizia. Son père, Fernando Reggiani, dirige une importante société de transports à Milan.

Il s'interrompit, et reprit, d'un ton lourd de sous-entendus :

— Elle a vingt et un ans et je crois qu'elle est libre.

Maurizio n'avait jamais entendu parler de Reggiani. En outre, il n'était pas dans ses habitudes d'aborder lui-même les représentantes du sexe opposé – c'étaient elles, en général, qui venaient à sa rencontre. Mais, cette fois, il rassembla son courage et traversa la pièce pour rejoindre Patrizia. Le bar lui fournit le prétexte rêvé pour s'adresser à elle : il s'empara d'une coupe de punch.

— Comment se fait-il que je ne vous ai pas rencontrée auparavant ? demanda-t-il.

Ses doigts frôlèrent ceux de la jeune femme en lui tendant le verre. Il entendait s'enquérir par ce contact de l'existence d'un rival.

— Je suppose que vous n'avez jamais fait attention à moi, rétorqua-t-elle.

Elle baissa les cils, puis les releva, dardant son regard violet sur le visage de Maurizio.

— Vous a-t-on jamais dit que vous êtes le sosie d'Elizabeth Taylor ?

Elle émit un petit rire, flattée par la comparaison – qui n'avait sans doute rien d'inédit –, et le fixa longuement, avant de répondre :

— Je puis vous assurer que je lui suis bien supérieure.

Elle avait accompagné ces dernières paroles d'une moue de sa bouche rouge corail mise en valeur par un trait de crayon plus sombre. Maurizio frissonna de la tête aux pieds. Fasciné et interdit à la fois, il en perdit l'usage de la parole. Il parvint finalement à balbutier :

— Que… que fait votre père ?

Son embarras s'accrut quand il se rendit compte qu'il avait bégayé.

— Il est chauffeur routier, répondit Patrizia en souriant, avant de s'esclaffer tout à fait devant la mine ahurie de Maurizio.

— Mais… euh… Je pensais que… N'est-il pas dans les affaires ?

— Vous êtes idiot, lança-t-elle, amusée.

Elle savait qu'elle n'avait pas seulement captivé son attention : elle lui plaisait, elle en était sûre.

« Au début, je n'étais pas éprise du tout, se rappelle Patrizia. J'étais engagée auprès d'un autre. Pourtant, lorsque j'ai rompu mes fiançailles,

Vittoria me confia que Maurizio était très amoureux de moi et, petit à petit, les choses ont pris tournure. C'est l'homme que j'ai le plus aimé, malgré toutes les erreurs qu'il a commises. »

Ses amis de l'époque affirment que Patrizia ne faisait pas de mystère quant à son intention d'épouser non seulement un parti fortuné, mais aussi issu d'une lignée prestigieuse. L'un d'eux explique :

« Patrizia fréquentait un richissime industriel, cependant, à en croire sa mère, il n'était pas d'assez haute naissance. Alors, elle le congédia. »

Maurizio et Patrizia se mirent à sortir avec un autre couple du groupe de Santa Margherita. La jeune femme eut tôt fait de découvrir que son soupirant n'était pas aussi libre qu'elle l'avait cru.

Maurizio avait été élevé par son père, un homme affectueux mais strict, car il avait perdu sa mère, Alessandra, à l'âge de cinq ans. La santé de cette dernière avait décliné à l'époque où Rodolfo et elle commençaient tout juste à goûter aux plaisirs de leur nouvelle vie à Milan. Des proches certifient que la césarienne pratiquée lors de la naissance de Maurizio avait activé une tumeur dans son utérus. Le cancer se propagea peu à peu dans son corps et les stigmates de la maladie apparurent sur son visage et ses membres. Rodolfo amena souvent le petit Maurizio à l'hôpital rendre visite à sa mère. Celle-ci succomba le 14 août 1954. Les comptes rendus parus dans la presse attribuèrent son décès à une pneumonie. Elle avait quarante-quatre ans. Sur son lit de mort, elle supplia Rodolfo, âgé de quarante-deux ans, de lui promettre que Maurizio n'appellerait aucune autre « *mamma* ». Bouleversé, son époux confia à son entourage qu'Alessandra lui avait offert les plus belles années de son existence – et qu'elle les avait laissés, lui et son fils, au moment où s'annonçaient des jours plus heureux encore. Occultant les quelques nuages qu'avait connus leur union, il la hissait au rang de sainte.

Malgré les conseils de Guccio et d'Aida, qui jugeaient que le petit avait besoin d'une présence féminine ou maternelle auprès de lui, Rodolfo refusa de se remarier ou de chercher à nouer des rapports durables avec des femmes. Certes, il lui arrivait de voir d'anciennes relations du temps où il était acteur. Mais il évitait toute forme d'engagement, de peur d'avoir moins de temps à consacrer à son fils, ou d'attiser sa jalousie. À l'en croire, chaque fois qu'il le surprenait à parler avec une amie, l'enfant tirait nerveusement sur la veste de son père. Maurizio avait une gouvernante, Tullia, une jeune fille simple et robuste, originaire de la région de Florence. Elle resta dans la famille après la mort d'Alessandra et y demeura longtemps après que Maurizio eut quitté le foyer paternel. Et même si le garçon entretenait avec elle des liens très proches, elle ne fut jamais une deuxième mère pour lui : Rodolfo ne l'aurait pas supporté.

Le père et le fils vivaient dans un appartement très clair, au dixième étage d'un immeuble du corso Monforte, une rue étroite où se côtoyaient des *palazzi* du XVIIIe siècle et quelques commerces. Rodolfo aimait cette résidence à plus d'un titre : elle avait l'avantage d'être située à quelques pas de la boutique Gucci et juste en face de la *prefettura*, le quartier général de la police. En ces jours où les rapts de personnalités italiennes étaient monnaie courante, la proximité des forces de l'ordre constituait un élément réconfortant.

L'appartement n'était pas très vaste, mais suffisamment grand pour abriter ses quatre occupants : Rodolfo, Maurizio, Tullia et Franco Solari, chauffeur et assistant personnel du maître de maison. Il était meublé avec goût, sans ostentation, selon les souhaits de Rodolfo, qui abhorrait l'excès en toute chose. Chaque matin, il revêtait un costume aux couleurs chatoyantes et rejoignait les trois autres pour le petit déjeuner. Après quoi, il se rendait à la boutique de la via Monte Napoleone. Le soir, il rentrait dîner chez lui et exigeait que Maurizio restât à table jusqu'à la fin du repas. Si les amis de son fils téléphonaient avant le dessert, c'était Tullia qui décrochait :

— *Il signorino*, disait-elle, au grand dam de Maurizio, est en train de souper et ne peut vous répondre.

Maurizio s'empressait ensuite de retrouver ses camarades et Rodolfo se retirait dans le sous-sol de leur immeuble, qu'il avait converti en studio de cinéma. Visionner encore et encore les vieux films muets qu'il avait tournés lui procurait un plaisir fou : cela lui rappelait sa jeunesse avec Alessandra.

Comme son père voyageait souvent pour affaires, Maurizio se sentait seul et mélancolique. La disparition de sa mère l'avait traumatisé. Des années durant, il fut incapable de prononcer le mot *mamma*. Lorsqu'il l'évoquait en famille, il disait « *quella persona* », « cette personne ». Au moyen d'une vieille Moviola, dans son studio souterrain, Rodolfo rassembla quelques extraits de films à l'intention de son fils : scènes qu'il avait interprétées en compagnie de son épouse, images de leur mariage à Venise ou de Maurizio et sa mère heureux dans la campagne florentine. Il obtint ainsi un long-métrage au sujet de la famille Gucci qu'il intitula *Il Cinema nella Mia Vita – Le Cinéma dans ma vie –* et qu'il modifierait sans cesse au fil des ans.

Un dimanche matin, alors que Maurizio n'avait que neuf ou dix ans, Rodolfo invita toute la classe de son fils, inscrit dans une école privée, à la première projection de son film, au cinéma Ambasciatori, sous la rue piétonne Vittorio Emanuele, à deux pas de chez eux. Maurizio découvrit sa mère comme il ne l'avait jamais connue : en actrice séduisante, en mariée romantique, en jeune maman radieuse. *Sa* maman. Après le film, Rodolfo et lui rentrèrent à pied. Aussitôt qu'ils furent arrivés, Maurizio se jeta sur le divan du salon et sanglota « *Mamma ! Mamma ! Mamma !* » jusqu'à l'épuisement.

Maurizio grandissant, Rodolfo souhaitait que son garçon vienne travailler à la boutique après les cours et le week-end, conformément à la tradition familiale. Il le confia aux bons soins du *signore* Braghetta, véritable pilier de la boutique de la via Monte Napoleone, qui initia Maurizio à l'art de réaliser des paquets.

« Les emballages de Braghetta étaient splendides, se rappelle Francesco Gittardi, gérant de la boutique milanaise. Quand vous achetiez un simple porte-clé en or à 20 000 lires, vous l'emportiez chez vous dans un emballage digne de contenir un écrin Cartier. »

La relation étroite et exclusive que Rodolfo entretenait avec son fils était dominée par la possessivité de ce père. Terrifié à l'idée qu'on puisse enlever Maurizio, il enjoignit Franco de le suivre en voiture, même lorsque l'enfant allait faire un tour à bicyclette. Le week-end ou lors des vacances scolaires, tous deux s'isolaient dans la propriété que Rodolfo avait achetée lopin par lopin à Saint-Moritz. En effet, ce dernier avait investi sa part des bénéfices croissants de l'affaire Gucci dans l'acquisition d'une propriété à Suvretta, l'un des voisinages les plus chics de la station où Gianni Agnelli, P-DG de Fiat, le maestro Herbert von Karajan ou l'Aga Khan possédaient également des résidences.

Il y créa un domaine enchanteur qui s'étendait sur deux hectares et baptisa son premier chalet « Chesa Murézzan », ce qui signifie « la maison de Maurizio » en suisse romand. Rodolfo sélectionna lui-même, dans une vallée voisine, les blocs de rochers aux teintes rosées, destinés aux murs extérieurs de la maison. Il y apposa les armoiries de sa famille ainsi qu'une fleur de lis, symbole de Florence. Quelques années plus tard Rodolfo fit construire, plus en hauteur, une deuxième maison, la Chesa d'Ancora, ornée de balcons de bois et de poutres apparentes et donnant sur la vallée Engadine. Dès lors, la Chesa Murézzan servit de quartiers des domestiques, hormis le salon qui fut transformé en une gigantesque salle de projection. Rodolfo briguait également un charmant chalet des environs, tout en rondins, avec des volets à l'ancienne, décorés de motifs peints à la main, et des fleurs bleues qui s'épanouissaient sur la pelouse devant la maison. Baptisée l'Oiseau Bleu et construite en 1929, cette habitation abritait la vieille femme qui lui avait vendu sa propriété de Saint-Moritz. Le temps passant, Rodolfo s'était attiré la sympathie de cette dame lors de discussions interminables autour d'une tasse de thé. Il pensait que sa demeure serait le lieu idéal pour couler une paisible retraite.

Tâchant d'enseigner à Maurizio la valeur de l'argent, Rodolfo limitait les sommes qu'il lui confiait. Lorsque son fils fut en âge de conduire, il lui acheta une Giulia couleur moutarde, un modèle Alfa Romeo très populaire. Cette voiture solide, haut de gamme, dotée d'un moteur puissant – longtemps associée aux véhicules de la police italienne –, n'était pourtant pas la Ferrari dont rêvait le jeune homme. Ce père protecteur imposait aussi un couvre-feu à son garçon, qui devait rentrer bien avant minuit les soirs de semaine. Intimidé par la personnalité autoritaire et quelque peu névrosée de son géniteur, Maurizio répugnait à lui demander quoi que ce fût.

Il trouva son ami le plus sincère en la personne de Luigi Pirovano. De douze ans son aîné, ce dernier avait été engagé en 1965 pour conduire Rodolfo à ses rendez-vous d'affaires. L'adolescent avait alors tout juste dix-sept ans. Lorsqu'il était à court d'argent de poche, Luigi lui avançait la somme désirée. S'il écopait de contraventions, son complice les réglait. Pour ses rendez-vous galants, le chauffeur lui confiait la voiture – et se chargeait lui-même d'expliquer l'absence du véhicule à son patron.

Maurizio entama des études de droit à l'université catholique de Milan. Rodolfo commença à s'inquiéter du caractère trop confiant et trop naïf du jeune homme. Un beau jour, il le convoqua en tête à tête.

— N'oublie jamais, Maurizio, que tu es un Gucci. Tu es différent des autres. Nombreuses sont celles qui souhaiteraient accaparer tes faveurs – et ta fortune. Sois prudent : certaines se font une spécialité de piéger des partis comme toi.

Tandis qu'en été les camarades de son âge prenaient leurs vacances sur les plages italiennes, Rodolfo envoyait son fils à New York travailler avec son oncle Aldo, responsable de l'expansion du groupe aux États-Unis. Du reste, Maurizio ne causa jamais de souci à son père – avant la soirée via dei Giardini.

Au début, il ne se résolvait pas à lui parler de Patrizia. Il dînait avec lui tous les soirs comme à l'accoutumée. Cependant, Rodolfo, qui percevait l'impatience de son fils à table, faisait traîner le dîner en longueur, si bien que l'agitation de Maurizio devenait manifeste. Le repas terminé, le garçon s'excusait et s'empressait de rejoindre Patrizia, sa « Vénus de poche », comme la désignait l'un de ses amis.

— Où vas-tu ?

— Je sors avec des copains, répondait Maurizio, évasif.

Rodolfo descendait travailler sur son chef-d'œuvre dans le sous-sol de l'immeuble, et, pendant qu'il visionnait encore et encore ses extraits de films en noir et blanc, Maurizio courait retrouver son *folletto rosso*, son « petit elfe rouge », ainsi qu'il avait surnommé sa bien-aimée, en souvenir de la robe écarlate qu'elle portait le jour de leur rencontre. Patrizia quant à elle l'appelait par le diminutif « Mau ». Ils dînaient souvent au Santa Lucia, la trattoria du centre-ville qui devait long-temps rester le restaurant préféré de Maurizio. Lui picorait tandis que sa convive se délectait des pâtes et du risotto maison en s'étonnant du manque d'appétit de son ami. Bien plus tard seulement, elle apprendrait que Maurizio dînait une première fois avec son père, puis une seconde en sa compagnie.

Le jeune homme était chaviré par cette femme. Quoique à peu près du même âge que lui, elle lui paraissait infiniment plus expérimentée. Avait-il remarqué que sa chevelure de jais et ses traits séduisants étaient dus à des heures passées entre les mains expertes d'un coiffeur ou à se farder devant le miroir ? Si c'était le cas, il n'en avait cure. Depuis toujours, Patrizia affectionnait les artifices et l'outrance. Les amis du couple se demandaient souvent ce que Maurizio pouvait bien lui trouver une fois qu'elle ôtait ses faux cils, qu'elle défaisait ses cheveux et qu'elle remisait ses talons aiguilles. Mais l'ingénu était fou d'elle et il lui demanda sa main dès leur deuxième rendez-vous.

Il fallut du temps à Rodolfo pour s'apercevoir des changements de son fils. Un jour, il vint le trouver en brandissant la note de téléphone.

— Maurizio ! aboya-t-il.

— Oui, papa ?

— C'est toi qui as passé tous ces appels ?

L'interpellé s'empourpra et resta coi.

— Réponds-moi. Jette un coup d'œil à cette facture ! Elle est astronomique !

Maurizio soupira. Il savait que le moment était venu de tout avouer.

— Papa, j'ai une petite amie. Je l'aime. Je veux l'épouser.

Patrizia était la fille de Silvana Barbieri, une femme rousse d'extraction modeste qui, dans sa jeunesse, aidait son père à tenir son restaurant de Modène, à deux heures au sud de Milan. Fernando Reggiani, cofondateur d'une importante société de transporteurs, s'arrêtait souvent dans cet établissement pour déjeuner ou dîner. Originaire lui aussi de la région de l'Emilia-Romagna, il appréciait la cuisine du cru qui avait bercé son enfance et aimait à regarder la jolie serveuse évoluer dans la salle. Il avait dépassé la cinquantaine et était déjà marié, mais Silvana, à peine âgée de dix-huit ans, avait ravi son cœur. Cette dernière pour sa part trouvait à ce charmant client des faux airs de Clark Gable. Leur liaison allait durer plusieurs années.

« Il m'a fait la cour assidûment », se souvient-elle.

Elle affirme que sa fille, née le 2 décembre 1948, est bel et bien l'enfant de Reggiani, qui ne put la reconnaître étant donné son statut marital. En revanche, lorsqu'on interroge Patrizia, elle désigne toujours l'amant de sa mère comme son *patrigno*, son beau-père. Silvana épousa un homme des environs, un certain Martinelli, pour donner un nom légitime à sa progéniture, et suivit son Clark Gable dans la capitale économique du pays.

« J'ai été la maîtresse, la concubine et l'épouse d'un seul homme », précise Silvana.

Celle-ci s'installa avec sa fille dans un petit appartement de la via Toselli, au cœur d'un quartier semi-industriel, non loin du siège de la société de Reggiani.

Ce dernier engrangea une coquette fortune grâce aux transporteurs Blort – nom composé des initiales des quatre membres fondateurs qui avaient mis leurs ressources en commun dans les années 1930 pour acheter leur premier poids lourd. Les Allemands confisquèrent les véhicules pendant la Seconde Guerre mondiale, ce qui n'empêcha pas Reggiani de remettre l'affaire à flot au lendemain du conflit et de racheter les parts de ses associés. Il devint un membre respecté du milieu des affaires et de l'Église, eu égard aux dons qu'il faisait aux bonnes œuvres – sa générosité lui valut le titre de *commendatore*. Son épouse mourut d'un cancer en février 1956 et, à la fin de la même année, Silvana et Patrizia emménageaient dans la demeure de Reggiani, via dei Giardini. Quelques années plus tard, il se mariait avec sa maîtresse dans la plus stricte intimité et adoptait Patrizia.

Or, en 1945, Fernando avait recueilli le fils d'un parent qui ne se souciait pas de son enfant. Enzo, âgé de treize ans au moment de l'arrivée de ces deux intruses, ne voyait pas la cohabitation d'un œil favorable.

— Silvana sera ta préceptrice, lui avait dit Fernando.

— Elle est incapable de m'enseigner quoi que ce soit ! répliqua le garçon. Elle est ignare et elle fait des fautes de grammaire.

Enzo ne s'entendait pas non plus avec Patrizia. Tous deux se querellaient sans cesse, si bien que la vie de la maisonnée devint insupportable. Silvana, élevée selon l'ancienne méthode, à coups de règles strictes et de sanctions sévères, s'efforça de maîtriser l'adolescent, en vain. Elle fit part de ses réserves à Reggiani.

— Il n'est pas intelligent, il a de mauvais résultats scolaires.

Sur quoi, Reggiani envoya Enzo en pension.

Patrizia, que cette vie de famille et ce père tout neufs enchantaient, conquit le cœur de Fernando, qui, en retour, la gâtait au-delà du raisonnable. Elle éprouvait de l'adoration pour celui qu'elle appelait « *papino* ». Pour son quinzième anniversaire, il lui offrit un manteau de vison blanc qu'elle arborait fièrement devant ses camarades du Collegio delle Fanciulle, une école pour jeunes filles de bonne famille située près du conservatoire de Milan, dans la partie orientale de la ville. Le jour de ses dix-huit ans, elle découvrit devant la porte de leur maison un magnifique coupé, une Lancia Fulvia Zagato, entouré d'un immense ruban rouge. Elle aimait à le taquiner sur sa foi, et n'hésitait pas à le scandaliser.

— *Papino*, puisque le Christ est censé être éternel, pourquoi fabrique-t-on des statues de bois à son image ?

Il grommelait une réponse et elle le relançait :

— *Papino*, ce Christ en bois que tu as embrassé à Pâques était un arbre il n'y a pas si longtemps !

Puis elle enlaçait le cou de son père qui fulminait, et finissait par promettre :

— Allez, *papino*, je t'accompagnerai à l'église ce dimanche !

Si Reggiani couvrait sa fille de cadeaux, Silvana, elle, achevait de parfaire son éducation. Elle-même n'avait-elle pas réussi à les amener de Modène à Milan ? C'était au tour de Patrizia désormais de remporter la prochaine étape : les introduire dans les salons des plus grandes familles de la cité. Pourtant les autres élèves, qui faisaient des gorges chaudes de ses belles voitures, de ses fourrures, et de ses signes extérieurs de richesse, ironisaient sur ses extravagances et se moquaient des origines modestes de Silvana. La nuit, Patrizia pleurait sur l'épaule de sa mère.

— Que possèdent-elles que je n'ai pas ? demandait-elle, abattue.

Silvana la réprimandait et lui rappelait à quel point leur situation s'était améliorée.

— Les larmes ne servent à rien. La vie est un combat et tu dois lutter. Ce qui compte, c'est notre propre nature profonde. N'écoute pas ces mauvaises langues. Elles ne savent pas qui tu es.

Après le lycée, Patrizia s'inscrivit dans une école d'interprétariat. Elle était vive et elle apprenait vite. Pourtant elle cherchait surtout à s'amuser. Ses camarades étudiants se rappellent qu'elle arrivait en cours à 8 heures du matin et laissait négligemment glisser sa fourrure, dévoilant une robe de cocktail ajustée et couverte de brillants qu'elle avait portée la veille à une réception.

« Elle sortait tous les soirs, explique Silvana, en secouant la tête d'un air désapprobateur. Elle faisait irruption au salon pour nous dire au revoir, son manteau boutonné jusqu'au cou et annonçait : "Papa, je sors !" Fernando jetait un coup d'œil à sa montre et répondait : "D'accord, mais à minuit et quart, je verrouille la porte. Si tu n'es pas de retour, tu n'auras qu'à dormir sur les marches." À peine avait-elle franchi le seuil que Fernando me disait : "Vous me prenez pour un imbécile, toutes les deux. Je sais bien pourquoi elle tenait son manteau plaqué contre sa poitrine. Tu ne devrais pas laisser notre fille sortir dans cette tenue !" C'était toujours ma faute ! »

Malgré l'indifférence que Patrizia affichait vis-à-vis de ses études, elle parla bientôt couramment le français comme l'anglais, et ses excellents résultats emplissaient son *papino* de fierté. Dans le même temps, elle se faisait connaître de toute la ville pour ses manières provocantes.

« J'ai rencontré Patrizia au mariage d'un ami, explique un témoin de cette période. Elle portait une splendide robe lavande en voile et, de toute évidence, rien en dessous. À l'époque, c'était un véritable scandale ! Maurizio avait reçu une éducation très stricte et les garçons de notre groupe n'ignoraient pas la nature frivole de cette femme. Certains disaient qu'ils la connaissaient *intimement*, mais Maurizio faisait la sourde oreille. Il était complètement sous le charme. »

Voilà pourquoi Rodolfo fut pris de court par l'aveu de son fils.

— À ton âge ? tonna-t-il. Tu es jeune, tu n'as pas encore de diplôme et tu n'as même pas commencé ta formation au sein de l'affaire familiale.

Le jeune homme écoutait sans mot dire. Rodolfo comptait préparer Maurizio à diriger Gucci un jour. À son avis, aucun des fils d'Aldo n'était à la hauteur de la tâche, et il savait son frère conscient de ce problème.

— Et qui est donc l'heureuse élue ? demanda Rodolfo, non sans quelque inquiétude.

Le nom de la fille ne lui disait rien et il espérait qu'il s'agirait d'un feu de paille.

Sans doute n'aurait-il trouvé aucune femme assez bien pour son garçon. Pendant un temps, il avait caressé l'espoir que ce dernier convolerait avec Marina Palma, son amie d'enfance, dont les parents possédaient une résidence à Saint-Moritz près de celle des Gucci. Celle-ci finirait par épouser Stavros Niarchos.

« C'était la seule qui trouvait grâce aux yeux de Rodolfo, se souvient Liliana Colombo, secrétaire dévouée du père puis du fils. Il rêvait de cette union parce que Marina venait d'une bonne famille. Il connaissait bien son père. En revanche, il se méfiait de Patrizia. »

Six semaines après le début de leur liaison, un incident força les jeunes gens à mettre cartes sur table. Patrizia avait invité Maurizio à passer le week-end avec elle dans la villa paternelle de Santa Margherita, une jolie demeure à deux étages pourvue d'une terrasse gorgée de fleurs donnant sur la mer. Patrizia avait fait de cette maison, décorée d'élégants meubles vénitiens, le centre de ses fêtes entre amis.

« Cette résidence était un vrai moulin, précise Silvana. Nando apportait de la focaccia dont je confectionnais des sandwichs. En l'espace de quelques heures, il ne restait plus une miette sur les dizaines de plateaux ! »

Cependant, cette fois, Patrizia se moquait du nombre de visiteurs qui s'étaient amassés dans la maison : seul lui importait un invité qui brillait par son absence. Elle appela chez Maurizio pour savoir si quelque chose de grave était survenu et fut surprise de l'entendre décrocher le combiné lui-même.

— J'ai dit à papa que je voulais venir te rejoindre, mais il me l'a défendu.

Une telle marque de faiblesse indigna Patrizia.

— Tu es adulte ! As-tu aussi besoin de sa permission pour remuer le petit doigt ? On est censé être amoureux, non ? Est-ce un crime de venir nager chez moi ? Pourquoi ne passerais-tu pas pour la journée ?

Le dimanche suivant, Maurizio la rejoignit, non sans avoir promis à son père qu'il serait de retour dans la soirée. Toutefois sa compagne le persuada de rester à la villa pour la nuit. Quand Rodolfo s'aperçut que son garçon découchait, il téléphona aux Reggiani. Silvana prit l'appel et eut droit à une explosion de colère. Son interlocuteur exigeait de parler à son mari. Son souhait exaucé, il rugit :

— Ce qui se passe entre votre fille et mon fils me déplaît souverainement. Elle distrait Maurizio de ses études.

Fernando tenta de le calmer, mais l'autre lui coupa la parole.

— *Basta !* Dites à Patrizia que je lui interdis de revoir Maurizio. Je sais qu'elle s'intéresse uniquement à sa fortune, mais elle ne l'aura jamais. Jamais ! Vous entendez ?

Reggiani n'était pas homme à prendre de telles insultes à la légère et ces propos l'avaient grandement offensé.

— Vous n'êtes qu'un grossier personnage ! riposta-t-il. Vous croyez-vous le seul en ce bas monde à avoir de l'argent ? Ma fille est libre de fréquenter qui bon lui semble. J'ai entière confiance en elle et en ses sentiments, et si elle désire voir Maurizio Gucci ou qui que ce soit d'autre, elle a carte blanche !

Sur ce, il raccrocha violemment le combiné.

Maurizio, qui n'avait pas perdu une miette de la conversation, était mortifié. Ce soir-là, il alla danser dans une discothèque sur la plage en compagnie de Patrizia, mais le cœur n'y était pas. Le lendemain matin, dès l'aube, il quitta la villa et prit la route pour Milan. Quand il arriva chez lui, il poussa avec crainte la porte du bureau de Rodolfo. Celui-ci, assis derrière son imposant secrétaire en bois, dévisagea son fils et lui adressa l'avertissement qui amena le jeune homme à faire ses bagages.

Moins d'une heure plus tard, Maurizio posait sa grosse malle, aux couleurs rouge et vert Gucci, devant le perron du 3, via Giardini. Il actionna la sonnette du domicile de Patrizia, qui vint l'accueillir à la porte. Elle écarquilla les yeux quand elle aperçut la valise et la tristesse qui inondait le regard de son amant.

— J'ai tout perdu, s'écria-t-il. Mon père est fou de rage. Il m'a déshérité, il nous a insultés, toi et moi. Je ne peux même pas te répéter les horreurs qu'il m'a dites.

Patrizia l'étreignit en silence, lui caressa la nuque. Puis elle lui sourit.

— Nous voilà tels que Roméo et Juliette, avec leurs familles rivales, les Montaigu et les Capulet.

Elle pressa sa main tremblante et déposa un tendre baiser sur ses lèvres.

— Qu'est-ce que je vais devenir ? gémit-il. Je n'ai pas un centime à mon nom !

Le regard de la jeune femme s'assombrit.

— Viens, lui dit-elle en l'entraînant vers le salon. Mon père sera bientôt de retour. Il t'aime bien, tu sais. Nous allons lui parler.

Fernando reçut les deux amoureux dans son bureau. La pièce était meublée simplement, mais avec goût, des étagères garnies de livres, une table ancienne en bois, deux petits fauteuils et un sofa. Reggiani éprouvait de l'affection pour le fils Gucci, et ce, en dépit de la colère que lui avait inspirée le chapelet d'injures de Rodolfo.

— *Commendatore*, dit Maurizio à voix basse, mon père et moi avons eu un différend qui m'a contraint à quitter ma maison et l'affaire familiale. Je suis encore à l'université et je n'ai pas d'emploi. Je suis amoureux de votre fille et j'aimerais l'épouser, bien que je n'aie rien à lui offrir.

Fernando l'écouta avec attention et interrogea Maurizio sur le désaccord qui l'avait opposé à son père. Il avait foi en ce que le garçon lui disait, tant au sujet de ses sentiments qu'à propos de ses déboires familiaux. Il le prit en pitié et choisit soigneusement ses mots avant de répondre :

— Je vais te donner un emploi et t'accueillir chez moi à condition que tu termines tes études et que ma fille et toi preniez vos distances. Je ne tolérerai pas de conduite inconvenante. Si vous dérogez à cette règle, j'estimerai cet arrangement rompu.

Maurizio opina du chef.

— Pour ce qui concerne un éventuel mariage, cela reste à voir. D'abord, parce que je me remets à peine des paroles véhémentes de ton père, et ensuite parce que je veux m'assurer de la profondeur de votre affection mutuelle. J'emmènerai Patrizia avec moi en voyage cet été. À notre retour, si votre état d'esprit est inchangé, nous reconsidérerons la chose.

Maurizio avait adopté une stratégie qu'il allait répéter tout au long de sa vie d'adulte : il avait mis un terme à sa relation avec son père pour trouver refuge auprès d'une autre source de protection. Il apparaissait aux yeux des Reggiani comme un garçon tellement vulnérable et bien intentionné qu'ils n'hésitèrent pas à le prendre sous leur aile afin de le soustraire à la colère de Rodolfo. Au cours des mois suivants, il coucha sur le canapé dans le cabinet de Fernando, pour qui il travaillait la journée.

La nouvelle que les deux tourtereaux vivaient désormais sous le même toit se répandit à Milan comme une traînée de poudre. Les amies de Patrizia la harcelaient de questions, brûlant de savoir quel effet cela faisait de cohabiter avec son bien-aimé. La jeune fille jouait son rôle à merveille.

— Papa se débrouille pour que nous nous croisions à peine dans les couloirs, se plaignait-elle, secrètement ravie de l'attention qu'elle suscitait. Maurizio et moi ne nous voyons presque plus. Le jour, il aide papa au bureau et le soir il révise ses cours.

Pendant que le jeune homme s'initiait au secteur du transport, son père broyait du noir. Il n'acceptait pas le départ subit de son garçon, et encore moins la facilité avec laquelle il avait fait une croix sur son avenir pour les beaux yeux d'une femme. Sa fierté empêchait Rodolfo de tenter toute réconciliation. Comme ses dîners en tête à tête avec son fils lui manquaient, il s'enfermait dans son bureau jusque tard dans la nuit et demandait à la cuisinière de lui préparer un repas froid – en général, des fruits et du fromage – qu'il mangeait seul. Lorsque ses frères Aldo et Vasco vinrent lui rendre visite pour lui faire part de leur inquiétude, il ne leur laissa pas le loisir de le raisonner.

— Pour moi, ce *bischero*, cet idiot de fils, n'existe plus, vous comprenez ? hurla-t-il.

« Son père ne me refusait pas en tant que Patrizia Reggiani, expliquerait celle-ci des années plus tard. Il m'en voulait de lui avoir volé son fils bien-aimé, c'est tout. Pour la première fois, Maurizio défiait son autorité et cela le mettait hors de lui. »

Comme convenu, Fernando et Patrizia entreprirent un long tour du monde. À leur retour en septembre 1971, les deux jeunes gens étaient plus amoureux que jamais. Les gérants de la société de Reggiani apprirent à leur patron que Maurizio avait fait preuve d'un grand sérieux et qu'il avait la tête sur les épaules. Il n'hésitait pas à mettre la main à la pâte, quitte à décharger lui-même des conteneurs sur les docks. Il prenait à cœur les difficultés de l'entreprise et coordonnait consciencieusement les emplois du temps des routiers. Quelques jours après leur retour, Reggiani convoqua sa fille dans son bureau :

— *Va bene*, lui dit-il. C'est d'accord. Vous m'avez convaincu, tous les deux. Dommage pour Rodolfo qu'il soit si têtu. En s'obstinant dans cette voie, il va perdre un fils et moi, je vais en gagner un.

La date des noces fut fixée au 28 octobre 1972. Silvana supervisa soigneusement les préparatifs. Quand Rodolfo comprit que Maurizio n'allait pas se détacher de Patrizia, il recourut à des mesures draconiennes. Un jour de septembre 1972, en fin de matinée, il alla rendre visite au cardinal de Milan, Mgr Giovanni Colombo. Après une longue attente devant le bureau du prélat, situé dans un bâtiment derrière le Duomo, il formula sa requête.

— Éminence, j'ai besoin de votre aide. Le mariage de mon fils et de Patrizia Reggiani doit être empêché !

— Pour quel motif ? demanda le cardinal.

— C'est mon fils unique, sa mère est morte, et il est tout ce qu'il me reste, dit Rodolfo, bouleversé. Cette Patrizia Reggiani n'est pas l'épouse qu'il lui faut et j'ai peur. Vous êtes le seul qui puisse les arrêter !

Giovanni Colombo en avait assez entendu. Il se leva, indiquant ainsi à son visiteur que la discussion était close.

— Je regrette, déclara-t-il, mais s'ils s'aiment et veulent se marier, il n'y a rien que je puisse faire.

Sur ce, il reconduisit Rodolfo à la porte.

Ce dernier continua de se morfondre. Dans le même temps, Maurizio paraissait renaître. Il venait d'obtenir son diplôme de droit à l'université catholique de Milan. Au cours des mois passés chez les Reggiani, il avait pris conscience que le monde ne tournait pas autour de son père. Il semblait avoir gagné en maturité, en assurance. Il avait foi dans l'avenir, même si la perspective de travailler dans l'affaire familiale n'était plus envisageable. Il connaissait une certaine réussite dans son domaine professionnel et aimait collaborer avec son futur beau-père, pour qui il éprouvait beaucoup d'affection.

« À l'en croire, il aimait même décharger des camions ! confirme l'un de ses amis, au comble de l'étonnement. C'était l'époque des grands mouvements étudiants en Italie. À Milan, comme dans les autres villes, il y avait des rassemblements et des manifestations, des guerres de gangs et du gaz lacrymogène dans les rues. Maurizio n'a pas pris part aux révoltes estudiantines, mais Patrizia représentait sa rébellion. Au travers d'elle, il avait trouvé son indépendance. »

Toutefois, Maurizio n'était pas en paix avec lui-même. Quelques jours avant son mariage, il alla se confesser au Duomo, la magnifique cathédrale milanaise érigée au XIVe siècle. Il avança dans la pénombre jusqu'à la nef et s'installa dans un confessionnal. Il appréciait cette impression de se fondre dans la masse anonyme, au milieu des murmures, des pas étouffés, des rais de lumière filtrés par les vitraux.

— Pardonnez-moi, mon père, parce que j'ai péché, murmura Maurizio, agenouillé sur le banc capitonné.

Il laissa choir sa tête entre ses mains, les doigts joints, devant le rideau de velours.

— J'ai manqué à l'un des dix commandements, dit-il. Je n'ai pas respecté les vœux de mon père. Je vais me marier contre son gré.

La basilique de brique rouge Santa Maria della Pace avait été érigée au XIVe siècle dans une cour murée et arborée, située juste derrière le palais de justice de Milan, construit au XXe siècle. Ainsi qu'il est de tradition en Italie, on avait paré les bancs de velours bordeaux et de bouquets de fleurs sauvages, à la demande expresse de Silvana. *Papino* Reggiani ne regarda pas à la dépense : il loua une Rolls Royce ancienne pour conduire sa fille à l'église, et six huissiers en queue-de-pie escortèrent les invités à leur place. Une brève réception dans les salons de l'Ordre du Saint-Sépulcre sous l'église suivit la cérémonie. Plus tard, les cinq cents invités dînèrent sous les lustres étincelants au club dei Giardini – celui-là même où, vingt-trois ans plus tard, Gucci ferait son grand retour sur le devant de la scène.

Le mariage de Maurizio et de Patrizia fut l'un des grands événements mondains de l'année, mais aucun des parents du jeune marié n'était présent. La famille Reggiani, sachant son père opposé à cette union, ne l'y avait pas convié. Plus tôt ce matin-là, Rodolfo convoqua Luigi, son chauffeur, et lui demanda de l'amener sur-le-champ à Florence sous un prétexte fallacieux.

« On aurait dit que la ville entière célébrait ce mariage, se souvient Luigi. Rodolfo n'avait plus qu'à quitter les lieux. »

Alors que l'église regorgeait d'amis et de connaissances de sa compagne, Maurizio n'avait pour invités que l'un de ses professeurs et quelques camarades. Son oncle Vasco lui avait tout de même fait porter un vase en argent.

Patrizia était persuadée que Rodolfo finirait par changer d'attitude.

— Ne t'inquiète pas, Mau, lui disait-elle. Les choses s'arrangeront d'elles-mêmes. Dès qu'il aura eu un ou deux petits-enfants, ton père se réconciliera avec toi.

Elle avait certes raison, mais elle n'était pas femme à laisser le destin suivre son cours sans le forcer un peu. Elle fit pression sur Aldo, qui avait toujours défendu le caractère familial de l'entreprise Gucci. La détermination dont son neveu avait fait preuve en tenant tête à son père l'avait impressionné. À l'époque, il commençait à comprendre qu'aucun de ses garçons n'éprouvait le désir de le rejoindre aux États-Unis ni même l'ambition de reprendre le flambeau de la branche américaine. Roberto s'était installé à Florence avec sa femme Drusilla et leur ribambelle d'enfants, Giorgio avait choisi la direction des deux boutiques romaines, tandis que Paolo travaillait pour Vasco à Florence.

En avril 1971, Aldo avait laissé entendre dans une interview au *New York Times* qu'il cherchait un dauphin, étant donné que ses propres fils ne pouvaient être relevés de leurs fonctions actuelles au sein de la société. Il se disait prêt à former l'un de ses jeunes neveux, sur le point de terminer ses études universitaires.

— Peut-être lui proposerai-je de me succéder avant qu'un laideron lui passe la corde au cou.

L'allusion n'échappa pas à Maurizio.

Aldo discuta de son projet avec Rodolfo.

— Rodolfo, tu as aujourd'hui plus de soixante ans. Maurizio est ton fils unique et ta véritable richesse. Patrizia n'a pas un mauvais fond et je n'ai aucun doute quant à la sincérité de son amour.

Devant l'expression hermétique de son frère, il comprit qu'il allait devoir opter pour une approche plus directe.

— Foffo ! dit-il d'un ton sec. Cesse de faire l'idiot. Si tu ne ramènes pas Maurizio au bercail, je peux t'assurer que tu finiras tes jours seul et amer.

Deux ans s'étaient écoulés depuis que Maurizio avait quitté son foyer. Ce soir-là, quand Patrizia l'accueillit dans leur appartement cossu de la via Durini, au cœur de Milan, un sourire énigmatique flottait sur ses lèvres.

— J'ai une bonne nouvelle à t'annoncer, dit-elle. Ton père veut te voir demain.

Son époux parut agréablement surpris.

— Tu peux remercier ton oncle Aldo… et moi aussi, ajouta-t-elle en se jetant dans ses bras.

Le lendemain, Maurizio se rendit à pied au bureau de son père, inquiet de ce qu'ils auraient à se dire. Rodolfo le salua chaleureusement sur le seuil, comme si rien ne s'était passé – un comportement typique chez les Gucci.

— *Ciao* Maurizio ! dit-il avec un sourire. *Como stai ?*

Aucun des deux ne s'aventura à mentionner leurs désaccords passés. Rodolfo demanda toutefois des nouvelles de Patrizia avant d'enchaîner :

— Que diriez-vous, ta femme et toi, d'aller habiter New York ?

Les yeux de son fils brillèrent de plaisir à cette perspective. Et Rodolfo d'ajouter :

— Ton oncle Aldo aimerait que tu viennes le seconder.

Le jeune homme était aux anges. Moins d'un mois plus tard, le couple s'installait à Manhattan. Bien qu'enthousiaste d'être arrivée dans cette métropole, Patrizia ne cachait pas le dégoût que lui inspirait l'hôtel de troisième ordre que Rodolfo leur avait recommandé en attendant qu'ils trouvent un logement.

— Tu es un Gucci, non ? Alors pourquoi devons-nous vivre comme des paysans ? se plaignait-elle à Maurizio.

Le lendemain, ils s'installaient à l'hôtel St. Regis, à l'angle de la Cinquième Avenue et de la 56ᵉ Rue, à quelques pas de la boutique Gucci. Puis, ils emménagèrent dans l'un des logements de location que possédait Aldo, où ils restèrent près d'un an. C'est alors que Patrizia repéra un appartement luxueux dans l'Olympic Tower, le gratte-ciel aux reflets de bronze construit par Aristote Onassis. Elle adorait l'allure du portier au rez-de-chaussée et les baies vitrées qui donnaient sur la Cinquième Avenue.

— Oh ! Mau, je voudrais tellement vivre ici ! s'exclama-t-elle en enlaçant son mari avec fougue, indifférente à la présence de l'agent immobilier.

— As-tu perdu l'esprit ? répliqua-t-il. Tu crois que je peux simplement annoncer à mon père que j'aimerais acheter un appartement en terrasse à Manhattan ?

— Eh bien, si tu n'as pas assez de cran pour le faire, je m'en chargerai moi-même !

Quand Patrizia fit part à Rodolfo de son désir, il s'emporta :

— Tu veux causer ma ruine ! hurla-t-il.

— En y songeant un peu, vous comprendrez qu'il s'agit là d'un investissement formidable, rétorqua la jeune femme sans se démonter.

Rodolfo secoua la tête, mais promit d'y réfléchir. Deux mois plus tard, Patrizia obtenait son duplex de cent cinquante mètres carrés. Elle tapissa les murs de taupe en similidaim, garnit les pièces de meubles modernes agrémentés de verre fumé, recouvrit sol et canapés de peaux de léopard et de jaguar. Elle sillonnait Manhattan dans une voiture avec chauffeur, immatriculée, pour son plus grand bonheur, « Mauizia ». La vie à New York lui plaisait. Elle devait avouer un jour dans une émission de télévision qu'elle préférait « pleurer dans une Rolls Royce que rire à bicyclette ». Au fil des ans, d'autres cadeaux suivirent : un deuxième appartement dans l'Olympic Tower, un terrain de construction à flanc de colline à Acapulco, une ferme, la Cherry Blossom Farm, dans le Connecticut, et un logement sur deux étages à Milan.

La prodigalité de Rodolfo correspondait à une certaine norme en Italie. Jusqu'à ce qu'ils convolent, et même après avoir atteint l'âge adulte, les enfants restaient chez leurs parents. Mais l'usage voulait que ces derniers leur assurent un toit dès qu'ils se mariaient. Ce pouvait être une chambre au sein de la demeure familiale, un appartement en copropriété, voire une maison indépendante. Les nantis achetaient en plus à leurs rejetons une villa de vacances ou des propriétés à l'étranger.

Du fait de la rupture entre le père et le fils, le jeune couple avait d'abord profité des largesses de *papino* Reggiani. Patrizia estimait qu'ils avaient droit à davantage encore. Après la réconciliation, le duplex du gratte-ciel Onassis et tous ceux qui suivirent correspondaient aux efforts consentis par Rodolfo afin de réparer ses fautes passées – et, à en croire sa bru, de la remercier de tout ce qu'elle faisait pour son garçon.

« Rodolfo se montra de plus en plus généreux à mon égard, explique Patrizia. Chaque présent était sa manière à lui de me témoigner sa gratitude pour le bonheur que je donnais à son fils – en particulier, pour mon action diplomatique auprès de son frère Aldo. »

Néanmoins, le propriétaire en titre de tous ces biens immobiliers n'était pas Patrizia, mais une holding basée au Liechtenstein, la Katefid AG. D'une part, cela permettait d'échapper à l'impôt, et surtout, c'était le meilleur moyen d'empêcher toute dispersion du patrimoine familial, en cas de divorce ou de dissension.

À l'époque, Patrizia, très éprise de son mari et comblée par la bonté de son beau-père, ne prêtait guère attention à ce genre de détails. Elle se dévouait corps et âme à son époux et à ses enfants. Leur fille aînée naquit en 1976 et elle fut appelée Alessandra, en souvenir de la mère de Maurizio, ce qui ravit Rodolfo. Une petite Allegra vit le jour en 1981.

« Maurizio et moi vivions dans le bonheur le plus parfait, dit Patrizia. Nous nous étions fidèles et nous nous apportions l'un à l'autre une forme de sérénité. Il me laissait prendre toutes les initiatives sur le plan domestique, en matière de mondanités ou concernant l'éducation de nos filles. Il me couvrait d'attentions, de regards tendres, de présents… Il m'écoutait. »

Pour fêter la naissance d'Allegra, Maurizio fit l'acquisition d'un yacht extravagant, un trois-mâts de soixante-quatre mètres, baptisé *Creole*. Les marins disaient de ce bateau, qui avait naguère appartenu à Stavros Niarchos, qu'il était le plus beau du monde. Cependant, quand le couple le vit pour la première fois, le vaisseau dépérissait. Maurizio l'acheta en 1982 à un prix qui, à ses yeux, était une aubaine – 1 million de dollars. Son propriétaire, une association danoise d'aide à la réinsertion des drogués, n'en avait plus l'usage. Maurizio fit transporter le yacht du port du Danemark où il mouillait au port de La Speizia, en Italie, afin de procéder aux premières réparations. Il avait la ferme intention de lui restituer sa beauté d'antan.

Son histoire remontait à 1925, année où l'Américain Alexander Cochran, un riche fabricant de tapis, l'avait commandé à Camper et Nicholson, armateurs britanniques de renom. Le *Vira*, comme on l'appelait alors, était l'un des plus grands voiliers de son époque. Mais son existence fut jalonnée de drames. Cochran succomba prématurément à un cancer et ses héritiers vendirent le yacht peu après. Il changea de propriétaire et de nom plusieurs fois. Après la guerre, quand la marine anglaise s'en défit, il fut remis sur le marché. En 1953, Stavros Niarchos en tomba amoureux et le racheta à un homme d'affaires allemand, le fit rénover et le rebaptisa *Creole*. Ainsi, le petit rouf devint une cabine tout en tek et acajou, assez spacieuse pour contenir la chambre à coucher principale et un studio (Niarchos détestait dormir sous le pont et était terrifié à l'idée d'un naufrage en plein sommeil). Que l'on prête foi ou non au vieil adage de marin selon lequel modifier le nom d'un bateau porte malheur – et celui du *Creole* en avait changé trois fois –, la tragédie s'abattit sur Niarchos. Eugenia, sa première femme, se suicida par overdose de barbituriques sur le trois-mâts en 1970. Quelques années plus tard, sa seconde épouse, Tina, qui n'était autre que la plus jeune sœur de sa défunte compagne, s'y donna la mort. Éperdu de chagrin, Niarchos prit le *Creole* en horreur et ne monta plus jamais dessus. Il finit par le céder à la marine danoise qui le remit à l'association dévouée aux toxicomanes.

Quoique enchantée à l'idée de faire des traversées idylliques à bord du yacht, Patrizia craignait que les morts brutales des épouses de Niarchos n'aient doté le *Creole* d'une aura funeste. En bonne cliente des astrologues et autres médiums, elle convainquit son mari de monter à bord en compagnie de Frida, spirite de son état, pour exorciser les esprits maléfiques qui, à son avis, hantaient encore le bateau. Ce dernier subissait des réparations dans un hangar de La Spezia. Au moment où ils mirent le pied sur le pont, Frida demanda à tous de reculer, y compris aux deux hommes d'équipage qui leur ouvraient le passage munis de torches électriques. Elle entra en transe et se mit à marcher à pas lents le long du pont, puis dans la cabine centrale, dans l'un des couloirs, tout en marmonnant des paroles incompréhensibles. Patrizia, Maurizio et les deux équipiers, qui échangeaient des regards sceptiques, la suivaient de loin. Soudain, Frida s'écria :

— Ouvrez la porte, ouvrez la porte !

Maurizio et Patrizia étaient perplexes : ils se tenaient dans un couloir sans ouverture apparente. Mais le marin sicilien pâlit. Avant les travaux, expliqua-t-il, une porte se dressait à cet endroit précis. Murmurant toujours, Frida continua ses allées et venues, talonnée par son aréopage. Elle fit brusquement halte dans la cuisine.

— Laissez-moi tranquille ! s'exclama-t-elle.

Le Sicilien la contempla horrifié avant de se tourner vers Maurizio.

— C'est là qu'on a découvert le corps d'Eugenia, dit-il d'une voix étranglée.

Tout à coup, un souffle d'air froid balaya le yacht. Tous frissonnèrent.

— Mais que se passe-t-il donc ? cria Maurizio.

D'où provenait ce vent glacé ? se demandait-il. Le *Creole* était à l'abri dans un hangar dont les portes et fenêtres étaient toutes fermées. Au même moment, Frida sortit de sa transe.

— C'est fini, dit-elle. Il n'y a plus d'esprits malfaisants à bord. Le fantôme d'Eugenia m'a promis qu'à partir d'aujourd'hui elle protégerait le *Creole* et son équipage.

5

Rivalités familiales

Tandis que Maurizio étudiait le droit à Milan, l'empire Gucci poursuivait sa prodigieuse ascension. En 1970, pour accueillir la nouvelle décennie, Aldo avait inauguré une boutique spectaculaire à l'angle nord-est de la Cinquième Avenue et de la 54e Rue. Elle remplaçait l'une des succursales de la chaîne de magasins de chaussures I. Miller au rez-de-chaussée d'un immeuble de seize étages dans le style Renaissance française, au 689 de la prestigieuse artère. Aldo avait fait appel au cabinet d'architectes Weisberg et Castro, qui avait contribué à relooker des boutiques select de New York. Ils modernisèrent Gucci en recourant au verre, au travertin d'importation et à l'acier inoxydable traité pour imiter le bronze.

Toujours à l'affût de débouchés inédits pour financer l'expansion du groupe, Aldo réunit le conseil d'administration en 1971 afin de réexaminer un vieux principe instauré par leur défunt père, à savoir que seuls les membres de la famille pouvaient être propriétaires de la firme.

— Je crois que nous devrions introduire en Bourse une partie du capital de notre entreprise, qui vaut désormais 30 millions de dollars, dit Aldo à ses frères. Nous pourrions en vendre 40 %, en conserver 60. Si nous fixons l'action à 10 dollars au départ, je parie que d'ici à un an elle aura doublé de valeur !

Devant le manque de conviction de son auditoire, il poursuivit son argumentation.

— Le moment est idéal. Gucci symbolise la réussite et l'élégance, non seulement auprès des stars hollywoodiennes, mais également auprès des banquiers et des agents de change. Il ne faut pas que nous perdions du terrain. Nous devons affronter nos concurrents. Si nous ouvrons une partie de notre capital, les bénéfices nous permettraient de consolider notre implantation en Europe et aux États-Unis, et de nous installer au Japon et en Extrême-Orient.

Pendant ce long plaidoyer dans les bureaux de la via Tornabuoni, Rodolfo et Vasco échangèrent des regards dubitatifs. D'un tempérament profondément conservateur, ils étaient incapables de voir le bien-fondé de cet ambitieux projet. Grâce à l'affaire, ils menaient grand train et ne désiraient pas mettre en péril leur source de revenus. Comme ils détenaient deux tiers des voix, ils rejetèrent la proposition de leur frère et convinrent de ne pas céder leurs parts à des personnes étrangères à la famille pendant cent ans. Fidèle à son habitude, Aldo ne perdit pas de temps à ressasser sa déception. Lui, ainsi qu'il le répétait à ses fils, il aimait aller de l'avant :

— Allons, il faut tourner la page ! Ne regardez pas en arrière ! Pleurez s'il le faut, mais remuez-vous !

Par « remuez-vous », Aldo voulait dire « agissez et réagissez ». Et c'est exactement ce qu'il fit. Il donna un grand coup d'accélérateur à la firme, créant en 1971 des succursales à Chicago, Philadelphie et San Francisco. En 1973, Aldo ouvrit une troisième boutique, consacrée aux vêtements, sur la Cinquième Avenue de Manhattan, à côté du magasin de chaussures au numéro 699 et de celui du 689, consacré aux bagages et accessoires. C'est aussi à cette époque que les premières franchises virent le jour sur le sol américain, notamment au cœur des grands magasins de la chaîne Joseph Magnin à San Francisco et Las Vegas. Aldo se targuait en public et en privé du principal atout de son affaire : elle demeurait totalement sous le contrôle des Gucci.

— Nous sommes comme une trattoria italienne. La famille tout entière est aux fourneaux.

À présent, Aldo pouvait réaliser son rêve de passer au stade supérieur : s'implanter en Extrême-Orient et, en particulier, au Japon. Pendant plusieurs années, la clientèle japonaise avait pris d'assaut les boutiques italiennes ou américaines. Au départ, malgré ses dons de visionnaire, Aldo lui-même avait sous-estimé l'importance du consommateur nippon. Enrica Pirri s'en souvient fort bien : « Un jour que je servais un monsieur japonais dans le magasin de Rome, Aldo m'a fait de grands signes me demandant de le rejoindre. *"Vieni qui !* m'a-t-il dit. N'avez-vous rien de mieux à faire ?" »

La vendeuse avait adressé une moue à son patron et secoué la tête. Le client était en train d'admirer une ligne de sacs en cuir d'autruche aux couleurs acidulées.

« En réalité, ces articles me paraissaient hideux, mais ils étaient très en vogue dans les années 1960. L'homme tournait sans cesse son regard dans leur direction en toussotant. J'ai annoncé au *dottor* Aldo que j'avais l'intention de conclure la vente. Je suis retournée auprès du Japonais qui acheta une soixantaine de sacs ! Jamais nous n'en avions vendu autant en une fois ! »

Aldo ne tarda pas à changer son fusil d'épaule. Il alla même jusqu'à déclarer au *New York Times*, en 1974, que les Asiatiques avaient un goût excellent !

— J'explique à mes employés que les Japonais sont l'aristocratie de notre clientèle, disait-il à un journaliste en 1975. Peut-être ne sont-ils pas toujours séduisants, mais pour l'instant, ils constituent l'élite de nos acheteurs.

Cependant, il défendit à son personnel de vendre plus d'un sac par client : il avait compris la tactique des Japonais, qui repartaient avec des articles à foison et les revendaient chez eux à un prix plusieurs fois supérieur au tarif pratiqué en Italie. Il lui fallait donc trouver un moyen d'enraciner Gucci au Japon.

Il reçut une proposition d'un homme d'affaires nippon, Choichiro Motoyama, pour créer une joint-venture destinée à chapeauter une chaîne de magasins au pays du Soleil-Levant. Leur relation, qui devait se révéler profitable et durable, présageait de la réussite stupéfiante de Gucci en Asie. Motoyama inaugura en 1972 la boutique sous franchise de Tokyo. Hongkong suivit deux ans plus tard. Gucci pouvait désormais s'enorgueillir de quatorze succursales et quarante-six franchises de par le monde.

En vingt ans à peine, Aldo avait réussi à bâtir un empire international à partir d'une entreprise pesant quelque 6 000 dollars. New York, surnommée par le grand quotidien de la cité « la ville Gucci », en était la capitale, avec trois boutiques sur la Cinquième Avenue.

Vers le milieu des années 1970, Aldo modifia sa conception des choses : naguère persuadé que « le client a toujours raison », il se mit à manifester une rigidité autocratique qui ne passa pas inaperçue. Sa politique commerciale tranchait souvent avec les pratiques de ses concurrents. Par exemple, il n'acceptait pas les retours de marchandise et refusait de faire des remises ou de rembourser des clients mécontents. Au mieux, ces derniers pouvaient échanger l'article incriminé dans les dix jours suivant l'achat, munis du ticket de caisse, alors que la plupart des grands noms de l'industrie du luxe, y compris les joailliers Cartier et Tiffany, proposaient un remboursement intégral bien au-delà d'un délai d'un mois.

Quiconque souhaitait régler par chèque devait attendre que le vendeur appelle la banque pour vérifier sa solvabilité. Le samedi, le préposé à la caisse se contentait d'informer le client qu'il mettait l'article de côté jusqu'au lundi, et qu'il serait disponible dès que la banque aurait donné son feu vert.

Le personnel aussi avait des motifs de plainte : au terme de chaque journée de travail, tous les employés devaient tirer une bille d'un chapeau. Le malheureux qui tombait sur l'unique bille noire du lot subissait une fouille intégrale de ses effets personnels, destinée à s'assurer qu'il n'emportait pas de marchandise volée.

Les clients s'irritaient aussi du fait que chaque boutique ferme entre 12 h 30 et 13 h 30, tradition qu'Aldo avait instituée dès 1969, conformément à l'usage en Italie où, aujourd'hui encore, les activités commerciales s'interrompent entre 13 heures et 16 heures.

Francesco Gittardi, l'un des gérants new-yorkais, se rappelle encore les files d'attente qui se formaient devant la vitrine :

« Les gens frappaient à la porte pour que nous les laissions entrer. Je jetais un coup d'œil à ma montre et je leur disais de patienter encore cinq minutes. »

Aldo prétendait que, d'expérience, il préférait accorder une pause simultanée à tout son personnel plutôt que chacun aille prendre son repas à tour de rôle. À l'en croire, il évitait ainsi de ternir l'image de la marque en offrant un service moins prompt. Et puis, disait-il, il fallait que les habitués puissent toujours être servis par leur vendeur favori. Il s'en expliqua auprès du *New York Times* :

« Longtemps nous avons étalé les pauses-déjeuner, de sorte que certains mangeaient très tard dans l'après-midi. Persuadé de la compréhension de nos clients, j'ai résolu d'instaurer une coupure fixe, pour que tous nos employés déjeunent en même temps et à une heure décente. »

Au lieu de nuire à ses affaires, cette décision rehaussa le cachet de Gucci.

« Sur quoi repose l'aura de Gucci ? » titrait le *New York Times* au mois de décembre 1974. L'article dépeignait les rangées d'acheteurs devant les caisses derrière lesquelles Aldo se tenait, « caressant sa cravate marine au célèbre motif équestre, souriant de toutes ses dents aux manteaux de fourrure qui agitaient les blue-jeans sous son nez ». La foule se pressait chez Gucci tout particulièrement avant les fêtes de Noël, quand Aldo s'improvisait vendeur et signait de sa main les paquets-cadeaux.

La plupart du temps, cependant, les acheteurs quittaient les lieux furieux du service. La raison en était qu'Aldo embauchait comme vendeurs les rejetons de grandes familles italiennes, la plupart du temps dépourvus d'expérience professionnelle. Il leur faisait miroiter un emploi excitant à New York et leur promettait de les loger dans un des appartements qu'il louait non loin des boutiques. Les longues journées de travail, les émoluments modestes et la sévérité du patron finissaient par peser sur le moral des jeunes gens, et leur serviabilité comme leur affabilité s'en ressentaient. Quelquefois, à la manière d'Aldo, ils ricanaient quand les clients avaient le dos tourné ou les raillaient en italien, sûrs de ne pas être compris.

Bientôt, narrer ses mésaventures chez Gucci devint du dernier chic au sein de certains cercles new-yorkais, la pire anicroche étant considérée comme le nec plus ultra. Le *New York Times* consacra quatre pages au scandale et intitula le dossier : « La boutique la plus grossière de New York ». On pouvait y lire sous la plume de Mimi Sheraton : « Le personnel de Gucci, passé maître dans l'art de l'humiliation, ne prend même pas la peine de dissimuler le mépris dans lequel il tient sa clientèle. » Pourtant, malgré l'accueil réfrigérant qu'on leur réservait, « les clients y revenaient, et dépensaient des fortunes » !

Quand Aldo consentit enfin à accorder une interview à la journaliste, celle-ci éprouva de l'appréhension à l'idée de rencontrer un homme qu'elle surnommait, en comité restreint, *L'Imperatore*. Mimi fit la connaissance d'un être bien différent du timide garçon à grosses lunettes qui avait, quinze ans plus tôt, répondu aux questions d'un reporter dans son bureau spartiate de Rome, au-dessus de la boutique de la via Condotti.

Vêtu d'un camaïeu de bleu – costume clair, chemise pastel, cravate céruléenne mouchetée de rouge – qui rehaussait l'éclat de ses yeux, Aldo parvint à l'éblouir sans encombre.

« Je n'étais absolument pas préparée pour ce septuagénaire magnifiquement conservé, bouillonnant et débordant de charme, écrirait-elle. Il était bien plus haut en couleur que son bureau. »

Avec tout le lyrisme dont il était capable, Aldo lui relata les cinq cents ans d'histoire de la famille, y compris son prétendu passé de sellier auprès des monarques. Il mit l'accent sur la qualité des produits et le souci permanent du détail.

— Tout se doit d'être parfait, dit-il avec un geste grandiloquent. Même les briques sur les murs doivent se montrer dignes d'être des Gucci !

Malgré le magnétisme qu'il dégageait, Sheraton conclut que le snobisme reproché à l'enseigne émanait du sommet de la pyramide : « La grossièreté notée chez Gucci… est sans conteste le reflet de ce que le *dottor* Gucci considère comme de la fierté, mais que le reste du monde prend pour de l'arrogance. » Loin d'en concevoir de la colère ou d'en prendre ombrage, Aldo se dit enchanté de l'article – qui constituait, à ses yeux, une publicité formidable – et il fit porter des fleurs à l'autrice.

Tout en multipliant les points de vente, Aldo créait de nouvelles gammes d'articles. Lors d'une réunion du conseil d'administration, il soumit à ses frères le projet de commercialiser un parfum. Une fois de plus, Rodolfo et Vasco se montrèrent réticents.

— Notre métier, c'est le cuir, objecta Vasco, qui trouvait Aldo trop impulsif. Nous ne connaissons rien aux cosmétiques !

— Le parfum est le nouvel enjeu du marché du luxe, répliqua Aldo. La majorité de nos acheteurs sont des femmes, et chacun sait que les femmes adorent se parfumer. Si nous concevons un flacon de prestige, nos clientes se jetteront dessus !

Vasco et Rodolfo cédèrent à regret et, en 1972, la Gucci Perfume International Limited fut lancée. Aldo avait une double motivation pour s'aventurer sur ce terrain. D'une part, il était convaincu que cette diversification générerait des profits non négligeables. D'autre part, il y trouvait le prétexte rêvé d'introduire ses fils dans l'entreprise, sans toutefois leur attribuer trop de prérogatives. À ce propos, ses frères n'opposèrent pas de résistance : Vasco n'y voyait pas d'inconvénient, puisqu'il n'avait pas d'héritiers, et Rodolfo était à l'époque trop occupé à contrecarrer les projets de mariage de Maurizio pour lui réserver une place dans l'affaire.

La rencontre d'Aldo avec un dénommé Severin Wunderman, en 1968, se révéla déterminante sur un tout autre plan. Ayant grandi dans un environnement particulièrement hostile, Wunderman estimait que le vainqueur en toute chose était celui qui frappait le premier. Fils d'immigrants d'Europe centrale décédés alors qu'il avait quatorze ans, il grandit entre le Vieux Continent et Los Angeles, où vivait sa sœur aînée. À l'âge de dix-huit ans, il était entré au service d'un grossiste en horlogerie, Juvenia, et avait mesuré au fil du temps le potentiel lucratif de ce secteur.

Il fit la connaissance d'Aldo à l'époque où il travaillait pour Alexis Barthelay, l'horloger français, en tant qu'acheteur sur le territoire américain. Au cours d'un voyage à New York où il avait déjà eu affaire avec les responsables de Cartier, Van Cleef et autres éminents joailliers de la 47ᵉ Rue, il décida de rendre visite aux dirigeants de Gucci, réunis à l'hôtel Hilton. Guère habitué au nouveau téléphone à touches installé dans le hall, il composa par erreur la ligne directe d'Aldo, qui décrocha. Les deux hommes entamèrent la conversation.

« Aldo attendait le coup de fil de quelqu'un devant lui présenter une fille, et il croyait que je ne pouvais m'exprimer librement et que j'utilisais un langage codé », rapporte Wunderman.

N'étant pas doté d'une patience infinie, Aldo ne saisissait pas pourquoi son interlocuteur n'entrait pas dans le vif du sujet. Finalement, n'y tenant plus, il hurla dans le combiné, en dialecte florentin, quelque chose comme :

— Mais bordel, qui êtes-vous ?

Wunderman, qui fréquentait alors une femme originaire de Florence, comprit mot pour mot cette grossière réplique.

« Comme je n'étais pas homme à me laisser traiter de la sorte, je lui ai aussitôt rendu la pareille », se souvient-il.

— Et vous, merde ! qui êtes-vous ? rétorqua Wunderman.

— D'où m'appelez-vous ? aboya Aldo.

— Du rez-de-chaussée !

— Eh bien, pourquoi ne montez-vous pas à l'étage pour que je vous démolisse le portrait ?

Son interlocuteur ne se fit pas prier, bien décidé à assener le premier coup.

« Alors il m'a empoigné, je l'ai saisi par le col. Et nous nous sommes regardés, avant d'éclater de rire. C'est ainsi qu'a débuté ma relation avec Aldo – et Gucci. »

Au-delà de leur collaboration professionnelle, ils se lièrent d'une amitié solide et durable, Aldo dans le rôle du mentor, Severin dans celui du confident.

En 1972, Wunderman se vit octroyer une licence pour fabriquer et distribuer des montres sous la marque Gucci. Il fonda sa propre compagnie, Severin Montres Ltd, à Irvine, en Californie, et œuvra pendant plus d'un quart de siècle pour faire de Gucci l'un des principaux noms de l'horlogerie de luxe. Avec son sens pratique et sa personnalité riche, parfois imprévisible, il se fraya un chemin dans le cercle très fermé des horlogers suisses, dirigeant ses opérations de distribution et de production et aménageant l'espace d'exposition dont il avait besoin pour asseoir sa réputation. Gucci devint ainsi le premier créateur de mode à occuper une place de choix dans ce secteur.

« Les grands horlogers de la planète ont chacun un modèle qui marche. Rares sont ceux qui peuvent se prévaloir d'en avoir deux. Or, nous en avions onze ! » dit Wunderman.

La première montre Gucci fut le Model 2000, que ce dernier commercialisa en accord avec American Express via une campagne marketing par correspondance sans précédent. Du jour au lendemain, les ventes de la montre passèrent de cinq mille à deux cent mille. Le *Livre Guinness des Records* rapporte qu'en deux ans plus d'un million d'unités s'écoulèrent. Rapidement, une montre pour femmes suivit. Le cadran était incrusté dans un bracelet d'or et cerclé d'anneaux colorés interchangeables. On se l'arracha en un clin d'œil, à la plus grande satisfaction de Wunderman et de Gucci, lequel s'arrogeait 15 % des bénéfices, part que d'aucuns jugent aujourd'hui encore très élevée.

« Si vous vous rendiez dans une petite bourgade du Wisconsin et citiez le nom de Gucci, on vous répondait : "Ah oui ! Il paraît qu'ils fabriquent aussi des chaussures… " », plaisante Wunderman.

Cet autodidacte devenu businessman de haut vol dut bientôt affréter des jets privés pour se rendre de ses bureaux londoniens à son site de production en Suisse afin d'exploiter au mieux chaque journée de travail. Et, même s'il était devenu la bête noire des horlogers helvètes, le personnel des hôtels et restaurants de par le monde lui réservait les meilleures tables et les plus belles chambres – encouragé par ses généreux pourboires.

Wunderman conserverait pendant vingt-neuf ans sa licence – la seule et unique dans le secteur de l'horlogerie jamais accordée par Gucci. À la fin des années 1990, les clients dépensaient 200 millions de dollars par an pour les montres de la marque, générant un profit net de 30 millions de dollars, indispensable à l'enseigne à une période moins faste. Entre-temps, Wunderman qui s'était enrichi avait fait l'acquisition de demeures somptueuses en Californie, à Londres, à Paris et à New York, puis d'un château dans le sud de la France.

Un funeste événement modifia de fond en comble la direction de la firme. Vasco succomba à un cancer du poumon le 31 mai 1974, à l'âge de soixante-sept ans. D'après les lois italiennes concernant les legs, ses parts dans la compagnie – qui se montaient à un tiers – revenaient à sa veuve, Maria. Le couple n'avait pas eu d'enfants. Aldo et Rodolfo proposèrent à leur belle-sœur de lui racheter son capital afin de conserver leur mainmise et, à leur grand soulagement, elle y consentit. Les deux frères se partagèrent donc la tutelle de l'empire, à 50 % chacun, ce qui devait peser sur l'avenir du groupe.

Toujours furieux contre son fils Maurizio, Rodolfo refusa d'envisager la possibilité de le faire entrer au conseil, mais Aldo pensait que l'heure était venue d'y introduire ses garçons. Il divisa 10 % de ses parts en trois, de sorte que Giorgio, Paolo et Roberto détenaient chacun désormais 3,3 % du capital global. Aldo s'était comporté en père généreux et aimant, indifférent au fait qu'il diluait son pouvoir : n'importe lequel de ses fils pouvait s'allier à Rodolfo pour créer une majorité de 53,3 % lors des réunions du conseil d'administration. Dans le même temps, les deux frères créèrent plusieurs holdings outremer, dans lesquelles ils déposèrent leurs parts Gucci. La Vanguard International Manufacturing, basée au Panama, revint à Aldo, et l'Anglo American à Rodolfo.

Si le secteur horloger de la firme avait pris son essor presque dès sa création, la branche parfum piétinait : les coûts et le savoir-faire nécessaire pour mener à bien une telle innovation dépassaient les possibilités de la famille. Peu désireux de tirer un trait sur ses ambitions,

Aldo consolida cette filiale et la renomma Gucci Parfums en 1975. Lui-même, ses trois garçons et Rodolfo s'en partagèrent la tutelle à 20 % chacun. Mennen obtint une licence pour mettre au point et distribuer la première fragrance Gucci.

Mais, dans son for intérieur, Aldo – comme ses fils – jugeait bien excessifs les 50 % que détenait Rodolfo dans l'affaire familiale par rapport à son implication. Aussi décida-t-il de transférer une large quantité des profits du groupe au sein de Gucci Parfums, via une nouvelle société. Dans ce but, Aldo s'arrogea le droit de créer et de distribuer une gamme de sacs et d'accessoires en vente aussi bien dans les parfumeries que dans les boutiques. Il entendait également épauler son fils Roberto, à la tête d'une famille nombreuse, et le nomma président de Gucci Parfums.

Roberto veillait aux intérêts de la compagnie de Florence, pendant qu'Aldo supervisait son essor à New York. C'est ainsi que naquit la Gucci Accessories Collection ou GAC. Cette ligne proposait des vanity-cases, des trousses de toilette et autres articles en toile ornés du monogramme en double-G. On la reconnaissait aux coutures en peau de porc marron ou bleu nuit, avec un motif rayé coordonné. Le grand public l'appelait GAC ou « collection toile ». Son coût de fabrication étant meilleur marché que celui des sacs de cuir faits main, elle avait pour objectif d'attirer une clientèle plus vaste, qui trouverait ces pièces peu onéreuses à côté des parfums, dans les magasins de cosmétiques.

Ce concept, qui paraissait à la fois avisé et bénéfique, répondait certes aux exigences du public en 1979, mais au bout du compte, il allait déstabiliser la famille et le groupe. D'abord, avec le lancement de la Gucci Accessories Collection, l'enseigne commença à déroger à son exigence de qualité. Roberto multiplia les articles proposés par la sous-marque, y ajoutant notamment des briquets et des stylos. Ainsi, le secteur parfumerie se mit à engranger des profits supérieurs à la maroquinerie.

À l'époque, l'essentiel des ventes se faisait au détail. Cependant, en accord avec Aldo, Maria Manetti Farrow, une femme d'affaires qui avait dirigé les franchises Gucci au sein de la chaîne Joseph Magnin, amorça une opération de distribution en gros de la GAC auprès d'un nombre accru de détaillants. Originaire elle aussi de Florence, Maria Manetti Farrow, dotée d'un sens inné du commerce et d'une prédisposition au succès, se fit un nom sur le marché américain pour sa gestion avisée de la fameuse collection d'accessoires. Son expérience dans ce domaine lui permit de récolter 45 millions de dollars en quelques années : elle achetait les sacs en tissu directement à la maison mère de Florence et les vendait à des grands magasins ou des boutiques spécialisées partout aux États-Unis. Elle démarra avec quatre-vingts points de vente. Quand Gucci reprit le contrôle des opérations en 1986, elle gérait plus de trois cents comptes-clients, pour des ventes au détail d'un montant dépassant les 100 millions de dollars. Elle écoulait ainsi six cent mille pièces par an, parmi lesquelles trente mille sacs marins à 180 dollars, proposés dans plus de deux cents villes aux États-Unis. À la fin de la décennie, on trouvait les articles en toile dans plus de mille boutiques américaines.

« Je touchais des gens qui ne voyageaient pas beaucoup ou étaient trop timides pour entrer dans les boutiques Gucci », explique-t-elle.

À la fin des années 1980, cette collection était la plus diffusée au sein des grands magasins et des parfumeries, ce qui contribua à l'image « drugstore » de la marque dans l'esprit des acheteurs professionnels.

La GAC fut également à l'origine d'un autre phénomène : la contrefaçon. Il était bien plus aisé de copier des sacs de toile, bon marché, que des ouvrages de maroquinerie faits main. Très vite, de mauvaises répliques infestèrent le marché. Des portefeuilles aux initiales GG ou des sacs aux coutures rouge et vert apparurent dans les échoppes et les étals du marché de Florence comme dans les magasins d'accessoires bas de gamme aux États-Unis. Aldo savait que les faux pouvaient réduire son affaire à néant.

— Comment accepter qu'une femme ayant acheté un modèle de luxe en voie partout des imitations trois mois plus tard ? dit-il au magazine *New York*.

Ce fut le déclenchement d'une bataille longue et acharnée devant les tribunaux. Durant la seule année 1977, Gucci intenta trente-quatre procès en six mois, dont l'un visant à stopper la fabrication d'un papier hygiénique aux couleurs de Gucci. Quelque temps auparavant, Aldo avait traîné en justice les Federated Department Stores qui avaient fait inscrire sur des miches de pain « Gucci Gucci Goo ». S'il n'attaqua pas le fabricant d'un sac de toile marqué « Goochy », parce qu'il trouvait cela drôle, en revanche, les fausses chaussures Gucci du Venezuela, les T-shirts Gucci de Miami et une pseudo-boutique à Mexico ne l'amusaient guère. En 1978, Roberto racontait à un journaliste du *New York Times* :

— D'éminents chasseurs de bonnes affaires, notamment l'épouse d'un ex-président mexicain, ont essayé de faire raccommoder chez nous, à New York, des articles défectueux achetés dans la fausse boutique Gucci de Mexico City et se sont vu répondre qu'ils s'étaient fait berner.

Pendant le premier semestre 1978, les actions juridiques de Gucci aboutirent à la confiscation de deux mille sacs à main et à la liquidation de quatorze contrefacteurs italiens.

Occupés à anéantir cette concurrence déloyale, les Gucci ignorèrent une menace plus grande encore qui couvait dans leurs rangs. Doté d'une personnalité novatrice et excentrique, Paolo, frustré d'être relégué à un rôle de figurant, se querellait de plus en plus avec son oncle Rodolfo, à qui il rendait des comptes, au sujet des stratégies commerciales et des directions esthétiques que prenait le groupe. Rodolfo, qui se considérait comme le créatif de l'affaire, n'accueillait pas favorablement les suggestions et les critiques de son neveu. Un temps amadoué par les 3,3 % de la compagnie que lui avait offerts son père, Paolo se mit à utiliser son statut d'actionnaire au cours des réunions du conseil pour exprimer ses idées.

Alors séparé de sa femme et de ses deux filles, il partageait son existence avec une jeune Anglaise, la blonde et plantureuse Jennifer Puddefoot, qui rêvait d'une carrière de chanteuse. Dotée d'un humour mordant, elle avait aussi connu une première union malheureuse. Ils se marièrent en catimini à Haïti en 1978, où Paolo était devenu résident, afin de pouvoir épouser sa belle : en effet, il lui aurait été difficile, sinon impossible, de divorcer d'Yvonne, les liens d'un mariage béni par l'Église catholique étant quasi indissolubles. Cinq ans plus tard, le couple eut une fille, Gemma.

Après la mort de Vasco en 1974, Paolo supervisait l'usine de Scandicci aux abords de Florence. Il pouvait tout surveiller de son bureau vitré, véritable poste d'observation. D'un côté, il voyait le service des commandes tapissé d'horloges murales indiquant l'heure de toutes les villes qui abritaient une boutique Gucci. D'un autre angle, il apercevait le département des achats, qui négociait avec des fournisseurs aux quatre coins du monde pour se procurer des textiles et cuirs précieux : peaux d'autruche ou de crocodile en Indonésie et en Afrique du Nord ; peaux de porc ou de sanglier en Pologne ; cachemire en Écosse ; rouleaux de tissu griffés GG à Toledo, dans l'Ohio, plus précisément chez Firestone, où les textiles subissaient un traitement d'imperméabilisation. Juste en face, le studio de création évoquait un kaléidoscope avec ses murs recouverts de nuanciers, d'échantillons d'étoffes, de croquis de sacs à main, boucles de ceinture, montres, linge de table ou pièces de vaisselle. La fenêtre de Paolo donnait sur un paysage idyllique : champs à perte de vue, campagne toscane émaillée de villas et de cyprès et, au loin, les crêtes des monts Apennins.

Au rez-de-chaussée de l'usine, on entendait grincer les machines à coudre, gronder les découpeuses et vrombir les ventilateurs aspirant les émanations de colle. Certains ouvriers passaient au chalumeau les rigides tiges de bambou pour les assouplir et leur conférer l'arrondi nécessaire aux poignées des célèbres sacs. Des chariots allaient et venaient sans cesse, emplis d'articles à divers stades de finition, les uns devant être collés ou cousus, les autres, coupés ou ornés de métal. Les techniques des artisans, quoique facilitées par un équipement moderne, demeuraient quasiment identiques à celles qu'ils employaient jadis dans les ateliers de la via delle Caldaie et de l'avenue Lungarno Guicciardini. Après inspection, chaque pièce était glissée dans une enveloppe de flanelle blanche et préparée pour le transport.

Aux yeux du personnel qui le voyait courir chaque jour entre la boutique de la via Tornuaboni et l'usine de Scandicci, vêtu d'un pantalon griffé de sa création, Paolo était un personnage bouillonnant, sympathique et farfelu, débordant d'imagination. Ses employés comprirent vite que, comme son père, il pouvait en un clin d'œil passer de l'enthousiasme à la colère noire. Après un défilé réussi, il se tournait vers l'assistant créatif et lui disait :

— C'est moi qu'on acclame, mais je sais que vous êtes l'auteur de ce succès.

Néanmoins, si ce même employé venait à le contredire, il lui jetait une liasse de croquis au visage et quittait la pièce en claquant la porte.

La sérénité apparente de la vie de Paolo, au milieu des collines de Toscane, dissimulait les germes d'une tempête. Selon lui, la compagnie manquait de vision, de planification, et il reprochait à Rodolfo sa piètre organisation.

« Mon oncle était un bon acteur, mais comme homme d'affaires, il ne valait pas grand-chose, dit-il. Il avait été suffisamment avisé pour s'entourer de gens efficaces, pourtant il n'avait pas l'âme d'un dirigeant. Mon père, en revanche, était tout le contraire : un leader-né très mal entouré. »

De Florence, Paolo écrivait quotidiennement de nouvelles suggestions ou critiques à Rodolfo : Gucci devrait commercialiser des produits à l'adresse d'une clientèle plus jeune et plus branchée ; Gucci devrait ouvrir une deuxième chaîne de magasins, en prenant modèle sur la boutique très en vogue de Giorgio à Rome. Paolo ne s'arrêta pas à ces propositions, d'ailleurs vite écartées. Il tira parti de sa position au sein du conseil d'administration pour poser des questions gênantes sur l'état des finances du groupe. Les ventes grimpaient partout dans le monde, l'usine tournait au maximum de ses capacités, la firme comptait des centaines d'employés, et pourtant, les coffres restaient vides. L'année où Jennifer et Paolo avaient convolé, la Gucci Shops Inc. se prévalait d'un chiffre d'affaires record – 48 millions de dollars –, mais les bénéfices étaient nuls. Paolo s'en étonna à voix haute, en présence de tous les associés. De surcroît, il estimait ridicule la rente mensuelle versée à lui comme à ses frères. En effet, Aldo limitait les émoluments de ses fils pour les contraindre à l'humilité et à la docilité et, de temps en temps, il leur accordait un bonus pour les contenter.

— Donnons aux garçons quelque chose qui les fera sourire, disait-il d'un ton enjoué chaque fois qu'il gonflait leurs fiches de paie à la fin du mois.

L'absence de profits palpables causa une perplexité grandissante au sein de la famille. Rodolfo en imputait la faute aux appétits expansionnistes d'Aldo. Le lancement de Gucci Parfums avait englouti beaucoup d'argent. Comme il n'y possédait que 20 % des parts, Rodolfo ne touchait qu'une maigre partie des bénéfices, alors qu'Aldo et ses fils en recueillaient les quatre cinquièmes. De leur côté, Paolo, Giorgio et Roberto n'acceptaient pas que leur oncle détienne la moitié du capital de la maison mère, dont ils attribuaient la réussite à leur père. À mesure que s'entassaient sur son bureau les lettres contestataires de Paolo, la patience de Rodolfo s'émoussait.

Un petit incident survenu à la fin des années 1970, que le personnel du groupe nota à peine, marqua le début d'un conflit majeur. Un jour, Paolo exigea qu'on retirât de la vitrine, dans la boutique de la via Tornabuoni, l'un des sacs préférés de Rodolfo, sous prétexte qu'on ne l'avait pas consulté lors de sa création. Apprenant qu'on avait osé modifier sa devanture, ce dernier entra dans une colère noire. Lors d'une présentation à la presse, il réprimanda vertement Paolo en public, lequel quitta les lieux séance tenante. Au cours d'une réunion de travail dans les bureaux du département créatif, des sacs à main volèrent à travers la pièce, et certains atterrirent sur les pelouses à l'extérieur de l'usine. Le lendemain matin, croyant à une tentative d'effraction devant les articles épars sur le sol, le vigile alerta la police. Mais ce type de péripétie n'était pas inhabituel : « Ça arrivait tous les jours », confie un ancien employé.

Toujours est-il que Rodolfo en avait assez de l'effronterie et des critiques incessantes de son neveu. Il finit par convoquer ce dernier à Milan, dans son bureau de la via Monte Napoleone.

— Ton insolence dépasse les bornes ! cria-t-il. J'en ai fini avec toi ! Si tu es incapable de réussir en Italie, tu n'as plus qu'à rejoindre ton père à New York !

Paolo contre-attaqua. Il ordonna à son oncle de lui montrer les livres de comptes de la société :

— Je suis directeur et actionnaire de Gucci ! J'ai le droit de savoir ce qui se passe dans la compagnie ! Qu'advient-il des millions de dollars qui pleuvent ici ?

Paolo appela son père et prétendit que Rodolfo bafouait ses droits d'associé, empiétait sur ses fonctions de directeur artistique et prenait des initiatives sans les lui soumettre. Excellant dans le rôle de pacificateur, Aldo balaya le contentieux et proposa à son fils de venir travailler à son côté.

— Tu as besoin d'une pause, mon garçon, lui dit-il. Il fait bon vivre et travailler en Amérique. Tu n'as qu'à prendre en main les accessoires et la création. Je suis sûr que ton épouse en sera enchantée : cela lui permettra peut-être même d'entamer une carrière de chanteuse.

Paolo et Jenny étaient effectivement ravis. Aldo leur donna un appartement situé à quelques pas de la Cinquième Avenue ; il nomma son fils vice-président du département marketing et gérant de Gucci Shops Inc. et de Gucci Parfums of America, avec un salaire généreux à la hauteur de ces deux postes. Aux anges, Paolo regorgeait d'idées neuves pour dynamiser le potentiel apparemment illimité du marché américain. Cela se passait en 1978.

En 1980, Aldo inaugura une boutique en face de la 54e Rue, au 685, Cinquième Avenue, dans l'ancien immeuble de la Columbia, qu'il avait racheté en 1977. Les ouvriers avaient investi les quatre premiers niveaux du building – qui en comptait seize – tout en laissant l'usage des ascenseurs aux autres occupants. L'installation des nouvelles poutres en acier et en béton pour soutenir l'édifice avait coûté à elle seule 1,8 million de dollars. Ce magasin comportait un vaste atrium, dans lequel on pouvait admirer le *Jugement de Paris*, gigantesque tapisserie tissée en 1583 pour le grand-duc François de Médicis, entre deux ascenseurs aux parois transparentes. Les trois étages, aménagés par les architectes new-yorkais Weisberg et Castro, étaient rehaussés de verre, de travertin et de bronze. Au premier niveau étaient exposés sacs à main et accessoires, au deuxième les articles pour hommes et au troisième les collections féminines. L'aspect de cet établissement ne connut pas de transformations importantes, jusqu'en 1999, quand les propriétaires de l'enseigne décidèrent de le rénover.

Aldo investit plus de 12 millions de dollars dans cette entreprise, dont la moitié pour une collection de tableaux qu'il disposa au quatrième étage, dans la « Gucci Galleria », imaginée par le Romain Giulio Savio. Des années durant, il avait mêlé l'art aux affaires, en organisant notamment des dîners impromptus pour ses amis après les concerts du ténor Luciano Pavarotti, avec qui il était très lié. Peu à peu, ces réceptions improvisées laissèrent place à des galas de charité, comme la première de *Don Pasquale*, avec Beverly Sills, en 1978 : Gucci parraina le dîner de gala et organisa un défilé après la représentation.

Aldo engagea Lina Rossellini, l'épouse de Renzo Rossellini, frère du réalisateur, comme hôtesse VIP : il avait la conviction que la meilleure forme de publicité pour Gucci demeurait le contact personnel. Mrs Rossellini, comme on l'appelait toujours, possédait un réseau de relations très étendu dans la haute société new-yorkaise et accueillait les personnalités qui entraient dans la Galleria. Elle les invitait à s'asseoir sur les canapés ou les fauteuils en taupe et leur proposait du café ou du champagne, servi par un personnel en gants blancs. Là, ces clients de marque pouvaient admirer à loisir des originaux de Chirico,

Modigliani, Van Gogh ou Gauguin, et choisir des articles en édition limitée – bijoux ou sacs à main – coûtant entre 3 000 et 12 000 dollars.

— On peut se demander qui est capable d'acheter de telles pièces en pleine période de récession, déclarait Aldo à *Women's Wear Daily* la veille de l'inauguration. J'ai inventé un proverbe au sujet des femmes de grande beauté : seules 5 % d'entre elles sont réellement belles. Et il en va de même des gens qui ont de grands moyens : ils ne sont que 5 %, mais cela suffit pour nous faire sourire.

Dans la même interview, il prédisait que, sur le sol américain, Gucci atteindrait les 55 (voire 60) millions de dollars de chiffre d'affaires d'ici la fin de l'année fiscale, soit en août 1981.

Paolo aimait par-dessus tout offrir personnellement à des clients prestigieux l'une des clés en plaqué or – une invention d'Aldo – qui donnaient accès à la Galleria. En très peu de temps, la petite clé dorée, dont moins d'un millier d'exemplaires avaient été produits, fut considérée comme un must au sein de certains cercles privilégiés.

Dans l'inconscient américain, Gucci représentait l'élégance suprême. En 1978, les héros de la pièce *California Suite*, du brillant dramaturge Neil Simon, portaient tous des bagages Gucci et le nom de la marque était même cité. Afin de planter le décor de son chef-d'œuvre *Manhattan*, Woody Allen filma les vitrines étincelantes de la boutique de la Cinquième Avenue. Ronald Reagan chaussait les mocassins légendaires ; son épouse Nancy avait adopté le sac bambou et achetait des escarpins de satin ou des pochettes du soir pour les grandes occasions. Le bon mot de Sidney Poitier avait fait le tour du monde. À un journaliste qui lui demandait en Afrique comment il se sentait après avoir foulé le sol de ses ancêtres, il avait répondu : « Très bien, à travers les semelles de mes chaussures Gucci. » En 1981, le magazine *Time* écrit de la nouvelle Volkswagen qu'elle ressemble plus « à un escarpin Gucci qu'à une automobile ».

Tandis que Paolo profitait de la vie outre-Atlantique, son oncle lui gardait rancune. En effet, Rodolfo n'avait pas apprécié la légèreté avec laquelle Aldo avait réglé leur différend, ni le départ subit du jeune homme, dont l'ancien poste restait à pourvoir. À présent que Maurizio était revenu dans les bonnes grâces de son père, l'aîné des Gucci n'acceptait pas que son fils ait moins de responsabilités au sein du groupe que son neveu. En avril 1978, Rodolfo écrivit directement à ce dernier pour lui signifier son renvoi de la branche italienne de l'entreprise sous prétexte qu'il avait négligé ses responsabilités auprès de l'usine florentine. Pour Aldo, il s'agissait d'une véritable déclaration de guerre.

Paolo reçut la lettre à son domicile, au moment où il s'apprêtait à se rendre à la boutique. Au lieu de l'effrayer, ce courrier ne fit qu'accroître sa détermination. Il dit à Jenny :

— S'ils veulent ma mort, je les tuerai d'abord.

Il se jura de réduire à néant le rôle joué par Rodolfo dans le groupe, par le biais de son géniteur. D'après ses calculs, l'importance des parfums et de la GAC affaiblirait la position de son oncle, qui ne possédait que 20 % du capital.

Cependant, Paolo ne s'entendait guère mieux avec Aldo. Celui-ci, d'un naturel dictatorial, avait des idées bien arrêtées sur la conduite des affaires. Alors que Maurizio parvenait toujours à amadouer ce dernier, son cousin allait souvent à l'affrontement – d'autant que les deux hommes se côtoyaient quotidiennement.

« Je n'étais pas libre d'agir à ma guise, dit Paolo. Je n'avais pas d'autorité. »

Quand, dans une volonté de changement, il employa du papier coloré, au lieu du blanc traditionnel, pour rembourrer des sacs à main, son père explosa :

— Imbécile ! Ne sais-tu donc pas que les couleurs s'estompent ?

Une autre fois, après que son fils eut renvoyé des articles arrivés avec retard, Aldo pesta :

— Nous travaillons avec ces fournisseurs depuis des années ! Tu ne peux pas les traiter ainsi !

Ils se disputèrent également à propos du budget publicitaire et du catalogue, parce que Aldo pensait que le bouche-à-oreille suffisait à promouvoir la marque. Seules les vitrines de Paolo, saluées par tous, semblaient trouver grâce à ses yeux. Mais un jour, Paolo eut le malheur d'engager un jeune spécialiste des devantures très en vogue à l'époque. Ce dernier n'eut guère le temps de prouver ses talents : il fut licencié dès son arrivée. En outre, sur le plan des mondanités, Aldo était l'unique membre de la famille qui comptait à New York : surnommé « le gourou de Gucci » par la presse, il demeurait seul au devant de la scène.

Incapable d'en supporter davantage, Paolo se demandait que faire. Retourner à Florence étant exclu, il s'enquit auprès de son cercle de relations et d'amis à New York de la possibilité d'entreprendre quelque chose en son nom propre. Ses proches eurent bientôt vent de ses intentions.

— Aldo, qu'est-ce que ton *bischero* de fils complote ? hurla Rodolfo dans le combiné de son téléphone à Scandicci.

Quelques-uns de ses fournisseurs venaient de l'informer que Paolo cherchait à créer sa propre ligne – la collection PG – et que ses projets étaient bien avancés. On parlait modèles, prix, dates de livraison. Le plan de distribution était titanesque. Il paraissait même qu'il escomptait vendre dans des supermarchés !

Livide, Aldo raccrocha. Paolo avait très mal auguré de la réaction de son père. Au lieu de faire front, avec lui, contre Rodolfo, il se montra furieux contre son fils. Même si les deux frères se querellaient constamment, ils s'unissaient dès lors qu'il s'agissait de protéger les intérêts de la compagnie. Ils percevaient l'attitude de Paolo comme une menace pour tout ce qu'ils avaient bâti ensemble. Indigné, Aldo frappa du poing sur son bureau. Voilà comment son fils le remerciait, après tout ce qu'il avait fait pour lui !

Il convoqua Paolo sur-le-champ. Ses rugissements firent trembler les murs.

— *Bischero !* Tu es viré ! Tu es fou de vouloir te mesurer à nous ! Un fou phénoménal ! Je ne peux plus te protéger désormais !

— Pourquoi les laisses-tu me tuer ? lança Paolo. Je n'ai jamais rien voulu d'autre qu'améliorer le sort de la compagnie, pas la détruire ! Si tu me renvoies, je créerai ma propre entreprise, et nous verrons lequel de nous avait raison !

Il sortit du bureau en trombe et appela son avocat, Stuart Speiser. Quelques jours plus tard, une nouvelle marque, PG, était déposée.

Sa lettre de licenciement, signée par le conseil d'administration, arriva quelques jours plus tard, datée du 23 septembre 1980. Quand Paolo s'aperçut qu'il n'allait toucher aucune indemnité financière, en dépit de vingt-six ans de bons et loyaux services, il intenta une action contre la maison mère en Italie. Cela ne fit qu'accroître la conviction de Rodolfo que son neveu représentait un danger. Le conseil d'administration se réunit et débloqua 8 millions de dollars pour combattre

Paolo. Giorgio, qui s'était efforcé de rester en dehors de ces luttes intestines, était présent, ainsi que Roberto, lequel estimait que Paolo était allé trop loin. Il avait pourtant essayé de raisonner son frère :

— Tu ne peux faire partie de la famille et nous faire concurrence en même temps. Si tu veux jouer, respecte les règles du jeu. Si tu souhaites faire cavalier seul, vends tes parts.

La pression exercée sur lui exaspérait Paolo :

« Chacun tâchait de protéger ses propres intérêts au sein de la compagnie, et je ne voyais pas pourquoi je n'aurais pas défendu les miens. »

Bien que n'étant pas actionnaire, Maurizio assista à cette réunion extraordinaire du conseil, sur l'instigation de Rodolfo. En effet, ce dernier venait d'apprendre qu'il était atteint d'un cancer de la prostate et, même s'il se montrait toujours aussi actif, il désirait introduire son fils au sein du groupe aussi vite que possible. En tête à tête, il lui avait dit :

— Lutte contre Paolo de toutes tes forces. Il doit être vaincu coûte que coûte, et rapidement. Il représente une menace envers tout ce que je possède et je ne serai pas présent éternellement.

À l'époque, Rodolfo approchait les soixante-dix ans et subissait un traitement intensif de radiothérapie.

Les Gucci entrèrent donc en guerre contre leur mouton noir : ils engagèrent des avocats et annoncèrent aux clients et fournisseurs contactés par Paolo que toute tentative de distribution de marchandise sous son nom serait bloquée. Rodolfo écrivit personnellement à tous les partenaires de Gucci pour les avertir que quiconque ferait affaire avec Paolo cesserait de travailler avec la maison. Comparé à ce conflit, le combat contre les contrefacteurs paraissait dérisoire. La querelle familiale s'était transformée en guerre commerciale. De ce fait, pendant les dix années suivantes, l'univers d'ordinaire clos d'une entreprise gérée par une famille allait être exposé au grand jour. Alliances fluctuantes, trahisons soudaines et rapprochements inopinés : la presse fit ses choux gras de ce feuilleton croustillant surnommé « *Dallas* sur l'Arno » – qui évoquait davantage les intrigues de Machiavel que les tribulations de milliardaires texans.

6

Paolo contre-attaque

Tandis que Gucci mettait sa défense sur pied, la volonté de Paolo de commercialiser sa propre marque ne faisait que croître. Il était passé à l'offensive en 1981, avec le premier procès pour gagner le droit d'utiliser son nom. Six ans plus tard, il avait intenté en tout dix actions en justice contre son père et la maison Gucci. Ses relations avec ses fournisseurs ayant été entravées, il étudia la possibilité de fabriquer ses créations en Haïti, où sa famille découvrit qu'il avait même produit des contrefaçons.

Entre-temps, l'importance grandissante de Gucci Parfums causait des tensions entre Aldo et Rodolfo. Ce dernier n'ignorait pas qu'il devait à son frère son confortable train de vie, mais il ne pouvait s'empêcher de lui envier son assurance, son pouvoir et sa personnalité écrasante. La mainmise d'Aldo sur l'affaire lui pesait beaucoup et la rancœur le rongeait. En outre, il s'inquiétait du peu de responsabilités dévolues à son fils au sein de la société.

Suite à la rébellion de Paolo, il essaya donc d'accaparer des secteurs de l'entreprise qui, jusque-là, lui échappaient. Il avait décrypté la stratégie d'Aldo qui s'était employé à transférer l'essentiel des revenus de Gucci sur la branche cosmétique – dans laquelle Rodolfo n'avait qu'une maigre participation et dont Maurizio était exclu. La situation s'envenima quand Aldo refusa de lui accorder un pourcentage plus important de Gucci Parfums.

— Je ne vois aucune raison d'obliger mes fils à se séparer de leurs parts pour t'en donner davantage, avait-il dit.

Ayant échoué sur ce plan, Rodolfo changea d'angle d'attaque.

Il engagea Domenico De Sole, jeune avocat d'extraction italienne, qui s'était fait une solide réputation à Washington. Natif de Rome, fils d'un général calabrais, il avait beaucoup voyagé à travers l'Italie au cours de son enfance au gré des affectations de son père et avait appris à un âge précoce que le monde ne s'arrêtait pas à la Calabre, infestée par la pauvreté et la mafia. Après ses études de droit à l'université de Rome, il avait postulé à Harvard pour y préparer une maîtrise, sur la suggestion d'un ami, Bill McGurn, qui suivait une formation dans ce prestigieux établissement.

La faculté accepta la candidature de De Sole et lui attribua une bourse. Vif, ambitieux et motivé, Domenico ne tarda pas à considérer les États-Unis comme une terre riche en opportunités.

« J'adorais cet endroit, dirait-il quelques années plus tard. Il correspondait à mon caractère. Mes compatriotes n'avaient que des *mamma* et des *pasta* à la bouche, tandis que, pour moi, l'Amérique tout entière était une source intarissable de nouveauté et d'enthousiasme. »

À ses amis, il se plaisait à citer une étude selon laquelle les hommes les plus riches outre-Atlantique avaient en général amassé leur fortune à la force du poignet, alors qu'en Europe, ils disposaient au préalable d'un patrimoine familial. Son ambition et son énergie convenaient tout à fait à l'étendue des possibilités offertes par le Nouveau Continent. Et puis, il n'était pas mécontent de mettre des milliers de kilomètres entre lui et sa mère, qu'il jugeait trop obstinée et dominatrice.

« Dans l'inconscient américain, quitter le foyer pour l'université équivaut à un rite initiatique. Je me rappelle fort bien l'horrible réduit que j'occupais la première année dans le Dane Hall. Venue me rendre visite, ma mère contempla ce décor sordide et me dit : "Ta chambre chez nous t'attend encore." À cet instant précis, j'ai su que pour rien au monde je ne rentrerais en Italie ! »

Allan Tuttle, aujourd'hui conseil juridique de Gucci, confirme l'intégration réussie de son confrère immigré :

« De Sole est américain à 200 % ! Il est passé d'une société plutôt fermée à un univers ouvert, et aujourd'hui il est beaucoup plus américain qu'italien. Son attachement au système en vigueur l'atteste. »

Domenico travailla dur et obtint sa maîtrise en 1970. Après un bref passage chez Cleary, Gottlieb, Steen et Hamilton à New York, il s'installa à Washington D.C. où il entra dans le vénérable cabinet

Covington & Burlings. Il élut domicile dans le quartier de Georgetown, sur N Street, en face de l'appartement de John F. Kennedy du temps où il était sénateur. De Sole rencontra sa femme, Eleanore Leavitt, en juin 1974, au cours d'une présentation arrangée par des amis communs. Il tomba aussitôt amoureux de ses yeux bleu azur, de sa forte personnalité et de ses valeurs puritaines : il éprouvait enfin le sentiment de toucher au cœur même de l'Amérique. Il avait trente ans, elle vingt-trois. Elle se laissa subjuguer.

« Il me paraissait charmant, spirituel et très prévenant », dit-elle.

Elle-même étant une femme active, promise à un brillant avenir chez IBM, elle admirait la détermination et l'ambition de ce soupirant qui avait réussi à entrer chez Covington et Burlings – firme très sélective qui n'acceptait dans ses rangs qu'un seul avocat étranger par an. Peu après leur premier rendez-vous, il lui fit connaître ses parents, venus à Washington pour un séjour de six semaines. La mère de De Sole se prit aussitôt d'affection pour Eleanore et s'en ouvrit à son fils. En août, Domenico demanda sa main à la jeune femme et, en décembre 1974, ils s'unirent dans l'église épiscopalienne Saint-Albans.

De Sole réussit l'examen du barreau et fut engagé chez Patton, Boggs et Blow, dont les bureaux se trouvaient sur M Street. Ce cabinet estimé, dynamique et en plein essor traitait beaucoup d'affaires internationales, domaine qui intéressait tout particulièrement Domenico.

— Je n'avais qu'un seul objectif en tête : devenir associé. Je travaillais plus dur que quiconque, je ne prenais jamais de vacances : ce but m'obsédait.

Se hisser aux plus hauts échelons de cette firme, qui comprenait plus de trois cents juristes, n'était pas tâche aisée. Mais il ne ménagea pas ses efforts et parvint à ses fins en 1979. Puis il se spécialisa dans la fiscalité, orientation des plus ardues pour un non-Américain. Très vite, il conseilla de grandes sociétés italiennes désireuses de s'implanter aux États-Unis et ses honoraires firent fructifier le cabinet.

En 1980, son associé de Milan, l'illustre professeur Giuseppe Sena, l'invita un jour à assister à une réunion du clan Gucci. En arrivant, les membres de la famille se disposèrent en factions autour des tables agencées en rectangle au centre de la pièce : Aldo, ses fils et leurs avocats d'un côté ; Rodolfo, Maurizio et leurs conseillers de l'autre. De Sole et Sena présidaient l'ensemble. Au début de l'entrevue, De

Sole ne prêtait guère attention à ce qui se passait : il lisait son journal sous la table. L'atmosphère commença à s'échauffer et les discussions ne semblaient aboutir nulle part. Sena demanda alors à son confrère de mener les débats. Domenico y consentit et rangea son quotidien.

Il ne se laissa pas intimider par les Gucci. Ces derniers ne le trouvèrent pas particulièrement impressionnant – au début. Malgré son intelligence manifeste et ses compétences éprouvées, il manquait de vernis, d'élégance. Or, contrairement à la mentalité américaine qui associe la réussite au mérite, en Italie, les affaires comme les relations humaines demeuraient conditionnées par les antécédents familiaux ou le statut social. Pour être considéré comme une *bella figura* – quelqu'un de bien –, il fallait justifier du prestige de son nom, de son adresse, de ses relations et arborer une tenue en conséquence. Les Gucci détaillèrent donc De Sole des pieds à la tête et avisèrent sa barbe naissante, son costume américain mal coupé, ses chaussettes blanches. Leur opinion était pour ainsi dire faite quand, Aldo prenant indûment la parole, Domenico le remit vertement à sa place :

— Monsieur Gucci, ce n'est pas votre tour d'intervenir. Veuillez patienter, s'il vous plaît.

Les yeux de Rodolfo s'écarquillèrent. Une fois la réunion terminée, il entraîna De Sole dans un coin et, malgré ses piètres habits, l'engagea sur-le-champ.

— Quiconque ose tenir tête à Aldo doit venir travailler pour moi ! dit-il, au comble de l'excitation.

Les deux hommes mirent au point une tactique pour intégrer Gucci Parfums à Guccio Gucci. Cette manœuvre allait permettre à Rodolfo de récupérer 50 % de la lucrative GAC.

Aldo, que l'initiative de son frère mettait en rage, convoqua Paolo à Palm Beach afin de lui demander son allégeance lors de la prochaine réunion du conseil, au cours de laquelle il espérait tirer au clair les intentions de Rodolfo. Or ce dernier, qui ne pouvait y assister, envoya De Sole – alors en vacances en Floride – pour le représenter.

Les trois hommes se retrouvèrent donc dans le bureau d'Aldo. Mais Paolo n'était pas d'humeur à contenter son père. Sa loyauté envers le groupe et la famille avait été entamée par le traitement, injustifié à ses yeux, qu'on lui avait infligé. Il n'accorderait donc sa voix que si on le laissait créer une entreprise à son nom.

— Comment peux-tu croire que je vais t'aider à combattre Rodolfo alors que tu ne me laisses même pas respirer ? demanda-t-il à son père.

Ce dernier se leva d'un bond de sa chaise et fit les cent pas. Avec véhémence, Paolo poursuivit :

— Puisque je ne fais plus partie de la compagnie, je dois au moins pouvoir travailler au-dehors ! C'est toi qui m'as mis à la porte, je ne t'ai jamais demandé de le faire !

Aldo marchait de plus en plus vite. L'idée que son fils exerce ce type de chantage lui était intolérable. Son sang ne fit qu'un tour. Il s'empara du premier objet à sa portée, un cendrier de cristal que Paolo avait lui-même imaginé, et le lança dans sa direction :

— Sale fils de pute ! rugit-il.

L'objet se fracassa contre le mur derrière la table de réunion. Ses éclats atterrirent en pluie sur Paolo et De Sole.

— Tu es malade ! hurla Aldo, cramoisi, les veines du cou gonflées. Pourquoi es-tu incapable de m'obéir ?

Cet incident anéantit tous les espoirs de compromis que caressait Paolo. Ce jour-là, il se promit de détruire la maison Gucci. Ses proches s'étaient tous ligués contre lui. Il allait leur montrer qu'ils avaient commis une erreur fatale.

Pour sa part, Aldo regrettait la tournure des événements. Sur le plan professionnel, cette crise accaparait le temps, l'énergie et l'argent de la société, et entachait sa réputation auprès du grand public. D'un point de vue personnel, combattre son fils lui causait un chagrin énorme. Croyant avec ferveur à la force d'une famille unie, il souhaitait ardemment une réconciliation. Aldo tenta alors une trêve. Il invita Paolo et Jenny à passer les fêtes de fin d'année 1981 avec Brunia et lui dans sa résidence de Palm Beach. Les retrouvailles entre le père et le fils furent chaleureuses. Aldo téléphona à Rodolfo, resté à Milan, afin de lui souhaiter un joyeux Noël, et en profita pour l'informer :

— Foffo, je viens d'avoir une longue conversation avec Paolo. Je crois qu'il est prêt à rentrer dans le rang. Il faut que nous mettions fin aux hostilités.

Ils convinrent de soumettre une proposition à Paolo dès janvier. À cette occasion, ils bouleversèrent de fond en comble la structure de leur empire : la maison mère Guccio Gucci et toutes les sociétés satellites – y compris Gucci Parfums – deviendraient une seule entité, la Guccio Gucci SpA, qui serait introduite en Bourse à Milan. Les trois fils d'Aldo recevraient chacun 11 % de l'ensemble, Aldo en conserverait 17 et Paolo serait nommé vice-président du nouveau groupe. En outre, un nouveau département, Gucci Plus, créé au sein de Gucci Parfums, serait consacré à l'attribution des licences. Paolo en prendrait les rênes et pourrait réintroduire, sous la marque Gucci, les licences déjà octroyées par ses soins. De plus, ses indemnités de licenciement lui seraient reversées avec intérêts et il toucherait un salaire annuel de 180 000 dollars. Cet arrangement semblait répondre en tout point aux exigences de Paolo. Il prévoyait également l'abandon de toutes les poursuites judiciaires en cours, Paolo s'engageant à ne plus tenter de lancer d'affaires en son nom propre.

Cependant celui-ci demeurait sceptique. Et ses réserves se trouvèrent fondées, car il apprit que ses suggestions artistiques devraient être agréées par le conseil, présidé par Rodolfo. Néanmoins, Paolo accepta cette offre. Il signa l'accord à la mi-février. La trêve allait, hélas, être de courte durée.

Le conseil d'administration convoqua Paolo en mars 1982 : on le priait d'apporter la liste détaillée des gammes de produits qu'il avait déjà mis en chantier, ainsi que ses nouvelles idées pour la ligne Gucci Plus. Paolo obtempéra de bonne grâce, travaillant dur pour rassembler tous les éléments requis. Mais la réunion ne se passa pas comme prévu. Toutes ses propositions furent rejetées, sous prétexte que la notion même d'articles bon marché était « contraire aux intérêts de la compagnie ». Plus amer que jamais, le créateur se sentit berné.

Du jour au lendemain, le conseil lui retira le droit de signer au nom de la compagnie. Il était certes membre du conseil, mais privé de tout pouvoir, y compris de celui d'exploiter ses propres directions artistiques. Trois mois après avoir reçu ses indemnités de licenciement, il était de nouveau exclu de la société.

« Je me sentais comme le dindon de la farce, confie-t-il. Tous les arrangements et les promesses de mon oncle ne valaient rien. »

Quand se tint le célèbre conseil du 16 juillet 1982 à Florence, dans les bureaux de la via Tornabuoni, l'orage menaçait d'éclater. Paolo n'avait plus de rôle effectif dans la société, il utilisait toutefois son statut d'actionnaire pour influer sur les décisions. Aldo, Giorgio, Paolo, Roberto, Maurizio et les autres dirigeants du groupe prirent place autour de la table en noyer, dans une atmosphère aussi oppressante que la canicule régnant à l'extérieur. Aldo se cala dans son siège, à une extrémité du long bureau, Roberto à sa droite, Rodolfo à sa gauche. Paolo s'installa à l'autre bout, avec Giorgio d'un côté et Maurizio de l'autre.

Aldo ouvrit la séance et demanda au secrétaire de lire à voix haute les minutes du précédent conseil, qui firent l'unanimité. Puis Paolo demanda à s'exprimer, ce qui provoqua murmures et échanges de regards.

— Pourquoi ? Qu'est-ce que tu as à nous dire ? lança Aldo, contrarié.

— J'aimerais préciser que, en qualité de directeur de la compagnie, j'ai été privé du droit de voir ou de consulter les livres de comptes comme les statuts du groupe. Je souhaiterais clarifier mon point de vue avant que nous passions à autre chose.

Des vociférations de mécontentement l'interrompirent.

— Qui sont les deux mystérieux actionnaires de Hongkong qui reçoivent des fonds de la compagnie ? s'exclama Paolo.

Les cris redoublèrent.

Paolo remarqua soudain que le secrétaire – en l'occurrence, Domenico De Sole – avait cessé de prendre des notes.

— Pourquoi n'écrivez-vous pas ? J'exige un compte rendu exact de cette réunion !

De Sole embrassa la pièce du regard, vit que nul n'approuvait cette requête et ne bougea pas. Sur ce, Paolo tira un magnétophone de sa serviette, l'enclencha et se mit à débiter toute une série de doléances. Ensuite, il jeta sur la table une liste de questions.

— Et je veux qu'elles soient citées dans les minutes !

— Éteins cette machine ! cria Aldo.

Mais Giorgio s'était déjà emparé de l'appareil et, d'un mouvement involontaire, l'avait cassé.

— Es-tu complètement fou ? hurla Paolo à l'adresse de son père.

Ce dernier se leva de son siège et se précipita sur lui. Craignant un geste de violence de la part de son cousin, Maurizio se redressa aussitôt et agrippa ce dernier par la nuque. Aldo se jeta sur son fils pour lui arracher l'enregistreur. Dans la mêlée, Paolo fut griffé au visage. En voyant le sang perler sur sa joue, tous se turent. Maurizio et Giorgio relâchèrent leur emprise. Le frondeur se saisit de sa serviette et sortit de la pièce en trombe, hurlant aux employés stupéfaits :

— Appelez la police ! Appelez la police !

Il arracha le téléphone des mains de la standardiste, contacta son médecin et son avocat, puis emprunta l'ascenseur pour descendre à la boutique au rez-de-chaussée. Il traversa les lieux en hurlant, devant les vendeurs et les clients médusés :

— Regardez ce qui s'est produit au cours d'une réunion du conseil de Gucci ! Ils ont essayé de me tuer !

Il s'empressa de se rendre chez son généraliste, qui soigna la plaie et lui ordonna de se faire photographier. Au moment de l'esclandre, Paolo avait cinquante et un ans, Giorgio cinquante-trois, Aldo soixante-dix-sept, Rodolfo soixante-dix et Maurizio trente-quatre.

Quand Paolo rentra chez lui ce soir-là, le visage pâle et recouvert d'une compresse, Jenny fut choquée.

« Je n'arrivais pas à y croire ! Des adultes s'écharpant comme de vulgaires hooligans ! »

Des années plus tard, De Sole donnerait sa version des faits :

« La blessure n'était pas profonde du tout. C'était une toute petite égratignure, mais cet incident a pris des proportions démesurées. »

Quelques jours après, à New York, l'avocat de Paolo, Stuart Speiser, donna le coup d'envoi à une nouvelle bataille juridique contre les Gucci. Son client réclamait 15 millions de dollars en guise de compensation pour les dommages subis : 2 millions pour coups et blessures ; 13 millions pour rupture de contrat, puisqu'on lui avait refusé d'examiner les finances du groupe.

Consterné, Aldo vit la presse en faire des gorges chaudes. « Plus fort que *Dallas* : derrière la façade étincelante, un conflit familial ébranle la maison Gucci », écrivait le magazine *People*. « Bagarre violente chez les Gucci », lisait-on dans *Il Messaggero*, le journal romain. Le *Corriere della Sera* titrait : « Les frères Gucci se font la guerre ». Le tribunal new-yorkais débouta le plaideur de sa plainte : l'incident s'était produit en Italie. Mais l'intrigue passionnait les foules des deux côtés de l'Atlantique. Quelques clients de renom se sentaient gênés. Le télégramme laconique de Jackie Onassis à Aldo – « Pourquoi ? » – fait désormais partie de la légende Gucci. Le prince Rainier appela les membres de la famille pour leur proposer son aide.

Le jour qui suivit la divulgation du scandale dans les médias, les acheteurs des quatre coins du monde assiégèrent le quartier général de Gucci à Scandicci, où les défilés d'automne se préparaient. Lorsque

Aldo apprit que non seulement son fils le traînait en justice mais que la nouvelle s'était répandue par voie de presse, tous ceux qui étaient présents ce jour-là dans l'usine entendirent ses hurlements. À celui qui lui communiqua l'information par téléphone, il déclara :

— S'il compte m'intenter un procès, eh bien, je jure devant Dieu que j'en ferai autant !

Occultant le déplaisir que lui avait causé la tentative réussie de Rodolfo d'augmenter ses parts dans les Gucci Parfums, Aldo embaucha De Sole pour assurer sa défense et celle des intérêts de la compagnie. Le lendemain, il accorda une interview à *Women's Wear Daily*, minimisant l'incident :

— Quel père n'a jamais donné une gifle à son fils récalcitrant ?

Puis il ajouta qu'ils étaient à deux doigts de trouver un accord.

Aldo ignorait jusqu'où Paolo comptait aller pour obtenir son dû. Or, ce dernier s'apprêtait à sortir l'artillerie lourde.

Pendant des années, il avait rassemblé et analysé l'ensemble des documents financiers à portée de main. Il voulait tout savoir du fonctionnement interne de la compagnie et tirer ses propres conclusions quant à la gestion du groupe. Ayant découvert que des millions de dollars imposables étaient acheminés vers des sociétés offshore au moyen de fausses factures, il décida d'utiliser les preuves à sa disposition pour mener à bien son combat. La première fois, les avocats de Gucci obtinrent un renvoi et la mise sous scellés des documents. En octobre 1982, réglant en partie les honoraires de ses avocats grâce à ses indemnités de licenciement, Paolo déposa auprès de la cour fédérale de New York les nouvelles pièces du dossier, afin d'appuyer sa plainte pour limogeage abusif. Il espérait ainsi qu'Aldo le rappellerait au sein de la société ou lui donnerait le feu vert pour commercialiser sa propre marque.

« Je n'ai présenté ces papiers au tribunal que pour lui forcer la main », dirait Paolo plus tard.

Ces batailles divisèrent non seulement la famille mais aussi tout son entourage. Tandis que certains condamnaient Paolo pour avoir dénoncé son père aux autorités, d'autres jugeaient qu'on l'avait poussé à bout.

« On l'avait castré, dit Enrica Pirri, qui reconnaît éprouver beaucoup d'affection pour le fils cadet d'Aldo. Ce n'était peut-être pas le génie de la famille, mais c'était sans aucun doute celui qui s'investissait le plus. S'il a dénoncé son père, c'est parce que ce dernier lui avait donné une bonne raison de le faire. »

De Sole la contredit :

« Personne n'a floué Paolo. Il faisait des affaires à l'insu des siens, et ils devaient s'assurer qu'il ne projetait pas de saboter la firme. Il n'était pas de bonne foi. »

Les documents produits par Paolo dévoilaient au grand jour les procédés qu'utilisaient les Gucci pour masquer certaines rentrées financières. Des sociétés panaméennes, basées à Hongkong, se faisaient passer pour des fournisseurs de Gucci Shops Inc. Une lettre accablante signée par le chef comptable Edward Stein, du bureau Gucci à New York, révélait le subterfuge : « Afin de prouver les services pour lesquels nous avons émis de telles factures et de munir la compagnie de justificatifs, il vous faudra envoyer à Gucci Shops diverses suggestions de croquis et modèles, *dans le seul but de constituer des archives convaincantes.* »

En 1983, alors que l'état de santé de Rodolfo empirait, le fisc américain ainsi que le ministère de la Justice commencèrent à examiner les déclarations de revenus personnelles et professionnelles d'Aldo. Les enquêteurs amassèrent suffisamment de pièces à conviction pour réunir un grand jury, la chambre d'inculpation.

De toutes les actions intentées par Paolo contre sa famille, une seule déboucha sur un procès. Le juge William C. Conner, de la cour fédérale de New York, ne trancha qu'en 1988. Il parvint à un compromis équilibré pour régler cette querelle intestine qui durait depuis près de dix ans. Il interdit à Paolo de déposer une marque à son nom pour éviter de jeter le trouble dans l'esprit des clients de Gucci. Cependant, en contrepartie, il l'autorisa à utiliser sa signature en tant que créateur de marchandises vendues sous une enseigne différente. Dans son jugement, il écrivit :

« Depuis Caïn et Abel, les conflits familiaux se caractérisent par des décisions irrationnelles et impulsives, d'âpres conflits et une destruction insensée. Cette affaire n'est rien d'autre qu'une escarmouche survenue dans une des dynasties les plus médiatisées de notre époque. »

Il notait également que les Gucci « poursuivent des actions en justice ou en médiation partout dans le monde, coûtant des sommes astronomiques aux membres de la famille et aux sociétés qu'ils gèrent ».

La décision de Conner permit ainsi à Paolo de fabriquer et de diffuser des marchandises sous la marque Designs by Paolo Gucci. Plus inspiré que jamais, le créateur acheta une page de publicité dans le numéro de *Women's Wear Daily* du 30 novembre 1988, où il publia un poème dédié aux détaillants, pour annoncer ses débuts comme styliste indépendant.

Le mercredi 10 août
Mille neuf cent quatre-vingt-huit,
Dans une lettre ouverte,
« Gucci America »
Annonce sa naissance présente et son destin à venir.
Ils ont crié victoire
Après un jugement sans appel
Déclarant sans ambages que Paolo Gucci,
membre de la famille et ancien actionnaire,
avait été licencié.
Je suis ravi de l'issue du procès
Qui m'octroie l'usage de mon nom.
Créer des accessoires de mode
Est mon unique objectif.
La cour fédérale de New York
A rendu sa décision :
Elle m'a donné la liberté
De poursuivre ma vision.
Mon implication dans l'enseigne Gucci
S'achève après vingt-cinq ans.
Comme créateur indépendant,
Je continuerai à travailler dur.
Merci à vous, mes bienfaiteurs,
Pour vos éloges et tendres encouragements.
Respectueux de mes accords avec « Gucci America »,
Concernant la firme et le nom sacro-saint,
J'espère que mes efforts perpétuels

Seront reconnus à titre individuel.
Le nom Paolo Gucci,
Figurant désormais sur les étiquettes,
Combinera certainement
Qualité rare, souci permanent de la perfection,
Et excellence artistique.
Cette missive peu conventionnelle,
Adressée au consommateur raffiné et informé,
Est ma manière personnelle
De dire publiquement bonjour, bienvenue,
Et de le faire avec humour.
Avec un plaisir et une fierté infinis,
J'ai l'honneur de vous présenter
« Designs by Paolo Gucci »,
En tout point supérieur
À ce que l'« autre » compagnie
Pourra jamais vous offrir.
Pour conclure, il est parfois amusant de constater
Le tour curieux que les choses peuvent prendre.
La vie est pareille à un jeu.
Je sais, au fond de mon cœur, qu'un jour,
« Gucci America » rachètera mon nom.

Cette prophétie se réalisa huit ans plus tard. Après que fut rendue la décision de justice, Paolo se jeta corps et âme dans les préparatifs nécessaires au lancement de son affaire. Il alla même jusqu'à louer un local prestigieux sur Madison Avenue, à New York, dont il paya les loyers pendant trois ans sans jamais l'occuper. Peu à peu, ses affaires stagnèrent, avant de péricliter. Son mariage avec Jenny n'y résista pas. Il se lia avec une jeune Anglaise, Penny Armstrong, l'employée rousse qui prenait soin de ses pur-sang dans sa propriété de l'Essex. De leur idylle naquit une enfant, Alyssa. Paolo installa Penny dans le manoir de Rusper, non sans en avoir préalablement chassé son épouse. Il rangea pêle-mêle dans des cartons tous les effets personnels de cette dernière, les jeta dehors et les laissa tels quels sous la pluie. Indignée, Jenny envoya sa sœur les chercher.

Elle-même campait avec sa fille, âgée de dix ans, dans un appartement luxueux, encore en travaux, qu'ils avaient acheté 3 millions de dollars en 1990 dans la Metropolitan Tower de New York. Quand elle envoya les papiers du divorce à Paolo en 1991, il cessa de régler les factures. En 1993, elle le fit emprisonner brièvement, car il avait cessé de verser la pension alimentaire et lui devait 350 000 dollars. En novembre, cette année-là, les autorités prirent d'assaut la propriété de Paolo, Millifield Stables, à Yorktown Heights, où ils découvrirent une centaine d'étalons arabes amaigris et négligés, que Paolo avait omis d'entretenir afin de prouver à Jenny que, contrairement à ses dires, il n'avait plus de ressources. De surcroît, une quinzaine de ces animaux demeuraient impayés. Paolo se déclara en faillite personnelle.

« Ce que vous devez comprendre au sujet des Gucci, dit Jenny à un reporter en 1994, c'est qu'ils sont complètement fous, incroyablement manipulateurs et pas très intelligents. Ils ont un besoin irrépressible de tout contrôler, mais dès qu'ils obtiennent l'objet de leurs désirs, ils l'écrasent ! Ce sont des destructeurs, voilà tout ! »

Croulant sous les dettes et les problèmes de santé, Paolo se retira dans les pièces sombres de son manoir. D'après Penny Armstrong, il n'avait plus les moyens d'acquitter les factures d'électricité ou de téléphone. Les forces de l'ordre saisirent les chevaux affamés et en firent piquer quelques-uns.

— J'ai utilisé mes derniers sous pour acheter du lait et j'ignore de quoi demain sera fait, confiait-elle à un journaliste italien en 1995.

Ultérieurement, Enzo Stancato, l'avocat de Paolo, déclarait avec tristesse qu'en décrochant ce client il avait cru à une aubaine.

« Un an plus tôt, j'étais le type le plus malin de la terre, je travaillais pour Gucci ! Et tout à coup, j'en étais presque arrivé à entretenir Paolo : je lui ai donné des vêtements, des cravates, des chemises, des costumes. Quand il est venu à New York, il n'avait plus un sou. Je l'ai habillé des pieds à la tête. Il m'a dit : "Je suis malade du foie. J'ai besoin d'une transplantation, sinon je ne survivrai pas." »

L'intervention ne put être pratiquée à temps. Paolo mourut d'une hépatite chronique le 10 octobre 1995 dans un hôpital londonien. Il avait soixante-quatre ans. Ses obsèques eurent lieu à Florence. On l'enterra dans le petit cimetière de Porto Santo Stefano, sur la côte toscane, où sa mère Olwen reposait depuis tout juste deux mois. En novembre 1996, le tribunal de commerce approuva le transfert de tous les droits sur les créations Paolo Gucci à Guccio Gucci SpA pour un montant de 3,7 millions de dollars, prix que le groupe était heureux de payer afin de tirer un trait, une fois pour toutes, sur la guerre avec Paolo. D'autres avaient aussi essayé de racheter la marque, notamment Stancato et quelques ex-associés de Paolo – l'un d'eux ayant même porté l'affaire devant la Cour suprême, mais en vain.

Malgré la mort de ce rebelle et l'acquisition de son enseigne, les Gucci continuèrent de s'entredéchirer. La disgrâce de Paolo avait en effet coïncidé avec l'émergence de son jeune cousin Maurizio, qui allait bientôt passer à l'offensive.

7

Victoires et défaites

Au soir du 22 novembre 1982, un parterre de trois cents invités, trépignant d'impatience, se réunit au cinéma Manzoni de Milan. Rodolfo avait demandé à Maurizio et Patrizia de convier leurs amis à la projection de l'ultime version de son long-métrage, *Il Cinema nella Mia Vita*.

Le libellé des cartons d'invitation était empreint de mélancolie : « Ne négligez jamais l'importance de votre âme ou de votre cœur. L'existence peut être un vaste champ aride où la graine que l'on plante pousse souvent loin des plus vertes prairies. »

Après avoir travaillé avec New York pendant sept ans au côté de son oncle Aldo, Maurizio s'était réinstallé à Milan avec femme et enfants au début de l'année 1982. Les forces de Rodolfo déclinaient, mais son cancer demeurait un secret bien gardé. Le médecin de Vérone qui lui administrait le traitement au cobalt destiné à soigner sa tumeur mourut subitement. Le malade s'était alors désespérément mis en quête d'autres thérapies.

Il avait donc rappelé Maurizio en Italie, pour superviser la nouvelle phase d'expansion de la compagnie. Rodolfo avait fait un grand geste vis-à-vis de son fils et de sa bru en transformant la projection de son film autobiographique en événement mondain. Il entendait ainsi effacer leurs dissensions passées et montrer au Tout-Milan que la famille accueillait chaleureusement le retour du couple en son sein.

Radieuse dans une robe Yves Saint Laurent, ornée d'une somptueuse broche Cartier, Patrizia souhaitait la bienvenue aux invités. Les événements se conformaient à ses rêves. La réconciliation de Maurizio et de Rodolfo faisait de son époux le candidat idéal pour reprendre le flambeau de la firme qui, à ses yeux, avait perdu beaucoup de son prestige sous la férule des deux doyens. Pour elle, cette réception marquait l'avènement d'un tournant et le début de ce qu'elle appelait « l'ère Maurizio ».

Les lumières baissèrent. Les rideaux s'ouvrirent avec un frémissement. Le documentaire commençait par des images de Maurizio à Saint-Moritz, courant dans la neige avec Rodolfo, quelques mois après la disparition de sa mère.

« Ce qui va suivre est une histoire d'amour déchirante, une histoire que j'aurais aimée sans fin... L'histoire d'un homme qui désire expliquer sa famille à son fils et lui donner une juste vision du monde », annonçait la voix off lorsque apparurent en noir et blanc sur l'écran Guccio et Aida, leurs enfants, la table familiale, le premier atelier de Florence. Suivirent des extraits des films tournés par Rodolfo et sa femme. Quelques passages des actualités de l'époque évoquèrent l'essor de la marque Gucci : l'ouverture de la via Tornabuoni ; Rodolfo dans la boutique milanaise sur la via Monte Napoleone, congratulant Gittardi, le gérant, pour une excellente vente ; Aldo coiffé de son sempiternel couvre-chef poussant les portes à tambour de la Cinquième Avenue ; les danseurs de disco dans les années 1970, habillés en Gucci ; Maurizio et Patrizia donnant des instructions aux ouvriers pendant les travaux de leur appartement dans l'Olympic Tower ; les baptêmes d'Alessandra et d'Allegra.

Le film s'achevait sur Rodolfo en compagnie d'Alessandra, encore bébé, qui jouait avec la manivelle d'une vieille caméra sur la magnifique pelouse de la Chesa Murézzan de Saint-Moritz. Le commentaire autobiographique se terminait par une touchante conclusion :

« S'il me reste une chose à vous transmettre, c'est le lien profond qui unit le bonheur et l'amour. L'existence ne s'apprécie pas au fil des décennies ni même des saisons, mais dans des matins ensoleillés comme celui-là, à regarder grandir une enfant. La sagesse véritable réside dans les vraies richesses de ce bas monde, au-delà de celles qu'on peut acheter, vendre ou gérer. Ce sont celles de la vie, de la jeunesse, de l'amitié, de l'amour. Tel est le trésor que nous devons chérir et protéger. »

Le film était le fidèle reflet de la personnalité de Rodolfo : romantique et grandiloquent. Ce témoignage d'amour pour sa défunte femme symbolisait sa réconciliation avec Maurizio. Mais il était également porteur d'un message à l'intention de ce dernier. Le père avait pris la mesure de l'ambition et du zèle de son fils dans sa gestion de l'argent. Au travers de son chef-d'œuvre, il voulait lui rappeler les valeurs qu'il tenait pour essentielles au soir de sa vie.

— Chaque être humain doit s'efforcer de faire régner une harmonie constante entre trois éléments fondamentaux : son cœur, sa tête et son porte-monnaie, se plaisait-il à répéter. Les problèmes surviennent quand cet équilibre est rompu.

Lorsque les lumières se rallumèrent, les invités parurent à la fois impressionnés et émus.

— À quand la prochaine projection ? demanda l'un d'eux à Rodolfo.

— Nous verrons, nous verrons, répondit-il avec un sourire triste.

Seul son entourage le plus proche savait que le cancer rongeait son organisme, qu'il courait de clinique en clinique pour essayer de se maintenir en vie. Il se fatiguait de plus en plus vite, la mélancolie le gagnait. S'il se rendait régulièrement dans ses bureaux de la via Monte Napoleone, il se mit à multiplier ses séjours dans son havre de Saint-Moritz – où il avait fini par racheter l'Oiseau Bleu –, heureux de laisser Maurizio s'impliquer davantage dans l'affaire.

Pour sa part, son fils était enthousiaste à l'idée de revenir à Milan afin d'assurer ses nouvelles fonctions. Son oncle Aldo lui avait beaucoup appris et leurs rapports étaient affectueux et empreints de respect mutuel. Néanmoins, comme avec tous ses proches, Aldo avait toujours fait en sorte de tenir son neveu à l'écart.

Quand il voulait s'entretenir avec lui, il lui faisait un signe de la main en lui disant :

— *Vieni qui, avvocatino.*

« Viens ici, petit avocat. » C'était sa manière à lui de dénigrer le diplôme de Maurizio, alors que celui-ci était le seul de toute la famille à avoir suivi une formation universitaire poussée. Contrairement à ses cousins, agacés par le despotisme de leur père, Maurizio gardait profil bas. S'il voulait que son oncle l'initie au métier, il devait supporter sa tyrannie. Et il n'ignorait pas qu'il y avait d'importantes compensations à la clé.

« Avec mon oncle, le défi ne consistait pas à vivre, mais à survivre, dit-il un jour. Pour lui prouver qu'on était à sa hauteur, il fallait en faire bien plus que lui. »

Aussi avait-il pris son mal en patience. Longtemps timide et hésitant, Maurizio avait intégré une grande partie des enseignements de son oncle. Grâce à son propre charisme, son charme et ses capacités, il communiquait son enthousiasme à son entourage. Plus encore que Rodolfo, Aldo était son mentor.

« Mon père et mon oncle se distinguaient en cela que mon oncle était un homme de marketing, un promoteur-né. Il exerçait une influence radicalement différente sur chacun. Il était humain, sensible, créatif. C'est lui qui a bâti l'édifice et j'ai pu voir comment il instaurait des liens personnels avec tous ceux qui le côtoyaient au travail, y compris avec les clients. Ce qui me fascinait le plus chez lui, c'était à quel point il se démarquait de mon père, acteur même dans la vie. Mon oncle n'a jamais joué de rôle : il était naturel. »

À mesure qu'Aldo devenait plus outrancier et extraverti, Rodolfo devenait plus pensif et introverti, et il évitait de se heurter de front avec son frère. Il lui arriva souvent, sous le coup de la colère, d'appeler Maurizio et de lui demander de l'accompagner à Florence pour contester les décisions autoritaires de son aîné. Conduits par son chauffeur particulier – Luigi Pirovano – au volant de sa Mercedes argentée, ils empruntaient l'autoroute au sud de Milan. Pendant ce trajet, Rodolfo fulminait contre Aldo, son fils le consolait, et Luigi écoutait sans mot dire. Lorsque la voiture arrivait au bout de trois heures devant l'usine de Scandicci, la colère de Rodolfo était retombée, et sa détermination envolée.

Invariablement, il saluait chaleureusement son frère – « *Ciao, carissimo !* » – qui lui répondait alors, avec un sourire étonné :

— Foffino ! Que fais-tu donc ici ?

Rodolfo haussait alors les épaules, inventait à la hâte un prétexte – un nouveau projet de sac, par exemple – et invitait Aldo à déjeuner.

À soixante-douze ans, ce dernier menait toujours une existence aussi effrénée, bien qu'il fût désormais davantage intéressé par les réceptions ou les galas de charité que par la direction quotidienne de l'entreprise. En 1980, il avait abrogé la pause-déjeuner obligatoire à New York et se chargeait de promouvoir la marque Gucci au vaste public à travers la Gucci Accessories Collection. Cependant, après une vie consacrée au travail, il aspirait à quelques gratifications personnelles. Aussi passait-il plus de temps avec Bruna et leur fille Patricia dans sa demeure de Palm Beach. Il jardinait, sortait beaucoup et essayait de transformer son statut de marchand en vocation artistique.

— Nous ne sommes pas des hommes d'affaires, nous sommes des poètes ! dit-il lors d'une interview dans son bureau de la via Condotti. Je veux être comme le Saint-Père : le pape parle toujours de lui au pluriel.

Là où jadis s'alignaient des certificats aux encadrements sobres sur les murs blancs, s'étalaient à présent des huiles du xvII^e et du xvIII^e siècle sur du velours terre brûlée, sous un plafond voûté rehaussé de fresques. Le sceau des Gucci était suspendu non loin, avec les clés de la ville de San Francisco que le maire Joseph Alioto avait offertes à Aldo en 1971.

Pendant qu'Aldo paradait, il fallait bien que quelqu'un planifie l'avenir de la maison Gucci. Soutenu par Rodolfo et Patrizia, Maurizio devint le dauphin tout désigné. Quand il rentra à Milan en 1982, l'industrie de la mode italienne, naguère concentrée entre les défilés de haute couture à Rome et les présentations de prêt-à-porter de Giordini au palais Pitti, avait subi une profonde métamorphose. Milan avait désormais ravi le cœur de nouveaux talents tels que Tai et Rosita Missoni, Mariucia Mandelli de Krizia, Giorgio Armani, Gianni Versace et Gianfranco Ferré. Valentino, qui s'était lancé dans la haute couture à Rome en 1959, préféra cependant Paris à la capitale économique de son pays, et c'est en France qu'il présenta ses premières collections.

Sous l'impulsion des organisateurs milanais, les grands défilés semestriels de prêt-à-porter abandonnèrent Florence, et Milan fut consacrée l'épicentre du vêtement féminin. Depuis la disparition, dans l'après-guerre, des maîtres-tailleurs, de jeunes créateurs occupaient le terrain. Au début, ils mirent leurs talents novateurs au service de petits fabricants de l'Italie du Nord ; ce fut notamment le cas d'Armani, de Versace et de Ferré. La demande croissante de styles plus audacieux leur indiqua qu'ils allaient pouvoir faire fortune sous leurs propres noms. Peu à peu, ils établirent des ateliers dans les rues les plus en vogue de Milan : Armani sur la via Borgonuovo, Versace sur la via Gesù, Ferré sur la via della Spiga, et Kriza sur la via Daniele Manin. Entourés de collaborateurs fidèles, ils travaillaient tard et prenaient d'assaut les quelques trattorias traditionnelles subsistantes à une heure avancée de la nuit. Aujourd'hui encore, Bice sur la via Borgospesso, Torre di Pisa dans le quartier Brera, Santa Lucia près du Duomo demeurent des lieux prisés par les grands noms de la mode.

Versace et Armani apparurent comme les leaders sur la scène milanaise, le premier affectionnant le genre provocant et tape-à-l'œil, le second imaginant une allure décontractée, discrète, élégante. Versace fit l'acquisition de demeures somptueuses à Milan et sur les rives du lac de Côme, qu'il emplissait d'œuvres d'art baroques. Armani, surnommé le « Roi du beige », préférait de paisibles propriétés dans la campagne lombarde ou sur l'île de Pantelleria, au large de la Sicile.

L'industrie de la mode italienne vibrait d'une énergie nouvelle. L'argent coulait à flots. Les créateurs bénéficiaient du concours de photographes d'avant-garde, de mannequins célèbres et d'impressionnantes campagnes publicitaires. Certaines firmes familiales, spécialisées dans les accessoires, telles que Fendi ou Trussardi, adoptèrent ces mœurs commerciales inédites et parvinrent à moderniser leur image, empiétant sur le territoire de Gucci – qui semblait désormais dépassé.

Maurizio comprit alors que, pour rester compétitif, Gucci devait changer de direction. Si l'enseigne demeurait synonyme d'élégance et de bon goût, l'aura de glamour qu'elle avait eue dans les années 1960 et 1970 s'était étiolée. La mission de Maurizio à Milan consistait donc à réaliser le rêve cher à Aldo de rendre le nom familial aussi célèbre pour le prêt-à-porter que pour les accessoires. Depuis quelque temps déjà, Patrizia, grande cliente des couturiers, pressait son époux de recruter un créateur célèbre pour concevoir une ligne vestimentaire.

« Le prêt-à-porter était le grand défi de Gucci », se rappelle Alberta Ballerini.

Sa collaboration avec la maison remontait aux années 1970, quand elle avait épaulé Paolo lors de la création des premiers articles d'habillement. Elle dirige aujourd'hui la branche prêt-à-porter. Les collections de Paolo avaient recueilli un grand succès, mais leur importance ne fut jamais significative. Alberta se souvient que, vers la fin des années 1970, Paolo avait réuni son équipe dans le studio de création de Scandicci.

— Mon cousin Maurizio a eu une idée folle, avait-il annoncé. Il veut embaucher un créateur de l'extérieur.

— Eh bien, peut-être son idée n'est-elle pas si folle que ça, avait répondu Ballerini.

— Il parle tout le temps d'un dénommé Armani, avait repris Paolo. Mais qui est-ce ?

116

Comme personne ne paraissait le connaître, il avait déclaré sur un ton péremptoire :

— Nous n'en avons pas besoin.

Paolo continua de concevoir les lignes de prêt-à-porter pendant plusieurs années. Il eut recours, une saison, aux services d'un jeune créateur cubain, Manolo Verde. Ses relations s'étant envenimées avec sa famille, il quitta Florence pour New York en 1978. Quatre ans plus tard, on lui retirait toutes ses fonctions effectives au sein du groupe. Ainsi, Gucci se retrouvait sans créateur pour le prêt-à-porter à un moment où ses concurrents connaissaient la gloire. Quelques saisons durant, la maison s'efforça de s'en sortir tant bien que mal par elle-même, grâce à Ballerini et à son personnel, toutefois, rapidement, le besoin d'aide se fit sentir.

Maurizio réitéra son idée d'intégrer à Gucci un créateur de renom pour redorer son blason. Il connaissait le travail d'Armani et le jugeait capable d'imaginer des vêtements raffinés. Mais ce dernier se consa-crait déjà à sa propre maison, qui se développait vite. Gucci se mit ouvertement en quête d'un autre.

Afin d'introduire Gucci sur le territoire inexploré du prêt-à-porter, Maurizio devait faire preuve de prudence : il fallait que le styliste choisi n'ait pas une personnalité trop écrasante et qu'il ne rebute pas la clientèle traditionnelle. Il désirait donner à la marque une image novatrice, sans toutefois qu'elle perde sa spécificité d'enseigne de luxe.

En juin 1982, il engagea Luciano Soprani, un créateur originaire d'Émilie-Romaine qui s'était distingué par sa palette limitée ainsi que par son utilisation d'étoffes transparentes. Florence lui semblant trop provinciale, Maurizio prépara son premier défilé de Milan, prévu à l'automne. Il nourrissait la ferme intention d'asseoir la présence de Gucci au sein du milieu milanais.

Fin octobre 1982, Gucci présenta la première collection Soprani, sur fond de thématique africaine. Les différents tableaux mettaient en scène des mannequins statiques cernés de deux mille cinq cents dahlias rouges importés des Pays-Bas. Le succès commercial fut immédiat. Alberta Ballerini l'évoque encore avec émotion :

« Je n'oublierai jamais ce premier défilé. Le showroom resta ouvert toute la nuit et les clients, fourbus, les pieds endoloris, ne cessèrent pas d'entrer. Nous avons travaillé vingt-quatre heures d'affilée. Tout le monde achetait tellement, trop peut-être… Ce fut le début d'une période de gloire. »

La presse italienne salua la nouvelle orientation de la marque : « En pleine crise, remisant ses racines florentines, Gucci a jeté son dévolu sur Milan, véritable laboratoire d'idées neuves et de stratégies commerciales révolutionnaires, écrivait Silvia Giacomini dans *La Republica*. Ses dirigeants ont décidé d'infiltrer le star-système de la mode milanaise, en tirant parti de toutes les ressources de la ville. »

Hebe Dorsey, de l'*International Herald Tribune*, écrivait : « Gucci se remet radicalement au goût du jour. » Comme Aldo était retenu chez lui par une mauvaise grippe, Maurizio s'était chargé d'expliquer à cette journaliste réputée le tournant pris par la maison :

— Nous voulons que Gucci lance des tendances, au lieu de les suivre. Nous ne sommes pas des créateurs de mode et nous ne voulons pas initier la mode. Mais nous désirons y participer, car elle constitue, de nos jours, le biais idéal – et le plus rapide – pour toucher les gens.

Dorsey ne s'extasiait cependant pas sur l'influence de Soprani : elle avait eu du mal à dégager un thème central dans cette diversité d'allures.

« La nouvelle image se démarque clairement de celle, classique et chic, de la petite jupe en cuir assortie d'un chemisier de soie coloré. La collection comportait plusieurs facettes, notamment un style colonial – inspiré du roman d'Agatha Christie *Mort sur le Nil*. »

La chroniqueuse signala également que l'élément le plus remarquable de tous les tableaux était sans doute la nouvelle gamme de bagages beige et blanc, dépourvue du logo GG.

Maurizio demanda à Nando Miglio, directeur d'une grande agence de communication et de publicité spécialisée dans la mode, de mettre au point une campagne de promotion. Cette initiative rompait avec la stratégie d'Aldo du contact personnel. Quand ce dernier vit les clichés du respecté Irving Penn, il explosa :

— Il est clair que cet homme ne comprend pas la quintessence de Gucci.

Il envoya aussitôt une lettre cinglante au photographe. Mais il s'y était pris trop tard. Les fameuses images de Rosemary McGrotha, une top model de l'époque, posant sur le fond blanc cher à Penn, avaient déjà été promises à de nombreux magazines. Maurizio refusa d'annuler ce lancement. Les quatre campagnes suivantes, personnifiées par Carol Alt, allaient être conçues dans le même esprit par le disciple de Penn, Bob Krieger. Elles reflétaient une mode épurée, ludique, décontractée, fidèle aux souhaits exprimés par Aldo dans les années 1970. L'image défendue aujourd'hui par la marque, plus audacieuse, plus sexy, ne leur ressemble guère.

Au cours des années qui suivirent, Maurizio s'attaqua à une autre métamorphose au sein de Gucci, beaucoup plus discrète : dresser l'inventaire des milliers de produits et de styles de la maison, afin d'en réduire le nombre.

« Il fallait pouvoir contrôler, en interne, les articles que nous mettions en vente », explique Rita Cimino, chargée de la supervision des collections de maroquinerie.

Jusque-là, la firme évoluait autour de chacun des membres de la famille, sans aucune coordination entre les différents camps. Rodolfo avait ses fournisseurs et employés attitrés, Giorgio et Aldo les leurs et Roberto gérait la GAC selon son bon plaisir. Il en découlait une grande quantité de produits variés qui n'avaient en commun que la marque Gucci. C'était en contradiction totale avec le concept d'harmonie stylistique jadis prôné par Aldo.

« Je travaillais en étroite collaboration avec Maurizio pour cataloguer tous les articles et essayer d'y mettre de l'ordre, ajoute Rita Cimino. Maurizio se faisait une idée très précise de ce qu'une enseigne de luxe devait offrir. »

En peu de temps, les initiatives de ce dernier attirèrent l'attention. En décembre 1982, le mensuel milanais *Capital* consacra à Maurizio un dossier, dans lequel on le décrivait comme l'héritier de la dynastie.

L'article enchanta Patrizia : elle était déterminée à ce que son époux devienne l'une des grandes figures de l'industrie de la mode milanaise.

« Je savais qu'il était faible, dit-elle. Mais moi j'étais forte pour deux. Je l'ai tellement encouragé qu'il a fini par prendre la présidence de Gucci. J'étais mondaine, pas lui. Je sortais sans arrêt, lui s'enfermait chez nous. J'étais la représentante de Maurizio Gucci, et ça me suffisait. Il était comme une chose étiquetée Gucci, comme un enfant qu'on devait laver et habiller. »

Elle répétait à l'envi :

— L'ère de Maurizio a commencé.

Agissant en véritable éminence grise, elle le propulsait en avant. Cela faisait longtemps qu'elle se comportait comme l'épouse d'une star : elle sillonnait la ville à bord de son véhicule avec chauffeur, dans ses plus belles tenues griffées Valentino ou Chanel. Les chroniqueurs mondains la surnommaient « la Joan Collins de la via Monte Napoleone ». Le couple emménagea dans un lumineux appartement en terrasse entouré d'un jardin, offert par Rodolfo, situé sur la Galleria Passarella, non loin de la place San Babila. Imaginé par Patrizia, le décor intérieur, composé de chaleureuses boiseries et d'un plafond peint, évoquant un paradis de Tiepolo, était agrémenté d'antiquités, de statues de bronze et de vases Art déco.

« Patrizia a vraiment aidé son mari, confirme Nando Miglio. Alors que lui était timide, réservé et mal à l'aise en public, elle brillait. C'est elle qui a appuyé sur l'accélérateur. Elle voulait que Maurizio devienne quelqu'un. Elle lui disait : "Tu dois montrer que tu es le meilleur." »

Elle persuada son époux de la laisser concevoir une ligne de bijoux en or, appelée Orocrocodillo. Elle créa ainsi d'imposantes pièces ornées d'un motif en peau de reptile et incrusté de pierres précieuses. Elle espérait que l'Orocrocodillo serait pour Gucci l'équivalent des trois anneaux d'or de Cartier : un emblème identifiable entre tous. Vendus dans les boutiques Gucci, ces bijoux coûtaient des sommes astronomiques – allant jusqu'à 29 millions de lires, soit plus de 15 000 dollars –, alors qu'ils ressemblaient à de clinquantes fantaisies. Les vendeurs secouaient la tête, arrangeaient les articles sur les présentoirs et se demandaient si un jour quiconque les achèterait.

À la fin du mois d'avril 1983, Gucci inaugura sa nouvelle boutique sur la via Monte Napoleone, en face du premier magasin, toujours spécialisé dans la maroquinerie et les accessoires. Ce deuxième établissement proposait les vêtements créés par Soprani. La maison obtint de la voirie qu'elle interdise la rue à la circulation le temps de l'inauguration. Tables, chaises et gardénias en cascade jonchaient les trottoirs. La via Baguttino, rue adjacente elle aussi fermée aux automobiles, se métamorphosa en restaurant *ad hoc* où des serveurs en gants blancs portaient des plateaux d'argent débordant d'huîtres et de caviar. Le champagne coulait à flots. Ce jour-là, Maurizio accueillit lui-même les invités et circula parmi la foule. Quelques semaines plus tôt, Rodolfo avait été discrètement transporté à la Madonnina, l'une des meilleures cliniques privées de Milan.

Ce dernier quitta brièvement son lit, accompagné de ses infirmières, pour aller admirer la nouvelle boutique peu avant l'ouverture. La démarche hésitante, soutenu par les bras, il traversa le vaste rez-de-chaussée, s'extasia devant le décor et salua chacun des employés par son nom.

Liliana Colombo, alors assistante de Roberta Cassol, la secrétaire de Rodolfo, se remémore cette visite :

« Il flottait dans ses habits, il avait beaucoup maigri. »

Maurizio avait donné des consignes strictes : nul ne devait aller voir Rodolfo sur son lit d'hôpital, à l'exception de lui-même, de son avocat américain Domenico De Sole et de son conseiller Gian Vittorio Pilone. Celui-ci, Vénitien d'origine, possédait un cabinet d'expertise comptable florissant et parmi ses clients figuraient bon nombre des vénérables familles d'industriels. Maurizio lui faisait confiance et il n'aimait guère prendre de décisions sans le consulter.

Pendant que Maurizio s'efforçait de dissimuler au monde l'agonie de son père, ce dernier s'étonnait de l'isolement dans lequel on le cloîtrait. De tous ses employés, seuls Roberta Cassol et Francesco Gittardi se rendirent à son chevet.

Jusqu'à son dernier souffle, Rodolfo conserva beaucoup d'allure, vêtu de sa robe de chambre et de ses foulards en soie. Avocats et conseillers financiers se succédaient auprès de lui pour qu'il puisse mettre de l'ordre dans ses affaires, mais il n'était pas serein. Il réclamait sans cesse son frère Aldo, rentré aux États-Unis après l'inauguration festive sans être passé le voir. Le samedi 7 mai, Rodolfo sombra dans le coma. Maurizio et Patrizia accoururent aussitôt. Aldo arriva le lendemain. Le mourant criait son nom :

— Aldo ! Aldo ! *Dove sei ?* Où es-tu ?

— Je suis là, Foffino ! Je suis là ! Dis-moi, petit frère, dis-moi ce que je peux faire pour toi, pour que tu te sentes mieux !

Rodolfo ne lui répondit pas. Le cancer avait eu raison de lui. Il expira le 14 mai 1983, à l'âge de soixante et onze ans. La basilique romane de San Babila fut à peine assez vaste pour contenir les gens venus lui rendre un ultime hommage. Quatre employés fidèles, dont Luigi et Franco, portèrent le cercueil dans l'église. Après la cérémonie, il fut convoyé vers Florence, pour être inhumé dans le caveau familial. Une ère s'achevait – et une autre débutait.

8

Maurizio prend les rênes

Pour Maurizio, âgé de trente-cinq ans, ce décès constituait à la fois un choc et une délivrance. Il avait été l'unique objet de l'amour obsessionnel, possessif, tyrannique de son père, qui n'avait jamais relâché la bride autour de son cou. Jusqu'à la fin, leur relation était restée compassée et formelle. Maurizio ne s'opposait à lui qu'à contrecœur, et il sollicitait rarement son aide : il continuait de se tourner vers Luigi Pirovano, le fidèle chauffeur de Rodolfo, ou Roberta Cassol, sa secrétaire, quand il avait besoin d'argent. Cette dernière témoigne :

« Je disais toujours que Rodolfo avait offert un palais à son fils, mais pas d'argent pour l'entretenir. C'est moi que Maurizio consultait quand il était à court, parce qu'il avait peur de réclamer quoi que ce soit à son père. »

Même adulte, Maurizio se levait dès que Rodolfo entrait dans une pièce. Son unique tentative de révolte avait été son mariage avec Patrizia, que son père avait fini par accepter. Certes, il ne s'était jamais rapproché de sa bru, mais au moins la paix régnait-elle entre eux. Il s'était rendu compte qu'elle aimait Maurizio, que le couple vivait dans l'harmonie et que ses deux petites-filles, Alessandra et Allegra, grandissaient dans un foyer heureux.

Rodolfo laissa à son fils un héritage considérable, se chiffrant en dizaines de millions de dollars : le domaine de Saint-Moritz, des appartements de luxe à Milan et à New York, quelque 20 millions de dollars dans des comptes bancaires suisses, et, surtout, la moitié des parts de l'empire Gucci. Outre tous ses biens – estimés, à l'époque, à plus de 350 milliards de lires (environ 230 millions de dollars) –, Rodolfo légua à son fils un petit présent chargé de symbole : un portefeuille en croco noir orné de l'insigne Gucci des années 1930, que son propre grand-père, Guccio, lui avait donné. Un shilling anglais, souvenir de la jeunesse de Guccio au Savoy, était incrusté dans le fermoir. Il incombait désormais à Maurizio de tenir les cordons de la bourse.

Et cela signifiait, entre autres, qu'il allait devoir prendre des décisions. Pour la première fois de sa vie, il était libre de ses choix. Cependant, il manquait d'expérience, Rodolfo gérant tout par lui-même. En outre, cette nouvelle liberté survenait à un moment charnière de la vie de Maurizio. Aldo lui avait bien enseigné sa méthode, mais elle s'appliquait à une ère révolue. Elle ne convenait guère à cette période complexe où tous les acteurs de l'industrie du luxe se menaient une concurrence effrénée et où les querelles intestines des Gucci s'intensifiaient.

L'avocat de Maurizio, Gian Vittorio Pilone, évoqua cette époque lors d'une interview donnée peu avant sa mort, en mai 1999, dans son bureau de Milan :

« La plus grave erreur commise par Rodolfo fut de ne pas s'être fié à son fils plus tôt. Il contrôlait les finances si sévèrement qu'il privait son successeur de toute autonomie. »

Sa fidèle secrétaire, Liliana Colombo, renchérit :

« Il arrivait que Maurizio soit dépassé par l'énormité des décisions qu'il devait prendre. Son père s'était toujours chargé de tout à sa place. »

Avant sa mort, Rodolfo doutait d'avoir réussi à inculquer à son fils le sens des valeurs ou de l'argent. Même s'il n'était pas aussi doué en affaires que son frère Aldo, il avait réussi à amasser une fortune, entre le domaine de Saint-Moritz et son compte bancaire en Suisse. Il se vantait de n'y avoir effectué que des dépôts, jamais de retraits, et il n'était pas sûr que son fils suivrait son exemple. Il le savait capable de dépenser des millions en un clin d'œil et davantage attiré par les signes ostentatoires de réussite que par l'essence même du succès. De surcroît, le père craignait que son héritier ne soit écrasé par les amers conflits familiaux.

« Maurizio était un jeune homme adorable et sensible, se rappelle Pilone. Son père redoutait que son caractère n'en fasse une proie rêvée pour ses cousins. »

Bon nombre des conseillers de Rodolfo se souviennent que, de son lit d'hôpital, le vieillard leur avait fait promettre de garder un œil sur

Maurizio après sa disparition. Une telle requête ne contribuait pas à redorer le blason de son fils auprès de son entourage.

Alors que Rodolfo, encore valide, séjournait régulièrement à Vérone pour soigner son cancer, il s'entretint avec Allan Tuttle, un confrère de De Sole au sein du cabinet Patton, Boggs & Blow, qui avait assuré la défense de la famille et de la maison Gucci contre les attaques de Paolo. Tuttle venait d'arriver à Venise, où il comptait passer ses vacances. La cité des Doges se trouvant à moins d'une heure de Vérone, Rodolfo alla rejoindre l'avocat pour déjeuner par une journée froide et pluvieuse. Le mauvais temps prit l'Américain au dépourvu.

« Rodolfo m'a donné son manteau, parce que je n'en avais pas », dit-il.

Après le repas, les deux hommes longèrent les canaux venteux de Venise. Rodolfo narra à son compagnon ses noces avec Sandra Ravel et lui décrivit la foule d'amis venus recouvrir leur gondole de fleurs.

« Il se savait mourant, mais il ne m'en a rien dit. En revanche, il me parla longuement de Maurizio et du souci qu'il se faisait pour lui. Il voulait que Domenico et moi le prenions sous notre aile. »

Sur ce, Rodolfo s'était engouffré dans un bateau-taxi, avait levé la main en guise d'au revoir avant de disparaître au loin.

« Il se conduisit en acteur jusqu'au bout. Cette mise en scène était émouvante à souhait. »

Un peu plus tard, Domenico De Sole aurait droit au même « dernier acte ».

« Rodolfo avait peur, dirait-il. Il voyait bien que Maurizio ne possédait pas le sens des limites. »

Malgré le peu de confiance qu'il lui avait jadis accordé, Rodolfo fit part de ses sentiments profonds à sa bru.

« Au contact de l'argent et du pouvoir, il changera, lui dit-il. Tu t'apercevras que tu es mariée à un autre homme. »

À l'époque, elle ne le crut pas.

Dans les mois qui suivirent la mort de Rodolfo, Aldo tint son neveu à l'œil. Il savait que la disparition de son frère pouvait ébranler le fragile statu quo instauré depuis la brouille avec Paolo. La compagnie avait été répartie selon des principes très simples : d'abord, l'entreprise devait demeurer sous contrôle de la famille, qui décidait du rythme de son expansion. Ensuite, deux domaines d'influence précis avaient été définis : Aldo dirigeait Gucci America et le réseau de détaillants américains, tandis que son frère s'occupait de Guccio Gucci et de la production. Cette division des pouvoirs avait porté ses fruits : à la mort de Rodolfo, Gucci générait des profits considérables. La maison comptait vingt boutiques dans les plus grandes capitales de la planète, quarante-cinq franchises entre le Japon et les États-Unis, de lucratifs points de vente en duty-free, sans oublier la prolifique GAC. Les batailles juridiques contre Paolo s'étant assagies, Aldo savourait enfin son rôle de patriarche du clan.

« J'étais le moteur, et le reste de la famille était le train, aimait-il à dire. Un moteur sans train ne sert à rien et un train sans moteur n'avance pas ! »

Aldo espérait que le décès de son cadet ne changerait pas la donne. Cependant il sous-estimait trois facteurs de poids. En premier lieu, Maurizio avait comme ambition de mener le groupe beaucoup plus loin que ne le prévoyait la politique familiale. En deuxième lieu, Paolo ne renonçait pas à sa volonté de commercialiser sa propre marque. En troisième lieu, le Trésor américain ne traitait pas à la légère l'évasion fiscale. Le statu quo cher à son cœur allait durer à peine un an.

Nul n'avait contesté le fait que Maurizio hériterait des 50 % de son père. Ce dernier claironnait d'ailleurs sur tous les toits que son fils obtiendrait tout à sa mort – « mais pas une minute plus tôt ». Avec la trahison de Paolo, l'expérience lui avait appris à ne pas céder de pouvoir à son successeur avant le moment idoine. Jugeant qu'Aldo avait confié des responsabilités à ses enfants précocement et avait ainsi déstabilisé le groupe, il s'était juré de ne pas commettre la même erreur.

On mit quelque temps à localiser le testament de Rodolfo. Mais, en vertu de la loi italienne, son fils unique était le légataire universel de tous ses biens. Plusieurs années plus tard, quand Maurizio se trouva empêtré dans un engrenage juridique lié à l'héritage, des enquêteurs de la brigade du fisc italienne mirent la main sur le document, enfermé dans le coffre-fort de la société – qu'ils durent ouvrir au chalumeau, faute de clé. Dans ses dernières volontés, rédigées à la main, Rodolfo stipulait, comme prévu, qu'il transmettait tout ce qu'il possédait à son *unico, adorato figlio*, son fils unique et adoré. Il avait également pris des dispositions en faveur de ses fidèles domestiques, en particulier Tullia, Franco et Luigi.

Lors de la première assemblée générale du conseil d'administration suivant sa mort, Maurizio, Aldo, Giorgio et Roberto se regardaient avec une certaine gêne. Aucun des trois autres ne prit Maurizio au sérieux quand il annonça sa volonté de travailler avec eux main dans la main pour l'avenir de Gucci.

— *Avvocatino !* lui lança Aldo. N'essaie pas de voler aussi haut. Prends le temps d'apprendre.

Le fait qu'il ait hérité des cinquante pour cent ne constituait pas une surprise. En revanche, quelle ne fut pas leur stupeur quand il produisit un papier prouvant que son père lui avait remis la totalité de ses parts de son vivant ! Maurizio économisait ainsi environ 13 milliards de lires (soit 8,5 millions de dollars) en droits de succession. Pour son oncle et ses cousins, il n'y avait pas l'ombre d'un doute : la signature de Rodolfo au bas de l'acte de cession était un faux.

Furieux des réticences de ses proches, Maurizio rendit visite à son oncle à Rome. Il espérait que ses projets de rénovation trouveraient grâce aux yeux de son mentor et que celui-ci lui donnerait sa bénédiction. L'une des collaboratrices d'Aldo entendit son patron sommer Maurizio de sortir :

— *Hai fatto il furbo, Maurizio, ma quei soldi non te li godrai mai,* dit-il. (Tu as été très malin, Maurizio, mais tu ne profiteras jamais de cet argent !)

Nullement ébranlé par l'opposition des siens, Maurizio avait élaboré une nouvelle direction pour l'entreprise : faire de Gucci une maison de luxe internationale, dirigée aux quatre coins du monde par des professionnels ; simplifier et moderniser les étapes de création, de production et de distribution ; et recourir à des techniques de marketing sophistiquées. Il s'inspirait directement de l'enseigne Hermès, qui avait su évoluer sans sacrifier le caractère familial de la société ni la qualité de ses produits. Il voulait que Gucci se hisse de nouveau au rang des Hermès ou de Louis Vuitton, et ne reste pas au niveau d'un Pierre Cardin qui galvaudait sa signature en fabriquant des cosmétiques, des chocolats ou des objets ménagers.

Si ses idées étaient bonnes, leur concrétisation posait problème. Chaque membre de la famille régnait sans partage sur sa sphère d'activité et défendait sa propre optique. Bien que Maurizio fût l'actionnaire majoritaire de la société, il était pieds et poings liés. Aldo possédait

40 % de la Guccio Gucci SpA et 16,7 % de Gucci America ; Giorgio, Roberto et Paolo, pour leur part, détenaient à eux trois 9,9 % de la première société et 33,3 % de la seconde. Ils n'avaient cure des plans de Maurizio : Gucci pouvait se reposer sur ses lauriers passés, et ses profits subvenaient largement à leurs besoins. Ils n'éprouvaient donc nullement le besoin d'évoluer.

Toujours est-il que Maurizio s'employa à donner corps à sa vision, dans l'étendue de ses possibilités. Il s'en remit notamment à Roberta Cassol pour l'aider à rajeunir le personnel. Comme son père, il fuyait les conflits et demandait à sa secrétaire de renvoyer elle-même des collaborateurs de longue date dont la mentalité ne correspondait plus à l'industrie du luxe en plein bouleversement.

« Par le passé, il me confiait des choses dont il n'osait pas parler à son père, se rappelle-t-elle. À présent, il agissait de même, en me disant : "Roberta, l'heure est venue de se débarrasser de tel ou tel." Il avait une personnalité fragile et manquait d'assurance. »

Dans le même temps, la position d'Aldo à la tête de Gucci America était mise en péril. Au mois de septembre 1983, après que Paolo eut fourni des pièces à conviction, le fisc se plongea dans les finances personnelles d'Aldo Gucci et dans celles de Gucci Shops. Le 14 mai 1984, le ministère de la Justice donna le feu vert à une enquête par un grand jury, la chambre de mise en accusation. Même s'il avait obtenu la nationalité américaine en 1976, Aldo n'avait pas compris qu'aux États-Unis on ne fermait pas les yeux sur la fraude fiscale. En Italie, le citoyen ordinaire, méfiant envers l'État, estimait que payer ses impôts revenait à envoyer son argent dans les poches de politiciens véreux, sans rien recevoir en retour. Le vieil adage américain : « On n'est jamais sûr que de deux choses dans la vie : la mort et les impôts » n'avait pas de sens pour un Italien, a fortiori dans les années 1980. En effet, si, de nos jours, les gouvernements italiens tâchent de réguler la situation, à l'époque, ceux qui réussissaient à échapper à la ponction du fisc suscitaient l'admiration générale. Il était presque de bon ton de s'en vanter. De Sole, qui, en esprit, était plus américain qu'italien, s'était spécialisé dans ce domaine et il essaya d'expliquer à Aldo la gravité de la situation.

« Je leur ai dressé un vaste état des lieux, à l'hôtel Gallia de Milan, dit-il. Je leur ai déclaré qu'il s'agissait d'un problème majeur. Ils m'ont rétorqué : "C'est ridicule ! Aldo est un grand homme et il sert la communauté. On ne le touchera pas !" Je m'évertuai à leur faire entendre raison : "Vous ne comprenez donc pas ! On est en Amérique, pas en Europe ! Il s'agit d'un délit très grave ! Aldo risque d'aller en prison !" »

Nul ne le prit au sérieux et le « gourou de Gucci » balaya le sujet :

— Vous êtes un pessimiste invétéré ! lança-t-il avec condescendance à l'avocat.

« Aldo, fidèle à son tempérament dominateur, ne souhaitait pas discuter de la chose », explique Pilone.

Entre-temps, De Sole s'était aperçu que, outre les millions de dollars transférés en toute illégalité de Gucci America aux compagnies offshore, Aldo avait encaissé en son nom propre des dizaines de chèques d'un montant de plusieurs centaines de milliers de dollars, pourtant libellés à l'ordre de la maison.

« Aldo vivait comme un roi grâce à des détournements de fonds systématiques ! rapporte le juriste. Ses manœuvres risquaient de le détruire personnellement et d'anéantir son entreprise ! »

Domenico tenta de sensibiliser Aldo à la menace qui pesait sur lui. Il le convia avec Bruna à un dîner chez lui. L'avocat, son épouse et leurs deux fillettes vivaient alors à Bethesda, dans le Maryland, non loin de Washington.

« J'ai dit à Aldo : "Comprenez-moi bien : je n'ai rien contre vous" », rapporte De Sole.

À un moment, pendant le repas, Bruna, en larmes, lui demanda de l'éclairer :

« Je lui ai expliqué que j'étais désolé, mais que son époux irait sans doute en prison. Aldo niait la réalité, il considérait Gucci comme son propre jouet. Il ne distinguait pas la différence entre les biens sociaux et les siens propres. En tant que bâtisseur de cet empire, il estimait qu'il méritait un juste retour des choses. »

Au début, De Sole avait même eu du mal à convaincre Maurizio des répercussions éventuelles de ces malversations :

— Si Aldo finit derrière les barreaux, il n'y aura plus personne au gouvernail ! Il faut absolument agir !

Maurizio finit par se ranger à son opinion. La vulnérabilité de son oncle favorisait ses projets ambitieux pour Gucci. Aidé par Pilone et De Sole, il échafauda une stratégie pour prendre le contrôle du conseil d'administration. Il n'avait qu'un seul moyen de s'emparer du pouvoir : s'allier avec l'un de ses cousins. Mais lequel ? Giorgio était trop réservé, conformiste et loyal à son père pour ébranler le navire. Roberto était encore plus conservateur et s'inquiétait de l'avenir de ses six enfants. Gucci leur convenait tel quel. Restait donc Paolo, le mouton noir, qui avait cessé d'adresser la parole à Maurizio deux ans plus tôt, après l'empoignade au conseil. Mais le fils de Rodolfo savait son cousin aux abois : celui-ci avait déjà dépensé la totalité de ses indemnités de licenciement. Aussi Maurizio se décida-t-il à lui faire une proposition. Il décrocha son téléphone et composa son numéro à New York.

— Paolo, ici Maurizio. Je crois que nous devrions nous voir. J'ai une idée qui pourrait bien résoudre tes problèmes et les miens.

Les deux hommes convinrent de se rencontrer à Genève le jeudi 18 juin 1984, au matin.

Ils arrivèrent presque en même temps à l'hôtel Richemond et s'assirent à une table en plein soleil, sur la terrasse qui surplombait le lac Léman. Maurizio confia à son cousin son intention de fonder une nouvelle société, la Gucci Licensing, basée à Amsterdam pour des raisons fiscales et qui chapeauterait l'ensemble des attributions de licences. Lui s'octroierait 51 % des parts et en donnerait 49 % à Paolo, qui en serait le président. En échange, Maurizio lui demandait de l'appuyer au conseil d'administration de Guccio Gucci, ce qui lui assurerait la majorité absolue. À une date ultérieure, il lui rachèterait ses parts pour 20 millions de dollars. Enfin, Paolo et lui annuleraient mutuellement toutes les poursuites judiciaires engagées. En fin de compte, les deux cousins se serrèrent la main et se promirent de confier à leurs avocats le soin de préparer les documents nécessaires.

Ils scellèrent leur accord un mois plus tard, dans l'agence du Crédit suisse à Lugano. Maurizio versa en toute bonne foi une avance de 2 millions de dollars à son cousin. Il s'approprierait les actions de Paolo une fois la Gucci Licensing créée et le solde de 20 millions payé. Avant la naissance de la nouvelle société, il disposait de la voix de Paolo au conseil et avait la mainmise *de facto* sur la maison Gucci.

L'assemblée générale du conseil d'administration de Gucci America se tenait tous les ans à New York, au début du mois de septembre. Cette année-là, quelques points seulement figuraient à l'ordre du jour : faire le bilan du premier semestre 1984, discuter de nouvelles boutiques, choisir et promouvoir des collaborateurs.

Jadis, quand Rodolfo, Vasco et Aldo géraient l'affaire, ces rencontres étaient d'agréables réunions de famille. Les trois frères étaient ravis de se voir, et les deux plus jeunes entérinaient sans discuter les décisions de leur aîné. Roberto s'en souvient fort bien :

« Aldo leur inspirait une confiance telle qu'ils soutenaient ses propositions sans rechigner. Ensuite, ils sortaient prendre du bon temps tous ensemble ! »

Le week-end précédant la réunion de Gucci America, Domenico De Sole s'envola en secret pour la Sardaigne, où Maurizio et Pilone assistaient aux épreuves éliminatoires visant à sélectionner le concurrent italien pour l'America's Cup. Ils séjournaient à l'hôtel Cervo de Porto Cervo, un des lieux de villégiature les plus luxueux d'Italie.

Le jour, les trois compères suivaient les bateaux de course, sur le hors-bord de Pilone. La nuit, ils dînaient sur les terrasses éclairées aux chandelles et mettaient la dernière touche à leur plan, d'une simplicité remarquable. De Sole, en qualité de secrétaire-rapporteur du conseil d'administration de Gucci America, se rendrait à New York et assisterait à la réunion comme représentant de Maurizio. Il s'était déjà entretenu avec l'avocat de Paolo qui lui avait promis son soutien. De Sole proposerait donc la dissolution du conseil et la nomination de Maurizio au poste de président de la branche américaine. La majorité dont ils disposaient excluait toute opposition de la part des autres. Gucci échapperait enfin à la tutelle d'Aldo.

Quelques semaines plus tard, à New York, leur programme fonctionna mieux qu'ils ne l'avaient rêvé. La réunion se tenait au treizième étage de l'immeuble où était située la boutique de la Cinquième Avenue. En guise de préambule, De Sole produisit le pouvoir que Maurizio lui avait confié, et l'avocat de Paolo fit de même. Aldo était resté dans son bureau du douzième étage, persuadé que l'assemblée générale se passerait, comme d'habitude, sans encombre. Il avait chargé le directeur général de Gucci, Robert Berry, de le remplacer.

De Sole demanda à prendre la parole, sous le regard ténébreux de Guccio Gucci, dont le portrait souriant à l'éternel cigare trônait derrière la table de réunion.

— Je souhaiterais qu'une motion concernant la dissolution du conseil figure à l'ordre du jour, dit-il placidement.

Berry écarquilla les yeux. L'instant d'après, l'avocat de Paolo soutenait la motion.

— Je... je... J'aimerais demander une suspension temporaire de la séance, balbutia le représentant d'Aldo avant de quitter la salle en trombe pour avertir son patron de la tournure des événements.

Ce dernier conversait au téléphone avec un correspondant de Palm Beach. Quand le directeur général fit irruption dans son bureau, il raccrocha aussi sec.

— *Dottor* Gucci ! *Dottor* Gucci ! Il faut que vous montiez au treizième sans attendre ! C'est une révolution !

Aldo l'écouta en silence.

— Si les choses en sont là, je ne vois pas l'utilité de me déplacer, répondit-il. Nous n'y pouvons plus rien.

Il avait sous-estimé le jeune Maurizio et croyait que son neveu commettait une erreur de poids.

Berry s'en retourna donc au conseil et essaya en vain de reporter les débats sous prétexte que l'avocat d'Aldo, Milton Gould, était absent en raison d'une fête juive. De Sole et le représentant de Paolo votèrent la dissolution et nommèrent Maurizio président de la Gucci Shops Inc.

Aldo quitta l'immeuble, accablé. Son propre neveu, l'homme qu'il avait autrefois considéré comme son successeur, avait fomenté un putsch pour le renverser. Maurizio devenait donc son ennemi.

Le patriarche consulta Giorgio et Roberto. Ils durent bientôt se rendre à l'évidence : les jeux étaient faits. Grâce à son alliance avec Paolo, Maurizio contrôlait effectivement la compagnie. Il fallait s'attendre à un scénario identique lors de la réunion du conseil d'administration de Guccio Gucci, qui allait se tenir à Florence le 29 novembre.

Les membres de la famille parvinrent à un accord préalable, qu'ils signèrent le 31 octobre 1984 à New York et qui fut ratifié lors d'une assemblée générale des actionnaires à Florence. Maurizio obtenait quatre sièges sur les sept du conseil et devenait président de Guccio Gucci. Aldo en fut quitte pour un titre de président honoraire, Giorgio et Roberto obtenant ceux de vice-présidents. Le premier continuerait de diriger la boutique romaine et le second demeurerait administrateur de la maison à Florence.

Maurizio était parvenu à ses fins. Son oncle conservait une position importante, mais avait été neutralisé ; ses cousins gardaient leurs fonctions, mais c'était lui qui contrôlait tout. De plus, il avait réussi à faire des actions de Paolo un facteur stabilisateur. La presse l'encensait et le regardait comme un héros. Le *New York Times* le surnomma même « le pacificateur du clan », et le dépeignait en parangon de tranquillité, imperturbable même durant les tempêtes qui avaient défrayé la chronique.

À Florence, il convoqua les cadres supérieurs de la société – environ une trentaine de personnes -qu'il rassembla dans la salle de réunion ovale que le personnel avait affublée du sobriquet « *Dynasty Sala* », en référence au célèbre feuilleton. Devant ses employés agglutinés autour de l'imposante table, entre les murs en boiseries et les quatre bustes représentant les quatre continents, Maurizio détailla sa vision du nouveau Gucci.

— Gucci est une voiture de course, commença-t-il, hésitant devant les visages perplexes de l'assistance. Comme une Ferrari, précisa-t-il, dans l'espoir que son auditoire saisirait mieux sa pensée. Mais nous la manœuvrons comme une Cinquecento ! ajouta-t-il, en citant le petit modèle Fiat commercialisé dans l'après-guerre. Aujourd'hui, un nouveau pilote est aux commandes. Et avec le bon moteur, les bonnes pièces, les bons mécaniciens, nous allons gagner la course !

Il accompagna ces derniers mots d'un large sourire enflammé. Puis il demanda à la ronde s'il y avait des questions. Seuls quelques raclements de gorge troublaient le silence. Son regard se posa sur Nicola Risicota, un homme qu'il connaissait depuis l'enfance : ayant débuté comme vendeur à Milan, il dirigeait désormais la boutique de la via Tornabuoni.

— Même pas vous, Nicola ? Vous n'avez rien à me dire ?

Maurizio couvait Risicota d'un air affectueux, espérant ardemment acquérir son soutien. Ce dernier répliqua d'un ton sec :

— Non, je ne brade pas les compliments.

Il exprimait là le sentiment de bon nombre de ses collègues. Ils s'étaient habitués au style d'Aldo et de Rodolfo, et ne savaient trop quoi penser du discours de Maurizio sur les Ferrari.

Ce même mois de décembre, le *Wall Street Journal* publia un dossier exhaustif concernant les malversations pour lesquelles Aldo était inculpé. Le quotidien mentionnait 4,5 millions de dollars détournés des coffres Gucci entre septembre 1978 et la fin de l'année 1981. On y apprenait, par ailleurs, que l'accusé déclarait au fisc des revenus annuels de 100 000 dollars, « une somme modeste pour un homme de sa classe ».

Maurizio faisait toute confiance à De Sole, et lui avait demandé de devenir le nouveau président de la branche américaine, avec une mission bien précise : assainir les finances occultes de la firme, préparer la défense contre les charges de fraude fiscale, et embaucher des gestionnaires compétents. De Sole reprenait le fauteuil de Maria Savarin, une comptable qui avait témoigné une loyauté sans faille à Aldo. Celui-ci n'avait confiance en aucune autre femme qu'elle, et lui avait même accordé la signature.

L'avocat accepta le marché que lui proposait Maurizio, à la condition qu'il puisse conserver sa maison et sa clientèle de Washington. Autrement dit, il était prêt à assumer ses nouvelles fonctions à mi-temps. Il se rendit donc une fois par semaine à New York, où il embaucha un dénommé Art Leshin comme directeur financier, pour l'aider à y voir plus clair.

« Quand nous nous sommes plongés dans les comptes, nous avons paniqué ! se rappelle De Sole. C'était un désastre, il y régnait le chaos le plus total. Il n'y avait pas d'inventaire, pas de comptabilité à proprement parler. Il nous a fallu des mois pour y comprendre quelque chose. Fort de son intuition et de son génie marketing, Aldo avait tout bonnement négligé cet aspect des affaires. »

Les visites hebdomadaires de De Sole à New York devinrent vite des séjours qui se prolongeaient du lundi au vendredi. En début de semaine, sa femme Eleanore lui remplissait une valise de linge propre, qu'il rapportait quelques jours plus tard pleine de vêtements sales. Ses allées et venues lui pesant, il finit par installer sa petite famille à New York.

En 1986, De Sole établit de nouveaux statuts pour la filiale américaine qui s'appelait désormais Gucci America. En janvier 1988, cette société versa au fisc américain 21 millions de dollars d'arriérés d'impôts pour effacer les détournements de fonds pratiqués par la famille entre 1972 et 1982. En échange, De Sole arracha aux autorités la promesse qu'elles ne réclameraient plus un sou pour toutes les sommes dues au cours de cette décennie. La compagnie fut forcée de contracter des dettes pour rembourser le Trésor. Malgré ces difficultés, De Sole réussit à étendre et à régulariser les opérations de Gucci. Il racheta six franchises indépendantes, portant à vingt le nombre de boutiques directement possédées par l'enseigne aux États-Unis. En outre, suite à une âpre bataille juridique, il retira à Maria Manetti Farrow la distribution de la GAC, ce qui accrut aussitôt les bénéfices. Il rompit également un accord signé avec la R.J. Reynolds Tobacco Corporation, un puissant fabricant de tabac, persuadé qu'une association avec une marque de cigarettes nuirait irrémédiablement à l'enseigne de luxe sur le sol américain. En 1989, Gucci America totalisait 145 millions de dollars de chiffre d'affaires et dégageait 20 millions de bénéfices, en dépit des luttes intestines.

Pendant ce temps, Maurizio approuva la participation de la compagnie à un consortium de firmes italiennes qui sponsorisaient un bateau en lice dans l'America's Cup de 1987. Cette compétition avait suscité l'intérêt de ses compatriotes dès 1983, quand un voilier baptisé *Azzurra*, parrainé par Fiat et les apéritifs Cinzano, s'était illustré dans la course, générant ainsi des profits plus que substantiels. Les exploits des participants avaient captivé l'élite du public aux États-Unis comme en Europe – une élite qui composait l'essentiel de la clientèle de Gucci. Maurizio souhaitait tirer parti de cet événement sportif afin de promouvoir le label « Made in Italy » et, pour ce faire, il s'entoura de grands noms, notamment le géant de l'industrie chimique Montedison et les pâtes Buitoni.

Chargé de l'image de ce nouveau consortium, Maurizio prenait sa tâche à cœur, en présentant sa patrie non seulement comme un pays doté d'une tradition artisanale et artistique séculaire, mais aussi comme le creuset des technologies de pointe. Le groupe acheta le *Victory*, qui avait fait grande impression l'année précédente : ce vaisseau servirait de prototype pour la conception d'un nouveau bateau, l'*Italia*, qui fut fabriqué en trois modèles. On embaucha également un skipper de renom, Flavio Scala, originaire de Vérone, et un équipage hors pair.

Aldo, Giorgio et Roberto voyaient la chose d'un très mauvais œil : pour eux, cette entreprise était un gaspillage de temps et d'argent. Maurizio, assisté de nombreux employés de Gucci, s'attelait à la création des uniformes des marins. Chaque article subissait une série de tests techniques pour s'assurer que les vêtements, tout en étant esthétiques, pourraient résister aux manœuvres nécessaires pendant la régate. En outre, ces tenues affichaient les couleurs du drapeau italien. Alberta Ballerini, responsable du projet, se rappelle l'effervescence qu'il avait suscitée :

« Je dirigeais une petite équipe qui s'était enthousiasmée pour la course. Nous avons conçu et fabriqué des T-shirts, des vestes, des pantalons, des sacs... C'étaient les marins les plus élégants que j'aie jamais vus ! »

Les atours tricolores de l'équipage étaient si remarquables que l'*Italia* fut bientôt surnommé le « bateau Gucci ». La participation de Prada dans l'America's Cup 2000, à Auckland, avec la *Luna Rossa*, n'est pas sans évoquer l'initiative de Maurizio.

En octobre 1984 eurent lieu en Sardaigne, au large de la Côte d'Émeraude, les épreuves éliminatoires pour désigner le participant italien de la course. Gucci investit Porto Cervo, là où, quelques mois auparavant, Maurizio, De Sole et Pilone avaient préparé leur coup d'État.

Après plusieurs jours de compétition effrénée, l'*Italia* remporta l'épreuve à la surprise générale, coiffant au poteau l'*Azzurra*, pourtant favori.

Hélas, non seulement l'*Italia* ne gagna pas l'America's Cup, mais il se tailla une fâcheuse notoriété quand il sombra dans le port de Perth, en Australie, le jour même du départ. En effet, la grue qui hissait l'équipage à bord se renversa, entraînant le voilier sous son poids. Les dégâts causés étaient trop importants pour qu'on puisse les réparer avant le coup d'envoi de la compétition.

En revanche, le Caffè Italia, restaurant que Maurizio avait ouvert à Perth le temps de la course, remporta un franc succès. Tous les participants s'y retrouvaient et appréciaient le linge de table, l'argenterie, les verres et la vaisselle spécialement importés d'Italie – tout comme les cuisiniers, les serveurs et les produits proposés, de l'eau minérale au vin, en passant par les pâtes.

En dehors de l'America's Cup, les nouvelles responsabilités de Maurizio ne lui laissaient aucun répit. Il travaillait douze à quinze heures par jour et voyageait sans cesse, porté par ses rêves. Même les repas étaient réservés aux affaires. Le week-end, il était par monts et par vaux, supervisant l'inauguration ou la réfection de ses boutiques.

Il sacrifiait tout à Gucci, y compris sa vie privée, ses loisirs sportifs, sa famille.

Comme Rodolfo l'avait prédit, son fils se métamorphosa. Il se reposait davantage sur les conseils de De Sole ou de Pilone, et s'irritait dès que Patrizia lui prodiguait des recommandations. Dans sa jeunesse, Maurizio cherchait auprès de son épouse le soutien et la force nécessaires pour tenir tête à son père. À mesure qu'il gagnait du pouvoir, sa femme avait peu à peu pris la place de Rodolfo : elle lui dictait sa conduite et critiquait son entourage. Même s'il contrôlait la firme, il se sentait oppressé.

« Patrizia le harcelait vraiment, rapporte De Sole. Elle le montait contre son oncle, ses cousins, ou tous ceux qui, selon elle, ne le traitaient pas convenablement. Lors de soirées Gucci, par exemple, elle lui lançait : "Ils ne te témoignent pas de respect, sinon, ils m'auraient servi du champagne en premier !" »

Pilone en convient lui aussi :

« Elle devenait vraiment pénible ! Rongée d'ambition, elle briguait une place au sein de la compagnie. Je lui ai dit qu'elle n'y siégerait jamais, que les épouses n'y étaient pas admises, et à compter de ce moment, elle m'a voué une haine féroce. »

L'avertissement de son beau-père résonnait dans l'esprit de Patrizia. Elle finit par admettre que Rodolfo avait bel et bien percé son fils à jour. Maurizio, obsédé par ses chimères, rejetait tout le monde, y compris sa compagne. Il faisait fi de ses avis, de ses conseils, et la distance entre eux s'accrut.

« Il voulait que sa conjointe le félicite sans arrêt, explique Roberta Cassol. Mais elle le réprimandait constamment. Elle devenait désagréable. »

De Sole et Pilone s'étaient donc substitués à Patrizia dans le cœur de son mari et elle leur en voulait. Elle qui se considérait comme la femme forte derrière un homme faible se retrouvait évincée.

« Maurizio se montrait de plus en plus instable… hautain, blessant, se souvient-elle. Il ne rentrait plus déjeuner chez nous, le week-end il rejoignait ses "génies". Il grossissait à vue d'œil, s'habillait mal… Il s'entourait de gens superficiels. Pilone était le premier. Petit à petit, il a transformé mon Maurizio. Je m'en suis aperçue quand mon mari a cessé de se confier à moi, quand il a commencé à me parler sur un ton détaché. Nos discussions étaient rares et nos rapports, froids et indifférents. »

Maurizio se mit à surnommer son *folletto rosso* la *strega piri-piri* – une sorcière dans un conte pour enfants.

Le mercredi 22 mai 1985, il ouvrit la penderie de leur appartement milanais et en tira des vêtements qu'il fourra dans une petite valise. Il annonça à son épouse qu'il allait à Florence pour quelques jours et lui dit au revoir avant d'embrasser Alessandra, neuf ans, et Allegra, quatre ans. Le lendemain, ils échangèrent quelques propos anodins au téléphone. Rien ne semblait sortir de l'ordinaire.

Vendredi après-midi, un médecin, ami de la famille et confident de Maurizio, passa voir Patrizia pour l'informer que son époux ne rentrerait pas pour le week-end – voire jamais plus. La jeune femme était abasourdie. Le praticien lui dispensa quelques paroles de réconfort et lui remit un flacon de Valium. Elle congédia aussitôt l'émissaire avec ses anxiolytiques. Bien que consciente des dissensions de leur couple, elle n'avait jamais envisagé que son compagnon puisse les quitter, elle et ses enfants. Quelques jours plus tard, sa bonne amie Suzy l'invita à déjeuner. Elle aussi était porteuse d'un message de Maurizio :

— Il ne reviendra pas. Il voudrait que tu lui prépares quelques sacs de vêtements qu'il enverra chercher par son chauffeur. Sa décision est irrévocable.

— Où est-il ? la coupa Patrizia. La moindre des choses serait qu'il me le dise en face.

En juillet, Maurizio lui téléphona et ils se mirent d'accord pour qu'il rende visite à ses filles le week-end. En septembre, il demanda à Patrizia de l'accompagner à un match de polo parrainé par Gucci pour remettre avec lui le trophée au vainqueur. Cette semaine-là, ils eurent le temps de discuter de leur couple. Il finit par l'inviter à dîner à la trattoria Santa Lucia, là où il lui avait fait la cour.

— J'ai besoin de liberté ! De liberté, tu m'entends ? Ne comprends-tu donc pas ? D'abord il y a eu mon père, qui passait son temps à me commander, puis toi ! Je n'ai jamais été libre de ma vie ! Je n'ai pas profité de ma jeunesse et maintenant je veux faire ce qui me chante !

Patrizia l'écoutait sans mot dire devant sa pizza qui refroidissait. Maurizio lui affirma qu'il ne la quittait pas pour une autre, simplement parce qu'il se sentait « castré » par ses critiques et son autoritarisme.

— Quelle est donc cette liberté à laquelle tu aspires ? répondit-elle enfin. Tu veux faire du rafting dans le Grand Canyon ? T'acheter une Ferrari rouge ? Mais tu peux faire tout ce dont tu as envie ! Ta liberté, c'est ta famille !

Patrizia ne voyait pas pourquoi Maurizio revendiquait le droit de rentrer à 3 heures du matin alors qu'il était plutôt homme à s'endormir devant son poste de télévision bien avant minuit. Elle se prit à croire qu'il s'était laissé griser par son importance dans le milieu du luxe et par la déférence de ses nouveaux lieutenants au bureau.

« Mon intelligence le dérangeait, dirait-elle plus tard. Il se voulait le numéro un et pensait avoir trouvé ceux qui le hisseraient au sommet. »

Finalement, Patrizia lui assena, d'une voix froide :

— Fais ce que tu dois faire, mais n'oublie pas tes obligations envers moi et les enfants.

Malgré l'impassibilité qu'elle s'efforçait d'afficher, elle sentait en son for intérieur que son monde s'écroulait.

Maurizio quitta les lieux après qu'ils eurent décidé de patienter avant d'informer les filles de leur séparation. Il s'installa d'abord Foro Bonaparte, puis il loua un petit appartement sur la piazza Belgioioso, où, en raison de ses déplacements, il ne dormait que rarement. Il ne retourna jamais à la Galleria Passarella pour vider sa penderie : il se fit tailler une nouvelle garde-robe.

Après le départ de Maurizio, Patrizia trouva du réconfort auprès de Pina Auriemma, qu'elle avait rencontrée des années plus tôt au centre de thalassothérapie d'Ischia. D'origine napolitaine et issue d'une famille d'industriels dans l'alimentation, cette femme débordait d'humour et s'était liée d'amitié avec l'épouse Gucci. Elle l'avait même aidée à choisir une résidence à Capri, où elle passait aussi l'été.

« Lorsque nous étions à Capri, elle venait me rendre visite tous les jours, se rappelle Patrizia. Nous bavardions longuement. Elle était drôle et me faisait rire. »

Son amie allait aussi la voir à Milan et l'accompagnait en voyage. Bien avant leur rupture, sur l'insistance de sa compagne, Maurizio lui avait accordé une franchise Gucci pour Naples.

Quand elle sentit Patrizia bouleversée au point d'envisager de se suicider, elle s'employa à l'en dissuader.

« Elle était à mon côté au moment où j'ai touché le fond, dirait Patrizia. Elle m'a sauvé la vie. »

Bien qu'elle ait frayé avec le Tout-Milan, cette dernière ne s'y sentait pas très à l'aise et ne s'était rapprochée de personne. Quand elle avait envie de s'épancher, c'est vers Pina qu'elle se tournait. Et lorsqu'elles étaient loin l'une de l'autre, elles conversaient par téléphone.

« Je lui faisais confiance, je n'avais pas à mesurer chacune de mes paroles, je lui disais tout. Je savais qu'elle n'irait rien colporter. »

Au cours des années qui suivirent leur séparation, Patrizia et Maurizio essayèrent de sauver les apparences, notamment en se rendant ensemble à des soirées mondaines. Chaque fois qu'il venait voir ses filles, elle s'apprêtait avec soin pour lui donner le change, mais dès qu'il quittait les lieux, elle s'enfermait dans sa chambre et se jetait sur son lit où elle donnait libre cours à ses larmes. Même si Maurizio transférait tous les mois sur son compte 60 millions de lires (environ 35 000 dollars), elle avait l'impression que tout ce pour quoi elle avait lutté lui filait entre les doigts. Elle se réfugia alors dans ses agendas Cartier en vachette et y consigna chaque contact qu'elle avait avec son « Mau ». Cette habitude allait peu à peu confiner à l'obsession.

La dislocation de son mariage n'était qu'un des nombreux problèmes que Maurizio devait gérer. Après le putsch, Aldo et ses fils n'étaient pas restés inertes. En juin 1985, ils avaient remis aux autorités un dossier détaillé accusant Maurizio d'avoir imité la signature de son père sur l'acte de cession afin d'éviter de payer les droits de succession. Ils désiraient ainsi prouver qu'il détenait illégalement la moitié des parts de la compagnie.

Le témoin clé présenté par les Gucci était Roberta Cassol, qui travaillait pour la maison depuis vingt ans. Entrée comme vendeuse, elle avait gravi les échelons jusqu'à devenir la secrétaire particulière de Rodolfo et s'était occupée aussi bien de sa vie professionnelle que de sa vie privée. Quand elle avait fini sa journée, elle passait ses soirées au sous-sol avec lui et l'aidait à modifier le récit qui accompagnait son film. Elle l'accompagnait aussi souvent à Saint-Moritz à l'époque où, ses forces déclinant, il avait besoin de ses services pour rester en liaison avec son bureau.

Les premiers temps après le décès de Rodolfo, Roberta avait collaboré avec Maurizio. Quand il lui avait exposé ses vastes desseins de modernisation, elle lui avait demandé de la promouvoir directrice commerciale. Cependant Maurizio associait Cassol à son père, donc au passé. Il désirait s'entourer de nouvelles têtes, avec des idées neuves, rajeunir le personnel pour supplanter la vieille garde et réaliser son rêve. Aussi avait-il opposé un refus catégorique à la requête de Roberta.

— Nous avons besoin de jeunesse, lui répondit-il avant de la congédier.

Ils se querellèrent et se séparèrent en mauvais termes.

« Dans la vie, il faut apprendre à tourner sept fois sa langue dans sa bouche avant de parler », dirait-elle des années plus tard, reconnaissant avoir mal réagi à la rupture.

Au mois d'août cette année-là, le chef de la police florentine, Fernando Sergio, convoqua Roberta Cassol. Après trois heures de trajet, elle arriva au bureau du commissaire pour découvrir le dossier épais de quarante pages, rassemblé avec soin par Aldo, Giorgio et Roberto et mettant directement en cause Maurizio.

— Pouvez-vous me confirmer les accusations portées dans ce document ? demanda Sergio.

— Tout à fait, répondit-elle, nerveuse.

— Racontez-moi tout.

Cassol prit une profonde inspiration.

— Le 16 mai, deux jours après la mort de Rodolfo Gucci, son fils *Dr* Maurizio Gucci et son conseiller, *Dr* Gian Vittorio Pilone, ont exigé que j'imite la signature du *signore* Gucci sur cinq actes de cession libellés à son nom. Nous nous trouvions dans les bureaux de Gucci à Milan, via Monte Napoleone. Je ne me croyais pas capable de contrefaire la signature, alors j'ai suggéré de demander à mon assistante Liliana Colombo. En fin de matinée, au domicile de Pilone sur le corso Matteotti, Colombo s'est exécutée. Mais le résultat n'était guère brillant, alors les documents furent détruits. Deux jours plus tard, soit vingt-quatre heures après l'enterrement de Rodolfo, toujours chez maître Pilone, elle a de nouveau procédé à l'imitation sur des actes de cession de Guccio Gucci SpA, de Gucci Parfums et plusieurs autres bordereaux verts dont elle ignorait la teneur.

Un autre témoin à charge cité dans le dossier fatidique comparut le même jour devant Sergio. Giorgio Cantini, membre du personnel administratif de la maison à Florence, détenait les clés du coffre-fort de la compagnie, placé au siège florentin de Gucci. Ce vieux modèle

Wertheim, fabriqué en Autriche en 1911, renfermait les papiers les plus importants de la maison.

Cantini affirma au chef de la police que les documents incriminés se trouvaient bel et bien dans le coffre depuis le 14 mars 1982, jusqu'au 16 mai 1983, lorsqu'ils furent dépêchés à Maurizio suite au décès de son père. Quand Sergio lui apprit que Rodolfo les avait signés le 5 novembre 1982, Cantini ne dissimula pas son incrédulité :

— *Impossibile, signore !* s'écria-t-il.

Mis à part Rodolfo, il était le seul à posséder les clés du coffre et il ne l'avait pas ouvert avant la disparition de son patron. Il lui semblait curieux que ce dernier, gravement malade, ait pu se rendre à Florence en dehors des heures de bureau, emporter les papiers et les remettre en place à son insu.

Comprenant que l'affaire dépassait les compétences de sa propre juridiction, Sergio la transmit à ses collègues de Milan, où le document prétendument falsifié avait été fabriqué. Le 8 septembre 1985, un tribunal milanais mit sous séquestre toutes les parts de Maurizio dans le cadre d'une enquête pour faux et usage de faux. Maurizio, qui pensait que Cassol s'était ralliée à son oncle et ses cousins en guise de représailles, rédigea une missive indignée sur son papier à en-tête de président de Guccio Gucci. Entre-temps, Aldo, Roberto et Giorgio, non contents d'avoir lancé la police à ses trousses pour crime, lui intentèrent des procès au civil. Grâce à ses avocats, Maurizio réussit à obtenir la suspension de la mise sous séquestre le 24 septembre. La lutte commençait à peine.

L'année précédente, après son putsch réussi, dans un élan de magnanimité, Maurizio avait accordé à Aldo un titre honorifique et accepté qu'il conserve son bureau présidentiel au douzième étage de l'immeuble new-yorkais. Après sa dénonciation aux autorités, il décida que la pitié n'était plus de mise. Il expliqua la situation à De Sole, qui, aussitôt, ordonna aux employés d'emballer les effets du « gourou de Gucci » et de lui barrer l'accès de son cabinet. Le lendemain, le personnel trouva l'avocat assis derrière la table de travail d'Aldo.

« J'ai dit à Aldo qu'il devait se montrer raisonnable et prendre des décisions justes. S'il déclenchait les hostilités, je le combattrais. Il me répétait qu'il appréciait mon travail, qu'il voyait bien que j'essayais de mettre de l'ordre. Mais je crois qu'il laissait ses fils lui monter la tête

– même s'il répétait toujours qu'ils étaient stupides. Il nous a attaqués en justice, alors je l'ai mis à la porte. »

Avec l'accord de Maurizio, il interdit à Aldo l'entrée de l'immeuble et émit un communiqué de presse stipulant que la direction Gucci avait « décidé de mettre fin à sa collaboration avec Aldo Gucci... et que dorénavant ce dernier ne représentait plus la compagnie ». Sur ce, Gucci America intenta des poursuites contre Aldo et Roberto pour détournement de fonds à hauteur de 1 million de dollars.

Lorsque Bruna Palumbo entendit la nouvelle, elle appela son amie Maria Manetti Farrow, autrefois chargée de la distribution de la GAC.

— Il vient de se produire des choses terribles, lui dit-elle d'une voix tremblante, avant de lui demander d'allumer un cierge pour la Sainte Vierge.

Au bout de trente-deux ans, Aldo avait été limogé par son propre neveu.

Dans les années 1980, Gucci dut sa renommée davantage à ses querelles familiales qu'à ses produits. Le feuilleton à rebondissements s'étalait dans la presse. Or, plus les titres étaient gros et sensationnels, plus la foule se pressait dans les boutiques.

« Nouvel épisode dans un *Dynasty* 100 % italien, écrivait *La Repubblica*. À cette différence près qu'il ne s'agit pas d'acteurs mais de personnes réelles. »

Quelques jours plus tard, on pouvait lire dans le même journal : « G ne signifie plus Gucci mais *guerra*. » Et selon le *Daily Express* londonien : « Gucci est une entreprise qui engrange des milliards et où règne plus de chaos que dans une pizzeria romaine. »

Même le quotidien florentin *La Nazione* épinglait la compagnie dans une pleine page consacrée à la famille : « L'argent peut tout acheter – sauf des transfusions de sang bleu. »

Enfin conscient de la gravité de ses problèmes fiscaux, Aldo comprit que l'heure était venue d'assainir la situation. En décembre 1985, à Rome, il déclara à Giorgio et Roberto qu'il avait décidé de leur céder ses parts pour deux raisons. En premier lieu, il craignait que les autorités ne lui confisquent une grosse partie de ses biens et préférait s'assurer qu'elle resterait aux mains des siens. En second lieu, il avait quatre-vingts ans et voulait éviter à ses enfants des droits de succession trop élevés.

*

Le 18 décembre 1985, Aldo répartit en secret ses 40 % de Guccio Gucci SpA entre Roberto et Giorgio. Il avait déjà offert 10 % à ses trois fils au moment de la mort de Vasco. Roberto et Giorgio se retrouvaient donc avec 23,3 % chacun de la maison mère, Paolo n'ayant pas bénéficié du nouveau partage. Tous trois avaient néanmoins 11,1 % de la Gucci Shops Inc. ainsi que diverses actions dans des sociétés étrangères, en France, en Grande-Bretagne, au Japon et à Hongkong. Maurizio possédait quant à lui 50 % de Guccio Gucci plus la totalité des actions de son père dans les sociétés étrangères. Pour enrayer tout conflit avec Paolo, nullement informé des derniers arrangements, Roberto et Giorgio estimèrent plus sage de ne rien en divulguer au cours des assemblées du conseil et de ne voter qu'avec leurs 3,3 %.

Pourtant, en novembre 1985, l'alliance entre Paolo et Maurizio se brisa, lors d'une réunion visant à finaliser leur accord verbal. Des émissaires couraient de l'un à l'autre dans les couloirs du Crédit suisse de Lugano où les actions de Paolo étaient sous séquestre. D'après la plainte que Paolo allait déposer devant la justice peu de temps après, Maurizio n'avait pas rempli ses engagements à son endroit. Il l'avait, disait-il, exclu de la Gucci Licensing Service, fondée grâce à sa participation financière. Les heures s'écoulaient sans progrès. Finalement, en pleine nuit, après avoir usé la patience des employés de banque restés sur les lieux bien au-delà de leurs heures de travail, Paolo mit un terme à ce qu'il jugeait une mascarade. Il déchira l'ébauche de contrat, appela ses conseillers et quitta les lieux en emportant ses actes de propriété. Quelques jours plus tard, il traînait de nouveau Maurizio en justice, en déclarant que son cousin avait pris le contrôle de Gucci en violation de leur accord. Il réclamait que sa nomination en tant que président soit déclarée nulle et non avenue.

Comme il commençait à s'aguerrir aux luttes familiales, Maurizio avait anticipé la rupture avec Paolo et avait prévu un accord avec Giorgio. Au cours d'une réunion du conseil le 18 décembre 1985, il proposa un nouveau *modus vivendi* : la compagnie désignerait un comité exécutif composé de quatre membres – lui-même, Giorgio et deux directeurs au choix – dont Giorgio serait nommé vice-président et qui assurerait la direction collégiale de la maison. Aldo appuya sa proposition.

Maurizio partit pour les fêtes de Noël rasséréné à l'idée d'avoir trouvé une solution viable – du moins temporairement. Entre-temps, ses rapports avec Patrizia s'étaient quelque peu améliorés, tous deux souhaitant préserver leurs filles. Il était souvent rentré chez lui pendant le mois de septembre et avait accepté de passer Noël avec femme et enfants à Saint-Moritz. Patrizia savait combien son mari aimait son havre des montagnes et elle espérait en secret qu'il serait le théâtre de leur réconciliation. Elle s'attela à la décoration de la maison et, quand elle eut fini, la Chesa Murézzan scintillait de guirlandes rouge et argent, de bougies et de gui. Alessandra et elle ornèrent le sapin dressé devant la cheminée. Maurizio avait promis à sa femme de l'accompagner à la messe de minuit et elle se réjouissait intérieurement à l'idée que les choses pouvaient peut-être reprendre leur cours d'antan. Elle lui acheta donc une paire de boutons de manchette incrustés de diamants et de saphirs, impatiente de voir l'expression de son visage quand elle les lui offrirait.

Au soir du 24 décembre, son mari alla se coucher à 22 heures sans desserrer les dents et laissa Patrizia assister seule à la messe. Le lendemain matin, comme de coutume, ils remirent au personnel leurs présents avant d'ouvrir en privé les paquets de la famille. Maurizio offrit à sa conjointe un porte-clé de l'*Italia* ainsi qu'une montre ancienne. Elle était partagée entre la déception et la colère. Elle détestait ce type de bijou et était sûre qu'il le savait. Quant au porte-clé, c'était une insulte ! Ce soir-là, ils devaient se rendre ensemble à une réception, mais Maurizio annonça qu'il ne voulait plus y aller. Patrizia y apprit, par une de ses amies, que son époux comptait partir le lendemain. Une fois rentrée, elle lui débita une litanie de reproches et il réagit en l'empoignant par le cou. Il la souleva à quelques centimètres du sol tandis que leurs filles, recroquevillées derrière la porte, les observaient en tremblant.

— *Così cresci !* hurlait-il. (Comme ça au moins, tu grandiras !)

— Continue donc, fulminait-elle entre ses dents, j'ai bien besoin de quelques centimètres en plus !

Ainsi s'achevèrent ces vacances de Noël, porteuses de tant d'espoir pour elle. Leur mariage aussi. Patrizia nota dans son journal à la date du 27 décembre 1985 la fin de leur union.

« Seul le pire des goujats quitterait sa femme le jour de Noël », dirait-elle quelques années plus tard.

Le lendemain, à son réveil, elle trouva Maurizio en train de faire ses bagages. Il lui dit qu'il allait à Genève. Avant de partir, il prit Alessandra à l'écart et lui déclara :

— Papa n'aime plus maman, alors il s'en va. Mais papa a une belle maison toute neuve où tu pourras venir dormir, une nuit sur deux.

La fillette fondit en larmes. Patrizia s'indigna de la brusquerie dont Maurizio venait de faire preuve, d'autant qu'ils s'étaient promis de ne pas divulguer la nouvelle à leur progéniture. Ce jour marqua aussi le début de leur guerre pour obtenir la garde des enfants, querelle dont nul ne sortirait indemne. Maurizio accuserait Patrizia de chercher à l'éloigner des deux petites. Pour sa part, elle rétorquerait qu'elle songeait surtout à leur bien-être et que chaque moment passé avec leur père les bouleversait. Une ex-gouvernante des Gucci fournit une autre explication :

« Elle désirait par-dessus tout le ramener à elle et, pour ce faire, limitait les séjours des fillettes auprès de lui. »

Si Patrizia utilisait ses enfants comme une arme, Maurizio quant à lui se servait de ses biens. Il décida de la bannir du domaine de Saint-Moritz ainsi que du *Creole* – mais il omit de l'en informer. Un jour, à son arrivée à la Chesa Murézzan avec Alessandra et Allegra, elle s'aperçut que les serrures avaient été changées. Les domestiques refusèrent de la laisser entrer : ils obéissaient aux consignes de M. Gucci. Patrizia appela la police. Quand les agents apprirent que les deux époux n'étaient pas encore officiellement divorcés, ils forcèrent la porte et elle put s'y installer.

Dans l'intervalle, des tentatives de médiation étaient en cours à Genève pour résoudre le contentieux entre Paolo et Maurizio. Il fallut attendre la prochaine réunion du conseil de famille, à Florence, en février 1986, pour parvenir à une solution. Aldo savait que l'harmonie ne régnait plus entre son fils et son neveu. À présent que ce dernier se retrouvait en position de faiblesse, l'heure était peut-être venue de lui faire courber l'échine. Malgré leur discorde, Aldo accueillit Maurizio le sourire aux lèvres et l'étreignit, comme si de rien n'était, à la manière des Gucci :

— Allons, fiston ! Tire une croix sur tes rêves de grand patron ! Tu ne peux pas à toi seul t'occuper de tout, hein, *avvocatino* ? Travaillons main dans la main !

Après quoi, il lui proposa de s'allier avec Giorgio et Roberto, et de lui accorder à lui-même, le patriarche, le rôle de médiateur.

Maurizio eut un sourire forcé. Les suggestions d'Aldo ne pouvaient être prises au sérieux. Son oncle n'était plus libre d'agir à sa guise : les autorités américaines lui avaient presque confisqué son passeport. Le 19 janvier précédent, juste avant d'embarquer à bord d'un vol en partance pour l'Italie, il avait plaidé coupable pour fraude fiscale, à hauteur de 7 millions de dollars, au cours d'une audience particulièrement émouvante devant la cour fédérale de New York. Il avoua avoir détourné quelque 11 millions de la compagnie de diverses manières, à son profit et au bénéfice d'autres membres du clan. Vêtu d'un costume croisé bleu à fines rayures, les yeux embués, il expliqua au juge Vincent Broderick que ses agissements ne reflétaient pas son « amour pour l'Amérique », dont il était citoyen et résident permanent depuis 1976. Il signa un chèque de 1 million de dollars à l'ordre du Trésor et demanda à régler les 6 millions restants avant l'énoncé de la sentence. Il encourait quinze ans de prison et une amende de 30 000 dollars. Domenico De Sole avait prévenu Maurizio que son oncle purgerait probablement une partie de sa peine derrière les barreaux.

La réunion du conseil se déroula sans drame majeur. Maurizio confirma son accord avec Giorgio et s'engagea à attribuer des postes importants aux fils de son cousin. Avant de partir, Aldo s'adressa à son neveu :

— J'ai admis ma responsabilité pour sauver la compagnie et la famille. Mais ne va pas t'imaginer que mon petit frère Rodolfo était resté tout ce temps les mains dans les poches, dit-il, en sous-entendant que lui aussi avait bénéficié de ses manœuvres frauduleuses. Si j'ai accepté de me mettre dans de sales draps, c'était pour aider tout le monde. J'ai un grand cœur.

Maintenant que la paix régnait, le moment était venu de reprendre les négociations avec Paolo. Après sa rupture avec Maurizio, il était retourné à son idée de commercialiser la marque PG. Il avait déjà fabriqué les prototypes d'une ligne de sacs à main, ceintures et accessoires. Il en célébra le lancement en organisant une réception à Rome, au mois de mars, dans un club privé. Au milieu des festivités, un commando de la police judiciaire fit irruption et confisqua l'intégralité de la collection, tandis que les convives terminaient en hâte leur dernière coupe et se resservaient de caviar avant de quitter les lieux. Paolo, fou de rage, savait qu'une seule personne pouvait avoir dépêché les agents : son cousin, Maurizio.

— *Maledetto !* Tu le paieras cher ! hurla-t-il dans le vide, vêtu de son smoking, un verre de champagne à la main.

Il était acculé de toutes parts. Les honoraires de ses avocats se montaient à plusieurs centaines de milliers de dollars. Il n'avait pas touché de salaire depuis des années. Ses actions Gucci ne lui rapportaient rien malgré les profits de la compagnie. En effet, le conseil avait voté une proposition stipulant que les dividendes seraient mis de côté afin de financer le grand dessein de Maurizio.

Forcé de vendre sa demeure et ses bureaux new-yorkais, il avait dû rentrer en Italie. Et voilà que son cousin gâchait sa fête. Il le menaça d'en référer aux autorités, mais l'autre n'en avait cure.

Si le créateur ruminait encore sa vengeance contre Maurizio, celle qu'il avait mise au point contre son propre père portait ses fruits. Ce dernier fut condamné le 11 septembre 1986. Paolo se mit en devoir d'alerter autant de médias que possible et appela tous les journalistes de sa connaissance la veille de l'audience. Lors d'un discours poignant, Aldo implora la clémence de la cour dans un anglais hésitant :

— Je suis désolé, vraiment désolé, de ce qui s'est produit, de ce que j'ai fait, et j'en appelle à votre indulgence. Cela ne se reproduira pas, je vous en donne ma parole.

D'une voix étranglée, il affirma :

— Je pardonne à mon fils Paolo et à tous ceux qui voulaient me voir comparaître devant vous aujourd'hui. Certains membres de ma famille ont fait leur devoir, d'autres savourent leur revanche. Dieu sera leur juge.

Son avocat Milton Goudge tenta une ultime fois d'épargner la détention à son client, âgé de quatre-vingt-un ans :

— L'emprisonner reviendrait à le condamner à mort.

Le juge Broderick avait toutefois déjà pris sa décision. Il condamna Aldo à un an et un jour de prison ferme pour avoir usurpé plus de 7 millions de dollars au fisc.

— Monsieur Gucci, dit-il, je suis persuadé que vous ne commettrez plus de crimes à l'avenir.

Après quoi, il reconnut que l'accusé avait subi « un châtiment considérable » du fait du battage médiatique inouï autour de l'affaire, et poursuivit :

— Certes, vous êtes issu d'une culture différente de la nôtre, où notre système de déclaration fiscale volontaire n'est pas en vigueur.

Néanmoins, il se sentait obligé, expliquait-il, d'envoyer un signal fort à l'adresse de fraudeurs en puissance.

La cour le condamnait également à trois ans supplémentaires pour deux autres fraudes fiscales. Aldo ayant plaidé coupable sur ces derniers chefs d'inculpation au mois de janvier, le juge commua la sentence en cinq ans de mise à l'épreuve, dont une année de travaux d'intérêt public.

Broderick permit à Aldo de rester en liberté jusqu'au 15 octobre, date à laquelle il intégra le centre de détention fédérale de Floride, dans l'ancienne base aérienne d'Eglin. Le juge avait précisé qu'il n'était pas dans ses intentions d'éprouver un vieillard. Au grand déplaisir du directeur de l'établissement – un dénommé Cooksey –, Eglin était surnommé « la taule Country-Club » en raison de son infrastructure qui évoquait plus le Club Méditerranée qu'un pénitencier : terrains de basket-ball, de squash, de tennis, et même de *bocce*, un vieux sport italien similaire au bowling. Le terrain de base-ball était éclairé la nuit, celui de football aurait fait pâlir d'envie beaucoup d'entraîneurs, la piste de course à pied encerclait tout le périmètre et l'on pouvait aussi jouer au volley-ball sur la plage. Le bâtiment réservé aux loisirs abritait une piscine, des tables de ping-pong, des postes de télévision et un club de bridge. Les détenus pouvaient en outre s'abonner à des revues ou à des quotidiens. Pendant quelque temps, Aldo eut droit à un téléphone particulier, mais les gardiens finirent par lui retirer ce privilège : il ne décollait pas l'oreille du combiné.

Même de sa cellule, Aldo faisait sentir sa présence à Florence. Ses courriers et ses appels incessants entrèrent vite dans la routine.

— *Dottor* Aldo ? s'exclama, incrédule, Claudio Degl'Innocenti, la première fois qu'il entendit la voix enjouée de son patron en décrochant l'appareil dans son bureau de Scandicci. Mais… n'êtes-vous pas censé être en prison ?

« Ses coups de fil n'arrêtaient pas, dirait-il des années plus tard. Il s'était entiché d'une fille avec qui je travaillais et il demandait chaque fois à lui parler. »

Par ailleurs, Aldo gardait le contact avec les siens au travers de lettres dans lesquelles il expliquait qu'il tirait au mieux parti de son existence et qu'il songeait déjà à se remettre au labeur dès sa sortie.

En décembre 1986, il répondit à Enrica Pirri, la vendeuse qu'il avait engagée à Rome, vingt-cinq ans plus tôt : « Chère Enrica, [...] Je suis heureux d'être ici parce que je m'y détends de manière incroyable, tant physiquement que mentalement. » Aldo ajoutait que sa famille le pressait de reprendre ses fonctions auxquelles on l'avait contraint à renoncer.

« L'image de Gucci a été avilie par ceux qui semblent incapables de tenir la cadence, poursuivait-il. *Sto benissimo*, je me porte à merveille et tous seront surpris, *i buoni e i cattivi* – les bons comme les mauvais –, quand je reviendrai parmi vous. »

Après cinq mois et demi à Eglin, Aldo fut transféré dans un centre de l'Armée du Salut à West Palm Beach où on lui demanda de s'acquitter de travaux d'intérêt public dans un hôpital de la région. Paolo clamait n'éprouver aucun remords pour le sort réservé à son père, mais, plus tard, sa femme Jenny révélerait qu'il en éprouvait de la honte.

Maurizio pour sa part était chagriné de l'emprisonnement de son oncle. Selon lui, Aldo ne l'avait pas mérité.

— Si on l'avait exécuté, il aurait moins souffert, dit-il.

Tenir Aldo à l'écart de ce qui lui était le plus cher, confiné en un seul lieu, après une vie passée à parcourir le monde à cent à l'heure pour ses affaires, constituait un châtiment bien suffisant.

La situation de son père ne fit que renforcer le désir de vengeance de Paolo contre Maurizio. Il estimait que son cousin l'avait trompé. Sur son bureau de Rome, il étala une kyrielle de documents dévoilant la totalité des compagnies offshore de l'empire Gucci – y compris des photocopies de relevés bancaires – ainsi que le détail de l'achat du *Creole* par Maurizio, grâce à des fonds détournés via l'Anglo American Manufacturing Research, créée par Rodolfo et basée à Panama. Il envoya une copie du dossier à une foule de gens : le procureur général de la République d'Italie, la brigade du fisc, l'Inspection des impôts, le ministre de la Justice et son confrère des Finances, ainsi qu'aux chefs des quatre grands partis politiques du pays. Pour couronner le tout, il adressa l'ensemble à la *Consob*, la commission des opérations de Bourse. En octobre, le procureur florentin Ubaldo Nannucci convoqua Paolo, qui lui révéla la totalité de la situation. Les répercussions pour Maurizio furent immédiates.

Alors qu'il se trouvait en Australie pour suivre l'*Italia*, les enquêteurs prirent d'assaut son appartement milanais dans la Galleria Passarella. Patrizia, qui séjournait alors à Paris, au Ritz, allait apprendre la nouvelle par l'amie qui gardait ses filles, âgées de dix ans et cinq ans, à leur domicile. Les petites étaient sur le point de partir pour l'école quand cinq agents apparurent munis d'un mandat de perquisition. Ils suivirent ensuite Allegra à son école et exigèrent de la mère supérieure, abasourdie, de voir les dessins qu'elle avait emportés dans son cartable. Ils passèrent également au crible le bureau de Maurizio de la via Monte Napoleone.

Dans le même temps, les plaintes déposées pendant l'été par Aldo et ses fils contre Maurizio faisaient leur œuvre. Le 17 décembre 1986, le procureur milanais Felice Paolo Isnardi demanda de nouveau la mise sous séquestre des actions Gucci de Maurizio. Celui-ci comprit qu'il lui serait plus ardu que jamais de réaliser son rêve. Il devait agir vite, avant que la justice n'accède à la requête d'Isnardi.

9

Changement d'associés

— *Dottor Maurizio ! Venga subito !* criait le fidèle Luigi Pirovano.

Il était entré en trombe dans le cabinet de Giovanni Panzarini, l'un des plus éminents avocats de Milan où il avait enfin trouvé son patron, après l'avoir cherché pendant une heure. Maurizio, en pleine conversation avec son conseiller Gian Vittorio Pilone et Panzarini autour d'une table de réunion, le regarda étonné. Devant le trouble manifeste de cet homme, d'ordinaire imperturbable, il comprit qu'il se tramait quelque chose de grave. Il se leva de sa chaise et lui demanda des éclaircissements.

— *Dottore !* On n'a pas le temps ! La *finanza* vous attend à la via Monte Napoleone ! Vous devez partir ou on vous arrêtera ! Suivez-moi, tout de suite !

Lorsque, après le déjeuner, Luigi s'était rendu à la boutique, le portier au rez-de-chaussée lui avait barré le passage et l'avait empêché d'emprunter l'ascenseur pour monter au quatrième étage.

— *Signor Luigi !* avait-il murmuré. *Lassù c'è la finanza ! Vogliono il Dottor Maurizio !*

Un groupe de policiers en uniforme avait envahi le bureau de Maurizio quelques minutes auparavant. La seule vue des tenues et des couvre-chefs gris, ornés d'une flamme jaune, suffisait à faire trembler la plupart des Italiens, qui craignaient la brigade financière bien davantage que la police nationale ou les carabiniers.

Luigi savait pourquoi la *finanza* était venue. Maurizio lui avait parlé des plaintes déposées par Paolo, de la visite matinale des agents un an plus tôt à son domicile, de la Galleria Passarella et de la requête du procureur visant à geler ses avoirs dans Gucci. Ses avocats l'avaient informé que le ministère public avait requis un mandat d'arrêt contre lui suite aux accusations de son oncle et de ses cousins.

Dès qu'il le pouvait, Maurizio se réfugiait à la campagne et, quand il était à Milan, il rompait systématiquement avec ses habitudes. Souvent, au cours des derniers mois, il avait demandé à son chauffeur de le conduire dans de petits restaurants dans la région de la Brianza, au nord de Milan. Tous deux dînaient alors en tête à tête de spaghettis *fumantes* ou de filets de steak et couchaient dans des hôtels des environs : Maurizio craignait de passer la nuit dans la maison qu'il occupait depuis sa séparation d'avec Patrizia. Il savait que les forces de l'ordre procédaient d'ordinaire à l'aube à l'arrestation des suspects : il était plus facile de cueillir les criminels au saut du lit. Parfois, faute d'avoir déniché une chambre d'hôtel, lui et Luigi dormaient dans la voiture. Inquiet et solitaire, Maurizio se confiait à son loyal employé, qui négligeait sa famille pour tenir compagnie à son maître soir après soir. Lorsque le sommeil tardait à venir, il appelait Patrizia pour lui faire part de ses soucis. À présent, l'heure qu'il redoutait était arrivée.

À la minute où Luigi avait entendu que la *finanza* attendait Maurizio, il avait filé à toute allure vers Bagutta, la chaleureuse trattoria désormais désertée par les artistes et où se pressaient les hommes d'affaires du « Triangle d'or » milanais – quartier abritant les boutiques les plus élégantes de la ville. Depuis quarante ans, les directeurs et les cadres supérieurs de Gucci s'y régalaient de *cotolette alla milanese* et d'autres spécialités succulentes. Luigi se rappelait que Maurizio y était venu déjeuner avec Pilone. Cependant, quand il franchit le seuil, le maître d'hôtel lui apprit que les deux hommes étaient déjà partis. Peut-être s'étaient-ils rendus au cabinet de Panzarini, non loin du restaurant. L'employé avait vu juste.

Maurizio, haussant les sourcils, consulta ses avocats du regard avant de quitter la pièce en trombe. Les diverses activités physiques qu'il avait pratiquées – équitation, tennis ou ski – l'avaient maintenu en grande forme et il réussit à dévaler les marches de l'escalier quatre à quatre, derrière Luigi, le cœur battant la chamade. Ils sautèrent dans la voiture que le chauffeur avait laissée à l'arrière de l'immeuble par mesure de précaution et roulèrent jusqu'à Foro Bonaparto. Au sous-sol de la résidence, étaient garés les véhicules et motos de Maurizio.

Luigi lui tendit les clés du deux-roues le plus puissant, une Kawasaki GPZ rouge.

— Mettez ce casque – personne ne vous reconnaîtra –, filez à toute allure et ne vous arrêtez pas avant d'avoir traversé la frontière suisse. Je vous rejoindrai plus tard, avec vos effets personnels.

Une fois en Suisse, Maurizio serait à l'abri : les autorités helvétiques ne l'extraderaient pas.

— Gardez votre casque même devant les douaniers ! ajouta Luigi. Ne les laissez voir votre visage sous aucun prétexte ! Feignez d'être détendu. S'ils vous posent des questions, répondez-leur que vous allez à Saint-Moritz. N'éveillez pas leurs soupçons, mais faites vite !

Moins d'une heure plus tard, Maurizio atteignait Lugano. Il ralentit en approchant du poste frontière. Les douaniers lui firent signe d'avancer après un bref coup d'œil à son passeport. Puis il s'engagea sur l'auto-route qui le menait vers Saint-Moritz. En réalité, il ne s'agissait pas du trajet le plus rapide, mais il ne voulait pas prendre de risque inutile. Au bout de deux heures, il arriva dans sa propriété, tremblant d'effroi.

Luigi, pour sa part, était retourné aux bureaux de la via Monte Napoleone où la brigade du fisc attendait encore, en vain, le président de Gucci. Le chauffeur déclara qu'il cherchait également son patron et demanda aux agents ce qu'ils voulaient.

Les enquêteurs avaient un mandat d'arrêt délivré par le magistrat milanais Ubaldo Nannucci contre Maurizio, soupçonné de fuite de capitaux lors de l'achat du *Creole*. Le marché financier italien ne s'était pas encore libéralisé et investir d'importantes sommes d'argent à l'étranger tombait sous le coup de la loi sur le contrôle des changes, bien que Maurizio fût lui-même résident suisse et que le pavillon anglais flottât sur le *Creole*. Paolo avait atteint son objectif : son cousin se trouvait hors d'Italie, éloigné de la direction de la firme, et donc dans l'incapacité d'agir.

Le lendemain, mercredi 24 juin 1987, la presse diffusa la nouvelle. Ainsi on pouvait lire dans les titres de *La Repubblica* : « Tempête chez Gucci à cause d'un yacht de rêves. Mandat d'arrêt délivré contre le président. Maurizio Gucci en fuite. »

À Rome, *Il Messaggero* n'y allait pas de main morte : « Menottes pour la dynastie Gucci », tandis que le *Corriere della Serra* claironnait : « Maurizio Gucci trahi par le *Creole* ».

Gian Vittorio Pilone et son beau-frère étaient aussi accusés dans l'affaire. Le premier fut le moins chanceux de tous : il fut mis en détention provisoire à la prison florentine Sollicciano, près de l'usine de Scandicci, pour subir trois jours d'interrogatoire. Le second en revanche avait réussi à s'échapper à temps. Impuissant, Maurizio vit un tribunal milanais s'emparer deux mois plus tard de ses parts dans Gucci et désigner comme administrateur judiciaire une universitaire, Maria Martellini.

Durant l'année suivante, Maurizio partagea son temps entre le domaine de Saint-Moritz et l'hôtel Splendide Royal de Lugano, dont il fit son quartier général quand il n'était pas en voyage. La jolie ville de Lugano, au bord du lac du même nom, se dresse dans une région de la Suisse qui s'étend jusqu'en Italie entre le lac Majeur et le lac de Côme. De par sa proximité, elle attire les Milanais qui viennent s'y fournir en produits de toutes sortes – de l'essence à la nourriture –, bien moins chers que chez eux. Ils y apprécient également l'efficacité des postes et la discrétion des banquiers. Pour Maurizio, le confort et les commodités qu'il y trouvait adoucissaient son sort : il faisait venir ses directeurs pour lui rendre compte des mesures prises par Martellini.

Il suppliait également son épouse de lui amener les filles, mais chaque fois elle trouvait un prétexte de dernière minute pour annuler son déplacement. Le premier Noël que passa Maurizio en Suisse, Patrizia lui donna sa parole que les petites le rejoindraient pour les fêtes et il employa la matinée du 24 décembre à écumer les magasins de jouets. Mais quand Luigi sonna à la porte de la maison de la Galleria Passarella, pour prendre Alessandra et Allegra, la bonne lui annonça qu'elles ne l'accompagneraient pas.

« Que pouvais-je faire ? dirait plus tard le chauffeur. L'idée de rentrer bredouille m'était intolérable. »

Sur la route vers Lugano, il s'arrêta et prévint Maurizio.

« Ce soir-là, il pleura. »

Ainsi commença la phase que Luigi appelait le *periodo sbagliato* de Maurizio – la période où tout allait de travers.

L'unique rayon de soleil de son existence était une jolie Américaine, grande et blonde, originaire de Tampa, en Floride. Ancien mannequin, elle répondait au nom de Sheree McLaughlin. Ils s'étaient rencontrés en 1984 lors d'une des éliminatoires de l'America's Cup en Sardaigne.

Sportive et élancée, avec des yeux bleus perçants, un sourire permanent et une coupe de cheveux à la Farrah Fawcett, elle succomba au charme et à la séduction de Maurizio. Patrizia avait aussitôt remarqué l'intérêt que lui portait son mari et lui avait fait savoir ce qu'elle en pensait. Après qu'il se fut séparé de cette dernière, Maurizio et Sheree se virent assidûment, en Italie ou à New York. La jeune femme était l'une des rares personnes de son entourage qui l'aimaient pour lui-même, et non pour sa fortune ou son illustre patronyme. Si, quand elle était en ville, il était retenu par une réunion de travail, il fourrait quelques billets dans la main de Luigi et lui demandait d'emmener Sheree faire la tournée des boutiques de luxe de Milan. Le chauffeur et la maîtresse tentaient tant bien que mal de communiquer : lui ne maîtrisait pas l'anglais, et elle ne parlait pas l'italien.

— Luigi, pourquoi Maurizio insiste-t-il pour m'offrir toutes ces choses ? gémissait-elle. Je n'ai que faire de ces robes extravagantes. Je n'ai besoin que d'un jean et de lui.

Lorsque Maurizio s'enfuit, elle vint souvent le voir à Lugano ou le week-end à Saint-Moritz. Elle était amoureuse de lui et voulait bâtir une nouvelle vie. Son amant n'y était pourtant pas prêt. Accaparé par ses difficultés personnelles et professionnelles, il se sentait incapable de s'engager.

En l'absence de Sheree, il se jetait corps et âme dans la rédaction d'une monographie portant sur l'histoire de Gucci, dans l'espoir que cela l'aiderait à relancer la marque.

Maurizio était peut-être tenu à distance par le mandat d'arrêt, mais il n'était pas paralysé. Il s'employait notamment à redécorer la Gucci Room du restaurant privé Mosimann's, à Londres. Il opta pour un style grandiose, disposant dans le club ses statuettes Empire préférées, tapissant les murs du tissu vert Gucci, suspendant des lustres et des appliques de collection. La chose coûtait une petite fortune – et Maria Martellini explosa de colère à la vue des factures, qui, bien sûr, étaient adressées au siège de Gucci.

Enrico Cucchiani devint le principal représentant de Maurizio à Milan : il véhiculait documents, messages et consignes de la via Monte Napoleone à l'hôtel Splendide Royal. Maurizio l'avait débauché quelques mois plus tôt du cabinet de consultants McKinsey & Company, et l'avait nommé directeur général.

Au printemps, juste avant sa fuite, il lui avait confié qu'il n'ignorait rien des violentes attaques que préparaient Aldo et ses fils.

— Ils sont incorrigibles ! lui dit-il en arpentant son bureau. J'ai bien essayé de travailler avec eux, mais chaque fois que je fais un pas en avant, l'un d'entre eux agit aussitôt en dépit du bon sens et met tout par terre ! Et maintenant, ils préparent la guerre !

Il regarda son collaborateur. Celui-ci, d'un naturel posé, croisa ses longues jambes et caressa sa barbe grise.

— Nous devons trouver un moyen de leur racheter leurs parts, pour qu'ils me fichent la paix ! lança Maurizio.

Cucchiani appela Andrea Morante, qui travaillait pour Morgan Stanley, banque d'affaires londonienne, et lui demanda s'il aimerait rencontrer Maurizio Gucci. Il précisa le caractère secret de l'entrevue, étant donné la gravité des dissensions au sein de la famille. Morante, un homme intelligent et perspicace qui avait réussi sa carrière grâce à ses origines italiennes et à ses dons pour la finance, fut aussitôt intrigué par cette proposition. Gucci était bien davantage qu'une entreprise familiale italienne embourbée dans des problèmes de succession. L'enseigne incarnait la séduction, le luxe et un potentiel inexploité – en d'autres termes, le rêve pour un banquier ! Un rendez-vous fut fixé à Milan dès la semaine suivante.

Maurizio accueillit Morante au seuil de son bureau et l'invita cordialement à entrer. Il lui fallait quelques secondes pour prendre la mesure de son interlocuteur. Ce dernier se révélait plutôt séduisant, de corpulence moyenne, aux cheveux gris coupés ras et doté d'un regard azur qui trahissait une intelligence certaine. Pour l'occasion, Morante avait revêtu son plus beau costume, assorti d'une cravate Hermès.

— Je suis ravi de faire votre connaissance, monsieur Morante, dit Maurizio, une lueur espiègle dans les yeux. Même si vous ne portez pas la bonne cravate.

Le financier dévisagea le jeune président de Gucci avant d'éclater de rire. Il éprouva aussitôt de la sympathie pour lui. La légère pique de Maurizio l'avait mis à son aise. Les mois suivants, il lui arriverait souvent d'admirer l'humour dont celui-ci faisait preuve avant de commencer des réunions importantes, pour détendre tous les intervenants. Morante s'assit et scruta la pièce, des meubles Biedermeier couleur miel au charmant canapé de cuir vert orné de boutons rouges,

157

en passant par les photos en noir et blanc de Rodolfo et d'Alessandra. Ses yeux s'attardèrent sur le magnifique bureau ainsi que sur les carafes en cristal et les verres en argent disposés sur une console contre le mur. À la gauche de Maurizio, deux fenêtres filtraient la lumière du jour et donnaient sur un balcon qui longeait tout le mur.

— Voyez-vous, monsieur Morante, lui dit Maurizio, Gucci est comme un restaurant pourvu de cinq chefs originaires de cinq pays différents : le menu tient en cinq pages et, si vous n'aimez pas la pizza, on vous servira des rouleaux de printemps. Le client s'y perd, et la cuisine est un véritable capharnaüm ! conclut-il en levant les bras au ciel.

Au fil de la conversation, il abandonna peu à peu le ton formel qu'il adoptait d'habitude en présence d'inconnus. Maurizio étudia les réactions de son vis-à-vis. Le banquier, quant à lui, hochait la tête, écoutait, et parlait peu. Il essayait de comprendre ce que Maurizio recherchait et en quoi il pouvait l'aider.

Morante était entré en 1985 chez Morgan Stanley, où il fut chargé du marché italien. Son premier dossier avait été des plus brûlants : Pirelli s'était porté acquéreur des pneus Firestone. La vente avait échoué, Firestone serait plus tard acheté par Bridgestone. Son esprit analytique et son parcours international lui conféraient une approche originale de son métier et il n'hésitait pas à faire preuve de créativité pour régler des litiges en matière d'héritage ou d'expansion, problèmes qui infestaient bon nombre des grandes entreprises italiennes. Son père, un Napolitain, officier dans la marine, avait rencontré sa mère alors que son navire mouillait dans la baie de Shanghai. La famille avait vécu partout en Italie, à Washington et en Iran. Morante avait fait des études d'économie en Italie puis obtenu un MBA à l'université du Kansas, avant de s'installer à Londres pour exercer son métier.

— Il nous reste une chance de récupérer notre clientèle : il faut pour cela lui fournir des produits, des services, une cohérence et une image, disait Maurizio. Si nous faisons cela convenablement, l'argent coulera à flots. Gucci est une Ferrari... mais nous la conduisons comme une Cinquencento ! Or je ne peux participer à un rallye de formule 1 sans la bonne voiture, le bon pilote, les meilleurs mécaniciens et une foule de pièces de rechange. Vous voyez ce que je veux dire ?

Non, Morante ne voyait pas. Quand Maurizio le raccompagna à la porte après plus d'une heure, il ne lui avait toujours pas révélé le motif de leur rendez-vous. Une fois rentré au bureau, le financier appela Cucchiani pour lui demander ce qu'il devait penser de leur conversation. Le directeur général le rassura :

— Ne t'inquiète pas, Andrea, c'est typique de Maurizio. Votre entretien s'est bien passé, il t'aime bien. Fixons-en un autre, le plus vite possible.

La semaine suivante, Maurizio, Cucchiani et Morante se retrouvèrent pour le petit déjeuner à l'hôtel Duca, où le banquier descendait chaque fois qu'il était de passage à Milan.

Cette fois, pendant que les serveurs allaient et venaient en silence autour des tables, dans le brouhaha des conversations et des tintements de verres et de vaisselle, Maurizio alla droit au but.

— Les miens sont en train de saboter tout ce que je veux faire, dit-il en se penchant vers le banquier. Florence est devenue un marécage où stagnent toutes les initiatives. Ils sont prêts à m'abattre. Il ne me reste qu'une alternative : récupérer leurs parts et me débarrasser d'eux, ou liquider mes propres avoirs. Cela ne peut plus continuer ainsi.

Morante comprit qu'il venait d'être mandaté pour acheter ou pour vendre. Cucchiani lui lança un regard signifiant : « Tu vois, je te l'avais bien dit. »

— *Dottor* Gucci, demanda le banquier, de sa voix mélodieuse, croyez-vous vos cousins disposés à vous céder leurs actions ?

— Pas à moi, répliqua Maurizio en riant. Ce serait comme s'ils donnaient leur jolie fille en mariage à un monstre !

Il passa sous silence le fait qu'il n'avait pas les moyens d'acquérir les parts de ses cousins – ce que le financier déduisit rapidement.

— Cependant, dans certaines circonstances, poursuivit-il, l'air grave, leurs parts pourraient être rachetées.

— Dites-moi, *dottor* Gucci, insista le banquier, s'ils refusaient de s'en défaire, seriez-vous prêt à leur vendre les vôtres ?

— Jamais de la vie ! D'ailleurs, ils n'auraient pas de quoi les payer. Je préférerais de loin transmettre mon bien à un tiers qui prend à cœur les intérêts de la maison depuis longtemps.

Morante saisit la solution : il devait trouver un tiers susceptible d'acquérir les capitaux des cousins de Maurizio, puis de s'associer avec ce dernier.

Il perçut également que, malgré sa fortune apparente, le président de Gucci avait des problèmes de liquidités. Il lui demanda alors quelles possessions il était disposé à abandonner pour rassembler des fonds et, par ce biais, renforcer sa position à l'égard de ses éventuels partenaires.

Ce qu'il apprit l'étonna : Maurizio, Domenico De Sole et un petit groupe d'investisseurs s'étaient arrogé le contrôle de la vénérable chaîne de magasins B. Altman & Company, fondée en 1860. Ils avaient nommé deux anciens comptables pour diriger l'affaire : Anthony R. Conti, ex-dirigeant du cabinet d'expertise Deloitte Haskins & Sells, au poste de P-DG, et Philip C. Semprevivo, associé dans la même entreprise, au poste de vice-président. Le nom Gucci n'était pas apparu dans la transaction et rares étaient ceux informés de la participation de Maurizio. Avec le concours de Morgan Stanley, cette société fut cédée pour quelque 27 millions de dollars en 1987 à L. J. Hooker, un grand groupe australien. Si la vente améliora les finances de Maurizio, elle marqua également la chute d'une institution américaine : trois ans plus tard, B. Altman disparaissait.

De retour à Londres, Morante rapporta en détail, lors de la traditionnelle réunion hebdomadaire du service investissements de la banque, ses rencontres avec Maurizio Gucci devant une vingtaine de collaborateurs. Ces derniers éclatèrent de rire et ne cachèrent pas leur scepticisme. La marque Gucci était sans doute séduisante, mais elle évoquait également des querelles, des procès perpétuels et des malversations.

— Assure-toi que nous recevions chacun une paire de mocassins ! railla l'un de ses collègues.

« L'évocation de Gucci suscita aussitôt l'attention générale, se rappelle le banquier. D'ordinaire, ce sont les rentrées éventuelles dont la firme pouvait bénéficier qui attiraient l'intérêt de mes pairs. Là, c'était le nom. »

La plupart des collègues d'Andrea émirent des doutes quant à la rentabilité de cette affaire. Cependant, un jeune homme se passionna pour cet exposé. John Studzinski dirigeait alors le groupe de réflexion de Morgan Stanley. Aujourd'hui, il en est l'un des principaux responsables. Il savait qu'une petite banque d'affaires peu connue, Investcorp, avait encaissé un argent fou en 1984 en redressant la joaillerie américaine légendaire Tiffany, puis en revendant ses actions à la Bourse de New York.

Investcorp avait des clients richissimes dans les monarchies pétrolières du Moyen-Orient, qui se plaisaient à investir dans l'industrie du luxe.

« Ce sont les seuls gens assez fous pour étudier une telle proposition, se dit-il, et je suis prêt à parier qu'ils sont capables d'aller jusqu'au bout. » Après la réunion, il livra le fond de sa pensée à Morante.

Plus tard, il reconnaîtrait que la réussite d'une telle entreprise était plutôt hasardeuse :

« Nous considérions Gucci comme une maison sur le déclin. Mais nous pouvions réaliser un contrat de six sans atout, à condition que les rois et les dames soient bien répartis. Patience et détermination étaient de mise. Nous savions qu'Investcorp disposait des fonds nécessaires, s'intéressait vivement au marché du luxe et prendrait le temps pour gérer l'imbroglio entre actionnaires. »

Il appela l'agent de l'établissement financier à Londres, un certain Paul Dimitruk, originaire de l'Ohio.

Ce grand brun, mince, aux yeux noirs affichait une certaine réserve, mais il avait beaucoup d'ambition… et une ceinture noire de karaté. Fils de pompier, il avait grandi à Cleveland et étudié le droit à New York. Le fondateur et président d'Investcorp, Nemir Kirdar, homme d'affaires irakien, avait débauché Dimitruk du cabinet juridique Gibson, Dunn & Crutcher qui représentait la banque, pour lui confier les rênes de la branche londonienne. Kirdar appréciait notamment les antécédents de ce juriste, qui s'était occupé de régler des transactions entre sociétés américaines et européennes. Désireux d'élargir ses horizons et de s'installer en Europe, Dimitruk avait élu domicile à Londres en 1982. Il entra chez Investcorp trois ans plus tard, peu après le rachat de Tiffany. Au départ, son rôle consistait à superviser les opérations internationales de la joaillerie ainsi que d'assurer le suivi du dossier.

Quand la secrétaire de Dimitruk lui annonça que John Studzinski était en ligne, il prit l'appel séance tenante. Malgré son jeune âge, il suscitait déjà l'admiration de la profession pour ses nombreux contacts haut placés, sa maîtrise parfaite de l'industrie du luxe et sa capacité – rare chez un Américain – de s'intégrer dans le club très fermé des banquiers européens.

— Paul, est-ce que toi et tes copains seriez intéressés par Gucci ? demanda Studzinski en lui expliquant le scénario envisagé. Si les projets de Maurizio te paraissent viables, accepterais-tu de l'aider ?

161

Comme Morante, Dimitruk sursauta à la mention du patronyme italien. Sa réponse ne se fit pas attendre :

— Nous serions extrêmement ravis de rencontrer ce monsieur et d'écouter ce qu'il a à nous dire.

Après que Studzinski eut obtenu le feu vert de Dimitruk, Morante appela Maurizio. Ce dernier lui dit à peine bonjour :

— Tout est réglé ? s'écria-t-il.

— Attendez une minute. Chaque chose en son temps.

— Nous devons agir vite, il n'y a pas une minute à perdre !

Il n'ajouta pas qu'il craignait de sérieuses complications judiciaires, suite aux accusations portées contre lui par ses cousins.

— Quelqu'un souhaiterait vous voir. Pouvez-vous venir à Londres ?

En 1987, peu de gens connaissaient l'existence d'Investcorp. Créée en 1982 par Kirdar, la banque aidait surtout des clients du golfe Persique à investir en Europe et aux États-Unis.

L'Irakien était un homme charismatique et conscient d'avoir une mission dans l'existence. Sa famille, originaire de la ville de Kirkuk, soutenait l'Occident ainsi que les souverains hachémites au pouvoir, alors que le panarabisme, cher à Nasser et au parti Baas, électrisait tout le monde arabe. En 1958, l'assassinat de la famille royale et le putsch sanglant qui porta Saddam Hussein au pouvoir contraignirent Kirdar à plier bagage.

Après l'obtention de sa licence en Californie et un bref passage dans une banque en Arizona, Kirdar rentra à Bagdad où la situation semblait s'être apaisée. Il créa une société commerciale qui représentait des entreprises occidentales. Un beau jour d'avril 1969, il fut arrêté par les autorités et retenu en otage pendant douze jours, sans explication. Cette mésaventure le poussa à s'exiler de nouveau. Seulement, cette fois, il avait trente-deux ans et une famille à nourrir. Il trouva un emploi à New York, dans la Allied Bank International, un consortium au sein duquel dix-huit banques américaines canalisaient leurs investissements à l'étranger. La journée, il travaillait au sous-sol de l'immeuble. La nuit, il révisait pour passer son MBA à l'université de Fordham. Puis la Chase Manhattan – la Rolls des banques américaines – lui proposa un poste. C'était le cadre idéal pour tout jeune ambitieux rêvant de faire carrière dans la finance de haut vol.

Chez Chase, Kirdar avait noué des relations étroites avec les États du Golfe, qui s'étaient enrichis au cours du choc pétrolier de 1973. D'abord à Abu Dhabi, puis à Bahreïn, il conclut d'importantes transactions et constitua l'équipe qui le rejoindrait plus tard à Investcorp : Michael Merrin, Elias Hallak, Oliver Richardson, Robert Glaser, Philip Buscombe, Savio Tung et Cem Cesmig.

Son idée était de proposer des investissements alléchants à des personnalités et à des institutions de la région. Kirdar voulait leur présenter des opportunités solides dans l'immobilier ou dans de grandes sociétés étrangères et, ce faisant, bâtir un équivalent arabo-britannique de Goldman Sachs ou de J.P. Morgan. En 1982, son rêve prit corps dans la chambre 200 du Holiday Inn de Bahreïn, avec une secrétaire et une machine à écrire. L'année suivante, Investcorp emménageait dans son quartier général de Manama, avant de s'implanter à Londres et à New York.

La compagnie se donnait comme fonction de racheter des entreprises prometteuses en difficulté, de les redresser par le biais de conseils et d'apports financiers et de les revendre en réalisant un bénéfice substantiel. Ses clients décidaient eux-mêmes de leurs positions : ils n'étaient pas obligés de prendre des parts dans toutes les sociétés détenues par la banque. Les dividendes n'étaient perçus qu'à la fin du cycle, c'est-à-dire quand Investcorp revendait lesdites sociétés.

Ses premières acquisitions – le Manulife Plaza de Los Angeles et 10 % des bières A&W – lui permirent d'asseoir sa crédibilité. L'entreprise gagna surtout ses galons avec le rachat de Tiffany & Company, en octobre 1984, détenu par Avon Products, pour quelque 135 millions de dollars. Après avoir nommé l'ex-président d'Avon à la tête de Tiffany pour mener à bien le redressement de la joaillerie, Investcorp introduisit l'enseigne en Bourse trois ans plus tard, et empocha 174 % de bénéfices par an. Sa réputation était faite.

« Nous pensions qu'on ne pouvait pas commercialiser des bijoux de la même façon que des cosmétiques, expliquerait Elias Hallak des années plus tard. Nous nous sommes mis en devoir de raviver le passé glorieux de Tiffany. »

Comme Morante lui expliquait l'historique d'Investcorp, Maurizio se sentit enthousiaste à l'idée de s'associer à cette institution bancaire.

« Selon lui, une banque qui avait su faire renaître Tiffany de ses cendres, se passionnant pour les grandes marques, prenant à cœur la qualité, possédait le savoir-faire nécessaire pour introduire Gucci en Bourse », se rappelle Morante.

Maurizio avait dit à ce dernier qu'il pouvait se rendre à Londres à sa convenance. Mais, durant l'été, une tempête s'était abattue sur l'Italien : confiscation de ses avoirs dans Gucci, mandat d'arrêt délivré contre lui et nomination d'un administrateur provisoire à la tête de la maison. Pour couronner le tout, ses biens personnels avaient été gelés suite à l'enquête portant sur son entorse aux droits de succession. En chevauchant sa Kawasaki jusqu'en Suisse au mois de juin, il se demandait donc ce qu'il allait bien pouvoir dire aux gens d'Investcorp, qu'il n'avait pas encore rencontrés. Une fois installé à la Chesa Murézzan, il recouvra son optimisme et appela Morante.

— Expliquez-leur qu'il s'agit d'une tentative de sabotage perpétrée par mes cousins, et que je vais tout régler. Cela me prendra moins de six mois.

Le banquier se laissa convaincre. Même si les choses ne prenaient pas aussi bonne tournure que prévu, dit-il à Investcorp, les difficultés financières et judiciaires de Maurizio faciliteraient le rachat.

Au moment de la fuite de ce dernier, en juin 1987, dix-huit affaires concernant les Gucci occupaient des tribunaux de par le monde, y compris deux nouvelles actions intentées par Paolo. Celui-ci avait en effet rassemblé des pièces prouvant que ses deux frères avaient tissé un réseau de sociétés offshore au Panama dans le but d'échapper à l'impôt. En outre, pendant l'absence de Maurizio, Giorgio avait rompu leur alliance et s'était associé avec Roberto. Tous les deux présidèrent la réunion du conseil en juillet : ils contrôlaient 46 % des actions. Une erreur technique leur permit d'exclure le vote de Mario Casella, avocat milanais à qui la cour avait confié la gestion des parts de Maurizio. Ainsi, ils parvinrent à dissoudre le conseil, à nommer Giorgio président et à réorganiser la compagnie, en toute illégalité. Impuissant, Casella secoua la tête et marmonna à l'adresse de Roberto Poli, directeur financier désigné par la justice :

— Il faut sauver Gucci des Gucci !

Le 17 juillet, les divers administrateurs judiciaires réunirent un conseil parallèle et nommèrent Maria Martellini présidente. La maison Gucci se retrouvait dans une curieuse situation : elle avait deux présidents et deux conseils, l'un représentant la famille, l'autre les gestionnaires nommés par les autorités.

À peine relâché de prison, Aldo Gucci se mit à pied d'œuvre. Il s'envola pour Florence, descendit à l'hôtel de la Ville, son établissement préféré, et s'employa à trouver un compromis entre ses fils et les administrateurs. Au final, Maria Martellini était confirmée dans ses fonctions de présidente, tandis que Giorgio devenait président d'honneur et Cosimo, le fils de Roberto, vice-président.

Pour la première fois, le dirigeant du groupe n'était pas un Gucci. Dans sa volonté d'assainir la firme et de l'affranchir de la tutelle familiale, Martellini instaura un système bureaucratique et sans originalité. Le personnel considère son règne comme l'une des périodes les plus noires de Gucci – excepté la licence accordée au fabricant de lunettes italien Safilo SpA.

« La compagnie n'avançait plus, témoigne l'un des employés. Il fallait presque obtenir une autorisation en bonne et due forme pour acheter un rouleau de papier toilette. Rien que pour commander du papier à en-tête, sept signatures étaient nécessaires ! Il n'y avait plus ni créativité ni progrès. On survivait, c'est tout. »

À présent que Maurizio était neutralisé en Italie, Aldo décida de le combattre outre-Atlantique : son neveu possédait tout de même la moitié de Gucci America. Le conseil d'administration était dans l'impasse : Aldo et ses fils d'un côté, Maurizio de l'autre. Décidé à reprendre la direction des opérations trois ans après son renvoi manu militari, il n'était guère d'humeur à nuancer sa réaction. Il demanda à la justice l'éviction de De Sole et la liquidation de la compagnie. Mais, une fois encore, Maurizio allait le surprendre.

En septembre 1987, ce dernier se rendit à Londres où il s'installa à l'hôtel Duke, sur St. James's Place. Le lendemain matin, accompagné de Morante et de Studzinski, il arriva au bureau d'Investcorp, situé dans un immeuble charmant dans Mayfair, à Brook Street. On les conduisit dans l'une des salles d'attente du premier étage, meublées de canapés confortables et de petites tables basses. Paul Dimitruk, Cem Cesming et Rick Swanson vinrent les accueillir.

« Je n'oublierai jamais ma première vision de ce personnage, dit Swanson. Il était comme une star de cinéma ! »

Maurizio s'était inspiré du côté théâtral de son père et de la verve d'Aldo. Il franchit le seuil du bureau en tête de son aréopage, dans son beau manteau de cachemire caramel, avec ses cheveux blonds légèrement trop longs, ses lunettes fumées d'aviateur, son sourire Gucci. Les membres d'Investcorp étaient fascinés et intrigués à la fois.

« Arrive un Italien, auréolé d'un nom célèbre, que nous n'avions pas encore rencontré, rapporte Swanson. Il entre, avec l'allure d'une vedette du grand écran, son patronyme figurant au fronton de sa compagnie. Mais il est poursuivi en justice par les siens, privé de ses avoirs, et il ne contrôle plus la maison. La bataille entre lui et sa famille fait la une des journaux et lui se contente de nous demander : "Aimeriez-vous m'aider à racheter les parts de mes cousins ?" »

De but en blanc, Maurizio narra l'histoire de son grand-père Guccio, sa jeunesse au Savoy, la petite boutique de Florence. Dans un anglais presque parfait, il rappela le triomphe d'Aldo aux États-Unis, le rôle artistique et financier de Rodolfo à Milan et sa propre expérience auprès de son oncle à New York. Ensuite, il dressa le tableau actuel : la dévalorisation de la marque, les querelles intestines, les problèmes fiscaux, le gouffre entre Gucci America et la branche italienne. Il fit part à son auditoire de la frustration qu'il éprouvait en essayant d'aller de l'avant.

— En Italie, on a coutume de dire que la première génération lance une idée, la deuxième la développe et la troisième doit se charger de l'expansion, expliqua-t-il. Et c'est en cela que je m'oppose radicalement au point de vue de mes cousins. Comment peut-on enchaîner à une famille une entreprise qui génère 200 milliards de lires ? Je crois aux vertus de la tradition, mais je la conçois comme une base sur laquelle bâtir, pas comme un trésor archéologique à montrer aux touristes. Or la guerre qui fait rage entre nous paralyse notre enseigne depuis des années, du moins sur le plan de son essor potentiel. Je me demande souvent combien de nos concurrents ont vu le jour et prospéré grâce à notre immobilisme. Il est grand temps de tourner la page !

Les financiers buvaient ses paroles.

— Il y a trop de chefs en cuisine, poursuivit-il. Mes cousins estiment qu'ils sont un don du ciel pour le milieu de la mode. Mais Giorgio ne vaut rien : tout ce qui l'intéresse, c'est de remettre le trophée Gucci au vainqueur de la course hippique de la piazza di Siena. Roberto se prend pour un gentleman britannique. Ses cols de chemise sont si empesés qu'il peut à peine bouger la tête. Quant à Paolo, c'est un poids mort dont l'unique réussite fut d'envoyer son père en prison ! Voilà qui sont les membres de ma famille. Je les surnomme les frères Pizza. Gucci est une Ferrari que nous pilotons comme une Cinquecento, dit-il en plaçant au passage sa métaphore favorite. Notre maison est sous-exploitée et mal dirigée. Avec les bons partenaires, nous pouvons lui restituer sa grandeur d'antan. Jadis, posséder un sac Gucci était considéré comme un privilège. C'est cette notion qu'il faut raviver. Nous avons besoin d'une vision, d'une direction, et – il fit une pause pour ménager son effet – l'argent coulera comme vous ne l'avez jamais vu.

Maurizio avait captivé son auditoire au point de lui faire oublier la raison. Il était parvenu à le persuader du pouvoir illimité de la marque Gucci.

« C'était fou ! Vraiment risqué ! se remémore Swanson. Nous n'avions pas de relevés bancaires solides – du moins, pas aussi solides que ceux de nos autres clients –, pas d'équipe de direction sûre et pas de garanties. Seulement, en nous décrivant ses projets, il était envoûtant. »

La passion évidente que Maurizio nourrissait à l'égard de Gucci et le caractère urgent des mesures à prendre séduisirent Dimitruk. Bien que les deux hommes fussent issus de mondes radicalement différents, ils étaient mus par une même ambition. La chaleur de leurs rapports allait se révéler déterminante pendant les mois suivants.

« Il émanait de Maurizio une aura incroyable, dit Dimitruk. Il se présentait comme le berger de l'enseigne et affichait une conviction absolue quant à la possibilité de la ressusciter. Par ailleurs, il ne se posait pas en "Monsieur Je-Sais-Tout". »

Après le départ de Maurizio, Dimitruk décrocha son téléphone et appela Kirdar, en vacances dans le sud de la France.

— Nemir ? Ici Paul. Je viens de faire la connaissance de Maurizio Gucci. Vous connaissez la marque ?

Le sourire aux lèvres, l'Irakien répondit :

— Je suis en train de regarder mes pieds. Je crois que je porte des mocassins Gucci.

Il donna aussitôt le feu vert à son collaborateur pour signer un accord avec Maurizio. Dans son esprit, Gucci constituerait le ticket d'entrée d'Investcorp dans le sérail des affaires en Europe.

167

« Il nous fallait faire nos preuves des deux côtés de l'Atlantique, expliquerait Kirdar des années plus tard. Nous devions établir notre pedigree en Europe. »

Elias Hallak, directeur financier d'Investcorp, déclare que les transactions étaient plus ardues sur le Vieux Continent que sur le Nouveau :

« D'un point de vue stratégique, il fallait que nous remportions un gros coup en Europe. »

Nemir Kirdar aimait à démarrer ses relations d'affaires autour d'un bon repas, soit dans l'une des salles à manger d'Investcorp, soit autour d'une grande table. Aussi invita-t-il Maurizio au Harry's Bar, club privé réputé pour sa délicieuse cuisine italienne et son service impeccable.

Dans le décor minimaliste de l'établissement, les deux individus s'étudièrent l'un l'autre et se plurent sur-le-champ. Kirdar vit dans son interlocuteur un homme de trente-neuf ans aux intentions louables, très inspiré et désireux de redresser l'entreprise familiale ; Maurizio vit un quinquagénaire charmant et rassurant, prêt à courir des risques pour le suivre.

« On aurait dit deux tourtereaux en lune de miel ! » se souvient Morante.

Kirdar fit du dossier Gucci – dont le nom de code serait « *Saddle* » (« selle » en anglais) – une priorité pour Investcorp et chargea Dimitruk et Swanson d'aider à plein temps Maurizio dans le plus grand secret.

Ils définirent ensemble les termes de leur collaboration : relancer la marque, mettre au point une gestion professionnelle et établir un actionnariat unitaire – ce qui, dans le jargon des financiers, signifiait racheter leurs parts aux autres associés. Ensuite, le titre Gucci serait introduit en Bourse. Les quelques pages stipulant ces points constituèrent la base d'une relation extrêmement fructueuse.

« Nous partagions l'avis de Maurizio concernant la valeur du nom, précise Dimitruk. Comme lui, nous pensions qu'il était exceptionnel et méritait d'être redoré. Je bénéficiais du soutien absolu de Nemir. »

Investcorp s'engagea à racheter les 50 % de Gucci détenus par les cousins de Maurizio.

« Il fallait à tout prix acquérir leurs avoirs. Nous n'avons pas eu la moindre hésitation ou crainte. Nous allions nous obstiner. »

Maurizio était aux anges, sûr d'avoir trouvé le moyen de s'extraire du bourbier des frères Pizza. De son exil à Lugano, il mit au point, avec l'aide de Morante, le meilleur moyen d'aborder les siens. Morgan Stanley servirait de couverture, Investcorp souhaitant garder l'anonymat jusqu'à ce qu'il ne subsiste plus de doute quant à l'acquisition des 50 %.

Maurizio leur recommanda de contacter d'abord Paolo, qu'il considérait comme dépourvu de scrupules, fourbe et intéressé. Certes, il ne possédait que 3,3 % des actions, mais sa déloyauté à l'égard des siens le mettait en première ligne : il n'ignorait pas que sa poignée de titres pouvait faire basculer le statu quo dans un sens ou dans l'autre. S'il les cédait, il atteindrait ses frères et son père en plein cœur – idée séduisante, eu égard au traitement peu respectueux qui lui avait été réservé par le passé. En outre, il était sur le point de commercialiser sa propre marque aux États-Unis sous le label PG et avait grand besoin d'argent.

Paolo ne voulut pas savoir si Maurizio était derrière la proposition qu'on lui avait faite – peut-être s'en moquait-il. Quoi qu'il en soit, Morante convint d'un rendez-vous avec l'un de ses avocats, Carlo Sganzini, dans un bureau de Lugano, sur la rive opposée du Splendide. Maurizio affirma les avoir observés au moyen de jumelles, par la fenêtre de sa chambre d'hôtel.

« Je ne l'ai pas cru, mais ça faisait partie du folklore ! » dira Morante.

Les négociations butèrent sur une clause de non– concurrence imposée à Paolo vis-à-vis de Gucci.

« Nous voulions en finir avec les lubies de Paolo, se souvient Morante. Et nos exigences touchèrent son point sensible. »

Furieux des dispositions prises pour lui couper les ailes, Paolo s'empara du contrat, le jeta en l'air et quitta les lieux, tandis que les pages volaient autour des banquiers et avocats de Morgan Stanley.

Morante rendit compte de l'incident à Maurizio, qui s'attendait joyeusement à ce que l'affaire fût signée. Ce dernier entra dans une colère folle. Les lèvres pincées, il rugit :

— Dites à ce Paul Dimitruk que, s'il ne conclut pas cette entente, je le poursuivrai en justice jusqu'à la fin de ses jours !

Son interlocteur fut médusé par ces menaces.

« Il avait tous les droits d'être irrité par cet échec, mais rien ne l'autorisait à proférer de telles paroles, raconterait-il. Je venais de découvrir l'autre facette de son personnage : il avait bel et bien hérité des gènes procéduriers de sa famille. »

Morante résolut le problème et Morgan Stanley racheta les parts de Paolo pour quelque 40 millions de dollars. L'avocat du créateur reçut une montre Bréget, estimée à 55 000 dollars – Investcorp avait acheté l'horlogerie la même année. Après la signature de l'acte de cession, le conseiller juridique se tourna vers Swanson et lui dit :

— Vous savez, on a beaucoup parlé de représentations et de garanties, mais j'aimerais que vous songiez à cette transaction comme si vous achetiez un véhicule d'occasion : Méfiance !

Swanson était estomaqué.

« "Méfiance ?" Qu'est-ce que c'était censé signifier ? Nous venions de dépenser plusieurs millions de dollars, et il avait le toupet de me dire : "Méfiance !" »

La cession des parts de Paolo marqua un tournant dans l'histoire de Gucci, puisqu'elle brisait définitivement le sacro-saint caractère familial de l'affaire. Maurizio et ses associés devenaient majoritaires. Aldo, Roberto et Giorgio, poignardés dans le dos, n'avaient plus le choix : ils devaient lui emboîter le pas ou demeurer minoritaires. Paolo avait peut-être un temps prêté main-forte à son père et ses frères contre Maurizio, mais ses griefs contre eux l'avaient emporté, et, au bout du compte, il avait préféré les trahir et prendre sa revanche.

Maurizio s'était donc assuré la majorité dans Gucci, grâce à ses alliés, Morgan Stanley et Investcorp. Il fallait à présent mettre un terme à la guerre que lui menait Aldo à propos de Gucci America. En juillet 1987, Aldo et ses fils avaient entrepris une action en justice pour demander la liquidation de la société, prétextant la mauvaise gestion assurée par De Sole. « Vous avez fait d'un cheval de course un cheval de trait ! » écrivit Aldo à l'avocat.

Mais puisque Maurizio contrôlait désormais le conseil, on ne pouvait plus arguer que la société se trouvait dans une impasse et nécessitait d'être dissoute. Par ailleurs, Paolo avait retiré son soutien à la plainte déposée par les siens.

« L'audience fut des plus théâtrales », se rappelle Allan Tuttle, l'avocat qui représentait Maurizio.

Quand le juriste et son équipe présentèrent le changement de propriétaire au juge Miriam Altman de la cour suprême de New York, les défenseurs d'Aldo protestèrent aussitôt et exigèrent un délai supplémentaire ainsi qu'un surcroît d'informations, dans l'espoir d'empêcher le magistrat de les débouter de la plainte. Cependant, la juge, saturée par tous ces litiges entre Gucci, coupa court à leurs récriminations :

— Je connais ce dossier par cœur et je sais que les deux tiers du prix de chaque portefeuille vendu servent à payer vos avocats. Ce qui s'est passé est limpide, dit-elle en abattant son maillet sur sa table. On vous a poignardés dans le dos.

L'allégresse que Maurizio avait éprouvée en rachetant les parts de son cousin était tempérée par un déluge de problèmes judiciaires. Le 14 décembre 1987, un magistrat milanais réclama son inculpation pour l'imitation de la signature de Rodolfo au bas des actes de cession. Le jugement fut renvoyé au mois d'avril 1988. Dans les charges retenues contre lui, Maurizio n'avait pas seulement fait usage d'un faux, mais devait en outre à l'État 31 milliards de lires (environ 24 millions de dollars) en impayés d'impôts ou d'amendes. Il fut également inculpé, le 25 janvier 1988, pour fuite de capitaux dans l'achat du *Creole* et, le 26 février, pour avoir versé à Paolo 2 millions de dollars à Genève.

Cependant, dès le mois de juillet, la chance tourna en sa faveur : ses avocats s'entendirent avec les magistrats de Milan et obtinrent la suppression du mandat d'arrêt dont il était l'objet. En échange, il s'engageait à répondre de ses actes devant la justice, avec la promesse qu'il n'irait pas en prison. Au mois d'octobre, il comparut devant un tribunal milanais et, pour se laver des accusations de faux et usage de faux, produisit devant la cour le testament de son père.

Le 7 novembre, Maurizio, reconnu coupable de fraude fiscale, était condamné à un an de détention avec sursis et au remboursement de l'intégralité des arriérés d'impôts et de droits de succession. Ses avocats firent aussitôt appel et parvinrent à un arrangement financier, en vertu duquel le tribunal rétablissait son droit de vote au sein du conseil d'administration. Le 28 novembre, il était blanchi des charges de violation des lois concernant le contrôle des changes, grâce à une réforme légale survenue à point nommé. Ainsi Maurizio se libérait-il peu à peu des mailles du filet.

Dans l'intervalle, Morante avait contacté ses deux autres cousins. Roberto et Giorgio détenaient chacun 23,3 % de Guccio Gucci, 11,1 % de Gucci America, et diverses parts dans les sociétés étrangères. Aldo avait conservé 16,7 % de Gucci America en sus de ses actions dans les sociétés internationales. Andrea rencontra Roberto dans les bureaux de l'avocat florentin de Gucci, Graziano Bianchi, un stratège fin et cultivé, à la personnalité machiavélique et à l'intelligence hors du commun. Morante se présenta comme gérant de portefeuille chez Morgan Stanley, expliqua aux deux hommes qu'il avait une affaire très importante à discuter avec eux. Bianchi le fouilla lui-même pour s'assurer qu'il n'avait pas dissimulé de micro-espion dans ses vêtements. Roberto resta debout. Morante, assis dans un fauteuil devant l'imposant bureau, alla droit au but :

— Je suis venu vous annoncer qu'un changement s'est produit dans la structure d'actionnariat de Gucci.

Ses deux interlocuteurs le dévisagèrent, abasourdis.

— Morgan Stanley a racheté les parts de Paolo Gucci, ajouta-t-il.

Bianchi eut un rire cynique. On aurait dit qu'il pressentait depuis toujours qu'un tel coup de théâtre risquait de survenir.

Roberto se figea.

Morante leur laissa le temps d'absorber l'information. La voix rocailleuse de Bianchi rompit le silence.

— *Ecco !* Roberto ! dit-il en désignant Andrea de la main. Notre nouvel actionnaire !

Mais le financier n'en avait pas fini :

— Ma visite n'a pas pour unique but de vous informer d'événements passés : elle vise également à vous avertir que nous n'en resterons pas là. Nous agissons pour le compte d'un investisseur d'envergure internationale qui, à ce stade, préfère conserver l'anonymat. Nous nous sommes engagés à aller plus loin.

Il fit une pause. Les yeux de Bianchi pétillaient : l'avocat réfléchissait à vive allure. Roberto s'effondra sur une chaise, le visage contracté par la douleur, accablé par la trahison de son frère, la possible victoire de Maurizio, les conséquences que ce revirement aurait pour lui et pour sa famille.

Une fois sorti, Morante se rendit chez Prato, où il brossa le même tableau à Annibale Visconti, l'expert-comptable de Giorgio. Ensuite, il s'entretint avec Alessandro, le fils de ce dernier, qui représentait son père. Il entama des négociations avec les deux camps séparément.

Morgan Stanley conclut un accord avec Giorgio au début du mois de mars 1988 et avec Roberto à la fin du mois. Au bout du compte, ce dernier insista pour conserver 2,2 % des parts, dans le vain espoir de s'allier avec Maurizio, qui déclina son offre.

Pour l'extérieur, il devint clair que quelque chose de grave se tramait au sein de la maison Gucci et les journalistes spéculèrent un temps sur la situation. En avril 1988, Morgan Stanley révéla avoir acheté 47,8 % du groupe au nom d'un investisseur international, dont le nom ne fut pas cité. En juin 1988, Investcorp mit cartes sur table et confirma son acquisition de « presque 50 % des titres Gucci ». Roberto ne renonça à ses 2,2 % qu'en mars 1989, après avoir essuyé un refus de la part de Maurizio. Il en conserve, encore à ce jour, une terrible amertume.

« C'était comme perdre ma mère », dirait-il des années plus tard.

Restait à Investcorp à acquérir les 17 % d'Aldo dans Gucci America, afin de rassembler la moitié des avoirs du groupe. Paul Dimitruk appela Morante et lui annonça qu'il était temps de passer à l'action.

En janvier 1989, Morante s'envola pour New York à bord du Concorde. Il devait voir Aldo chez lui, à deux pas de la boutique de la Cinquième Avenue. Exclu des bureaux de la compagnie, le « gourou de Gucci » donnait ses rendez-vous d'affaires à son domicile. Quand le banquier arriva en fin d'après-midi, Aldo lui ouvrit en personne et le conduisit vers un salon élégant. Au fil des ans, il avait couvert les murs d'une mosaïque de photographies le représentant en compagnie de vedettes et de chefs d'État, ainsi que de plaques, diplômes et clés symboliques de l'apport de Gucci aux États-Unis. D'autres souvenirs étaient disposés çà et là sur des tables basses ou des guéridons. Aldo proposa à Morante une tasse de café, qu'il alla préparer lui-même.

« Je fus frappé par la manière dont il se sentait intégré en Amérique, où il avait recueilli un succès extraordinaire, sans pourtant jamais s'adapter à son système fiscal, confie Andrea. Il profitait de la célébrité et de l'aura que le pays lui avait données, mais il n'avait pas accepté les règles du jeu, et il l'avait payé cher. »

Aldo, qui connaissait fort bien la raison de la visite de Morante, s'était habillé impeccablement pour l'occasion et se mit en devoir d'impressionner son invité. Il lui résuma son aventure – les inaugurations de boutiques, les prestigieux articles, les galas de bienfaisance, les prix remportés – tout en lui jetant des coups d'œil furtifs de derrière ses lunettes à la manière d'un félin. Il dominait la conversation et Morante mesurait le charisme de ce personnage. Assurément, Maurizio tenait de son oncle ses talents de conteur, sa vitalité, son sens de l'anecdote.

Quelques heures plus tard, l'orateur conclut enfin son récit.

— Maintenant, nous pouvons discuter de ce pour quoi vous êtes venu.

Aldo savait qu'il n'avait pas d'autre choix que de vendre ; ses fils, à qui il avait généreusement cédé ses titres de son vivant, avaient déjà quitté le navire. Il devait en faire autant : avec seulement 17 % de Gucci America, il ne jouissait plus d'aucune autorité sur le devenir de la firme. Tout à coup, son ton se chargea de colère :

— Je veux être sûr d'une chose : que mon *bischero* de neveu n'a rien à voir là-dedans ! S'il gagne, ce sera la fin de tout ce que j'ai créé ! J'aime encore Maurizio, malgré nos différends. Mais je vous préviens : il n'a pas l'envergure qu'il faut pour revêtir le manteau de Gucci ! Il ne sera pas capable de mener la compagnie de l'avant.

Morante répliqua qu'il travaillait pour une institution internationale et lui fit miroiter la perspective de rester actif dans la maison par le biais d'un contrat de consultant.

« Il savait qu'il avait perdu la partie et qu'il ne pouvait pas négocier grand-chose, mais l'impression de garder son honneur intact – ainsi que certaines fonctions – était pour lui question de vie ou de mort. J'avais le sentiment que, s'il cédait sur tous les points, il en mourrait. On aurait dit qu'il s'amputait d'un membre. Et, à ce moment-là, il haïssait ses enfants pour ce qu'ils lui avaient fait. Après tout ce qu'il leur avait donné, il ne lui restait plus rien. »

En avril 1989, Investcorp dépêcha Rick Swanson à Genève pour conclure l'accord avec Aldo. C'était le terme d'un processus enclenché dix-huit mois plus tôt, l'une des acquisitions les plus longues, les plus complexes et les plus secrètes du genre.

« Par miracle, personne ne nous identifia jusqu'à la fin, se rappelle Swanson. Pendant plus d'un an et demi, avocats, banquiers, experts avaient travaillé sur l'affaire. Or, normalement, en Italie, dès qu'on éternue, tout le pays est au courant ! »

L'acquisition des 50 % de Gucci par Investcorp marqua un nouveau tournant dans l'histoire de la maison. C'était la première fois depuis sa création qu'un étranger détenait une part aussi importante des actions de la compagnie. Plus grave encore : Investcorp n'était pas une personne privée mais un organisme financier complexe, sans état d'âme, désireux d'obtenir des dividendes importants pour ses clients. Il allait néanmoins faire preuve, par la suite, de plus de patience et de compréhension que bon nombre de ses semblables.

La dernière entrevue avec Aldo se tint à Genève, dans un cabinet d'avocats. Les hommes d'Investcorp avaient peine à croire qu'ils étaient parvenus au terme de leur long voyage. En proie à une soudaine angoisse, ils s'étaient préparés au pire : que se passerait-il s'ils viraient l'argent sur les comptes d'Aldo et que celui-ci disparût avec les actes de cession et les laissât bredouilles ?

L'équipe d'Investcorp s'aligna d'un côté de la table de réunion, Aldo et ses avocats prenant place de l'autre. Les documents étaient posés devant Aldo. Tous attendaient l'appel de la banque confirmant que le virement était bel et bien arrivé.

Swanson se souvient de la tension qu'il éprouva alors :

« C'était tellement étrange : tout avait été négocié et signé. Nous n'avions plus rien à nous dire et nous patientions ensemble, en silence, devant le téléphone. »

Quand la sonnerie retentit enfin, tous sursautèrent. Swanson saisit le combiné.

« Lorsque j'ai raccroché et que j'ai annoncé que l'argent était parvenu à bon port, Aldo se releva sur son siège et nos avocats s'inclinèrent vers les actes de cession. Nous étions tous fébriles ! »

Aldo cligna les yeux, ébahi, les actions dans les mains. Puis il se leva, marcha droit vers Dimitruk et lui tendit le paquet de feuilles avec panache.

« Ces Gucci ! Quels acteurs ! Ils n'ont jamais cillé ! » se rappelle Swanson.

L'ouverture d'une bouteille de champagne rompit le silence. Dimitruk fit un petit discours qui retraçait l'héritage d'Aldo et ce qu'il avait accompli. Ensuite, le « gourou » prit la parole, la gorge nouée, impuissant à maîtriser ses larmes. À l'âge de quatre-vingt-quatre ans, il était contraint de passer à la trappe, comme ses fils.

« Quand nous eûmes fini, personne ne sut quoi ajouter et il y eut un silence gêné », affirme Swanson.

Aldo enfila son manteau de cachemire, coiffa son feutre ; ses conseillers en firent autant, puis ils se serrèrent la main et sortirent dans la nuit froide de Genève.

Trente secondes plus tard, Aldo revenait sur ses pas : ultime humiliation, son taxi lui avait fait faux bond.

Quarante-huit heures après, il envoyait ses notes de frais de transport et d'hôtel à Swanson. Celui-ci s'en amuse encore :

« C'était du Gucci pur cru ! »

Guccio Gucci *(à droite)*, vers 1904, aux côtés de ses parents,
Gabrielle et Elena. Avec l'aimable autorisation de Gucci

Des artisans au travail dans la Via delle Caldaie.
Avec l'aimable autorisation de Gucci

Rodolfo Gucci, à ses débuts au cinéma.
Martinis/Croma

À gauche, Sandra Ravel (Alessandra Winklehaussen) dans *Those Three French Girls*, avec les deux actrices, Fifi Dorsay et Yola D'Avril, 1931.
Farabolafoto

Vasco, Aldo et Rodolfo Gucci à bord d'un avion
en partance pour New York. Martinis/Croma

Vasco *(à gauche)* et Rodolfo Gucci *(à droite)* avec un visiteur, devant
la vitrine du magasin Gucci à Rome. Martinis/Croma

Vasco et Aldo Gucci à New York.
Martinis/Croma

Rodolfo Gucci conseillant une cliente dans le magasin de Milan,
Via Monte Napoleone.
Farabolafoto

Maurizio Gucci enfant, skiant
avec des amis à Saint-Moritz.
Martinis

Sophia Loren, à la sortie du magasin
Gucci de Rome, Via Condotti.
Farabolafoto

Jackie Onassis,
vers 1979, arborant
son sac « Jackie »
Farabolafoto

Paolo Gucci.
Edelstein/Grazia Neri

Maurizio et Patrizia
Gucci, à l'heureuse
époque de leur mariage.
Pizzi/Giacomino Foto

Maurizio, Allegra, Alessandra et Patrizia Gucci.
Armando Rotoletti/Grazia Neri

Maurizio Gucci dans
son bureau de Milan
avec derrière lui
une photo de Rodolfo
et Guccio, 1990.
Art Streiber

Le sac à l'anse
de bambou.
Avec l'aimable
autorisation de Gucci

Tom Ford et Dawn Mello dans
leur restaurant favori à Milan, Alle Langhe.
Davide Maestri

Maurizio Gucci et Paola Franchi dans le salon
de leur appartement sur le Corso Venezia, 1994.
Massimo Sestini/Grazia Neri

Le corps de Maurizio Gucci sorti de l'immeuble
de la Via Palestro, le 27 mars 1995.
Farabolafoto

Allegra Gucci, Patrizia Reggiani et Alessandra Gucci
aux funérailles de Maurizio Gucci.
Farabolafoto

Patrizia, chez elle, après la mort de Maurizio.
Palmiro Mucci

Tom Ford,
directeur artistique
de la maison Gucci.
Avec l'aimable
autorisation de Gucci

Domenico De Sole, P-DG de Gucci.
Avec l'aimable autorisation de Gucci

Le mannequin
Amber Valetta qui a
redonné du piment
à la griffe Gucci,
lors du défilé
de mars 1995.
Avec l'aimable
autorisation de Gucci

La nouveauté de la
collectioin de janvier 1997 :
le Gucci G-string.
Giovanni Giannoni

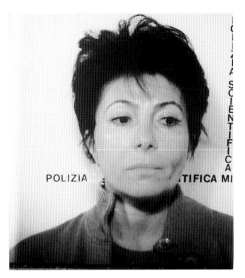

Patrizia Reggiani Martinelli au moment
de son arrestation. Farabolafoto

Pina Auriemma, « La sorcière noire », et son avocat.
Farabolafoto

Benedetto Ceraulo,
le tueur présumé,
et Orazio Cicala,
le conducteur
de la voiture qui
a servi au crime,
lors du procès.
Farabolafoto

(De gauche à droite) Alessandra et Allegra Gucci,
Silvana Reggiani et Patrizia Reggiani Martinelli
avec leur avocat, Gaetano Pecorella, lors du procès.
Farabolafoto

Alessandra Gucci
en couverture de
l'hebdomadaire
italien *Sette*, dans
un numéro de
1998, intitulé
« Personne
n'a le droit de
nous juger ».
Photographie de
Armando Rotoletti

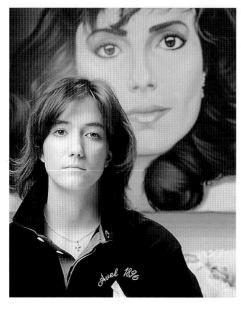

Allegra Gucci,
Corso Venezia,
posant devant
le portrait
de sa mère.
Rotoletti/Grazia Neri

La dynastie Gucci *(de gauche à droite)* :
Giorgio, Maurizio, Roberto, Aldo, Alessandro, Paolo,
Elisabetta, Patrizia, Guccio et Rodolfo *(devant)*.
Avec l'aimable autorisation de Gucci

10

Américains

Par une chaude matinée du mois de juin 1989, Maurizio accueillait Dawn Mello, présidente de Bergdorf Goodman, dans la suite qu'il avait réservée exprès pour leur rendez-vous à l'hôtel Pierre de New York.

— Mademoiselle Mello ! Quel plaisir de vous voir ! lui dit-il avec emphase en l'invitant à entrer dans la pièce.

Il avait cherché à la joindre pendant des semaines, mais elle ne l'avait rappelé que huit jours plus tôt. Il souhaitait qu'elle l'aide à réaliser son rêve pour Gucci.

— Ma famille a détruit la marque et je vais la ressusciter ! lui dit-il.

Dawn Mello l'écoutait en silence, étonnée par la qualité de son anglais. Elle-même était devenue une star en redonnant vie à Bergdorf Goodman. Maurizio savait que l'impressionner ne serait pas une tâche facile. Des années plus tôt, Aldo avait identifié en elle une femme dotée d'un juste équilibre entre l'intelligence et l'élégance nécessaire à Gucci et avait essayé de l'embaucher à plusieurs reprises, sans résultat.

Les premiers appels de Maurizio dataient de mai 1989. Il venait tout juste de reprendre le contrôle de Gucci et, grâce à son alliance avec Investcorp, avait été élu président du groupe à l'unanimité le 27 mai 1989. Comme Mello tardait à lui répondre, il demanda son concours à Walter Loeb, analyste de Wall Street.

— Maurizio Gucci est impatient de vous parler, dit-il à Dawn. Pourquoi ne donnez-vous pas suite à ses coups de téléphone ?

— Je ne suis pas intéressée ! répliqua-t-elle. J'adore mon magasin. Je ne veux pas partir. Que puis-je faire pour lui ?

Elle avait été nommée présidente de la chaîne en novembre 1983 et jouissait de tous les avantages afférents à ce poste, y compris un bureau idyllique doté d'une gigantesque baie vitrée donnant sur la Cinquième Avenue, vers Central Park. Au pinacle du marché du luxe au détail, après trente-quatre ans de métier, elle n'était pas prête à tout abandonner pour un bel Italien – même s'il s'appelait Gucci !

— Par amitié pour moi, allez donc lui parler, la supplia Loeb.

Mello finit par céder.

Avant d'aller à son rendez-vous avec Maurizio, ce matin-là, elle contempla par la fenêtre de son bureau l'entrée de l'hôtel Pierre. « Quelle perte de temps ! » se dit-elle, irritée. Elle croulait sous le travail et avait espéré liquider sa correspondance avant sa réunion en début d'après-midi. Elle regrettait d'avoir consenti à rencontrer le sieur Gucci.

Dawn Mello était originaire de Lynn, une petite ville industrielle au nord de Boston. Depuis l'enfance, la mode la passionnait. Elle créait des vêtements pour ses poupées, empruntait les tenues de sa mère pour se déguiser. Elle s'inscrivit donc à la Modern School of Fashion and Design de Boston et, le soir, prit des cours de dessin et de peinture au Boston Museum of Fine Arts. Mais, après s'être blessé la main dans un accident de voiture, elle dut changer d'orientation. Elle n'avait pas encore vingt ans quand elle s'installa à New York et entama une carrière de mannequin. Ce travail l'ennuya bien vite. Elle voulait davantage. En cachant son âge, elle décrocha un emploi chez Lane Bryant, où elle fut chargée d'ouvrir une chaîne de magasins destinés aux femmes de grande taille. Elle suivit un stage de formation et fit ses premières armes.

« C'était une formidable aventure ! explique-t-elle. Je n'avais jamais quitté Boston, hormis un bref intermède à New York. J'avais un maigre salaire, des frais de représentation ridicules, mais je savais que j'étais sur la bonne voie. »

Ensuite, elle entra au service de formation chez B. Altman, dans l'attente qu'un poste se libère. À l'époque, B. Altman était un grand magasin imposant qui occupait un immeuble entier à l'angle de la 34e Rue et de la Cinquième Avenue. Considéré comme le Harrod's de Manhattan, il proposait des produits raffinés à un public fidèle. L'heure de Mello sonna en 1955, quand Betty Dorso, la talentueuse journaliste du magazine *Glamour*, prit la fonction de directrice de mode et embaucha Dawn comme assistante.

« Elle m'a tout appris, déclare Mello. Fan de Chanel, elle portait des cardigans, des corsages de soie et des jupes plissées – ce qui était alors très avant-gardiste. Je la suivais, copiant à moindres frais son allure et imitant même sa démarche. »

Elle eut un premier aperçu de la mode européenne lorsque Dorso rapporta des défilés parisiens des modèles, que le magasin allait faire reproduire par des ouvriers sur la Septième Avenue. Les grands couturiers tels que Balenciaga, Yves Saint Laurent, Pierre Balmain ou Nina Ricci ne s'étaient pas encore lancés dans le prêt-à-porter.

« Il y avait alors un gouffre entre les créateurs et les fabricants de vêtements », dit Mello.

En 1960, la May Department Store Company embaucha Mello comme directrice de mode. Onze ans durant, elle travailla d'arrache-pied pour être nommée directrice commerciale générale et vice-présidente.

« C'est là que j'ai appris les bases de ce métier – notamment qu'il faut enfiler un pantalon une jambe après l'autre. »

Elle tomba amoureuse du président de la compagnie, Lee Abraham, et l'épousa.

« Je devais quitter mon emploi ou travailler pour mon mari », se rappelle-t-elle avec humour.

En 1971, elle réintégra B. Altman comme directrice de mode sur la proposition d'Ira Neimark. Ce dernier avait également œuvré au sein de la May Company et connaissait son talent. Ils formèrent un tandem soudé et efficace, lui avec son sens aigu du commerce, elle avec son don pour la créativité et l'élégance.

Dans ce monde éminemment masculin, elle n'avait pas sacrifié sa féminité. Timide mais déterminée, elle dégageait une élégance un peu réservée. Ceux qui la côtoyaient assidûment – notamment les plus jeunes à qui elle prodiguait encouragements et promotions – découvraient en elle une amie chaleureuse.

Elle faisait figure d'exception dans le milieu de la vente non seulement parce qu'elle était une femme de pouvoir, mais aussi grâce à son approche originale de sa profession.

« J'ai eu la chance de rencontrer des gens qui m'ont incitée à développer mon sens de la mode. Tandis que mes homologues se souciaient de la sélection et du prix des articles, je faisais fonctionner mon imagination. »

Elle avait l'œil pour les produits haut de gamme et le don d'anticiper les tendances. Sachant repérer de jeunes talents, elle introduisit de nouvelles marques dans les magasins sous sa tutelle. Afin de rester compétitive, elle posait des conditions draconiennes à ses partenaires et cherchait autant que possible à s'arroger l'exclusivité de ses fournisseurs. Le jour où elle arriva chez Bergdorf, elle s'était taillé une réputation internationale non seulement parmi les couturiers et les détaillants, mais également auprès des plus célèbres journalistes de mode.

— Gucci doit reconquérir l'image de ses débuts, lui dit Maurizio dans la chambre de l'hôtel Pierre. Notre marque a perdu de son prestige ces dernières années. Je souhaite lui restituer l'âme qu'elle avait dans les années 1960 et 1970. Il nous faut regagner la confiance du public. Je veux recréer l'enthousiasme.

Dawn Mello se souvenait fort bien de ce qu'était l'enseigne au faîte de sa gloire. Quand elle travaillait chez Lane Bryant, elle avait économisé une semaine de salaire pour s'offrir son premier article Gucci, une besace en daim de porc, qui coûtait 60 dollars.

Elle se rappelait aussi le temps où de longues files d'attente se formaient devant l'entrée de la boutique de la Cinquième Avenue à l'heure du déjeuner. La cordialité et l'enthousiasme de Maurizio firent peu à peu tomber ses préventions. Elle comprit en un rien de temps ce qu'il souhaitait accomplir. Le nom de Gucci avait été galvaudé. Les sacs à main de toile aux deux G entrelacés étaient devenus monnaie courante. Les petits revendeurs de drogue avaient adopté les baskets Gucci comme signe distinctif et des rappeurs scandaient son nom dans une chanson. Pour Maurizio, il fallait repartir de zéro et raviver la gloire d'antan, le luxe, la qualité, le style.

— J'ai besoin de quelqu'un qui se souvienne de Gucci au sommet, qui puisse croire en sa résurrection, qui comprenne le marché actuel. J'ai besoin de vous ! dit-il en regardant Mello droit dans les yeux.

Quand elle sortit enfin de l'hôtel, deux heures et demie plus tard, dans la chaleur du mois de juin, elle éprouvait une sensation vertigineuse. Elle venait d'être sollicitée pour contribuer à la naissance du nouveau Gucci.

« J'avais l'impression que mon existence était bouleversée », confie-t-elle.

Il ne fallut pas longtemps pour que la nouvelle se propageât dans tout New York. Bientôt, Domenico De Sole commença à recevoir des appels de ses employés et des responsables des achats de la ville, tous désireux d'obtenir confirmation. Mais, comme Maurizio ne lui avait rien dit de son désir de recruter Mello, il démentit avec vigueur la rumeur. L'avocat annonça à ses correspondants que ces bruits n'étaient pas fondés – avant de découvrir, peu après, qu'il s'agissait bien de la vérité et qu'on n'avait pas pris la peine de l'en informer.

Blessé, De Sole donna sa démission, en déclarant qu'il pouvait fort bien réintégrer son cabinet de Washington. Maurizio refusa et lui demanda de poursuivre son travail au sein de Gucci America.

« Il avait pris goût au pouvoir, dit De Sole. On l'avait maltraité toute sa vie – son père, sa femme, les autres membres de sa famille. Soudain il revenait aux commandes, il était président-directeur général de Gucci ! Investcorp, Dawn Mello et bon nombre de gens lui témoignaient un respect sans bornes et il se croyait invincible. Pour ma part, je lui inspirais une certaine gêne. C'est moi qui étais venu à bout d'Aldo. J'étais avocat. Je le respectais, mais il ne m'impressionnait pas et m'intimidait encore moins. J'étais le seul à ne pas me prosterner devant lui. Quand il m'a dit : "Réduisons la vente en gros", j'ai rétorqué : "Êtes-vous sûr de vouloir le faire ? Ce secteur rapporte beaucoup. Pouvons-nous nous le permettre ?" La notion d'argent lui échappait totalement. »

De Sole conserva son poste dans Gucci America. Dawn Mello s'installa en Italie au mois d'octobre 1989. En qualité de directrice artistique, elle touchait un salaire équivalant au double de ses émoluments chez Bergdorf et bénéficiait d'une foule d'avantages : logements luxueux à Milan et à New York, allers-retours en Concorde, voiture de fonction avec chauffeur pour un coût total d'un million de dollars. Son arrivée chez Gucci fit grand bruit dans le milieu de la mode à Manhattan.

« Le fait que Gucci ait pris l'initiative de recruter une Américaine de cette stature faisait tourner les têtes, explique Gail Pisano, vice-présidente et directrice commerciale de Saks Fifth Avenue. Véritable visionnaire, Dawn avait de l'expérience, se passionnait pour la mode et comprenait parfaitement le consommateur new-yorkais. »

D'aucuns jugeaient insensée cette décision d'abandonner sa situation exceptionnelle chez Bergdorf pour intégrer le clan Gucci, réputé imprévisible et déraisonnable.

— Elle ne pourra pas opérer de miracles, affirmait un de ses condisciples, sous couvert de l'anonymat, au magazine *Times*. Le déclin de la marque est irréversible.

Son embauche coïncidait avec l'époque où de grandes maisons de haute couture commençaient à recruter de jeunes créateurs anglais ou américains. La famille Gerani, de Cattolica, signa avec les Américains Marc Jacobs et Anna Sui, pendant que Ferragamo se tournait vers Stephen Slowik pour remonter sa ligne de prêt-à-porter. En coulisses, Versace, Prada, Armani et d'autres cueillaient des talents à peine sortis de prestigieuses écoles de mode outre-Manche, outre-Atlantique et en Belgique.

Mello devint l'aimant qui attira les aspirants couturiers les plus prometteurs. Elle engagea Richard Lambertson, jeune styliste new-yorkais. David Bamber, aujourd'hui directeur du département de création chez Gucci, travaillait avec bonheur chez Calvin Klein quand elle le contacta.

« Je ne songeais pas à partir, se rappelle-t-il. Mais, lors de notre premier rendez-vous, elle m'a expliqué en détail ce qu'elle comptait faire de Gucci. Elle m'a impressionné, et je me suis dit que ce devait être du solide. »

Quelques mois plus tard, il venait gonfler les rangs de son équipe à Milan.

Mais l'arrivée de Mello ne se fit pas sans heurts. Fidèle à lui-même, Maurizio n'avait prévenu personne de son intégration, pas même Brenda Azario, à la tête du service création de prêt-à-porter. Quand son patron s'était réfugié en Suisse, cette dernière s'était chargée de la coordination pour l'ensemble des collections Gucci, avec courage et détermination. Lorsque Dawn Mello fit son apparition un matin, Brenda quitta les lieux, en larmes.

« Le problème n'était pas tant que notre nouvelle directrice était américaine ou qu'elle ne parlait pas italien, explique Rita Cimino. C'était la manière dont Maurizio s'y était pris : il ne l'avait présentée à personne. Pour couronner le tout, il lui avait conseillé de rendre visite à certains de nos fournisseurs, qui nous ont immédiatement appelés afin de savoir ce qui se passait. Ce n'était pas agréable du tout. »

Maurizio finit par réunir tout le personnel de Florence pour leur présenter officiellement Dawn Mello. C'était trop tard : les employés nourrissaient à son encontre quantité de préjugés. Au milieu des grognements de mécontentement et des appels au calme, l'un d'eux se leva et s'exclama :

— J'aimerais savoir pourquoi nous devrions vous obéir. D'abord, on nous a imposé « la maîtresse d'école » [surnom donné à Martellini], et maintenant une *signora* américaine de New York !

Ses collègues le firent taire avant qu'il eût fini sa diatribe.

Maurizio, soucieux de ne pas décourager Mello, la traitait avec les plus grands égards : il l'installa dans un superbe appartement dans le quartier chic de Brera, dont la terrasse donnait sur les jardins de Giorgio Armani, et l'emmena souvent déjeuner dans les meilleurs restaurants de la ville.

En outre, il l'accompagna chez les plus anciens fabricants de Gucci, lui enseigna tout ce qu'elle devait savoir à propos du cuir, du tannage, de la couture des sacs, des traditions et des racines de la maison.

« Maurizio touchait les peaux sans arrêt, me demandait de l'imiter et de lui faire part de mes sensations », confie-t-elle.

Mello n'était pas femme à se laisser démonter par l'accueil mitigé qu'elle avait reçu. Maurizio lui avait donné les pleins pouvoirs, et elle était persuadée que ses vastes desseins étaient réalisables. Aussi retroussa-t-elle ses manches et se mit-elle au travail.

« Ma première tâche consistait à comprendre l'entreprise, se souvient-elle. Les membres de la famille lui avaient fait perdre sa valeur historique et avaient hissé des gens médiocres à des postes importants. Le moral était au plus bas. Il nous fallut longtemps avant de convaincre les employés de Florence du bien-fondé de nos projets. Mais, une fois acquis à notre cause, ils se révélèrent formidables. »

Maurizio se disait enchanté de sa nouvelle équipe. Outre Dawn Mello, il s'était assuré la collaboration de Pilar Crespi, ex-directrice des relations publiques pour la branche new-yorkaise de la maison Kriza, et de Carlo Buora, de chez Benetton, qui reprit en main les finances et la direction administrative.

En 1990, après un passage chez Investcorp, Andrea Morante se vit confier la gestion de Gucci. Kirdar lui avait en effet proposé de rejoindre ses troupes suite au rachat des parts Gucci. Il craignait que les rapports étroits que Maurizio et Paul Dimitruk entretenaient ne nuisent à l'impartialité de ce dernier et que son engouement pour l'enseigne ne mette en péril son allégeance à Investcorp. Un article dans le *Financial Times* annonçant que Dimitruk avait été nommé vice-président de Gucci incita Kirdar à dessaisir Paul du dossier et à le confier à Andrea Morante. Contrarié par la décision de son patron, Dimitruk démissionna en 1990.

« Nemir voulait un homme qui connût intimement l'histoire de Gucci, mais qui en fût moins "amoureux", se rappelle Morante. Or, ce changement était bienvenu dans ma vie, alors j'ai accepté. »

En réalité, Investcorp lui avait fait une offre impossible à refuser : un poste important au sein du comité de gestion et une autorisation de travailler étroitement avec Maurizio.

« Il s'agissait d'une permission tout à fait exceptionnelle, parce qu'Investcorp ne laissait jamais ses cadres dirigeants s'impliquer autant dans l'affaire d'un client. »

Morante se rendit à Milan pour aider Maurizio à chasser de nouvelles têtes et restructurer les aspects commerciaux et administratifs du groupe. Il commença également les pourparlers avec le Japon afin de racheter les franchises nippones et assainir la logistique et le commerce. La relation de travail entre les deux hommes se renforça et, inévitablement, Morante se passionna pour l'idée de Maurizio. Nemir Kirdar fut prompt à réagir : « Il paraissait clair que j'étais, moi aussi, tombé "amoureux" de Gucci – pas d'Investcorp. Et Nemir était convaincu que je prendrais systématiquement le parti de Maurizio. »

Lors de la réunion annuelle du comité de gestion à Bahreïn en janvier 1990, Kirdar convoqua Morante dans son bureau et lui proposa une nouvelle mission exaltante : superviser le rachat de Saks Fifth Avenue à New York. Cependant, cela impliquait qu'il prenne ses fonctions dès le lendemain matin.

Le regard de Morante se perdit dans l'extraordinaire paysage de désert et de mer qui s'offrait à sa vue derrière la baie vitrée.

« Je me sentais déchiré. J'étais devenu un point de référence pour beaucoup de personnes : Dawn Mello, Carlo Buora, et tous ceux à qui nous avions parlé ou demandé d'entrer chez Gucci. »

Il exposa la situation à Nemir, en le priant de lui donner soixante jours pour régler les derniers détails.

L'Irakien le darda de ses yeux brillants.

— Vous ne comprenez pas, Andrea, je vous donne vingt-quatre heures. C'est pour moi le moyen de mesurer votre loyauté. Vous devez me montrer que vous êtes un soldat d'Investcorp.

— Je ne peux pas le faire en un délai si court, répliqua Morante.

Kirdar se leva de son siège, avança vers son collaborateur et l'étreignit.

« Il s'agissait d'un au revoir », explique Morante.

Quand ce dernier appela Maurizio pour lui annoncer qu'il se retrouvait sans emploi, le président de Gucci l'engagea sur-le-champ pour rejoindre ceux qu'il appelait ses *moschiettieri* – ses mousquetaires.

11

Une journée au tribunal

Le 6 décembre 1989 au matin, Maurizio, flanqué de deux avocats, gravit les marches de béton devant le palais de justice de Milan, traversa les longs couloirs et prit place au premier rang, en face du juge Luigi Maria Guicciardi de la cour d'appel de Milan. Me Vittorio D'Aiello, l'un des pénalistes les plus éminents de la ville, s'assit à la droite de son client, tandis qu'à sa gauche s'installa Me Giovanni Panzarini, spécialiste du civil, les yeux à demi clos. Maurizio se cala dans son siège en silence, vêtu de son costume croisé gris, les mains jointes devant lui. Les trois hommes se raidirent à la sonnerie annonçant l'arrivée de Guicciardi, puis se levèrent. Quelques secondes plus tard, celui-ci faisait part de sa décision :

— Au nom du peuple italien, la cour d'appel de Milan…

Nerveux, Maurizio serra la mâchoire : le magistrat allait soit effacer pour de bon ses ennuis judiciaires, soit entacher à jamais sa réputation et alourdir l'addition qu'il devait au fisc. Un an plus tôt, l'inculpation de faux et usage de faux l'avait laissé presque indemne – puisqu'il avait écopé d'une condamnation avec sursis et gardé un casier judiciaire vierge. En revanche, ce verdict représentait sa dernière chance de laver son nom une fois pour toutes. Aussi retint-il son souffle, les yeux rivés sur la robe du juge.

— … en révision de la sentence émise par une instance inférieure, absout Maurizio Gucci de toutes les charges pesant contre lui.

Pour Maurizio, ces paroles firent l'effet d'un rayon de soleil après une tempête. Il avait gagné ! Non seulement il avait survécu aux assauts judiciaires de son clan, mais il avait réussi à blanchir sa réputation deux ans et demi après avoir pris la fuite. Il étreignit D'Aiello et pleura. Ses partenaires de chez Investcorp se montrèrent ravis et rassurés de la tournure des événements – ils préféraient ne pas en savoir plus. Comme par miracle les promesses de Maurizio se réalisaient. En effet, certains cadres de chez Investcorp se souviennent qu'il était très confiant en l'issue du jugement.

Ce résultat en surprit plus d'un. Deux témoins avaient pourtant accablé Maurizio. Roberta Cassol, l'ancienne secrétaire de Rodolfo, avait expliqué en détail comment le faux avait été fabriqué avec l'aide de Liliana Colombo. Giorgio Cantini, le gardien de l'usine de Scandicci, avait assuré à la barre que les titres d'actions étaient bel et bien sous clé, dans le coffre-fort, le 5 novembre 1982 – date à laquelle Rodolfo était censé les avoir cédés à son fils – et qu'ils y étaient restés jusqu'après sa mort en mai 1983. En outre, pendant le procès et l'appel, quatre expertises graphologiques indépendantes avaient démontré que les signatures au bas des actes de cession correspondaient davantage à l'écriture de Liliana Colombo qu'à celle de son auteur présumé. Le procureur avait aussi fait examiner les timbres fiscaux joints aux actes de propriété au moment de la prétendue cession et l'analyse avait prouvé qu'ils dataient de trois jours après la mort de Rodolfo !

Malgré ce faisceau de preuves, Maurizio avait triomphé. Ses défenseurs avaient argué que ses belliqueux cousins complotaient contre lui. Puis ils avaient jeté le doute quant à la certitude des conclusions graphologiques, invalidé le témoignage de Cassol, en expliquant qu'il s'agissait d'une employée licenciée en mal de vengeance, et soulevé l'éventualité que Rodolfo possédât un autre double de la clé du coffre-fort. Ils allèrent même jusqu'à suggérer que l'imprimerie de l'État avait diffusé des timbres fiscaux avant la date prévue, par erreur. Leurs arguments avaient-ils suffi à convaincre le juge ? Dans les attendus, Guicciardi avait dit qu'il était impossible de prouver catégoriquement la falsification des signatures. C'était donc à l'absence de preuves que Maurizio devait son acquittement.

« Ce fut la pire décision de justice que j'aie vue au cours de toute ma carrière ! » déclare le procureur Domenico Salvemini.

De recours en recours, il finit par porter le jugement devant la Cour de cassation, la plus haute instance juridique italienne, où il fut débouté.

« J'ai mon idée sur ce qui s'est produit, mais la décence me défend d'en parler », confie-t-il.

Ses amis rapportent qu'à l'époque, écœuré, il envisagea de changer de métier. Avec le temps, il devint plus philosophe : « Parfois, on n'obtient pas gain de cause devant un tribunal. C'est la vie ! »

Éperdu de joie, Maurizio se remit au travail avec une ferveur nouvelle, pendant que Mello et son bras droit Richard Lambertson s'initiaient aux rouages de la fabrication en Italie. Maurizio aimait bien Richard et le prit sous son aile.

« Il m'amena à l'usine de Florence et déclara devant tous : "Richard est quelqu'un de bien." Il nous est arrivé de passer une semaine entière sur la collection de bagages. Maurizio était fanatique ! Tout devait être parfait, jusqu'au dernier détail ! Nous avons restructuré tout l'équipement et mis au point un logo GG à apposer sur les vis des sacs. »

Mello et Lambertson firent la tournée des fabricants de Florence, qui leur dévoilèrent les ficelles du métier. Ainsi, ils découvrirent, par exemple, que les prix des articles Gucci étaient fixés en dépit du bon sens. Un foulard en soie coûtait plus qu'un sac à main ! Ils en comprirent bientôt la raison : les employés de Gucci, estimant qu'ils apportaient des marchés profitables aux fournisseurs de la région et attendant des gratifications en retour, recevaient des primes.

Mello, stupéfiée à plus d'un titre par l'univers dans lequel elle se retrouvait, se mit à recevoir des coups de téléphone anonymes la nuit : « *Signora, sono stanco di pagare il signor Palulla* », répétait la voix mystérieuse soir après soir. « J'en ai assez de payer M. Palulla. »

« Je n'y comprenais rien, mais ça m'a permis de prendre rapidement les décisions qui s'imposaient », avoue-t-elle.

Elle expliqua la situation à Maurizio qui consentit à opérer des changements, mais pas au rythme qu'elle escomptait.

Mello s'aperçut que les entreprises de Florence traitaient Gucci comme la reine de la ruche : ils le dorlotaient, le servaient, exauçaient ses requêtes déraisonnables, et en tiraient beaucoup d'avantages. Parmi les artisans, il était de notoriété publique que de temps en temps certains fournisseurs vendaient discrètement un ou deux sacs Gucci et empochaient l'argent.

« Gucci est une icône pour les Florentins, explique Mello. Ce n'est pas un client comme tant d'autres, mais une marque qu'ils convoitent. On ne saisit pas forcément le pouvoir qui découle de la possession de cette enseigne. »

Afin de répertorier les pertes, Mello souhaita créer des archives logiques et mieux organisées que la poignée de photographies ou d'échantillons en réserve. Elle avait déjà rassemblé quelques pièces repêchées sur le marché aux puces de Londres, fort bien fourni en articles de mode rétro. À l'époque, les jeunes Anglaises fouillaient les étals en quête de chaussures Gucci.

« Ces filles aimaient porter les mocassins pour hommes », se souvient Mello.

Avec Lambertson, elle décida de profiter de cette tendance. Ils redessinèrent le modèle féminin, de sorte qu'il fût plus sport.

« Nous nous sommes inspirés de la forme masculine, avons surélevé l'empeigne et l'avons décliné en seize coloris de daim. »

Un jour, Mello et Lambertson se rendirent dans les collines environnantes à la recherche d'un fabricant de joaillerie qui avait travaillé pour Gucci dans les années 1960. Ils trouvèrent un vieil homme ridé qui entretenait un poêle à charbon dans son petit atelier. Ses yeux s'illuminèrent quand ils lui confièrent le motif de leur visite. Il tira alors d'un petit coffre-fort des dizaines de croquis des bijoux en argent qu'il avait réalisés pour Gucci.

« Impressionnés, nous nous sommes assis par terre et avons passé en revue chaque dessin, rapporte Mello. C'était formidable. Il aurait pu en tirer cinq fois ce que nous lui avons versé en contrepartie. Il les avait soigneusement conservés, car il savait qu'un jour quelqu'un souhaiterait redresser Gucci. »

Elle réengagea le vieillard sur-le-champ.

Ensuite, ils s'employèrent à remettre au goût du jour le sac à anse de bambou, le fameux Model 0633. Pour le rendre plus pratique, ils l'agrandirent quelque peu, lui ajoutèrent une bandoulière amovible et le fabriquèrent en vachette et en croco. À l'automne, ils réalisèrent une version plus petite, la gamme « baby bambou », en satin, en chevreau et en daim, dans un éventail de teintes allant du rose dragée au jaune canari, en passant par le violet, le rouge, le bleu marine et l'indémodable noir.

Mello fut également la première chez Gucci à mesurer l'importance du phénomène Prada. Au milieu des années 1980, cette maison éveillait l'intérêt d'un petit groupe d'initiés dans les cercles de la mode milanaise. En 1978, Miuccia Prada avait inventé un sac de nylon en toile de parachute. Cette idée pourtant simple s'était révélée révolutionnaire : la plupart des sacs à main de l'époque étaient rigides et en cuir. En 1986, une jeune employée du département artistique de Gucci, supervisé par Giorgio et sa femme Maria Pia, produisit un échantillon du modèle Prada lors d'une réunion à l'usine de Scandicci.

« Le nom de Prada commençait à circuler dans le milieu milanais », explique Claudio Degl'Innocenti, que Maurizio venait d'embaucher pour concevoir une série d'objets-cadeaux, et coordonner la production.

Cependant, on ne fit pas grand cas de cet article, jugé insignifiant à côté des modèles sophistiqués de Gucci. Degl'Innocenti s'en souvient fort bien : « Il fallut attendre des années pour que Gucci envisage de créer des sacs souples, et même alors, cela engendra des conflits internes. Nous avons dû recycler le personnel, habitué à fabriquer des bagages rigides. »

Sachant qu'elle devait combiner la tradition Gucci et les courants les plus en vogue, Mello décida de répondre au besoin d'un sac souple en ressuscitant une pièce chère à sa jeunesse : la fameuse besace, qu'on pouvait aisément ranger dans une valise, épuisée depuis 1975.

Mais, malgré tous ces efforts, le « nouveau look » de Gucci demeura inaperçu : les défilés extravagants et les folles soirées d'Armani, de Valentino et de Gianni Versace fascinaient davantage le milieu de la mode.

« Personne ne venait nous voir, confie Mello. C'était un véritable problème. »

Comme, au printemps 1990, sa première collection, dans l'hôtel de la Villa Cora, avait été ignorée par la presse internationale, Mello eut une idée : elle demanda à sa secrétaire d'appeler les journalistes les plus en vue de New York, et d'envoyer à chacun une paire de mocassins à leur pointure.

« C'est comme ça que nous les avons eus ! » déclare-t-elle avec un sourire satisfait.

En janvier 1990, Maurizio adressa une lettre à six cent soixante-cinq détaillants américains pour annoncer la disparition immédiate de la Gucci Accessories Collection et la cessation de la vente en gros aux grands magasins. La nouvelle souleva un tollé général, dont Maurizio refusa de tenir compte. Domenico De Sole chercha à le dissuader, conscient que la ligne en toile constituait l'essentiel du marché Gucci aux États-Unis et permettait d'engranger quelque 100 millions de dollars par an. L'avocat prévint Investcorp des mesures prises et de leurs répercussions probables. Selon lui, mieux valait réduire l'activité de façon plus graduelle.

Or, Maurizio agit dans la plus grande précipitation et en profita pour mettre un terme à la commercialisation de la marque Gucci dans les magasins de duty-free partout dans le monde.

— Nous devons laver notre linge sale en famille, expliqua-t-il à Investcorp. Il faut assainir la maison et ensuite revenir sur le marché, en position de force.

Dans son esprit, cela impliquait d'effacer l'image « drugstore » de Gucci avant d'en redorer le blason. Dorénavant, l'enseigne se limiterait à ses soixante-quatre boutiques – que Maurizio s'attela à rénover avec l'aide de son ami, le décorateur d'intérieur Toto Russo.

Son vœu était que les clients aient l'impression de pénétrer dans un salon somptueux et agencé avec goût. Il ne laissa rien au hasard. Avec le concours de Toto Russo, il imagina un cadre et des vitrines tout à fait originaux en bois de noyer verni pour exposer les nouveaux accessoires et vêtements. Les présentoirs étaient constitués de verre taillé en biseau. Sur des tables rondes en acajou s'étalaient des spirales de foulards et de cravates en soie. Des lampes d'albâtre pendaient du plafond avec des chaînes en or, ce qui contribuait à rendre l'atmosphère chaleureuse, quasi familiale. Des tableaux agrémentaient les murs. À partir d'antiquités russes, Toto créa deux modèles de chaises, reproduits pour toutes les boutiques : la chaise du tsar, d'inspiration néoclassique, qui alla orner le rayon hommes, et le siège Nicoletta, plus délicat, qui trouva sa place dans le rayon femmes. Leur prix était exorbitant, mais Maurizio s'en moquait. Il voulait que ses magasins soient parfaits.

— Si nous voulons vendre une allure, il faut en avoir !

Mais pour Mello, le concept de Russo n'était pas assez vendeur, aussi fit-elle appel aux services de l'architecte américaine Naomi Leff, ce qui créa des frictions avec le décorateur italien.

Maurizio n'avait guère le temps ou la volonté d'éteindre l'incendie : ses plans l'accaparaient. Grâce à son effort d'inventorisation dans les années 1980, il parvint à réduire au tiers le nombre de produits de la marque – qui en avait compté jusqu'à vingt-deux mille ! Il retira du marché deux cent cinquante modèles de sacs à main, pour n'en commercialiser que cent et ramena à cent quatre-vingts les mille points de vente.

En juin 1990, la nouvelle équipe présenta sa première collection automne-hiver. Comme de coutume, Gucci loua des salles dans le vieux palais des congrès de Florence pendant un mois et invita pour l'occasion quelque huit cents acheteurs internationaux.

Mello et Lambertson avaient agencé les nouveaux sacs bambou, besaces et mocassins en un arc-en-ciel de couleurs. Quand Maurizio arriva sur les lieux, il déambula à pas lents entre les articles et les examina tous sans dire un mot. Puis il se mit à pleurer de joie.

Une fois le personnel et les acheteurs réunis, il souleva un sac bambou et s'écria :

— Voici ce pour quoi mon père a œuvré toute sa vie ! Voici ce que Gucci était !

Convaincu que la consolidation de ce nouveau statut passait par une implantation forte à Milan, Maurizio s'était mis en quête d'un nouveau quartier général dans la capitale économique et artistique de l'Italie. À l'époque, cette cité rivalisait avec Paris comme épicentre de la mode et, si la Ville lumière demeurait le havre des grands couturiers, le cœur du prêt-à-porter battait à Milan. Armani et Versace en étaient la cheville ouvrière, talonnés de près par Dolce & Gabanna et quelques autres. Journalistes et acheteurs y affluaient deux fois par an pour les défilés, et Maurizio voulait lui aussi faire partie de la fête. En outre, il s'y sentait plus chez lui qu'à Florence.

Avec le concours de Toto Russo, Maurizio loua un superbe immeuble de cinq étages sur la piazza San Fedele, une petite place pavée de pierres blanches, située entre le Duomo et La Scala. Les travaux s'effectuèrent à la vitesse de l'éclair, et tout fut prêt en un temps record : cinq mois de réfection, un délai jamais vu à Milan.

Les bureaux de la direction, au dernier étage, s'ouvraient tous sur une vaste terrasse longeant tout le bâtiment. Les jours de soleil, on sortait des tables et des chaises sous une charmille treillissée pour que les cadres de la société puissent y déjeuner. La pièce réservée à Maurizio était l'un des chefs-d'œuvre de Toto. Lambris en noyer, parquet au sol et tentures vert forêt conféraient élégance et chaleur à l'espace, au milieu duquel trônait un magnifique bureau Restauration.

La petite salle de conférences attenante était meublée d'une table de réunion carrée, assortie de quatre chaises, où les visiteurs pouvaient étaler leurs dossiers à leur convenance. Maurizio y avait placé les fameux bustes incarnant les quatre continents de la dynastie Sala de Florence, et accroché un portrait en noir et blanc de son père Rodolfo et de son grand-père Guccio. Il s'était également offert un dispositif sophistiqué de présentation graphique, dont les pages se tournaient automatiquement et qu'il rangeait dans un placard discret, aux côtés d'un téléviseur et d'une chaîne hi-fi. Deux portes coulissantes menaient de cette pièce plutôt intime à une salle de conseil, plus spacieuse et formelle. Recouverte de panneaux de noyer, elle renfermait une longue table de réunion ovale et douze sièges en cuir.

Au mur de son bureau, juste au-dessus du canapé en cuir vert de la via Monte Napoleone, Maurizio avait suspendu une toile de Venise ayant appartenu à son père, dont la photographie ornait une table basse. Celle de sa mère avait sa place sur son bureau, à côté d'un cadeau de la jeune Allegra : une canette de Coca-Cola affublée de lunettes et émettant un rire sonore dès que quelqu'un franchissait le seuil. En face du canapé se dressait une console ancienne, sur laquelle il avait posé les portraits de ses deux filles ainsi que des carafons de cristal, rangés dans un tronc miniature. Le bureau de Liliana jouxtait celui de son patron, dans le couloir moquetté de vert. Quant à Dawn Mello, elle avait demandé une pièce modeste donnant sur les flèches de la cathédrale de Milan et aimait tout particulièrement les portes-fenêtres qui permettaient d'accéder à la terrasse.

L'administration occupait le quatrième étage de l'immeuble, le département artistique le troisième, les attachés de presse le deuxième, et le premier, sur requête de Dawn, abritait un showroom.

En septembre 1991, les nouveaux bureaux de la piazza San Fedele étaient fin prêts et Maurizio organisa, sur la terrasse, un cocktail suivi d'un dîner pour son personnel. Il prononça un discours de bienvenue et désigna un groupe de travail pour chaque branche d'activité, ayant comme mission d'étudier le grand retour de Gucci.

À ses yeux, il convenait à présent d'améliorer le service de ressources humaines afin d'éliminer le reliquat de la gestion moyenâgeuse de ses prédécesseurs et d'insuffler à la totalité des employés une vision commune de la firme. Il imagina une « école Gucci » pour enseigner au personnel l'historique et la stratégie de l'enseigne en plus des formations purement professionnelles et techniques.

À cette fin, Maurizio fit l'acquisition d'une demeure du XVIe siècle, la villa Bellosguardo, ancienne propriété d'Enrico Caruso. Il consacra 10 millions de dollars aux travaux et rêva d'y installer son établissement. Il pensait également que la villa pourrait servir de centre culturel, de conférences et d'expositions. Située sur les collines florentines, à Lastra a Signa, elle surplombait les champs et la verdure de la campagne toscane. Des sculptures de divinités mythologiques jalonnaient la voie d'accès principale jusqu'à l'entrée de la bâtisse, rehaussée d'un escalier double. À l'arrière, quelques marches menaient d'un long patio rectangulaire encadré de colonnes à un magnifique jardin Renaissance. Lors de ses premières visites à Bellosguardo, le gardien des lieux avait appris à Maurizio que l'endroit était hanté. Il fit alors appel à Frida, la médium qui avait exorcisé le *Creole*, pour bannir des parages les mauvais esprits.

Mais Maurizio ne pouvait chasser aussi facilement les démons de son passé, et il discuta longuement avec Pilar Crespi de la meilleure manière d'effacer les torts causés par sa famille à l'enseigne Gucci. Il consacrait toute son énergie à revenir aux valeurs traditionnelles qui avaient présidé au succès de la marque, mais occultait les querelles intestines qui avaient tant nui à la marque. Quand des journalistes interrogeaient la directrice de la communication sur Paolo ou d'autres litiges, elle était bien en peine de leur répondre.

« On me questionnait sans cesse à ce propos. Je demandais à Maurizio comment gérer ce problème. Il était très en colère contre Paolo et ne souhaitait pas l'évoquer ou parler de ses cousins. Il répétait : "Gucci est un nouveau Gucci ! Oublions le passé ! Paolo, c'est de l'histoire ancienne ! Je suis le nouveau Gucci !" Je lui parlais pendant des heures. Il ne comprenait pas qu'un jour le passé reviendrait le hanter. »

En automne 1990, avec l'aide de l'agence publicitaire McCann Erickson, Mello prouva qu'elle avait retenu les enseignements de Maurizio et de ses visites chez les fabricants italiens. Elle investit 9 millions de dollars dans une campagne de publicité s'étalant dans les principaux magazines de mode ou de loisirs, comme *Vogue* et *Vanity Fair*, autour du thème : « La touche Gucci ». L'encart présentait des mocassins en daim, de luxueux articles de maroquinerie et de nouveaux sacs à dos en daim. L'ensemble visait à attester de la fidélité à la tradition et du grand retour de la marque.

Cette initiative fut couronnée de succès. Cependant, Mello eut vite la conviction qu'elle ne pourrait maintenir cette notoriété revigorée sans étendre le secteur vestimentaire. La maison s'étant toujours illustrée dans les bagages et les accessoires, c'était sur la mode qu'il faudrait désormais concentrer ses efforts si l'on voulait bâtir une nouvelle identité à Gucci.

« Créer une image à partir d'un sac à main et d'une paire de chaussures était difficile, explique-t-elle. J'ai convaincu Maurizio que Gucci avait besoin de prêt-à-porter. Nous essayions sans cesse de l'orienter vers la mode. »

Maurizio avait déjà agi dans ce sens en embauchant Luciano Soprani, au début des années 1980. Mais, au seuil de la décennie suivante, il ne jugeait plus cette stratégie à l'ordre du jour.

« Maurizio n'avait pas foi dans les créateurs, dit Lambertson. Il ne voyait pas l'intérêt des défilés, ni de mettre en avant le nom d'un styliste, au détriment peut-être de celui de Gucci. Il estimait que les accessoires suffisaient amplement. »

Jusqu'alors, les lignes d'habillement avaient été conçues en interne, ce qui s'était révélé coûteux et épuisant. Gucci n'avait pas la capacité de produire, de commercialiser ni de distribuer ses créations de manière compétitive. L'idée de recourir à des sous-traitants s'imposa. Après quelque temps, Gucci signa un accord avec Ermenegildo Zegna pour les messieurs et Zamasport pour les dames.

Lambertson s'échinait à recruter des gens compétents et à les convaincre de s'installer en Italie.

« Nous avons passé près de six mois à finaliser les embauches, se souvient-il. Peu de gens désiraient travailler pour Gucci. Et Maurizio ne voulait pas d'un nombre trop important d'Américains, car il était résolu à conserver la spécificité italienne de la maison. »

Quand Mello et Lambertson y avaient fait leur entrée, un petit groupe de concepteurs étaient déjà à pied d'œuvre.

« Ces jeunes venaient tous de Londres et vivaient à Scandicci, se rappelle Lambertson. Mais nul ne prêtait attention à eux. Ils étaient isolés, dans leur monde. La compagnie ne croyait guère en eux. Dawn et moi ne cessions d'expliquer que nous avions vraiment besoin d'un créateur de prêt-à-porter. »

À la même époque, un styliste new-yorkais encore inconnu et son ami envisageaient de s'implanter en Europe. Il s'agissait de Tom Ford et de Richard Buckley.

Tom Ford était né à Austin, dans le Texas. Il y avait vécu jusqu'à ce que sa famille emménage au Nouveau-Mexique, à Santa Fe, où résidait sa grand-mère paternelle. Ses parents étaient tous deux agents immobiliers. Sa mère affectionnait les vêtements ajustés, les talons plats et les chignons. Son père était très large d'esprit et devint pour son fils un véritable ami.

« Grandir au Texas m'était très pénible, confie Ford. Si on n'est pas blanc, protestant et conformiste, l'existence peut être terrible, surtout pour un garçon qui n'aime pas le football, le tabac et l'alcool. »

Il trouvait Santa Fe bien plus stimulant et adorait passer l'été dans la maison de sa grand-mère Ruth, chez qui il habita pendant un an et demi. Cette dernière offrait l'apparence d'une femme extravagante, avec ses chapeaux immenses, sa chevelure abondante, ses longs faux-cils, ses gros bijoux : bracelets, ceintures de conques et boucles d'oreilles en papier-mâché. Enfant, Ford adorait la regarder s'habiller pour les soirées où elle se rendait souvent.

« Elle était du genre à me dire : "Alors ? Tu aimes ça mon chéri ? Eh bien, vas-y, prends-en dix !" Elle était excessive en tout, très ouverte. Elle menait une vie beaucoup plus trépidante que mes parents. Elle ne pensait qu'à s'amuser ! Je me rappelle encore son parfum – *Youth Dew*, d'Estée Lauder. Elle s'efforçait toujours de paraître plus jeune. »

Ford estime que ses souvenirs de jeunesse eurent un impact déterminant sur sa sensibilité artistique. « La plupart des gens sont influencés par leurs premières visions de la beauté. Ces images vous collent à la peau et finissent par forger vos goûts profonds. L'esthétisme propre à l'époque où on a grandi fait partie de nous. »

Très tôt ses parents l'incitèrent à développer ses talents créatifs, à travers le dessin et la peinture, sans jamais brider son imagination.

« Peu leur importait ce à quoi je me destinais, du moment que j'étais heureux. »

Dès son plus jeune âge, Tom Ford avait des idées bien arrêtées sur ce qui lui plaisait ou lui déplaisait. « À trois ans, je ne voulais pas porter cette veste-ci, ces chaussures-là, ou m'asseoir sur telle chaise. »

Plus tard, quand son père et sa mère étaient de sortie, il enrôlait sa sœur cadette et lui demandait de l'aider à réagencer le mobilier : tous deux poussaient les canapés et les chaises dans tous les sens.

« Ce n'était jamais comme il fallait, jamais assez bien. Ma famille en avait des complexes. Aujourd'hui encore, mes proches se disent nerveux dès qu'ils me voient. J'ai certes appris à me taire, mais ils remarquent que je les examine des pieds à la tête, que je note le moindre détail. »

À partir de treize ans, Ford s'était constitué un uniforme personnel : mocassins Gucci, blazer bleu, chemises oxford. Il était élève dans un lycée huppé de Santa Fe et sortait avec des filles. Mais il avait le regard rivé sur New York, et, à la fin de ses études secondaires, il s'inscrivit à la New York University. Une nuit, un camarade l'invita à une fête, réservée aux garçons. Au milieu de la soirée, Andy Warhol fit son apparition et emmena les noceurs au Studio 54. Avec son visage d'ange, son sourire hollywoodien et sa fière allure, Tom gagna l'appréciation de tous. Warhol vint lui parler et soudain de la drogue se mit à circuler. Le jeune homme, dont l'existence avait jusqu'alors ressemblé à une publicité aseptisée, fut pris au dépourvu.

« J'étais sous le choc », a-t-il confié quelque temps plus tard.

« Choc est un bien grand mot, nuance son condisciple, l'illustrateur Ian Falconer, étant donné qu'au retour, dans le taxi, on flirtait sur la banquette ! »

Ford devient vite un habitué de la boîte de nuit mythique. Il dansait jusqu'au petit matin, dormait en journée et cessa d'aller en cours : le noctambulisme le passionnait davantage.

« J'avais des amis à Santa Fe qui accaparaient beaucoup de mes pensées, et je n'avais pas compris, avant d'arriver à New York, que j'en étais amoureux. Je le sentais confusément au fond de moi, mais je m'efforçais de refouler ces émotions. »

En 1980, à la fin de sa première année, il abandonna les études et tourna dans quelques publicités télévisées. Sa physionomie séduisante, son aisance et sa présence devant les caméras concoururent à son succès. Il emménagea à Los Angeles pour poursuivre sa carrière. À une époque, une dizaine de ses spots étaient diffusés simultanément à la télévision.

Puis, un jour, une simple remarque fit tout basculer. Le coiffeur qui le préparait pour une publicité sur les shampooings Prell s'exclama :

— Oh ! Chéri ! Tu perds tes cheveux !

C'était faux, mais Tom se départit de son calme.

« C'était une grande folle et une mauvaise langue. Mais j'avais dix-neuf ans et ça m'a rendu parano », se souvient-il.

Il passa le reste du tournage à se ramener les mèches sur le front.

« Le réalisateur interrompait les prises et hurlait : "Quelqu'un veut-il bien le recoiffer !" »

L'incident resta gravé dans sa mémoire et, au fil du temps, la crainte de se dégarnir l'obséda. Petit à petit, il acquit aussi la certitude qu'il pourrait mieux faire que les scénaristes ou les réalisateurs avec qui il travaillait. Et cela le conforta dans l'idée qu'il voulait désormais jouer un rôle plus en amont, plus créatif.

Ford s'inscrivit à la Parsons School of Design, en architecture, domaine qui le passionnait depuis son enfance. Au milieu du cursus, il s'expatria à Paris, où l'institution possédait une antenne. Mais, à quelques mois de la fin, il s'aperçut que cette discipline était trop sérieuse à son goût. Un stage dans la maison de haute couture Chloé renforça cette impression : le monde de la mode était bien plus amusant ! Il alla passer deux semaines de vacances en Russie et une nuit, souffrant d'une méchante intoxication alimentaire, il se traîna jusqu'à son hôtel.

« J'étais dans un triste état et, seul dans ma chambre, j'eus tout le loisir de réfléchir. À l'évidence, je n'aimais pas ce que je faisais. Tout à coup, les mots "créateur de mode" me sont venus à l'esprit. »

Il pensait avoir ce qu'il fallait pour réussir dans cette branche : de l'intelligence, des qualités oratoires, une part de télégénie et de bonnes idées sur les vêtements que les gens devraient porter.

Son modèle était Calvin Klein, chez qui il avait acheté des draps quand il était lycéen, vers la fin des années 1970.

« Il était jeune, élégant, riche et beau », dit-il en se remémorant un dossier consacré au styliste dans un magazine qu'il avait dévoré dans sa jeunesse. « Il délivrait des licences pour sa marque, vendait des jeans, du prêt-à-porter : c'était le premier créateur comparable à une star de cinéma. »

Ford rêvait de lui ressembler : il l'avait croisé plusieurs fois au Studio 54 et ne l'avait pas lâché de la soirée.

À son retour à Paris, le personnel administratif de Parsons lui fit savoir qu'il lui faudrait recommencer à zéro s'il souhaitait se lancer dans des études de mode. Mais Ford n'en avait nullement l'intention. Il obtint son diplôme d'architecte en 1986, rentra à New York, se constitua un book et se mit en quête d'un emploi. À des employeurs en puissance, il évitait de préciser l'orientation exacte de ses études et ne se laissait pas décourager par les refus.

« Je suppose que je suis très naïf ou très présomptueux. Peut-être les deux à la fois. Si je veux quelque chose, je finis toujours par l'obtenir. J'avais décidé que je serais créateur de mode et que je finirais bien par être embauché ! »

Il dressa une liste de ses maisons préférées et leur téléphonait tous les jours. Cathy Hardwick se le rappelle encore :

« Je lui disais que je n'avais rien à lui proposer pour l'instant. Mais il se montrait si poli ! "Voudriez-vous au moins regarder mon book ?" Un jour, j'ai cédé. "Quand pourriez-vous venir me voir ?" lui ai-je demandé. "Tout de suite", a-t-il répondu. Il se trouvait au rez-de-chaussée de l'immeuble ! »

Impressionnée par son travail, elle l'engagea sur-le-champ.

« Je ne savais rien faire ! » précise Ford.

Au cours des premières semaines, Cathy lui demanda de faire une jupe évasée. Il hocha la tête, descendit au rez-de-chaussée, sauta dans le métro et sortit au grand magasin Bloomingdale's. Là, il se dirigea tout droit vers le rayon femmes et étudia les vêtements littéralement sur toutes les coutures.

« Ensuite je suis rentré, j'ai dessiné ledit modèle, j'ai donné mon croquis à celle qui façonnait les patrons et je l'ai fabriqué. »

C'est à cette époque qu'il rencontra Richard Buckley, alors rédacteur pour le groupe de presse de mode Fairchild Publications et qui dirige aujourd'hui le magazine *Vogue Hommes International*, basé à Paris. Ford avait vingt-cinq ans, et ressemblait plus que jamais à une vedette de cinéma, avec son regard de braise, sa tignasse brune, ses sempiternels jeans et ses chemises oxford. Buckley, de douze ans son aîné, avait des yeux bleu saphir, des cheveux poivre et sel coupés ras et une grande timidité qu'il dissimulait sous un humour mordant. Il s'accoutrait en journaliste de mode : pantalon noir, bottillons noirs, chemise blanche sans cravate et veste noire. Il était de retour à New York pour prendre les rênes de la nouvelle revue du groupe Fairchild, *Scene*, après un long séjour à Paris à la tête du quotidien de mode masculine *DNR*. Il repéra Ford lors du défilé de David Cameron et, pour la première fois depuis longtemps, son cœur s'emballa. Il s'attarda après la présentation sous prétexte d'interviewer des détaillants, cherchant Tom qui paraissait s'être volatilisé. Ce dernier avait également remarqué Buckley.

« Je me suis retourné et j'ai vu un type qui me fixait intensément. Ce regard me terrorisait ! » dit Ford.

Tous deux se revirent dix jours plus tard, sur le toit de l'immeuble Fairchild où Richard supervisait une séance de photos pour *Scene*. Étant donné le rythme éreintant de ses journées, il avait opté pour ce site afin de gagner du temps. Cathy Hardwick avait envoyé Tom prendre des vêtements que Buckley n'avait pas fini de photographier. Au moment même où ce dernier confiait au directeur artistique qu'il avait repéré un jeune homme intrigant lors du défilé Cameron, Ford fit son entrée. Richard écarquilla les yeux et déglutit avec peine.

— C'est lui ! murmura-t-il à son interlocuteur. C'est le gars dont je te parlais…

Buckley essaya de saluer Tom avec désinvolture avant de lui demander s'il voulait bien patienter jusqu'à la fin de la séance. Plus tard, dans l'ascenseur, il perdit tous ses moyens et se répandit en âneries.

« Il a dû me prendre pour un crétin fini », confie-t-il.

« Pas du tout, assure Ford. Ça peut paraître bête, mais je le trouvais très gentil. Or, dans notre métier, les gens vrais et bons sont une denrée rare. »

Au cours de leur premier rendez-vous, un soir de novembre 1986 au restaurant Albuquerque Eats dans l'East Side, les deux hommes abordèrent des sujets importants. Leur tête-à-tête laissa Buckley admiratif. Tout en sirotant son apéritif et en picorant des crevettes, Ford lui avait confié ce qu'il projetait de faire d'ici dix ans.

— Je voudrais créer une ligne de vêtements sport très pure, avec une touche européenne, plus sophistiquée et moderne que Calvin Klein, mais commercialisée dans les mêmes quantités que Ralph Lauren.

Buckley l'écoutait avec un mélange de tendresse et d'ébahissement. Mais Ford poursuivait :

— Ralph Lauren est le seul couturier à avoir créé un univers entier. On sait très bien à quoi ressemblent ses acheteurs : leur allure, leur intérieur, et même le genre de voitures qu'ils conduisent. Et lui leur fournit tous les produits ! C'est à cela que je veux arriver, mais à ma façon !

Richard s'était enfoncé dans la banquette en cuir pour mieux dévisager son nouvel ami. Il pensait alors : « Ce garçon si jeune veut déjà devenir milliardaire ? Sait-il seulement à quoi il s'expose ? Le milieu de la mode n'en fera qu'une bouchée ! »

Il espérait cependant en son for intérieur que Tom parviendrait à ses fins. Un déclic s'était produit entre eux. L'un était résolu, ambitieux et inconnu, l'autre jouissait d'une grande notoriété de par son travail mais avait conservé intactes sa cordialité et sa simplicité.

« Richard me semblait gentil, intelligent et drôle, dit Ford. Il était parfait. »

À la veille du nouvel an, cette année-là, il emménagea chez Buckley, sur St. Mark's Place, dans l'East Village, quittant son logement à l'angle de Madison et de la 28ᵉ Rue, derrière un hôtel médiocre.

« L'immeuble était très correct, et mon appartement aussi. Mais la nuit, avec le vis-à-vis, je voyais des gens se piquer dans les chambres de l'hôtel. C'était effrayant. »

Deux ans plus tard, Richard offrit à son compagnon un fox-terrier qu'ils baptisèrent John. « Il avait très envie d'un chien, depuis le début. Pendant longtemps je m'y suis opposé, avant de céder. »

Ils affublaient la pauvre bête de perruques ou la déguisaient en dragqueen pour le plus grand bonheur des amis à qui ils envoyaient ces clichés hilarants. Et, malgré ses réticences initiales, Buckley s'attacha beaucoup à ce fidèle animal.

Au printemps 1987, peu satisfait de ses fonctions chez Cathy Hardwick, Ford claqua la porte. Il aspirait à entrer chez Calvin Klein, son maître à penser. Après neuf entretiens, dont deux en présence du couturier lui-même, ce dernier informa Tom qu'il souhaitait l'engager pour concevoir la ligne féminine. Le jeune homme était aux anges – jusqu'au moment où il apprit les conditions financières, bien en deçà de ses prétentions. Il réclama une révision de ses appointements à la hausse. Klein lui dit alors qu'il en discuterait avec son associé Barry Schwartz et le laissa sans nouvelles. Peu de temps après, Marc Jacobs proposa à Tom un poste chez Perry Ellis, qu'il s'empressa d'accepter.

Un jour qu'il rentrait du travail, il trouva sur son répondeur un message de la secrétaire de Calvin Klein :

« M. Klein s'intéresse beaucoup à vous et voudrait s'assurer que vous n'avez pas trouvé un autre emploi. Il aimerait que vous le contactiez au plus vite. »

Ford le rappela pour le remercier et lui annonça qu'il était entré chez Perry Ellis.

L'année suivante, la carrière de Buckley prit son envol. Il quitta Fairchild en mars 1989 pour rejoindre la rédaction de *Vanity Fair*, sous la houlette de Tina Brown. Mais la joie que lui procurèrent ses nouvelles fonctions fut de courte durée. En avril, suite à une angine aiguë persistant après des mois d'antibiotiques, Buckley entra à l'hôpital St. Luke'sRoosevelt pour une biopsie, certain qu'il s'agissait d'un examen de routine. Lorsqu'il se réveilla après l'anesthésie, le chirurgien lui annonça qu'il était atteint d'un cancer, qu'il devrait subir d'autres interventions la semaine suivante et qu'il avait une chance sur trois d'en réchapper.

Buckley secoua la tête et s'écria :

— Non ! Non ! Non ! Je veux rentrer à la maison ! Je veux retrouver mon chien.

Ford vint le chercher pour le ramener chez eux. Ensuite, il passa des coups de téléphone aux contacts de Richard engagés dans la collecte de fonds en faveur de la recherche contre le cancer. En vingt minutes, il obtenait à son compagnon un rendez-vous deux jours plus tard chez un éminent spécialiste. S'ensuivirent d'autres opérations et des mois de radiothérapie. Ford tenait quotidiennement informés les membres de la famille Buckley.

Lorsque ses médecins dirent à Richard qu'il avait apparemment gagné sa guerre contre la maladie, mais qu'il devait lever le pied, les deux hommes songèrent à l'Europe. Tom pensait qu'un créateur travaillant à New York avait des chances de percer aux États-Unis, mais qu'en s'installant sur le Vieux Continent, il pourrait obtenir une reconnaissance internationale. Buckley quant à lui était convaincu de décrocher un poste moins éreintant.

À l'été 1990, ils entreprirent une tournée européenne au cours de laquelle ils rencontrèrent quantité de gens. Lors d'un précédent voyage à Milan, Tom avait contacté son vieil ami Richard Lambertson, avec qui il avait dîné en compagnie de Dawn Mello. Lambertson avait pressé cette dernière d'envisager de le recruter pour le prêt-à-porter féminin, mais elle avait refusé, sous prétexte qu'elle réprouvait le copinage. Entre-temps, grâce à quelques contacts dans la mode, Buckley avait organisé une kyrielle de rendez-vous pour Tom dans toutes les maisons de haute couture milanaises. À l'issue d'un somptueux déjeuner avec Donatella Versace, et de réunions avec Carla Fendi et Gabriella Forte de chez Armani, on ne lui avait toujours pas fait d'offre. Buckley et Ford déjeunèrent de nouveau avec Dawn Mello, qui consentit cette fois à faire passer un essai à ce dernier. Sitôt levés de table, ils coururent chez le fleuriste le plus coté de la ville et lui adressèrent un gigantesque bouquet.

« Les Italiens remplissent leurs compositions florales de gypsophiles. Horrifiés, nous avons demandé au fleuriste de les enlever ! se souvient Buckley. À l'époque, Dawn avait rencontré la plupart des aspirants couturiers de Milan. Tous voulaient réinventer la jupe ! Or l'important est de créer la bonne jupe au bon moment. »

Mello aima tant le projet dessiné par Ford qu'elle accepta de l'engager.

« Je sentais qu'il était capable de tout ! » a-t-elle admis plus tard.

Le jeune styliste s'installa à Milan en septembre 1990. Buckley le rejoignit en octobre comme nouveau rédacteur en chef du magazine *Mirabella*.

Les premiers temps, ils vécurent dans un logement chic mais exigu, via Santo Spirito, dans le triangle d'or milanais. Cet étroit meublé était équipé d'une kitchenette, de draps Fette et d'une batterie de cuisine Alessi. Avec leurs huit valises, Tom et Richard avaient peine à s'y mouvoir. Après quelques jours, ils dénichèrent, sur la via Orti, un appartement avec une spacieuse terrasse couverte de glycines, où leur cher John trouva sa place. Ils garnirent l'intérieur de meubles anciens qu'ils avaient expédiés de New York et de pièces qu'ils s'amusèrent à glaner en Italie, notamment une commode Biedermeier et deux fauteuils Restauration.

Ils s'installèrent rapidement dans une routine. Ils se lièrent avec d'autres créatifs de l'équipe Gucci, avec qui ils découvrirent les avantages et les inconvénients de la vie milanaise : la nourriture, les mondanités, les week-ends de ski dans les Alpes, les longues heures de travail, le temps maussade.

« Nous nous sentions tous un peu déracinés, se souvient David Bamber, responsable de la maille. Milan était si différent de New York. »

Ford et Buckley avaient apporté des États-Unis un combiné TV-vidéo et plus tard investirent dans une antenne parabolique. Quand ils ne sortaient pas dîner avec leurs amis ou leurs collègues, ils restaient chez eux à regarder de vieux films en anglais. Chaque fois qu'il se rendait à New York pour son traitement, Richard rapportait des dizaines de cassettes vidéo qu'ils ne se lassaient pas de visionner. Plus tard, Tom prendrait l'habitude de se passer des classiques pour s'imprégner d'une ambiance particulière et trouver son inspiration.

L'appartement de la via Orti devint le lieu de prédilection de leur entourage, qui gravitait principalement dans la sphère de la mode. Buckley y orgnaisait souvent des dîners qu'il mitonnait lui-même, tandis que Ford n'hésitait pas à y tenir ses réunions de travail.

« Nous étions censés nous situer au croisement de Calvin Klein et de Timberland », se rappelle David Bamber, qui se rendit en Écosse pour concevoir une gamme cachemire classique dans tous les coloris imaginables.

Les recrues américaines se révélèrent vitales pour l'avenir de Gucci. Dawn Mello parvint non seulement à ressusciter les modèles tombés dans l'oubli, mais à captiver la presse internationale. Elle fit évoluer la maison vers le prêt-à-porter et engagea des créateurs prometteurs qui surent convaincre les sceptiques de la place légitime de l'habillement au sein de la galaxie Gucci. Tom Ford était bien sûr la star de ces jeunes talents, et ses superbes stilettos, costumes et sacs à main restitueraient à l'enseigne sa gloire et sa fortune. Au-delà de leur talent, Mello et Ford apportèrent à Gucci un élément crucial pour la pérennité de son succès : la force de résister aux tempêtes à venir.

12

Divorce

Le soleil brillait de mille feux au matin du 22 janvier 1990, réchauffant quelque peu l'atmosphère tandis que, dans l'église Santa Chiara, affluait la foule, emmitouflée de laine ou de fourrure, venue rendre un dernier hommage à Aldo Gucci. Sa mort avait choqué bon nombre de ses amis et de ses connaissances. Dynamique et vif jusqu'à la fin, Aldo paraissait bien plus jeune que ses quatre-vingt-quatre ans. Rares étaient ceux qui connaissaient son âge ou qui savaient que le gourou de Gucci suivait un traitement contre un cancer de la prostate. Moins d'un an s'était écoulé depuis qu'il avait été contraint à céder ses parts.

Aldo avait finalement divorcé d'Olwen en 1984, longtemps après leur séparation de corps en 1978. Mais il lui rendait visite chaque fois qu'il se trouvait à Rome, entrant et sortant de la villa qu'il avait fait construire sur la via della Camilluccia aussi librement que s'il y vivait encore. Dans l'intervalle, il avait pu mener son existence comme il l'entendait et avec la personne de son choix ; il avait même épousé Bruna aux États-Unis.

Il avait passé les fêtes de Noël 1989 au calme avec sa seconde femme et leur fille Patricia. Ensuite, il avait contracté une mauvaise grippe, suivie de complications. Le jeudi soir, il avait sombré dans le coma. Le vendredi, son cœur cessait de battre.

Dans l'église, Giorgio, Roberto, Paolo et leurs familles respectives prirent place aux premiers rangs, à proximité du cercueil de leur père. Maurizio avait fait le voyage de Milan avec Andrea Morante. Ce dernier demeura contre le mur du fond, désireux de ne pas s'imposer en cette heure de recueillement familial, tandis que le jeune P-DG de Gucci s'avança et se posta, debout et seul, non loin de ses cousins.

À l'autre bout de l'église, en retrait, se tenaient Bruna et Patricia, qui ignoraient quelle serait leur part dans la cérémonie. Giorgio alla les accueillir et les conduisit vers les bancs où siégeaient les membres du clan. Roberto escorta sa mère Olwen, frêle et âgée, d'un air protecteur. Peu après les funérailles, elle serait admise dans une clinique romaine. Par-delà la mort, Aldo parvenait encore à attiser les rancœurs : il avait légué ses biens américains, estimés à quelque 30 millions de dollars, à Bruna et Patricia. Cette décision fut âprement contestée par Olwen et deux de ses fils – Roberto et Paolo –, après quoi un accord amiable fut conclu entre les deux parties.

Transi par les courants d'air glacé, Maurizio fixait ses mains jointes et se laissait bercer par la voix du prêtre. Il revoyait Aldo gravir quatre à quatre les marches de l'escalier de son bureau via Condotti, aboyer des ordres à son aréopage de vendeurs, entretenir sa cour dans la boutique new-yorkaise, où il autographiait des paquets-cadeaux. Il entendait encore son oncle répéter son adage préféré sur la dynamique familiale : « Ma famille est un train, dont je suis le moteur. Sans train, le moteur n'est rien. Sans moteur, le train n'avance pas. » Tandis que ses voisins essuyaient leurs larmes, Maurizio se disait : « À présent, je dois être à la fois le moteur et le train. Il me faut ramener Gucci sous un seul toit. » Il ressassa son mantra personnel : « Il n'y a qu'un seul Gucci, il n'y a qu'un seul Gucci… »

Investcorp avait rempli sa tâche à souhait, en l'aidant à mettre un terme aux luttes de pouvoir intestines, mais il était grand temps de réaliser enfin son rêve : réunir les deux moitiés de la compagnie. Il savait que, malgré leurs différends, Aldo aurait appuyé cette idée. Seul Maurizio pouvait assurer à Gucci une continuité : il représentait le lien entre le passé et l'avenir. En décembre, il avait dit à Nemir Kirdar qu'il désirait racheter les parts d'Investcorp, et l'Irakien avait accepté. Maurizio voulait poursuivre lui-même la restructuration du groupe : il voulait atteindre son idéal sans partenaire extérieur.

Après le service religieux, Maurizio s'attarda pour saluer ses proches ainsi que d'anciens employés venus en nombre assister à l'enterrement. Giorgio, Roberto et Paolo lui répondirent froidement. Ils ne lui pardonneraient jamais la manière dont il s'était emparé de l'entreprise et l'humiliation qu'il avait infligée à leur père. Leur cousin faisait figure de bouc émissaire, responsable du deuil qui les frappait. Voir ainsi, aux obsèques d'Aldo, celui qui les avait dépossédés de leurs parts, accompagné d'Andrea Morante, ne leur apportait aucun réconfort. Sur la route de Florence, où avait lieu l'inhumation, Maurizio se jura à nouveau de faire tout son possible pour récupérer Gucci dans son entier.

Kirdar avait consenti à lui céder ses 50 % pour un montant de 350 millions de dollars. En janvier, lors de la réunion annuelle du comité directeur d'Investcorp à Bahreïn, il avait annoncé que non seulement la firme acceptait de vendre ses avoirs Gucci à Maurizio, mais qu'en outre elle se mettait en devoir de l'aider à rassembler les fonds nécessaires pour y parvenir.

— Notre priorité aujourd'hui consiste à lui prêter main-forte afin de mener à bien le rachat, avait-il déclaré. Nous avons joué le rôle qui nous était dévolu, nous avons rassemblé les actions, et permis à Maurizio de prendre les rênes. À présent, nous devons lui rendre sa maison et le laisser poursuivre sa route.

Bob Glaser, l'un des dirigeants d'Investcorp, avait alors soulevé une objection : il était peu orthodoxe pour un vendeur de secourir un acheteur en quête de financement. Il fit également valoir que Maurizio ne possédait pas les outils nécessaires pour présenter Gucci à d'éventuels partenaires bancaires. N'ayant pas pris part à l'acquisition des fameuses actions, Glaser décida d'étudier le sujet.

« J'étais stupéfait de constater que nous ne disposions même pas des informations de base que nous réclamons à nos clients. »

Il chargea Rick Swanson, qui avait étroitement travaillé avec Maurizio, d'explorer et de coucher par écrit le fonctionnement de Gucci et son potentiel commercial.

« Swanson effectuait – à titre gracieux – une tâche à laquelle Maurizio aurait dû s'atteler lui-même ! »

Rick s'aperçut que cette mission était plus facile à ordonner qu'à exécuter. Il eut le plus grand mal à décrire les branches internationales de Gucci (en Angleterre, au Japon, en Italie, aux États-Unis) comme une seule entité, alors que chacune jouissait d'une totale indépendance.

Qui plus est, sous l'impulsion du programme de restructuration, Gucci n'avait cessé d'évoluer et Swanson eut bien de la peine à mesurer – et à consigner – tous les changements. Maurizio avait clos le secteur GAC, remanié les produits, et fermé les boutiques qui n'étaient pas à la hauteur de ses nouveaux critères. Il avait acheté la villa Bellosguardo et parlait de se défaire de quelques biens immobiliers à New York afin de disposer de liquidités. Investcorp lui avait laissé carte blanche.

« Tout nous échappait, se rappelle Swanson. Nous possédions la moitié des titres, mais nous n'avions de droit de regard sur rien ! »

Il s'envola pour Milan et passa de longues heures avec Maurizio à remettre à plat l'organigramme de la compagnie. Le jeune président avait échafaudé un vaste plan de modernisation, touchant aussi bien la stratégie commerciale que la planification, la direction financière et la comptabilité, l'attribution de licences et la distribution, les modes de production et les aspects techniques, le personnel, l'image et la communication.

« Ensuite, il a fallu chiffrer ce grand chantier, explique Swanson. Maurizio ne s'était pas préoccupé du coût de telles transformations. »

Le montant total de ces vastes desseins s'élevait à 30 millions de dollars – somme qui incluait le nouveau quartier général de la piazza San Fedele. La dépense était colossale, alors même que Maurizio avait cherché à la réduire au niveau des produits et de la distribution. Swanson en était horrifié.

— Dans une telle région, Gucci a engrangé 110 millions de dollars l'an dernier, souligna-t-il alors en pointant ses diagrammes.

— Si vous voulez, répliqua Maurizio, en s'enfonçant dans son siège et en feignant une intense concentration. Disons plutôt 125, 150 ou 180 millions.

Swanson le fixa du regard.

— Que voulez-vous dire ?

— Ces graphiques sont des projections, non ? demanda son interlocuteur, d'une façon détachée.

— Vous me parlez donc en pourcentage ? s'enquit le financier, qui tâchait tant bien que mal de comprendre son raisonnement.

— Oh ! non ! Les ratios m'importent peu ! 125, 150... Non, tablons sur 160...

Swanson remballa ses affaires et rentra à Londres, où il s'épancha auprès d'Elias Hallak et de Bob Glaser, lequel avait été chargé par Kirdar de négocier les termes de la vente à Maurizio.

— Bob ! s'était exclamé l'Irakien. Vous êtes le seul qui ne se laissera pas embobiner par Maurizio !

Cet ancien collaborateur de la Chase était connu pour son intégrité, ses idées claires, son franc-parler et sa capacité de faire bouger les choses. Swanson essaya d'expliquer aux deux hommes son dilemme.

— Je m'efforce de tout débroussailler pour Maurizio, de rendre ces renseignements digestes et compréhensibles auprès des banquiers qu'il sollicitera, et pendant ce temps, lui me met des bâtons dans les roues, en multipliant les changements et en inventant des chiffres complètement fantaisistes !

Glaser et Hallak échangèrent un regard et secouèrent la tête. Ni l'un ni l'autre n'avaient été impressionnés par le sens des affaires de Maurizio et ils doutaient fort de sa capacité d'opérer lui-même le repositionnement de Gucci. Bob, pour sa part, estimait que l'Italien avait procédé trop vite à des réformes, notamment en réduisant les ventes et en augmentant les frais somptuaires.

« Investcorp n'avait pas donné à Maurizio son aval par écrit, se rappelle-t-il. On en était resté à la théorie. Maurizio avait exposé ses idées et Kirdar lui avait dit qu'elles lui paraissaient viables. »

Swanson mit la dernière main à son rapport – un pavé de quelque trois cents pages, comprenant un historique de Gucci, des arbres généalogiques, des notes détaillées, un inventaire des biens, boutiques et licences. Le « Livre vert », comme son auteur et ses collègues le surnommèrent, contenait aussi des projections à court terme, qui prévoyaient une baisse temporaire des ventes et des performances de l'entreprise, imputables à la disparition de la GAC.

Investcorp épaula Maurizio pour soumettre sa proposition aux établissements financiers, en recensant les organismes adéquats, en leur envoyant le compte rendu et en présentant le dirigeant de Gucci aux banquiers.

Aucune des grandes institutions internationales ou italiennes n'accepta de soutenir ce projet. Plus de vingt-cinq d'entre elles opposèrent leur refus.

« Ça ne marchait pas, se souvient Swanson. La maison n'allait pas fort, les chiffres étaient en chute. Nous racontions des histoires passionnantes, et tous les banquiers appréciaient Maurizio aussi bien que ses vues. Mais dès qu'ils creusaient plus profond, il devenait clair, au vu des chiffres, que Gucci s'effondrait – et ce, en dépit des dires de son président. À l'entendre, la maison se portait à merveille et même mieux que prévu ! On aurait dit Scarlett O'Hara, qui répétait sans arrêt : "Demain est un autre jour..." » Il pensait que, s'il ne parvenait pas à trouver de partenaire un jour, il y réussirait le lendemain. S'il survivait vingt-quatre heures de plus, il serait vainqueur ! »

Entre-temps, Glaser avait passé des mois à négocier un accord avec Maurizio, ce qui avait nécessité la rédaction de trois contrats, absorbé des bataillons d'avocats et englouti des kilos de paperasse. Bob eut l'impression que Maurizio le manipulait, désirant peut-être l'occuper par tous les moyens pendant qu'il recherchait des organismes de prêt.

À la fin de l'été 1990, ce dernier comprit qu'il n'obtiendrait pas de financement. Une fois encore, Investcorp et lui changèrent de stratégie et optèrent pour un arrangement semblable en tout point à celui établi dans l'accord « Saddle ». Maurizio déclara qu'il souhaitait réunir dans une seule holding toutes les sociétés internationales. Il s'agissait d'un pas de géant dans la modernisation de la structure de Gucci. Kirdar donna son approbation et demanda à Glaser de chapeauter l'opération. Ce dernier posa une condition : que les deux partenaires définissent un protocole relatif à la gestion de la compagnie et aux intérêts des actionnaires. L'expérience avait porté ses fruits : il voulait s'assurer qu'Investcorp aurait dorénavant un certain contrôle sur le devenir de l'entreprise.

La définition des termes de ce *modus vivendi* provoqua beaucoup de tensions entre les deux parties.

« La confiance est une chose, mais nous devions garantir la protection de notre investissement, au cas où nous ne serions plus sur la même longueur d'onde, explique Kirdar. C'est ce qui a mis le feu aux poudres. Nous nous sommes retrouvés dans un cauchemar juridique. Maurizio avait toujours été attaqué, il ne se fiait plus à personne. Et voilà que, soudain, Investcorp, qui lui avait apporté tant de réconfort, se retournait contre lui et cherchait à prendre avantage sur lui. »

Parfois, les pourparlers entre avocats s'envenimaient tant que Maurizio demandait une trêve pour s'entretenir en privé avec Kirdar. Secoué par le nombre d'obstacles à surmonter, il se rendait aussitôt à Londres pour discuter avec Nemir devant un feu de cheminée.

Une lueur bienveillante dans le regard, l'Irakien lui disait alors :

— Dites-moi, Maurizio, quel est le problème ?

— Ils sont trop durs !

— Ce n'est pas notre intention, répliqua Kirdar. Si vous estimez que notre approche est trop sévère, changeons-en ! Je n'essaie ni de vous nuire ni de vous tromper. Mes avocats non plus. Ils font simplement leur travail.

L'Italien s'en retournait chez lui, rasséréné, jusqu'au prochain conflit. À l'issue de ce bras de fer, il en était arrivé à haïr Bob Glaser, qu'il surnommait « le diable à la barbe rousse » ou « Monsieur Et-Si ? »

« J'ai endossé le rôle du méchant, reconnut par la suite Glaser. Je m'en acquittais bien, d'ailleurs, et Maurizio voyait cela d'un très mauvais œil. J'étais le premier de chez Investcorp à lui dire qu'il ne pouvait obtenir ce qu'il voulait. Je savais qu'il essaierait d'abord de m'avoir au charme. Puis à l'intimidation. Si aucune de ses techniques éprouvées ne marchait, il finirait par céder. »

Fidèle à la promesse faite à Rodolfo, Allan Tuttle avait continué de représenter Maurizio et il s'était retrouvé en première ligne contre Investcorp. Sa minutie et sa ténacité exaspérèrent Glaser, à telle enseigne que ce dernier obligea Maurizio à le décharger du dossier.

« J'étais conscient que Tuttle défendait avec brio les intérêts de son client, mais aussi qu'avec lui, nous n'arriverions pas à un accord. J'en ai eu assez, j'ai dit à Maurizio que désormais je refusais de négocier avec ce juriste et qu'il ferait mieux de se trouver un autre représentant ! »

Craignant de tout compromettre, Maurizio accepta à contrecœur et engagea un nouvel avocat. Au final, Investcorp eut gain de cause sur quelques points clés, qui allaient profondément affecter l'avenir de Gucci. Entre autres clauses, les deux cents pages du document final interdisaient à Maurizio d'offrir en garantie pour l'obtention d'un prêt tout ou partie de ses titres – alors même qu'Investcorp en conservait le droit.

« Nous étions un établissement financier, explique Glaser. Emprunter et prêter était l'essence même de notre travail. Mais nous ne pouvions prendre le risque que Maurizio contracte des dettes, manque à ses engagements et nous laisse avec un nouvel associé. Nemir Kirdar était intraitable sur cette question. »

Quand on demanda à Tuttle, en ultime lecture, de vérifier la conformité de l'accord avec la législation en vigueur dans l'État de New York, celui-ci fut abasourdi par les limites imposées à Maurizio dans l'usage de ses actions.

— Maurizio ! Ils vous ont attaché mieux qu'avec des menottes ! dit-il.

Il essaya d'obtenir des changements de dernière minute visant à accorder une plus grande marge de manœuvre à son protégé, mais en vain.

Plus tard, il se rappellerait cette époque avec tristesse :

« Maurizio était riche, mais il n'avait pas d'argent. »

Glaser alla encore plus loin. Lors d'une réunion d'Investcorp à Londres, il dénonça avec véhémence l'incompétence de Maurizio comme P-DG et déclara qu'il le soupçonnait même de malhonnêteté. Un murmure se répandit dans l'assistance, dont la plupart des membres avaient été conquis par le chef d'entreprise. Les yeux de Nemir se plissèrent de colère.

— Vous n'avez aucun droit de proférer de telles accusations contre Maurizio ! cria-t-il. Nous sommes là pour lui venir en aide !

— Je suis navré que vous ne partagiez pas mon point de vue, répliqua Glaser. J'exprimais une simple opinion. Je ne peux rien prouver, mais il n'y a pas de raison valable pour que, en l'état actuel des choses, Gucci cumule autant de pertes ! Je trouve cela suspect et je désire qu'un cabinet d'audit indépendant épluche les comptes de A à Z !

Après quoi, il demanda à Kirdar de le remplacer dans le suivi de ce dossier, en raison des dissensions qu'avait causées son implication. Nemir accepta sa suggestion, et confia l'affaire au sage William Flantz, un financier nouvellement engagé. Durant l'automne, ce dernier se rendit plusieurs fois à Milan, ce qui lui permit de mieux appréhender la situation.

Dans l'intervalle, Andrea Morante s'était taillé un rôle sur mesure de directeur général, bien que nul ne lui en eût donné le titre. Il aida Maurizio à réunir une nouvelle équipe, révisa les prix pratiqués dans le monde entier, et reprit le contrôle de la branche japonaise des mains de Choichiro Motoyama. Banquier d'affaires jusqu'au bout des ongles, il se mit à travailler à un projet qui, il en était sûr, résoudrait tous les problèmes. L'idée était de s'entendre avec Henri Racamier, le président disgracié de Louis Vuitton. Celui-ci avait formé son propre groupe, Orcofi, pour procéder à des acquisitions dans l'industrie du luxe, dans l'espoir de rivaliser un jour avec Louis-Vuitton-Moët-Hennessy, mieux connu sous le sigle LVMH.

Aux yeux de Morante, Racamier était le partenaire idéal pour Maurizio, capable d'améliorer ses résultats en Extrême-Orient, région du globe où le Français s'était illustré. Morante ébaucha un accord qui donnerait à Maurizio la mainmise sur Gucci avec 51 % des parts, accorderait 40 % à Racamier ainsi qu'une voix au conseil, ce qui laisserait à Investcorp une participation symbolique de 7 ou 8 %, et le reste à la direction —soit à Morante lui-même.

« Cela aurait permis à Maurizio de prendre le contrôle, tout en offrant à Investcorp une sortie honorable, et aurait constitué le couronnement de ma carrière », expliquerait-il.

Maurizio en fut enchanté. Ce pacte avec Racamier représentait la première alliance stratégique entre sociétés françaises et italiennes sur le marché du luxe. Jusque-là, les Français avaient toujours considéré leurs voisins transalpins comme des fournisseurs ou des concurrents de seconde zone.

À l'automne 1990, Maurizio proposa à Morante et à son ami Toto Russo de passer le week-end sur le *Creole*, à l'occasion de la régate Nioularge de Saint-Tropez, où s'affrontaient des voiliers historiques. Il s'agissait d'une compétition de haut niveau, que les grands industriels européens ne manquaient jamais. Les principaux décideurs français et italiens y prirent part, notamment Raul Giardini, avec *Il Moro di Venezia*, en lice lors de l'America's Cup. Gianni Agnelli, le fringant P-DG de Fiat, assistait toujours au spectacle, même s'il ne concourait pas lui-même. L'invitation de Maurizio, chargée de sens et de symbole, visait à impressionner Andrea Morante : seuls ses intimes montaient à bord de son bateau. Morante était ravi que Maurizio l'intègre à ce cercle exclusif.

« Ce week-end avait pour but de nous amuser, mais également de nous faire réfléchir ensemble aux événements en cours, dans un cadre agréable. »

Maurizio loua un petit jet pour les acheminer de Milan à Nice le vendredi après-midi. De là, ils furent conduits à Saint-Tropez en hélicoptère, alors que de gros nuages menaçants se profilaient à l'horizon. L'appareil tangua et hoqueta sous l'effet des bourrasques, secouant les passagers. Soulagés d'avoir atterri sains et saufs dans le petit héliport au cœur de Saint-Tropez, les trois hommes se rendirent à pied jusqu'au quai où les attendait un hors-bord acajou. Ils aperçurent bientôt au loin la silhouette du trois-mâts, qui, en raison de ses imposantes dimensions, était amarré au large de la baie.

Ils devisèrent gaiement du mauvais temps, du navire, du week-end qui s'annonçait. Maurizio relata ses mésaventures pendant la réfection du yacht. Il avait d'abord renvoyé l'architecte d'intérieur engagé par Patrizia. Puis, en 1986, le schooner avait accosté à La Spezia, pour subir des réparations. Paolo clamait alors que le *Creole* avait été acheté en toute illégalité et Maurizio s'inquiétait d'une mise sous séquestre possible. Un matin, il avait donc ordonné au capitaine de lever l'ancre, de hisser les voiles et de quitter le port au plus vite, avec les charpentiers à bord, sous prétexte d'effectuer des essais de manœuvres. Les ouvriers furent débarqués à Malte, et le bateau poursuivit sa traversée en direction de Palma de Majorque, son nouveau port d'attache. Maurizio dépensa ensuite une fortune pour restituer au *Creole* sa beauté d'antan, tout en le gratifiant d'un équipement dernier cri. Toto Russo avait contribué à décorer les chambres dans un style ancien et luxueux. La facture s'était montée à 970 000 dollars. Le *Creole* était bel et bien devenu l'un des yachts les plus magnifiques de la planète – mais à un prix beaucoup plus élevé que Maurizio ne l'avait imaginé.

Le hors-bord fendait les flots à toute allure, et bientôt les trois hommes se turent en approchant la merveille des mers dont le propriétaire avait conté les péripéties.

Ils grimpèrent à bord, dirent bonjour au skippeur, un Anglais souriant du nom de John Bardon, et, conformément à l'usage, saluèrent le drapeau. Puis Maurizio fit visiter les lieux à Andrea. Sur le pont supérieur, l'ancienne cabine de Stavros Niarchos avait été convertie en un somptueux salon, orné de tableaux, d'une table de marbre et d'une chaîne hi-fi ultramoderne. Au niveau inférieur, en poupe, étaient aménagées quatre cabines doubles, chacune recouverte de boiseries différentes – teck, acajou, cèdre et bruyère – et rehaussées de motifs orientaux. Une salle de bains jouxtait chaque chambre, garnie de serviettes et de produits de toilette tout spécialement conçus pour le *Creole*. En face de la chambre de Maurizio, à tribord, se trouvait la salle à manger, avec un banc tapissé le long de deux tables de bois, munies de rallonges prévues pour douze convives, qui, une fois pliées, servaient de tables basses. Plus loin, à l'avant, il y avait un bar, un office, une laverie et les quartiers de l'équipage, la cuisine et la salle des machines étant nichées dans le ventre du yacht.

Maurizio offrit à Morante et Russo deux uniformes, de ceux qu'il avait fait fabriquer pour ses invités : polo et pantalon blancs griffés de l'emblème du *Creole* – deux hippocampes mythologiques à tête de licorne entremêlés. Ensuite, il alla s'informer auprès de Bardon des derniers potins nautiques. Morante en profita pour enfiler la tenue immaculée, avant de partir à la recherche de Toto, qu'il trouva dans le salon.

Russo fit admirer le cadre à Andrea, en soulignant la beauté des boiseries, le cuivre des lampes en forme de poisson volant qu'il avait imaginées à partir d'une antiquité, la table de marbre rose, avec ses pieds coulés dans le bronze représentant les deux hippocampes-licornes – autre talentueuse copie. Un verre à la main, ils s'installèrent chacun dans un fauteuil en cuir – l'un couleur crème, l'autre gris –, deux pièces extrêmement précieuses, en véritable galuchat. Russo pointa le doigt vers le mur bleu-gris lustré, derrière eux, et s'exclama, théâtral, en levant les sourcils :

— Authentique peau de pastenague importée du Japon !

L'intention de Maurizio avait été de recréer un décor maritime sans recourir aux sempiternels motifs nautiques ou de coquillages.

— Impressionnant, marmonna Morante, très impressionnant…

Le tableau qui lui faisait face évoquait un coucher de soleil sur l'embouchure du Nil, baignée par un halo de lumière.

Russo voyait bien que son compagnon, certes admiratif, avait l'air soucieux. Ils s'étaient récemment disputés quand Morante avait contesté le coût des travaux engagés pour la réfection des boutiques. Le décorateur, qui avait tiré parti de l'indifférence de Maurizio au montant des dépenses, voulait percer Andrea à jour, étant donné l'ascendant qu'il exerçait désormais sur le P-DG de Gucci.

— Alors, comment vont les affaires, en ce moment ? demanda-t-il.

— Pas très bien, répondit Morante, en posant son verre sur la table.

— Dites-m'en plus.

— Eh bien, la conjoncture est difficile, le marché très bas. Les idées de Maurizio sont formidables, mais il a grand besoin de quelqu'un pour l'aider à gérer la maison. Il doit apprendre à déléguer ; sinon, les choses ne feront qu'empirer.

Andrea avait prononcé ces mots les lèvres serrées, le front plissé.

— C'est bien ce que je redoutais, répliqua Russo.

— Ce qui m'inquiète, c'est qu'il n'a pas l'air de se rendre compte de ce qui se passe. Il voit les chiffres, il est parfaitement au courant, mais il en fait totalement abstraction.

— Nous sommes ses deux seuls amis sincères, vous savez. Tous les autres essaient de lui soutirer quelque chose. Il est de notre devoir de l'alerter. Parlons-lui. *Parlez-lui*. Il vous fait confiance.

— J'hésite, Toto. Il peut mal le prendre. Vous n'ignorez pas ses sentiments pour Gucci : il souhaite prouver à tout le monde qu'il est capable de s'en sortir par lui-même.

Balayant ses appréhensions, Morante promit à Russo de faire part de ses inquiétudes à leur hôte. Ils convinrent d'attendre le dimanche soir, afin de ne pas gâcher le week-end. Andrea espérait en outre qu'à l'issue de ces journées de détente Maurizio se montrerait plus ouvert à ses propos.

Quelques instants après, ce dernier pénétra dans la pièce, le sourire aux lèvres : le dîner était prêt et la table dressée dans la salle à manger. Le chef leur avait concocté sa spécialité : des spaghettis aux oursins, suivis de poisson grillé. Le repas fut arrosé d'un montrachet blanc et frais – au dire des œnologues, le meilleur bourgogne qui soit. Après le repas, ils s'attardèrent dans le salon, à siroter du vin et écouter de la musique. Maurizio passa encore et encore le tube du moment, *Mi Manchi* – « Tu me manques » –, interprété par la vedette italienne Anna Oxa. La chanson lui rappelait Sheree, avec laquelle il venait de rompre.

Après plusieurs années passées ensemble, la jeune femme lui avait demandé de clarifier ses intentions Elle aurait aimé construire avec lui quelque chose de plus solide – peut-être même avoir des enfants. Et lui, quel tour comptait-il donner à leur relation ? Au pied du mur, il dut admettre la réalité : il n'était pas l'homme qu'il lui fallait. Il avait déjà une famille, si éclatée fût-elle, et espérait qu'un jour prochain il vivrait de nouveau avec ses filles. En outre, Gucci l'accaparait tellement qu'il ne lui restait plus de temps pour sa vie privée. Il ne fit rien pour retenir Sheree, mais il ne pouvait s'empêcher de regretter sa présence chaleureuse et aimante.

Au matin, les nuages s'étaient dissipés et les passagers du *Creole* se réveillèrent sous un soleil radieux et une brise vivifiante qui promettait une régate des plus palpitantes. Les hommes enfilèrent leur coupe-vent et grimpèrent sur le toit de la cabine de pilotage, d'où ils purent observer les manœuvres sans gêner les membres de l'équipage. Ces derniers couraient en tous sens pour apprêter le yacht à la course et, quand ils eurent hissé l'ancre, le *Creole* démarra en trombe. En quelques rotations, les marins testèrent les conditions de navigation, obéissant aux consignes que Bardon leur donnait à l'ancienne, au moyen de son sifflet.

Tout à coup, les trois amis levèrent la tête : un sloop étincelant de quatre-vingt-dix-sept pieds de long arrivait à vive allure, avec, aux commandes, un homme au teint hâlé, auréolé d'une belle chevelure blanche. Il s'agissait de l'*Extra Beat*, et son pilote n'était autre que Gianni Agnelli, surnommé le roi officieux d'Italie en raison de son pouvoir et de sa stature. Élégant, cultivé, et marié à la ravissante princesse Marella Caracciolo, il suscitait le respect et la fierté de ses compatriotes, qui n'en témoignaient pas tant à la classe politique. La presse le surnommait *L'Avvocato*.

Agnelli fit demander par un membre de son équipage la permission de monter à bord du *Creole*. Le magnat n'en était pas à sa première tentative. Alors que le yacht de Maurizio était à quai pour subir des réparations, le jeune patron de Gucci avait vu le président de Fiat s'approcher du bateau. Il s'était alors réfugié en hâte dans une cabine et avait fait dire par un marin à Agnelli que, M. Gucci étant absent, il ne pouvait répondre favorablement à sa requête.

Cette fois encore, Maurizio envoya un homme lui transmettre un refus, au prétexte que, alors en travaux, le bateau n'accueillait pas de visiteurs. Sur ce, Agnelli exécuta une manœuvre brusque et rapprocha dangereusement l'*Extra Boat* du *Creole*, ce qui inquiéta les matelots du schooner et attira un essaim de paparazzi.

« Depuis quelque temps, Agnelli voulait admirer ce superbe voilier, explique Morante. Mais Maurizio craignait qu'il ne cherche à le lui racheter, comme il avait redouté que Gianni ne se porte acquéreur du domaine de Saint-Moritz. »

Le dimanche soir, les passagers du *Creole* évitèrent la traditionnelle remise des trophées et, dans la soirée, ils se promenèrent dans la ville sous les reflets rougeoyants du crépuscule. Ils avaient troqué leurs tenues immaculées contre des chemises oxford et des pantalons kaki, et jeté sur leurs épaules de chatoyants pull-overs de cachemire. Ils traversèrent les rangées de peintres, à l'œuvre sur les trottoirs, et longèrent les ruelles pittoresques de Saint-Tropez jusqu'au vieux quartier, où se trouvait le restaurant préféré de Maurizio, réputé pour ses mets de poisson. Une fois qu'ils furent attablés, une serveuse leur apporta de l'eau et du vin. Tout en plaisantant sur l'incident avec Agnelli, Maurizio servit ses convives et passa la commande. Assis à sa gauche, Russo lança un regard entendu à Morante et lui fit signe d'aborder l'épineux sujet dont ils avaient discuté plus tôt. Andrea l'ignora et poursuivit sa conversation avec Maurizio. Pendant qu'ils mangeaient les hors-d'œuvre, le décorateur assena un coup de pied à Morante sous la table. Ce dernier opina enfin, s'éclaircit la gorge et prit la parole :

— Maurizio, Toto et moi avons quelque chose à vous dire, commença-t-il.

— Oui, Andrea, qu'y a-t-il ? s'enquit l'intéressé, étonné par une telle gravité.

— Vous n'allez sans doute pas aimer ce qui va suivre, mais j'estime qu'en tant qu'ami sincère, j'ai le devoir de vous en parler. Entendez-le bien comme un gage d'amitié. Vous possédez tellement de qualités, Maurizio. Vous êtes intelligent, plein de charme, et vous communiquez comme personne votre enthousiasme pour le renouveau de Gucci. Vous disposez d'atouts considérables mais… Soyons réaliste : il n'est pas donné à tout le monde d'être un gestionnaire-né. Nous avons tous deux traversé beaucoup d'épreuves. Cependant, je pense que vous ne savez pas diriger votre compagnie. Je crois que vous devriez laisser quelqu'un d'autre…

Maurizio frappa du poing sur la table avec une telle vigueur que les verres se renversèrent et les couverts s'entrechoquèrent.

— Non ! Non ! Non ! Et non ! cria-t-il, en accompagnant chaque mot d'un coup supplémentaire.

Les têtes des autres dîneurs se tournèrent vers les trois hommes, dont les visages s'étaient empourprés.

— Vous ne me comprenez décidément pas, et vous ne saisissez rien de ce que je veux faire de ma société ! dit Maurizio avec emphase. Je ne suis pas du tout d'accord avec vous !

Inquiet, Morante regarda Russo, qui ne l'avait pas appuyé. L'ambiance joyeuse, quasi fraternelle, qui régnait entre eux jusqu'alors s'était envolée.

— Écoutez, Maurizio, il s'agit juste d'une opinion, répliqua Andrea en levant les mains, comme pour se défendre. Vous n'êtes pas forcé de l'approuver.

Maurizio était lui-même surpris par la violence de sa réaction, lui qui détestait les affrontements et préférait régler les choses à l'amiable. Son naturel diplomate reprenant le dessus, il essaya de ramener le calme :

— *Dai*, Andrea, dit-il. Ne gâchons pas ce merveilleux week-end !

Russo raconta une blague grivoise napolitaine et, à la fin du repas, l'humeur générale semblait avoir recouvré son insouciance. En apparence, seulement.

« Quelque chose s'était éteint en lui, rapporterait Andrea plus tard. Il avait décidé que je n'étais plus digne de sa confiance. Tout le reste, c'était de la poudre aux yeux. Son père et son oncle lui avaient martelé sans arrêt qu'il était inapte à tenir les rênes de la maison. Au fond de lui, il les craignait encore et voilà que je ravivais cette douleur. Il souhaitait qu'on le traite de génie. Certains, beaucoup plus habiles que moi, lui ont toujours dit ce qu'il désirait entendre et ne sont jamais tombés en disgrâce. Dans son esprit, il n'y avait que deux possibilités : on était soit avec lui, soit contre lui. »

Ainsi qu'il l'avait fait avec son père, puis avec Patrizia, Maurizio mit un terme à ses relations avec Morante. De retour à Milan, un froid s'instaura entre eux.

« Au début, se souvient Pilar Crespi, les deux compères étaient inséparables. Maurizio adorait Andrea. Un jour, tout s'est écroulé. Il s'est senti trahi. Morante avait émis l'idée que son ami était un peu dépassé, et Maurizio ne l'avait pas supporté. Il préférait les béni-oui-oui. »

Pour aggraver les choses, l'accord avec Racamier, sur lequel Morante travaillait depuis six mois, avorta à la dernière minute. À la veille des fêtes de Noël, tout était prêt et Andrea était parti, persuadé qu'il ne restait plus qu'à signer les documents. Mais l'entente tourna court dans les bureaux feutrés de la banque Rothschild de Paris.

Maurizio Gucci, ses avocats et ses partenaires d'Investcorp venaient de prendre place autour de la table, en présence de l'autre partie. C'est alors que Racamier formula son prix, bien en deçà des attentes de la firme de Kirdar.

« Son offre était si basse qu'elle confinait à l'injure, explique Rick Swanson. Nous avons aussitôt quitté les lieux. »

Le Français avait sous-estimé la fierté des membres d'Investcorp ainsi que le niveau des transactions qu'ils étaient habitués à mener. Plus tard, Swanson apprendrait que l'ancien P-DG de Louis Vuitton s'apprêtait à payer 100 millions de dollars supplémentaires. Mais sa tactique avait tellement froissé la banque d'affaires qu'il n'avait pas eu le temps de revoir sa proposition à la hausse.

« C'est là que tout a basculé », déclare Morante.

Quand Investcorp étudia le dossier Gucci lors de la réunion annuelle du comité de gestion en janvier 1991, les résultats de la compagnie attestaient d'une chute vertigineuse des ventes – de l'ordre de 20 % –, de bénéfices nuls et de perspectives à court terme encore plus inquiétantes. La maison avait perdu des dizaines de millions de dollars.

« En l'espace de quelques années seulement, on était passé de 60 millions de dollars en profits à une somme équivalente en passif ! explique Swanson. Maurizio avait supprimé un potentiel de 100 millions dans les ventes et ajouté 30 millions de dépenses ! Tel un enfant dans une confiserie, il ne savait plus où donner de la tête. Il avait perdu le sens des priorités. »

Maurizio supplia Investcorp de lui accorder un délai supplémentaire. « La demande reviendra ! disait-il. Les ventes vont redécoller ! Ce n'est qu'une question de temps. »

Comme il avait opéré le retrait des sacs de toile de manière expéditive, il avait du mal à garnir les magasins de ses nouvelles créations. En effet, la collection mise en chantier par Dawn Mello et son équipe de créateurs n'était pas encore livrée. Carlo Magello, directeur général de Gucci Grande-Bretagne entre 1989 et 1999, se rappelle bien cette période troublée :

« Les boutiques étaient vides ! Pendant trois mois, nous n'avions rien à vendre. Les gens pensaient que nous allions fermer ! »

Burt Tansky, qui dirigeait alors Saks Fifth Avenue, confirme :

« Personne ne reprochait à Maurizio d'avoir cherché à améliorer la qualité de ses produits, et à substituer les nouveaux aux anciens. Cependant, il aurait pu supprimer plus progressivement la gamme de toile. Nous l'avons imploré de ne pas faire disparaître des articles aussi appréciés sans proposer autre chose en échange. Il fallait tenir compte des clients. »

Tandis qu'Investcorp se lamentait sur Gucci, des avions de chasse sillonnaient le ciel de l'Irak. Depuis le 2 août 1990, la tension grondait au Moyen-Orient : les troupes de Saddam Hussein venaient d'envahir le Koweit. Quand le dictateur irakien brava l'ultimatum de l'ONU exigeant un retrait de ses troupes avant le 15 janvier 1991, les forces alliées, menées par le général américain Norman Schwarzkopf, entreprirent une vague massive de bombardements sur tout le pays, bientôt suivie d'une attaque au sol. Le cessez-le-feu fut décrété le 28 février. Mais c'était trop tard : la guerre du Golfe avait fait des ravages sur le marché du luxe.

« Ce conflit a ruiné notre secteur, se souvient Paul Dimitruk, qui, après avoir quitté Investcorp, était entré au conseil d'administration de Duty Free Shops, la plus grande chaîne de magasins de luxe du globe. Le monde éprouvait une peur qui, a posteriori, peut paraître démesurée, mais qui se ressentait partout. On croyait tous qu'une terrible catastrophe allait survenir. Personne ne voulait plus voyager, encore moins au Moyen-Orient. Les Américains et les Japonais étaient les plus gros consommateurs de produits de luxe. Le marché s'est effondré. »

Pour ne rien arranger, la Bourse de Tokyo dégringola au même moment, suite à une grave crise immobilière.

Après l'échec de l'accord Racamier et la guerre du Golfe, Morante comprit qu'aucun sauveur téméraire ne se précipiterait à la rescousse de Maurizio. Il lui fallait chercher une solution au sein même de Gucci et évaluer ses capacités de survie. Il calcula que la maison allait accuser 13 millions de dollars de pertes en 1991.

« J'ai rassemblé des chiffres pour pousser Maurizio à réagir. Mais la situation restait bloquée. Les ventes ne décollaient pas, les profits demeuraient inexistants, les coûts montaient en flèche et toutes les liquidités avaient été gaspillées. Maurizio ignorait tout de la nécessité de s'autofinancer. Il fonctionnait à l'intuition. Et de nos jours, cette méthode permet de s'en sortir, uniquement quand la conjoncture est bonne. Dans le cas contraire, elle se révèle totalement inefficace. »

Autrement dit, là où, avec son authentique flair pour les affaires, Aldo aurait probablement réussi, Maurizio allait sans doute échouer.

Lorsque Morante tenta d'attirer son attention sur les questions les plus urgentes, le P-DG de Gucci ne lui faisait plus confiance. Toutes les mises en garde d'Andrea furent vaines. Maurizio s'était entiché d'une nouvelle idole, le consultant Fabio Simonato, qu'il nomma à la tête du département des ressources humaines. Morante démissionna en juillet, mais resta quelque temps encore sur la requête de Maurizio.

Depuis 1987, Andrea Morante avait aidé ce chef d'entreprise à vaincre l'actionnariat familial, à trouver des partenaires financiers et à dynamiser son équipe de direction. En outre, il avait ébauché un accord qui aurait permis à Investcorp de se retirer du jeu sans perdre la face.

« Malheureusement, le rêve ne se finit pas comme je l'espérais, écrivait-il dans sa lettre de démission. Ce n'est pas faute d'avoir essayé. À présent, je dois poursuivre mon propre chemin. »

Il fut engagé par une petite banque d'affaires milanaise, puis rentra à Londres, au service du Crédit suisse First Boston, où il s'occupe désormais du marché italien. Bien qu'il s'adonne à une activité qui le passionne, les souvenirs de sa collaboration avec Maurizio continuent de remonter à la surface. Comme Dimitruk avant lui – et tant de leurs prédécesseurs –, son expérience chez Gucci avait laissé sur lui une empreinte indélébile.

13

Une montagne de dettes

Ni Morante ni personne d'autre ne réalisait que les dettes personnelles de Maurizio croissaient en même temps que les problèmes financiers du groupe. Elles s'élevaient à des dizaines de millions de dollars. Il n'avait parlé à personne de ses emprunts qu'il confessa seulement en novembre 1990 à son avocat Fabio Franchini. Maurizio avait rapidement dépensé l'argent que son père lui avait laissé dans un compte en banque suisse et il avait hypothéqué l'avenir en pariant sur les profits substantiels qu'il attendait des ventes de Gucci. Il avait contracté des prêts personnels pour financer la remise en état du *Creole*, l'ameublement et la décoration d'un luxueux appartement sur le corso Venezia à Milan et les frais d'avocats toujours plus élevés exigés par son conflit avec les membres de sa famille. Maria Martellini avait fait appel d'abord à Franchini pour débrouiller les problèmes juridiques de Gucci pendant la période de sa tutelle – et Maurizio, quand il reprit la présidence, lui proposa de rester en fonction. Franchini n'avait jamais oublié l'une des premières remarques faites par Martellini à propos de Maurizio : « Maurizio Gucci est assis sur une montagne d'argent. » En réalité, comme Franchini devait s'en apercevoir avec effroi, Maurizio était assis sur une montagne de dettes.

« Cela m'a sidéré », a avoué plus tard Franchini. Maurizio confessa à Franchini que ses dettes personnelles s'élevaient à près de 40 millions de dollars. La plus grande partie de cette somme était due à deux banques : la Citibank de New York et la Banco della Svizzera Italiana à Lugano. Maurizio expliqua à Franchini que les deux banques voulaient être remboursées mais qu'il ne savait où trouver l'argent. La société Gucci étant dans le rouge, les 50 % qu'il avait dans l'affaire ne lui rapportaient rien. Ses autres actifs étaient ses avoirs immobiliers à Saint-Moritz, Milan et New York, dont la plupart étaient déjà hypothéqués. Maurizio n'avait jamais répondu aux lettres ou aux appels téléphoniques de ses banquiers. En quête de ressources financières pour Maurizio, Franchini entama une série interminable de rendez-vous avec de nouvelles banques mais sans grand succès.

Entre-temps la pression montait sur Investcorp : les médiocres résultats de Gucci pesaient lourdement sur Kirdar et son équipe, qui venaient de dépenser en 1990 plus de 1,6 milliard de dollars pour acheter Saks Fifth Avenue, contre l'avis des milieux boursiers qui estimaient très excessif ce prix pour le grand détaillant de luxe. En 1991, Gucci avait perdu près de 38 milliards de lires, soit 30 millions de dollars environ.

« Ce qui compliquait beaucoup les choses, c'est que les investisseurs qui avaient misé sur Gucci avaient également misé sur Chaumet et Bréguet, qui n'étaient pas non plus des affaires de tout repos. Cela causait un certain malaise », devait déclarer un ancien dirigeant d'Investcorp. Kirdar envoya Bill Flanz à Milan avec pour mission de contrôler de plus près Maurizio.

C'était un homme d'allure modeste à la voix douce, proche de la cinquantaine, qui avait travaillé à l'achat de Saks. Son calme et sa tranquillité lui avaient permis de se tirer de situations délicates. À Téhéran, il avait négocié avec le gouvernement Khomeini à l'occasion de la nationalisation d'une banque après la chute du Shah. Flanz était le fils d'un professeur de sciences politiques d'origine tchèque et avait passé son enfance dans un quartier ouvrier.

Après des études supérieures à l'université de New York, puis du Michigan, Flanz avait fait un stage de formation à la Chase Manhattan Bank et y avait poursuivi sa carrière pendant dix-neuf ans. Il avait alors fondé avec d'autres une société de gestion de portefeuilles, puis était entré à Investcorp.

À Investcorp, Flanz avait la réputation de savoir rapprocher les points de vue opposés. De l'avis de Kirdar, son absence d'agressivité et sa personnalité le désignaient pour mettre fin à la brouille entre les deux partenaires et travailler en rapports étroits avec Maurizio.

Flanz et un autre des cadres d'Investcorp, Philip Buscombe, s'envolèrent de Londres pour Milan et rencontrèrent Maurizio dans la nouvelle et spacieuse salle de conférences des bureaux de la piazza

San Fedele. Ils créèrent une commission exécutive pour participer de manière plus étroite aux décisions que devait prendre Gucci. Une liste de onze problèmes à traiter d'urgence fut alors établie.

« Ce fut notre manière de susciter un esprit de gestion commune sans offenser Maurizio, a expliqué Swanson, qui lui aussi joua un rôle. Nous avons fait un gros travail, mais, en dernier ressort, Maurizio était la personne qui devait mettre en œuvre le programme – et c'est ce qui n'eut pas lieu. »

« Maurizio disait : "C'est très bien, d'accord", et puis il n'en faisait qu'à sa tête, confie l'ancien directeur administratif et financier de Gucci, Mario Massetti. Ce n'est pas qu'il contestât qu'il y eût des problèmes, toutefois il était convaincu que, d'une façon ou d'une autre, il passerait au travers. »

Maurizio reconnut que la transformation de son rêve en réalité aurait un coût plus élevé qu'on ne l'avait cru au départ. C'est ainsi qu'au début il fit bon accueil à Flanz et invita celui-ci à installer son bureau dans le nouveau quartier général de Gucci.

Flanz, fidèle à sa façon de travailler, aborda les problèmes de Gucci avec un esprit ouvert et prit son temps pour formuler son évaluation. Mais une fois sa position arrêtée, il ne serait pas facile de lui faire changer d'avis.

« J'avais de la sympathie pour Maurizio, mais quand je me mis à critiquer ses décisions et la façon dont il travaillait, nos rapports se tendirent, explique Flanz. J'en vins à la conclusion que, comme homme d'affaires, Maurizio manquait de réalisme, qu'il n'était pas un administrateur compétent, et que ses qualités de chef n'avaient qu'une efficacité marginale. J'en déduisis qu'il ne serait jamais capable de conduire son affaire avec succès – en tout cas pas dans les délais que les créanciers allaient nous accorder. »

En février 1992, en dépit du processus de dégraissage mis en œuvre chez Gucci, la Citibank jugea que Gucci était dans le rouge et réclama le remboursement du crédit de 25 millions de dollars qui avait été entièrement utilisé. La valeur de la société était évaluée négativement : moins 17,3 millions de dollars, et les ventes étaient tombées à 70,3 millions de dollars. La nouvelle structure de prix imposée par Maurizio avait eu comme résultat que Gucci America était dans l'incapacité de payer les marchandises qu'elle recevait de la compagnie italienne et ne pouvait assurer le versement des salaires et le financement des frais opérationnels. Cette nouvelle politique de prix, qui incluait des prix beaucoup plus élevés pour les nouveaux articles de grande qualité produits par Dawn Mello et son équipe de concepteurs, allait devenir plus tard le sujet d'âpres disputes entre Maurizio, De Sole et Investcorp.

« Comment allons-nous faire pour vendre à Kansas City des sacs à main à 1 000 dollars ? » protestait De Sole.

Citibank désigna un des ses collaborateurs pour suivre l'affaire : Arnold J. Ziegel. Celui-ci fit savoir à De Sole que la banque avait pris position sur deux points : primo, tant que le prêt n'aurait pas été remboursé, elle s'opposait à ce que Gucci America acquitte la valeur d'une marchandise quelconque à Guccio Gucci ; secundo, elle ne ferait confiance à la compagnie qu'aussi longtemps que De Sole continuerait à en être le directeur général. De Sole, ne voulant pas avoir l'air d'exploiter la situation à son avantage, protesta contre la seconde condition. L'ultimatum de Ziegel allait approfondir le fossé entre les deux sociétés et les deux hommes – entre Domenico De Sole et Maurizio Gucci.

En même temps, Ziegel faisait pression sur Maurizio pour qu'il remboursât les prêts personnels obtenus de la Citibank et venus à échéance. Ces prêts étaient garantis par les deux appartements de l'Olympic Tower à Manhattan – celui que Maurizio et Patrizia avaient meublé au début des années 1970, et un autre acheté plus tard par Maurizio mais qui n'avait jamais été rénové. Ces deux appartements s'étaient dépréciés car les valeurs immobilières avaient chuté à New York, et ils valaient moins que la dette contractée par Maurizio.

À l'époque, Investcorp n'était pas au courant des prêts personnels de Maurizio, mais la situation financière de Gucci s'aggravait si vite qu'Investcorp fit préparer un montage de diapositives. Il s'agissait de faire passer de façon simple le message suivant : la situation de l'entreprise était dramatique. Convoqué à Londres dans les bureaux élégants d'Investcorp à Brook Street, et entouré des collaborateurs chargés du dossier, Maurizio dut assister en silence au défilé des diapos dans une pièce assombrie.

« Il a dû avoir l'impression d'une procédure policière, confie Swanson. Il y avait autour de la table dix hommes au moins en complet sombre.

Toute l'assistance pouvait constater de visu à quel point la situation était mauvaise.

« À la fin, sur une grande diapo de conclusion, on pouvait lire : *Conclusion : augmenter les ventes, diminuer les dépenses.* »

Quand ce message s'étala sur l'écran, Maurizio ouvrit de grands yeux et se mit debout d'un bond, en se tournant vers Kirdar avec un grand rire.

— Augmenter les ventes ! Diminuer les dépenses ! J'aurais pu dire ça tout seul. La question est : comment faire ?

— Maurizio, vous êtes le patron, répliqua Kirdar, qui n'avait pas envie de rire. C'est à vous de trouver la réponse.

Maurizio promit de revenir à Londres avec un plan commercial. Il retourna à Milan où une nouvelle plaque de cuir avait pris place à côté de l'adage d'Aldo – « On se souvient de la qualité longtemps après avoir oublié le prix. » Sur cette plaque, on pouvait lire : « Êtes-vous une partie du problème ou une partie de la solution ? »

Arriva la date fixée à Londres pour la présentation du plan. Rien ne se produisit. Kirdar prit l'avion pour Milan.

— Maurizio, dit Kirdar, ça ne va pas du tout. Engagez un gestionnaire en chef. Vous êtes le visionnaire, mais la compagnie a besoin d'un patron à demeure.

— Faites-moi confiance, Nemir ; faites-moi confiance. Je ferai ce qu'il faut, répliqua Maurizio en secouant la tête.

— Je vous fais confiance, Maurizio. Mais les choses ne vont pas bien. Je comprends votre problème, et vous devez comprendre le mien. Mon devoir est de sauver un navire qui coule. La compagnie perd de l'argent. Je ne suis pas votre riche partenaire. Je suis responsable devant mes actionnaires.

Entre-temps, Flanz avait constaté que Gucci avait des dépôts remplis de vieilles marchandises que Maurizio avait retirées des magasins en application de son plan de réorganisation. Flanz avait découvert des piles de peaux, de vieux sacs de toile, des rouleaux d'étoffe. Tout cela était en train de pourrir.

« Maurizio ne réfléchissait pas au fait que les stocks invendus perdent de leur valeur, expliqua plus tard Flanz. Aussi longtemps qu'il lui était possible de jeter une couverture sur les vieilles marchandises et de les cacher quelque part, elles cessaient d'exister pour lui. Elles pouvaient figurer sur un bilan quelque part, mais elles n'existaient plus dans sa tête. »

Claudio Degl'Innocenti, responsable de la production à l'usine de Scanducci, connaissait déjà la position très personnelle de Maurizio sur la question des stocks. Dans le cadre de la refonte générale du style des produits Gucci, Maurizio avait décidé de changer la couleur des attaches, boucles et fermoirs en or des sacs et autres accessoires. Un alliage d'or vert remplacerait l'alliage d'or jaune.

Un jour, durant une réunion sur les produits à Florence, Maurizio convoqua Degl'Innocenti. Le grand homme solidement charpenté, tête barbue et chevelure sauvage, toujours vêtu de sa tenue d'atelier, entra dans le studio de design où Maurizio travaillait avec Dawn Mello et son équipe et attendit que son patron lui adressât la parole.

— Bonjour, Claudio, désormais au lieu d'utiliser l'or 00, nous allons utiliser le 05.

Maurizio se référait à la désignation codée des éléments métalliques colorés.

— Bien, *dottore*, répondit de sa voix bourrue Degl'Innocenti, mais qu'allons-nous faire de la marchandise que nous avons en magasin ?

— Claudio, que peut me faire la marchandise que nous avons en magasin ?

Degl'Innocenti acquiesça en silence et quitta la pièce. De retour à son bureau il passa quelques coups de téléphone et se livra à de rapides calculs. Moins d'une heure plus tard, il revenait dans le bureau de Maurizio.

— *Dottore*, il y a quelques articles que nous pouvons repeindre en vert, mais la plupart des fermoirs ne peuvent pas être traités. Nous parlons de marchandises d'une valeur d'au moins 350 millions de lires (à l'époque 300 000 dollars).

— Qui est le président de Gucci, toi ou moi ? demanda Maurizio à Degl'Innocenti. Les anciens articles sont périmés. Jette-les, fais-en ce que tu veux. En ce qui me concerne, ils n'existent plus.

Degl'Innocenti haussa les épaules et sortit du bureau.

« Je n'ai rien jeté, a-t-il confessé plus tard. En fait, nous avons réussi à vendre cette marchandise. Ce qui était absurde, c'est que nous recevions des messages contradictoires. D'un côté, on jetait l'argent par la fenêtre, de l'autre on nous recommandait de faire des économies de bouts de chandelles, on contrôlait nos coups de téléphone et même pendant un certain temps nous avons dû éteindre toutes les lumières à 5 heures du soir. »

Pour en revenir à Flanz, il insista auprès de Maurizio : il fallait trouver un acheteur pour les stocks. Il offrit son aide. Finalement, un jour, Maurizio annonça fièrement qu'il avait trouvé une solution. Il avait signé un contrat pour la vente du lot complet aux Chinois. Maurizio assura à Flanz qu'il avait pris toutes ses précautions.

« Il était aussi content qu'on peut l'être. Il paradait dans son bureau en expliquant à tout le monde qu'il n'y avait plus à s'en faire, parce qu'il avait pris en main le problème », raconte Flanz. Gucci envoya les articles par bateaux dans d'immenses containers et tout disparut dans des entrepôts à Hongkong. Non seulement la compagnie ne fut pas payée, mais elle dut verser à l'avance 800 000 dollars à l'intermédiaire qui avait arrangé le contrat. Cet épisode, qui coûta initialement 20 millions de dollars perdus en marchandises, suscita la rage et la frustration de Flanz et de ses collègues d'Investcorp.

« Cette transaction chinoise se dissipa en fumée, assure Flanz. Ce n'était qu'un rêve de Maurizio, un de plus. »

Plusieurs mois plus tard, Massetti prit l'avion pour Hong-kong, trouva les articles et réussit à les vendre.

Le temps filait et, comme la situation ne s'améliorait pas, les réunions du conseil d'administration prenaient un caractère conflictuel. Sans doute ne s'envoyait-on plus à la tête des sacs Gucci, mais Flanz et les directeurs d'Investcorp contestaient ouvertement les décisions de Maurizio.

« Vous êtes en train de couler la société, déclara Hallak, d'Investcorp, le successeur d'Andrea Morante au conseil. Nous ne sommes pas satisfaits de la situation. Personne ne veut vous mettre dehors, nous désirons que vous restiez à la barre mais nous voudrions introduire dans la maison un directeur général expérimenté. Cela nous permettrait d'exercer un certain contrôle. »

En guise de représailles, Maurizio et ses collaborateurs conduisaient les débats du conseil en italien, ce qui augmentait la fureur des directeurs d'Investcorp.

« Je ne parlais pas du tout italien, je pouvais cependant saisir quelques mots et reconstruire le scénario général et je n'étais pas satisfait du tour que prenaient les choses », avoue Hallak.

Lors d'une des réunions du conseil, comme les esprits s'échauffaient, Maurizio griffonna de son écriture énergique une note qu'il passa à Franchini, membre du conseil.

« *David contre Goliath*
ILS sont quatre
Ils comptent pour...
Forza !
Il faut les forcer à se découvrir. »

« La situation était très tendue, se souvient Toker, auquel Investcorp avait fait appel à cause de sa profonde connaissance des milieux d'affaires européens. Le fond de la question, c'est qu'Investcorp s'est accroché beaucoup plus longtemps qu'un actionnaire normal ne l'aurait fait en pareilles circonstances. D'abord parce qu'on ne voyait pas très bien la solution de rechange. Ensuite parce que Nemir aimait Maurizio et ne voulait pas le blesser. Enfin parce que chacun espérait une espèce de miracle, un renversement de la situation. On aurait été heureux de vendre cette malheureuse société pour 200 ou 300 millions de dollars. Elle faisait eau de toutes parts ! »

Pour Flanz, Investcorp perdit une année à essayer de convaincre Maurizio de se contenter d'une présidence qui l'aurait écarté des fonctions d'administrateur.

« Et vous, vous aimeriez que quelqu'un d'autre dirige votre société ? » répliquait Maurizio, qui pressait toujours Franchini de poursuivre ses contacts, dans l'espoir de trouver assez d'argent pour racheter les parts qu'il avait vendues.

« Il se sentait insulté », reconnaît Hallak.

« Je lui parlais en tête à tête, se souvient Flanz. Nous lui parlions en petit comité. Nous avons essayé de le convaincre de faire appel aux services d'un directeur général et d'abandonner la gestion de Gucci. À la fin il nous a dit : "Je vais vous racheter vos parts !" et nous a promis que si, à telle date, le rachat n'avait pas eu lieu, il se retirerait de l'affaire. Il n'a pas réussi à racheter les parts, et il n'a pas tenu sa promesse. Nous avons perdu beaucoup de temps à tenter de l'aider à résoudre son problème. Le seul résultat auquel nous sommes parvenus, c'est de retarder le règlement de comptes final. »

Gucci réussit à passer le cap de 1992 grâce au chèque annuel de 30 millions de dollars que la société horlogère de Severin Wunderman versait à titre de royalties. Ce chèque permit de payer les dépenses de base et les salaires, mais contribua peu aux besoins de la production.

« J'ai permis à la compagnie de survivre, devait déclarer plus tard Wunderman. J'étais la queue frétillante du chien. »

En attendant, ce qui contribuait à étrangler davantage la société mère en Italie, c'était que Gucci America, sous la pression de la Citibank, avait arrêté tout paiement pour les marchandises reçues. Gucci avait un besoin urgent d'augmenter son capital, mais Maurizio n'avait pas d'argent pour accroître sa participation et ne pouvait donc pas permettre à Investcorp d'injecter de l'argent dans l'affaire, ce qui aurait affaibli son propre contrôle.

« Maurizio souhaitait qu'Investcorp apporte de l'argent sous forme de prêts, mais nous refusions cette solution, rappelle Hallak. Ce n'était pas sain financièrement pour la société et nous ne pensions pas que Maurizio avait les capacités requises pour gérer Gucci en générant des profits – rien ne nous garantissait que nous retrouverions notre argent. »

Prêt à tout pour trouver de l'argent, Maurizio se tourna vers Domenico De Sole, qui lui était resté loyal. À l'occasion de transactions diverses, De Sole lui avait déjà prêté 4,2 millions de dollars sur sa bourse personnelle. Cette somme provenait de la vente B. Altman – c'était le pécule que De Sole avait mis de côté en pensant à l'éducation de ses filles et à sa retraite (et celle d'Eleanore). Quand Maurizio aux abois l'implora de nouveau, De Sole lui répondit qu'il n'avait plus rien. Maurizio plaida pour que De Sole lui prêtât de l'argent sur les fonds de Gucci America.

« Je ne peux pas faire ça, Maurizio. J'aurais des ennuis ! » dit De Sole. Maurizio le supplia. Finalement De Sole consentit à contrecœur à lui prêter 800 000 dollars, à la condition que Maurizio rembourse cet emprunt avant la clôture des comptes. Maurizio ne respecta pas le délai fixé, et De Sole dut rembourser la société lui-même.

Toujours aux abois, au début de 1993, Maurizio décida de relancer en secret à Florence la production des anciennes collections en toile à bon marché et signa des contrats avec des importateurs parallèles en Extrême-Orient.

« Quand Gucci America cessa de nous payer leurs marchandises, nous avons eu un gros problème de liquidités – nous ne pouvions pas même payer nos fournisseurs – et Maurizio nous a demandé de recommencer à produire la vieille collection Gucci Plus, se souvient Claudio Degl'Innocenti. Nous avons produit des dizaines de milliers de sacs, tous dans l'ancien style. Maurizio nous avait expliqué qu'il fallait que nous sortions de cette passe difficile, mais qu'après il allait racheter toute l'affaire. Nous avons gagné 5 à 6 milliards de lires (environ 3 millions de dollars) par mois avec ces produits ancien style. C'était ce qu'on appelait une opération interne parallèle comme beaucoup de sociétés en faisaient à l'époque. Cela nous a aidés à tenir pendant quelques mois. »

« C'était étonnant de voir à quel point Maurizio était prêt à passer outre à ses propres principes pour grappiller de l'argent par-ci par-là, dit Flanz. Il s'est relancé dans une fabrication à laquelle il avait décidé de mettre un point final en 1990 – la production en masse de ses articles bon marché en toile plastifiée avec le logo double G. Très vite les entrepôts en ont regorgé. »

C'est alors que Carlo Magello, le directeur de Gucci Grande-Bretagne, provoqua la vente la plus importante enregistrée par la compagnie dans toute son histoire. Un beau matin, ce grand type, astucieux et d'un contact agréable, au front ombragé d'une somptueuse chevelure blanche, descendit en toute hâte de son bureau pour accueillir dans le magasin d'Old Bond Street un monsieur élégamment vêtu et très courtois qui désirait acheter des sacs et des porte-documents Gucci en crocodile.

« C'étaient des articles de grand prix que nous avions apparemment en magasin depuis des décennies », explique Magello. Le client voulait un ensemble assorti. Magello n'en avait pas sous la main, mais grâce à quelques coups de téléphone et quelques visites, il réussit à réunir un jeu complet. L'élégant client en fut si satisfait que, peu après, Magello reçut, à sa grande surprise, une commande portant sur vingt-sept ensembles assortis dans toutes les couleurs imaginables, du rouge Ferrari jusqu'au vert des forêts, et qui représentait une valeur de 1,6 million de livres, soit 2,4 millions de dollars. Le client à la voix douce que Magello avait servi si aimablement était le représentant du sultan de

Brunei et celui-ci souhaitait acquérir des ensembles assortis de valises Gucci pour tous les membres de sa famille.

« Quand j'ai transmis la commande en Italie, on m'a appelé et on m'a dit : "Carlo, nous n'avons pas assez d'argent pour acheter les peaux de crocodile !" J'ai donc repris contact avec mon client et j'ai obtenu le versement d'arrhes », raconte Magello. Mais, au lieu de payer les peaux, l'argent servit à régler des salaires. Magello dut de nouveau s'agiter. Il exigea une fouille générale des entrepôts de Florence qui permit de découvrir des peaux précieuses en quantité suffisante pour fabriquer les deux ou trois premiers jeux de valises remis au client contre un paiement partiel de la commande. Ainsi, d'autres peaux purent être achetées et la commande fut totalement exécutée.

En février 1993, Dawn Mello se rendit à New York pour y subir une petite intervention chirurgicale. Maurizio, qui était aux États-Unis pour affaires, vint lui rendre visite au Lennox Hill Hospital, où elle poursuivait sa convalescence.

« Il s'est assis sur mon lit, m'a pris la main et m'a dit : "Ne vous faites pas de souci, Dawn, tout ira bien", se souvient Mello. Il était si attentionné et rassurant. Il m'a vraiment fait du bien. »

Pourtant, quand elle revient à Milan trois semaines plus tard, Maurizio lui témoigne de la froideur. « Il ne voulait pas me parler, c'est comme si un rideau était tombé entre nous. Il croyait que j'étais du côté de ses ennemis. » Mello fait des efforts pour comprendre ce qui crée cette mésentente, et tente de parler à Maurizio, mais celui-ci l'évite. Ils se croisaient dans le hall de San Fedele sans échanger un mot, tandis que le personnel de Gucci s'étonnait de ces nouveaux rapports. Comme Rodolfo, Patrizia et Morante avant elle, et bien qu'il s'agisse chaque fois d'un type différent de relation, Mello se trouve rayée de la liste des intimes de Maurizio.

« Maurizio était comme un soleil, il exerçait une réelle attraction sur les gens grâce à sa forte personnalité, mais s'ils se rapprochaient trop, il les brûlait puis les rejetait, affirme Mario Massetti. Nous avions appris qu'avec lui le seul moyen pour survivre, c'était de ne pas être trop proche. »

Sous l'influence d'un nouvel astre, Fabio Simonati, Maurizio rejetait maintenant sur Mello la responsabilité de beaucoup des ennuis de Gucci, en particulier l'attitude négative de la presse. En fait, il craignait qu'elle n'ait été indiscrète et n'ait parlé des difficultés du groupe aux journalistes. Il avait aussi l'impression qu'elle ne tenait pas compte de ses ordres et que les orientations stylistiques qu'elle donnait ne respectaient pas les traditions Gucci qu'il voulait préserver. Il l'accusait encore d'être trop dépensière, alors qu'il avait été le premier à lui offrir des repas somptueux, à lui louer des jets privés pour ses déplacements d'affaires, et à décorer et redécorer son appartement et son bureau de façon à lui donner entière satisfaction.

« D'abord c'était moi que Maurizio blâmait, dit Domenico De Sole. Mais comme il ne pouvait me tenir responsable de la qualité des produits, il décida que Dawn était la cause de tous ses problèmes. »

Maurizio ne tarda pas à se convaincre que toute l'équipe des stylistes, sous la direction de Dawn, travaillait contre lui et sa vision de Gucci. Une veste rouge figurait dans une des collections pour hommes : il la jugea choquante et contraire à l'image de la maison Gucci. Elle devint le symbole de tout ce qui clochait.

« Aucun homme digne de ce nom ne pourrait porter cette veste », déclara-t-il d'un ton de dérision en l'écartant avant la présentation au public.

Il cessa de payer l'équipe de stylistes et envoya un fax de trois lignes à De Sole avec instructions de licencier Tom Ford et les autres stylistes dont Gucci America payait le salaire. Au lieu du fax privé de De Sole, ce fut le fax installé au milieu des bureaux qui cracha centimètre par centimètre la directive – à la plus grande stupeur de tous les collaborateurs.

« J'ai aussitôt appelé Investcorp pour leur signaler ce qui se passait, dit Domenico De Sole. Puis j'ai fait passer un fax en expliquant que nous ne pouvions pas renvoyer les stylistes alors que tous travaillaient sur la nouvelle collection. J'ai compris que Maurizio perdait les pédales. »

À la même époque, Tom Ford était préoccupé par le conflit entre Maurizio et Investcorp. Craignant que sa réputation n'en souffrît et que ses chances de trouver ultérieurement un emploi ne fussent compromises, il envisagea même l'éventualité d'accepter une offre attrayante de Valentino.

Valentino faisait peut-être un peu vieillot, mais c'était un des noms les plus respectés dans le monde de la mode. La maison avait une gamme très complète – haute couture et prêt-à-porter féminins dont la présentation avait lieu à Paris, collections de vêtements masculins, collections pour les jeunes gens, accessoires de toute nature et parfums. Ford dirigeait l'équipe de stylistes de Gucci depuis un an et sa charge de travail augmentait progressivement avec la démission de plusieurs stylistes rebutés par les difficultés croissantes de la maison. À ce moment-là, il était presque seul à dessiner les onze lignes de produits de Gucci – y compris les vêtements, les chaussures, les sacs et les accessoires, les valises, et les cadeaux – avec l'aide seulement de quelques assistants. Ford travaillait sans arrêt et prenait à peine le temps de dormir. Il était épuisé, mais son contrôle sur l'ensemble de la production ne lui déplaisait pas.

Ford réfléchit à son avenir dans l'avion qui le ramenait à Milan après sa visite aux bureaux de Valentino à Rome. Il songea à Dawn Mello qui lui avait mis le pied à l'étrier et permis de faire ses preuves en prenant des responsabilités toujours plus grandes. Ils étaient devenus si proches au cours des derniers mois dans un contexte toujours plus hostile et imprévisible qu'il arrivait souvent à l'un de terminer les phrases de l'autre. De retour à Milan, Ford alla tout droit à la piazza San Fedele, prit l'ascenseur jusqu'au cinquième étage et frappa à la porte du bureau de Dawn Mello.

Elle l'attendait assise à sa table. Dès qu'il entra elle leva les yeux et chercha à déchiffrer son expression. Ford s'assit, les yeux baissés, puis les releva et secoua la tête.

« Je ne partirai pas. – Il parlait avec conviction. – Je ne peux pas vous laisser dans cette pagaille. Nous avons une collection à sortir. Remettons-nous au travail. »

La présentation de la collection d'automne devait avoir lieu quelques semaines plus tard. Ford et ses assistants travaillèrent d'arrache-pied, multipliant leurs heures au moment où la direction administrative à la fois réduisait les fournitures et refusait de payer les heures supplémentaires. Mello demanda à l'équipe de stylistes d'entrer par une porte dérobée pour ne pas aviver les tensions.

« Maurizio ne semblait pas se rendre compte que Tom dessinait tous les articles à peu près seul, que la collection devait être prête en mars, et que si nous ne pouvions pas acheter de tissu, nous ne pourrions pas organiser de défilé ! » dit Mello. Elle téléphona à Magello à Londres. Celui-ci, qui avait été payé par le sultan de Brunei, lui envoya l'argent nécessaire pour acheter le tissu et payer l'équipe italienne de stylistes.

La compagnie allongeait les délais de règlement des factures. Ils étaient passés de cent quatre-vingts à deux cent quarante jours. Certains fournisseurs attendaient depuis plus de six mois. Peu à peu la production et la livraison des sacs et autres articles Gucci se ralentissaient à l'extrême. Un matin, des fournisseurs mécontents se rassemblèrent devant les grilles de l'usine de Scanducci et attendirent l'arrivée de la direction.

Un gardien téléphona à Mario Massetti en lui signalant la présence de la foule en colère, et lui conseilla de ne pas venir. Massetti vint quand même.

« Les fournisseurs se précipitèrent sur moi, se souvient-il. L'accueil a été brutal, mais je devais venir. J'étais en rapport avec chacun d'entre eux. C'est de moi qu'ils attendaient les réponses. J'ai essayé de les rassurer, de leur garantir qu'ils seraient payés. » L'entreprise qui, dans le passé, inspirait un tel sentiment de sécurité et de stabilité était en train de s'écrouler. Massetti plaida auprès des banques pour obtenir une extension du crédit, il dut emprunter à des taux qui dépassaient largement la valeur des commandes qu'il pouvait espérer. Il élabora un plan de paiements avec les fournisseurs. Flanz disait de lui qu'il était comme un enfant qui, les mains nues, s'efforçait de boucher les trous d'une digue, la digue Gucci. Il faisait de son mieux ce qu'il croyait devoir faire.

Maurizio voulait gagner du temps. Jusqu'au début de 1993, cela parut marcher. Mais, à ce moment-là, Citibank et la Banca della Svizzera Italiana décidèrent de lui serrer la vis : elles demandèrent aux autorités suisses de placer sous séquestre les biens de Maurizio Gucci pour non-remboursement de prêts personnels. Apparut alors une troisième banque, le Crédit suisse, qui détenait des hypothèques non payées sur les propriétés de Maurizio à Saint-Moritz. Les banques déposèrent leur requête auprès d'un magistrat local dans le canton des Grisons, où Maurizio avait sa résidence légale. Le magistrat, un certain Gian Zanotta, procéda au séquestre de tous les biens de Maurizio – les maisons à Saint-Moritz, ainsi que la participation de 50 % qu'il avait dans la maison Gucci, les actions étant détenues par une compagnie fiduciaire suisse, la Fidinam. Le magistrat fixa comme date limite pour le remboursement des prêts le début de mai. En cas de non-remboursement, les biens de Maurizio Gucci seraient vendus aux enchères pour permettre aux banques de recouvrer les 40 millions de dollars qui leur étaient dus.

Quand Investcorp apprit l'éventualité de la vente aux enchères, Flanz, Swanson et Toker se rendirent à Milan pour faire à Maurizio une dernière offre – un prêt de 40 millions de dollars pour désintéresser les banques et 10 millions de dollars pour acquérir 5 % de Gucci. Leur proposition était que Maurizio reste président de la société avec 45 % des actions et remette les rênes à un directeur général. Quand ils eurent terminé leur exposé, Maurizio les remercia, leur dit qu'il réfléchirait à l'offre et sortit de la pièce.

« Honnêtement, je pense que Maurizio ne déraisonnait pas totalement en refusant la proposition d'Investcorp, a dit Toker plus tard. Si sa part des actions était inférieure à 50 %, que valait-elle à l'avenir ? Avec un peu d'honnêteté intellectuelle, on comprend sans peine son raisonnement. »

Maurizio se rendit dans les bureaux de Franchini et lui communiqua l'offre. « Je ne serai pas un simple invité dans ma propre maison, dit-il avec colère à l'avocat qui était, à l'exception de Luigi, la seule personne avec qui il discutât franchement de sa situation. Qu'allons-nous faire maintenant ? » demanda-t-il à Franchini en allant et venant dans le bureau comme un lion en cage.

Jamais dans sa vie une telle pression ne s'était exercée sur lui. Pâle, les traits tirés, il ne ressemblait plus au charmant jeune homme enthousiaste qui avait su faire partager ses rêves à tant de gens. Il était devenu sombre, maussade et paranoïaque – il évitait même ses employés dans les couloirs de San Fedele. Luigi, qui l'escortait partout, était navré par ce qu'il observait chez Maurizio, mais il n'y pouvait rien.

« Il avait l'air de maigrir sous mes yeux de jour en jour, dit Luigi. Chaque fois que je le voyais monter à l'appartement, j'avais peur qu'il ne se jette par la fenêtre. »

Il s'éclipsait souvent de son bureau, débranchait son portable et se rendait à quelques pas de là, à la galerie marchande Vittorio Emmanuele, pour y rencontrer sa voyante, Antonietta Cuomo, qu'il retrouvait dans un de ses cafés favoris. Là, en sirotant un cappucino ou un apéritif, il confiait ses ennuis à Antonietta. C'était une femme simple, maternelle, qui travaillait comme coiffeuse, mais dont les talents de voyante étaient appréciés de quelques clients.

« *Giu la mascara*, Maurizio, lui disait-elle chaque fois au début de leur entretien. Bas le masque ! »

« J'étais la seule personne à laquelle il se confiait vraiment », a déclaré Antonietta des années plus tard.

« Nous étions vraiment aux abois, et pis que cela encore », se souvient Franchini. Celui-ci avait pris contact avec toutes les banques importantes en Italie ou en Suisse. Il avait vu des industriels, y compris le magnat de la télévision, alors ex-premier ministre, Silvio Berlusconi, ou Patrizio Bertelli, peu connu alors, le mari de Miuccia Prada, et l'homme à qui l'on doit la formidable progression de la marque Prada ces dernières années. En 1992, « Bertelli n'avait pas 20 milliards de lires en banque », rappelle Franchini. Personne ne pouvait ou ne voulait aider Maurizio Gucci.

Le vendredi 7 mai à 7 heures du soir, les senteurs sucrées et pénétrantes d'un parfum de Valentino flottèrent sous le haut plafond du vestibule des bureaux de Franchini quand sa secrétaire introduisit une femme aux cheveux noirs, aux formes pleines, fardée de façon spectaculaire, habillée d'une minijupe étroite, et portant des bas résille. Ses talons aiguilles cliquetaient sur le marbre tandis qu'elle avançait le long du vestibule, suivie par Piero Giuseppe Parodi, avocat milanais qui, dans le passé, avait représenté à la fois Patrizia et Maurizio. Franchini salua ses visiteurs qui prirent place dans une des salles de réunion de l'avocat. Il connaissait naturellement Parodi, mais non la femme qui se présenta comme la *signorina* Parmigiani. Franchini eut l'impression que ce n'était pas son vrai nom.

« Nous pouvons faire quelque chose pour votre client Maurizio Gucci », dit la femme. Franchini, incrédule, se pencha en avant. Après les mois passés à tenter sans succès de trouver des fonds pour Maurizio, il ne pouvait en croire ses oreilles. La femme expliqua qu'elle représentait un homme d'affaires italien qui s'occupait de la distribution de produits de luxe au Japon. Cet homme d'affaires, qu'elle désigna sous le nom de Hagen, était disposé à prêter à Maurizio l'argent dont il avait besoin pour récupérer ses actions. En échange, il voulait un accord sur la distribution des produits Gucci en Extrême-Orient.

Franchini rencontra la *signorina* Parmigiani le lendemain et le dimanche après-midi pour mettre au point tous les détails de la transaction. C'est au cours de ces réunions qu'il apprit que « Hagen » était un Italien nommé Delfo Zorzi, qui s'était enfui au Japon en 1972, laissant derrière lui un passé turbulent et une réputation de dangereux fasciste. Les autorités italiennes le recherchaient, entre autres, pour l'explosion d'une bombe sur la piazza Fontana à Milan en 1969, qui avait fait seize morts et quatre-vingt-sept blessés. Comme on le sait, ce fut le début d'une décennie de violences connue en Italie sous le nom de *stratégie de la tension*. Zorzi niait toute participation à l'attentat, soutenant qu'à l'époque il était étudiant à l'université de Naples. Pourtant, deux terroristes condamnés l'accusaient d'avoir transporté la bombe dans le coffre de sa voiture jusqu'au lieu de l'attentat.

Au Japon, Zorzi s'était marié avec la fille d'un homme politique en vue à Okinawa, et avait monté une affaire d'exportation de kimonos vers l'Europe. Très vite ses intérêts se diversifièrent : il s'occupa de l'import-export d'articles de luxe entre l'Europe et l'Extrême-Orient et se fit connaître des directeurs de maisons de mode qui voulaient se débarrasser de leurs stocks.

« Sans que personne le confesse ouvertement, Zorzi était regardé comme le Père Noël dans l'industrie de la mode, nous a déclaré un spécialiste qui veut garder l'anonymat. Il vous débarrassait de tous les vieux articles et vous les payait un bon prix. »

Quand Franchini interrogea Maurizio, il apprit que Zorzi n'était pas un inconnu pour celui-ci. En 1990, quand les autorités italiennes avaient ouvert une enquête sur les exportations massives de contrefaçons de grandes marques, y compris les articles Gucci, elles avaient découvert que Zorzi était à la tête d'un réseau commercial ingénieux qui se chargeait d'exporter à la fois les contrefaçons et les vieux stocks d'Italie vers l'Extrême-Orient, en utilisant une filière compliquée de compagnies italiennes, suisses, panaméennes et anglaises. Zorzi était devenu un millionnaire qui menait une existence secrète de grand style à Tokyo. Quand Maurizio avait discrètement relancé sa production d'articles de toile pour sauver sa société et gagner du temps, il avait passé un accord avec le réseau Zorzi.

Lundi 10 mai, Maurizio, Franchini et la *signorina* Parmigiani se rencontrèrent à 10 heures du matin dans les bureaux de la société fiduciaire

239

Fidinam, à Lugano (cette société détenait les actions de Maurizio ; le hasard voulait qu'elle s'occupât aussi des transactions relatives aux opérations de Zorzi). Fidinam exécuta le prêt de 30 millions de francs suisses (soit à peu près 40 millions de dollars à l'époque) au bénéfice de Maurizio Gucci. Les intérêts devaient s'élever à 7 millions de dollars et il y eut un accord écrit octroyant à Zorzi les droits de distribution des articles Gucci en Extrême-Orient. En fait, ces droits ne furent jamais validés de façon formelle.

Avant midi, Franchini tendit le chèque de 30 millions de francs suisses à Gian Zanotta, le magistrat suisse, et reprit possession des avoirs de Maurizio Gucci.

« Ce fut une aventure incroyable, affirme Franchini. Mais je dois dire que, tout compte fait, ils se sont comportés de façon correcte – il se réfère à Zorzi et ses associés –, car à la fin je leur ai seulement remis, à titre de garantie, une lettre leur promettant les actions en cas de non-paiement. Je ne pouvais évidemment pas leur remettre les actions elles-mêmes. Cela aurait été une violation des accords avec Investcorp. »

Les avocats suisses d'Investcorp, qui suivaient la procédure de vente aux enchères, téléphonèrent aussitôt à Londres pour signaler que Maurizio avait payé ses dettes personnelles et repris possession de ses actions.

Flanz et Swanson, incrédules, se précipitèrent à Milan. Maurizio les fit attendre une bonne demi-heure dans la belle salle de conférences aux panneaux de bois poli. Enfin il fit irruption dans la pièce ; il avait retrouvé sa verve et son enthousiasme d'antan.

« Rick, Bill, comme je suis content de vous voir ! » Il était plus sociable et amical que jamais. « Alors, vous avez appris la nouvelle ? » Un grand sourire illuminait son visage. « Je sais que vous avez vos espions partout ! »

Maurizio appela Antonio qui versa aux trois hommes du thé bouillant. Quand il eut reposé sa tasse de porcelaine, Flanz respira profondément avant de demander :

— Maurizio, où avez-vous trouvé l'argent ?

— Eh bien, Bill, c'est une histoire incroyable. (Maurizio avait l'œil pétillant.) Je tentais de m'endormir dans ma maison de Saint-Moritz, et je me faisais du souci à propos de toutes mes affaires, et je me demandais ce que j'allais faire. Et puis j'ai fait un rêve.

Flanz et Swanson le regardaient d'un air étonné. Que venait faire un rêve ici ?

— Dans ce rêve mon père s'est présenté à moi et m'a dit : « Maurizio, *bischero*, pauvre sot, la solution de tous tes problèmes, elle est dans le salon. Va voir du côté de la fenêtre, une des lattes du plancher a du jeu. Soulève-la et tu verras ce qu'il y a dessous. » Quand je me suis réveillé, je suis allé voir ce qu'il y avait sous la latte, et c'était incroyable. Il y avait là plus d'argent que je ne pourrais jamais en dépenser. Mais je ne voulais pas me montrer cupide, j'ai pris juste ce qu'il me fallait pour récupérer mes actions. »

Sur ce Maurizio regarda d'un air joyeux Flanz et Swanson tour à tour. Il avait l'air ravi de son histoire.

Les deux collaborateurs d'Investcorp étaient effondrés dans leurs fauteuils. Ils se rendaient compte que non seulement ils n'avaient plus de prise sur Maurizio, mais que celui-ci leur adressait un pied de nez – et qu'il en était enchanté. Il n'avait pas l'intention de leur dire comment il s'était procuré l'argent. L'histoire était une façon humoristique de leur dire que cela ne les regardait pas – et qu'il n'avait aucun besoin d'un prêt charitable d'Investcorp.

— C'est merveilleux, dit Flanz, avec un sourire figé, tandis que ses yeux d'un bleu laiteux clignaient derrière ses lunettes. C'est vraiment merveilleux.

Plus tard Flanz devait expliquer : « J'avais l'impression d'avoir reçu un coup de poing à l'estomac. Je pensais que nous avions enfin trouvé une bonne occasion, un bon moyen de faire pression sur Maurizio, et voilà que je me tenais debout les bras ballants devant lui à sourire comme un imbécile. C'est à ce moment-là que j'ai décidé que ce serait la guerre. »

Flanz et Swanson prirent l'avion pour Londres. Assis avec Kirdar devant la cheminée de son bureau, ils lui racontèrent l'entretien. Les yeux bienveillants devinrent de glace. Cette fois-ci ce fut Kirdar, et non Maurizio, qui coupa les ponts.

« Il se paie notre tête, s'exclama Kirdar, furieux. Il s'imagine que nous sommes faibles. Il n'a plus aucun respect pour nous. »

« Maurizio avait trop tiré sur la corde, explique Bill Flanz. La bonne volonté de Kirdar avait ses limites et, quand elles étaient atteintes, on ne pouvait plus le faire revenir en arrière. Une fois qu'il avait décidé de mettre fin à la négociation et de recourir à la force, il était l'adversaire le plus coriace et le plus froid. »

Kirdar avait déjà convoqué à Londres, pour le week-end du 1er mai, Bob Glaser, le « démon à la barbe rouge ». Il lui avait demandé de se charger d'une mission prioritaire : résoudre le problème Gucci. Il lui avait dit alors : « Bob, tu es la seule personne dont Maurizio ait peur. Peux-tu me tirer d'affaire ? »

Ce lundi matin, il convoqua dans son bureau, Glaser, Elias Hallak, Bill Flanz, Rick Swanson, Larry Kessler, le conseiller juridique d'Investcorp, et plusieurs avocats spécialistes du droit des entreprises, et leur donna des consignes impératives.

« Vous avez une chose, une seule chose à faire, et vous devez vous y consacrer vingt-quatre heures sur vingt-quatre : résoudre ce problème ! insista Kirdar dont les yeux verts brillaient intensément. On ne peut sauver Gucci qu'en l'arrachant à Maurizio. »

Glaser regarda son patron. « Entendu, Nemir, nous allons faire le boulot. Mais vous devez être prêt à prendre tous les risques et à nous soutenir sans réserve. Maurizio va nous intenter un procès, il va nous attaquer dans la presse, il va mettre la compagnie au bord de la banqueroute. Nous devons le convaincre que nous irons jusqu'au bout. Sinon il ne faut pas vous engager sur cette voie. »

Impressionné par ce ton, mais toujours aussi déterminé, Kirdar, d'un hochement de tête, signifia qu'il était d'accord.

Les quatre hommes créèrent « une salle des opérations » dans le sous-sol des bureaux de Brook Street. Ils évacuèrent le personnel et les meubles qui s'y trouvaient, installèrent de longues tables, des chaises, des classeurs bourrés de documents juridiques et historiques se rapportant à Gucci. Ils recrutèrent des avocats de premier ordre, et firent appel aux services coûteux d'un cabinet de détectives privés pour découvrir la source de la manne de Maurizio.

Pendant que le « cabinet de guerre » se penchait sur des documents de tous ordres, le 22 juin, Maurizio lança une opération qui fit sensation et surprit les observateurs des deux côtés de l'Atlantique. Ce fut le premier coup de canon de la guerre. Franchini, qui jugeait que la société Guccio Gucci n'avait pas fait tout ce qu'elle aurait dû pour le règlement de ses créances par Gucci America, lui avait conseillé de poursuivre en justice Gucci America pour le paiement de 63,9 millions de dollars, les fameuses marchandises impayées. Beaucoup de gens pensèrent que Maurizio délirait en intentant un procès à sa propre compagnie – mais Franchini soutenait que, d'après la loi italienne, les administrateurs d'une société devaient protéger à tout prix les intérêts de celle-ci, même si cela impliquait de poursuivre une société apparentée.

L'interprétation de Bob Glaser était différente : « J'y ai vu une tentative pour pomper les avoirs de la compagnie américaine. » Il expliquait que, si Gucci America n'avait pas été capable de payer ce qu'elle devait à la compagnie italienne, Maurizio aurait pu prétendre s'approprier les avoirs de Gucci America – à savoir essentiellement la marque Gucci et l'immeuble de La Cinquième Avenue.

Glaser jugea qu'il fallait vider à fond la question de savoir pourquoi Gucci America devait tant d'argent à Guccio Gucci. Il convoqua une réunion du conseil d'administration de Gucci America. Devant le conseil, qui comprenait Maurizio, ses quatre représentants et les quatre représentants d'Investcorp, il posa la question : « Comment se peut-il que Gucci America doive tant d'argent à Guccio Gucci ? Cette situation nous fait du tort », ajouta-t-il, en faisant observer que la loi américaine régissant le droit des entreprises lui faisait une obligation, en tant que membre du conseil d'administration, de protéger les intérêts des actionnaires de Gucci. « Comment peut-on dire que les responsables de la gestion font un bon travail ? J'exige une enquête ! »

Maurizio regardait Glaser avec stupeur. Il n'aurait jamais imaginé que son critique le plus coriace, son adversaire le plus déterminé au cours des pénibles négociations avec Investcorp, le « démon à la barbe rouge », se rangerait de son côté. Glaser insista et le conseil le nomma à la tête d'un sous-comité chargé d'enquêter sur la question des créances impayées de Gucci America (le montant en était alors de 50 millions de dollars). La nomination de Glaser lui donnait accès à toutes les archives de la société. Au terme de son rapport, Glaser conclut que la dernière liste des prix que Guccio Gucci avait imposée à Gucci America impliquait des prix gonflés artificiellement pour financer les dépenses vertigineuses de fonctionnement de la compagnie italienne au cours des dernières années. « À mes yeux les sommes dues par Gucci America ne constituaient pas une dette légitime », expliqua Glaser. Que la politique de prix en question ait été conçue comme une arnaque, ayant pour objectif de ponctionner les ressources de

Gucci America – comme le croyait Glaser –, semble peu probable. Il est plus vraisemblable que c'était simplement une tentative désespérée de Maurizio pour maintenir à flot la compagnie italienne. Quoi qu'il en soit, le rapport de Glaser fournit à Gucci America des éléments précieux pour sa défense dans le procès engagé.

Entre-temps Maurizio, toujours en quête d'argent pour faire marcher la société, avait concocté un accord avec Steve Wunderman. Wunderman avait accepté de procéder à un gros versement forfaitaire en échange d'une prolongation de longue durée de la concession de production des montres, (elle devait normalement expirer le 31 mai 1994). Le point de vue des gens d'Investcorp était que concéder cette prolongation revenait à abandonner à Wunderman la seule activité rentable d'un empire Gucci en décomposition.

Quelques semaines avant la réunion du conseil d'administration de Gucci America, au cours de laquelle Maurizio se proposait de faire approuver l'accord avec Wunderman, Rick Swanson téléphona à Domenico De Sole pour convaincre le patron de Gucci America de changer de camp et de voter contre l'accord. S'il y consentait, Maurizio allait perdre le contrôle du conseil.

— Domenico, ici Rick. Nous avons besoin de savoir. Pouvons-nous compter sur vous ?

— Rick, répondit Domenico De Sole qui était dans les bureaux de Gucci America, vous êtes le seul qui comprenne vraiment cette affaire. Nous avons des enfants en bas âge à la tête de la compagnie. Si cela continue, ce sera l'effondrement. Oui, vous pouvez compter sur moi.

Nouveau coup de téléphone de Swanson.

— Domenico, c'est vraiment important. Peut-on compter sur vous ?

— Oui, dit De Sole. Oui !

Le matin du 3 juillet 1993, Flanz convia De Sole à un petit déjeuner clandestin dans une salle à manger privée de l'hôtel des Quatre Saisons à Milan. Autour de la table se trouvaient réunis Bob Glaser, Elias Hallak, Rick Swanson et Sencar Toker.

Ils demandèrent à De Sole s'il allait voter avec eux contre l'accord.

— Écoutez, j'ai vraiment la conviction qu'au train où vont les choses la société va disparaître. (Domenico De Sole étudiait les visages des gens d'Investcorp.) Si l'on ne fait rien, elle est fichue.

— Si vous vous opposez à Maurizio, nous vous soutiendrons jusqu'au bout, dit Hallak, qui regarda De Sole dans les yeux.

— Après ça, Maurizio va en vouloir à mort à Domenico, si ce n'est pas déjà le cas.

C'était une intervention de Swanson, qui expliqua aux présents que De Sole avait prêté à Maurizio, en deux occasions différentes, 4 millions de dollars sur ses fonds propres – en sus des 800 000 dollars de la société qu'il avait dû rembourser lui-même – et qu'il avait peu de chances de jamais revoir son argent, surtout s'il prenait le parti d'Investcorp.

— Je vous donne ma parole d'honneur, au nom d'Investcorp, que nous ferons tout notre possible pour inclure cette question dans notre négociation, et que nous veillerons à ce que vous soyez payé, précisa Hallak.

Quelques heures plus tard les membres du conseil d'administration prenaient place dans le bureau de Maurizio, et non dans la salle de conférences habituelle. Maurizio, qui s'attendait à une réunion tendue, conflictuelle, souhaitait une atmosphère plus intime et il tenait à présider de son fauteuil. Il fit signe à Antonio, son maître d'hôtel, de s'informer de ce que chacun désirait boire.

Mario Massetti était assis à côté de Domenico De Sole. Comme il n'avait encore jamais rencontré Glaser, il demanda à son voisin qui était l'homme à la barbe rouge.

Réponse de Domenico De Sole : « C'est la seule personne à Investcorp qui fasse vraiment peur à Maurizio. »

La réunion s'ouvrit par une discussion sur les opérations de Gucci America, qui avait eu un solde négatif de 17,4 millions de dollars en 1992, quand les ventes étaient tombées à 70,2 millions de dollars. Bob Glaser surprit De Sole : il joua son personnage de dur et le bombarda de questions.

— Êtes-vous à la tête d'une société appelée Gucci America ?

— Oui, je le suis, répondit De Sole, interloqué.

— Et que faites-vous quand vous recevez un produit que vous jugez surévalué ?

— Je ne puis rien faire. Je me plains tout le temps. Nous sommes une société captive et, vous autres, vous ne faites rien pour nous aider. Votre seule préoccupation, c'est de vous entendre avec Maurizio !

Maurizio devint furieux et lança à De Sole :

— Prétendez-vous que Gucci America surpaie la marchandise ?

Riposte de De Sole :

— C'est ce que je répète depuis des années ! Vous surfacturez Gucci America pour faire face à vos dépenses de fonctionnement. Regardez cet immeuble ! Croyez-vous que ce luxe soit bien nécessaire ?

Visiblement bouleversé par les accusations de De Sole, comme par les provocations de Glaser, Maurizio bondit de son fauteuil et se mit à arpenter le tapis vert derrière son bureau tandis que les autres membres du conseil discutaient le projet d'accord avec Wunderman. Gucci obtenait 20 millions de dollars en échange du renouvellement de la concession de Wunderman pour une période de vingt ans.

Au moment du vote, De Sole vota contre l'accord. Furieux et désemparé, Maurizio pivota sur lui-même et regarda De Sole dans les yeux. Son visage était blême et sa bouche serrée. De Sole soutint son regard et leva ses mains ouvertes, paumes en avant, doigts écartés.

« Écoutez, Maurizio, je fais ce que je dois faire. Je vote pour la société, comme c'est mon devoir. Nous ne pouvons pas faire cadeau d'une licence, simplement parce que nous sommes à court d'argent… »

De Sole avait le sentiment d'avoir fait ce que lui dictait son devoir à l'égard de la société. Maurizio, lui, avait le sentiment que Domenico le poignardait dans le dos.

Après la fin de la réunion, Glaser prit De Sole à part et lui demanda ce qu'il comptait faire pour assurer la défense de Gucci America au procès.

De Sole lui jeta un regard sceptique. « Je ne peux pas recruter un cabinet d'avocats pour représenter la société sans l'approbation du conseil d'administration. » Or, De Sole savait très bien que jamais Maurizio et ses représentants, qui avaient intenté le procès, n'approuveraient cette mesure. Glaser le fixa avant de dire : « Mais si, vous le pouvez très bien », ce qui provoqua d'abord une réaction de surprise chez son interlocuteur. Glaser avait passé des semaines à étudier les règles concernant la gestion des entreprises et il avait relevé en particulier une clause qui, en cas d'urgence, donnait pouvoir au directeur général, en l'absence du conseil d'administration, de prendre toutes les mesures exigées par l'intérêt de la société. De Sole comprit en un éclair le message que Glaser voulait faire passer.

« Vous ne pouvez pas convoquer de conseil d'administration si vous n'avez pas le quorum, raconte Glaser. Et le hasard voulut que jamais nous n'ayons pu faire concorder nos emplois du temps respectifs… Il n'y eut jamais la possibilité de réunir un conseil. Et c'est ainsi que nous avons pu nous procurer les services d'un cabinet d'avocats pour Gucci America. »

Glaser se rendait compte également que, vu la lutte sans merci qui faisait rage entre les deux sociétés, Gucci America n'avait aucune chance de recevoir de la marchandise d'Italie et risquait de n'avoir rien à vendre. D'où une nouvelle suggestion à De Sole.

— Pourquoi n'iriez-vous pas là-bas pour passer sur place commande des produits dont vous avez besoin ?

— Je ne peux pas faire ça sans l'accord de Maurizio, répliqua De Sole.

— La marque est déposée chez Gucci America, oui ou non ? Votre tâche n'est-elle pas de faire tout ce qui est dans l'intérêt de la société quand le conseil ne peut pas se réunir ?

De Sole hocha la tête. Il se rendit en Italie pour y rencontrer des fabricants d'articles de cuir. L'objectif de Glaser était clair : que Gucci America dispose de son autonomie et reste solvable en dépit de la lutte qui s'intensifiait avec Maurizio.

De son côté, Maurizio avait l'impression qu'une conspiration s'ourdissait contre lui. Il n'arrivait pas à croire que De Sole fût passé à l'ennemi et qu'il eût voté contre sa propostion. En dépit de leurs différends et de leurs discussions, il voyait en De Sole un allié sûr – et le considérait presque comme un membre de la famille. En avril, il avait approuvé un bonus de 200 000 dollars pour lui. S'il ne pouvait plus compter sur la voix de De Sole, Maurizio savait que c'était le début de la fin. S'il perdait le contrôle du conseil d'administration, c'en serait terminé de son pouvoir.

Après la réunion, il confessa son désarroi à Franchini.

— Au début, De Sole n'était personne et c'est moi qui l'ai fait entrer dans l'affaire. Il avait un pantalon rapiécé. Et maintenant il veut me ruiner !

— Maurizio ! C'est la guerre, riposta Franchini. Vous avez 50 % de Gucci, ce qui aujourd'hui représente zéro. Je peux vous aider, mais vous devez être prêt à tout risquer. Vous devez être préparé à couler le navire et vous devez faire en sorte qu'ils en soient convaincus. Autrement ils vont vous prendre l'affaire sans rien vous donner.

Maurizio s'arrêta d'arpenter la pièce et se laissa tomber dans un fauteuil.

— Très bien, *avvocato*. Dites-moi ce que je dois faire.

La guerre s'intensifia. Maurizio écarta De Sole du conseil d'administration de Gucci America, mais il ne pouvait lui retirer son poste de directeur général sans un vote du conseil à la majorité. Flanz écrivit une lettre au conseil d'administration de Gucci pour réclamer la désignation d'un directeur général compétent. La lettre ne mentionnait pas Maurizio nommément, son sens était pourtant clair. Le document déchaîna une telle fureur chez Maurizio qu'il poursuivit en diffamation Investcorp et Flanz devant un tribunal milanais en réclamant 250 milliards de lires (160 millions de dollars) à titre de dommages. Il demanda même au parquet de Florence d'engager des poursuites contre Flanz pour propos outrageants à l'égard de sa personne. Le 22 juillet, Investcorp introduisit à New York une procédure d'arbitrage contre Maurizio afin de l'obliger à renoncer à ses fonctions de président. Il était accusé d'avoir violé l'accord passé avec ses actionnaires ainsi que d'être un mauvais gestionnaire. Pour discréditer Maurizio, les pièces remises à la cour mentionnaient l'histoire qu'il avait racontée à Flanz, le rêve où son père lui enjoignait de soulever une latte du plancher pour y découvrir un monceau d'argent.

« Nous avons poussé à fond les feux, nous l'avons bousculé de toutes les manières, dit Bill Flanz. Mais Maurizio était un marin. Il disait : "Je ne vais pas capituler et abandonner mon affaire aux mains de ces forbans. J'ai tout perdu, j'ai perdu ma fortune, j'ai perdu la face, j'ai perdu le respect dont je jouissais dans les milieux d'affaires. Je vais couler mon navire. Nous périrons ensemble." »

Et c'était vraiment ce que craignait le cabinet de guerre.

« En général, nous considérons que c'est du bluff, explique Rick Swanson. Mais nous étions réellement inquiets. Maurizio semblait assez irrationnel pour avoir ce comportement. »

Les attaques se multipliaient. De Sole intenta une action en justice contre Maurizio à propos des 4,8 millions de dollars qu'il disait lui avoir prêtés entre avril 1990 et juillet 1993. Maurizio à son tour traîna

Investcorp devant les tribunaux milanais. Il voulait chasser Flanz, Hallak et Toker du conseil d'administration de Gucci.

Après des semaines d'attaques incessantes, Nemir Kirdar fit une tentative ultime pour préserver ce qui pouvait subsister encore de leurs anciens rapports. Il téléphona à Maurizio, l'invitant à lui rendre visite dans le midi de la France, où il transportait ses activités pendant le mois d'août. Plus d'un an s'était écoulé depuis leur dernière rencontre.

— Maurizio, ici Nemir Kirdar.

Maurizio ne répondit rien. Il n'en croyait pas ses oreilles.

— Je vous appelle pour voir si nous ne pourrions pas nous entendre. Je vous aime bien, vous savez. Je voudrais oublier notre conflit. J'aimerais vous voir à titre personnel. Voulez-vous venir passer une journée avec moi dans le midi de la France ? Nous pourrions déjeuner ensemble, puis faire un tour en bateau, et qui sait ? Cela pourrait être amusant.

Maurizio avait eu le temps de se reprendre. Il eut assez de présence d'esprit pour lancer une médiocre plaisanterie.

— Êtes-vous sûr que je ne coure aucun danger ?

— Maurizio, avec moi vous n'êtes jamais en danger.

Maurizio était plein d'espoir. Peut-être que Kirdar voulait lui proposer une solution de dernière minute. Le lendemain, il se rendit dans le sud de la France et rencontra le patron d'Investcorp au cours d'un déjeuner au bord de la piscine de l'hôtel du Cap.

— Maurizio, je voudrais que vous compreniez qu'en dépit de tout ce qui s'est passé entre nos deux sociétés, je n'ai jamais cessé de vous respecter. Mais je dirige une affaire et je suis soumis à de fortes pressions. Qui sait, un jour peut-être nous arriverons à remettre sur pied la compagnie et nous pourrons refaire des choses ensemble ?

En écoutant Kirdar, Maurizio comprit qu'Investcorp ne modifierait pas sa position. Il n'y aurait pas de solution de dernière heure. L'après-midi se passa agréablement, en apparence tout au moins, mais Maurizio retourna à Milan abattu et sans illusions.

Cet été-là, Maurizio ne prit pas de vacances. Il s'installa dans l'appartement spacieux qu'il avait loué à Lugano. Des brises fraîches l'éventaient et une terrasse verdoyante lui offrait une belle vue sur le lac. Tous les jours, il se rendait en voiture à son bureau de Milan.

En septembre, le *Collegio Sindacale* de Gucci, c'est-à-dire le conseil de surveillance statutaire de l'entreprise, signala à Massetti que, du fait que les actionnaires, incapables de trouver une solution à leurs différends, n'avaient pas approuvé les comptes depuis le début de l'année, le conseil était obligé par la loi de transmettre les livres de l'entreprise au tribunal. Ensuite le tribunal allait vendre les actifs de la société pour désintéresser ses créanciers.

« On m'a donné vingt-quatre heures... Puis on viendra saisir les livres », dit Massetti. Il plaida pour obtenir un délai de grâce de quarante-huit heures, et appela Maurizio et Franchini.

« Maurizio était paralysé, rapporte Massetti. Il ne pouvait rien faire, sinon conclure un accord. »

« Impossible d'imaginer la pression à laquelle il a dû être soumis, a ajouté plus tard Swanson. Aussi longtemps qu'il pouvait se raccrocher à quelque chose, Maurizio tenait bon. Mais quand il s'est trouvé au bord du précipice, quand il s'est trouvé en face d'une banqueroute personnelle, d'une banqueroute de la société, la débâcle totale – alors il a dû regarder la réalité en face. Nous nous demandions tous ce qu'il allait faire. »

Cet après-midi, Maurizio prit sa voiture et roula jusqu'à Florence. Il convoqua une réunion des cadres dans la « *Dynasty Sala* » à 19 h 30.

— Alors, *dottore*, quel résultat ? Allons-nous fermer boutique ? lui demanda Degl'Innocenti avec l'ironie bourrue qui lui était habituelle.

La réponse de Maurizio fut enthousiaste :

— J'ai trouvé l'argent. Je rachète les parts d'Investcorp.

— Merveilleux !

Telle fut la réaction de Degl'Innocenti et des autres cadres, qui avaient pris le parti de Maurizio et craignaient qu'en cas de succès Investcorp ne supprime des emplois, ne ferme l'usine et ne transforme Scandicci en une sorte de prestigieux bureau d'achats.

« On nous avait présenté la prise de pouvoir d'Investcorp comme une manière de fin du monde », devait dire Degl'Innocenti.

Tandis que Maurizio enflammait ses cadres à Florence, le cabinet de guerre se réunissait à Londres et s'interrogeait sur ce qu'il allait faire.

« On nous a appelés de Florence pour nous dire qu'il avait rassemblé ses collaborateurs et avait prononcé ce discours *bravissimo* dans le plus pur style Maurizio. Il leur a annoncé qu'il allait chasser les forbans – c'est Swanson qui évoque le passé. Nous nous demandions tous : "Va-t-il couler le navire ? ou sera-t-il raisonnable et va-t-il vendre ?" »

Il apparut que le discours de Maurizio était en réalité le dernier acte de la comédie : la course à l'abîme allait prendre fin. Plus tard dans la soirée, un appel téléphonique parvint à Londres : Maurizio était prêt à capituler.

Vendredi 23 septembre 1993, entouré d'avocats et de financiers, Maurizio signa, dans les bureaux d'une banque suisse de Lugano, l'acte par lequel il renonçait à la propriété de l'entreprise Gucci. Ce même matin, sa secrétaire, Liliana Colombo, retirait toutes ses affaires personnelles de son bureau du cinquième étage de la piazza San Fedele : les photos en noir et blanc de Rodolfo et Sandra, les visages souriants de ses filles, l'encrier ancien en cristal, les objets sur son bureau. Elle se fit aider de deux ouvriers pour décrocher du mur le tableau de Venise dont Rodolfo avait fait cadeau à Maurizio.

« C'est la chose qui m'a frappé quand je suis entré dans son bureau lundi matin, raconte Massetti, l'ancien directeur administratif. À part ses affaires personnelles, rien n'avait changé, sauf que le tableau qui venait de Rodolfo n'était plus là. »

Le soir de ce vendredi, Maurizio invita à dîner, dans son appartement de Lugano, un petit groupe de dirigeants de Gucci.

Il leur expliqua qu'il avait vendu ses parts de la société. « J'ai fait ce que je devais faire. Je voulais simplement que vous sachiez que j'ai fait tout ce que j'ai pu, mais ils étaient trop forts pour moi. Je n'avais pas le choix. »

Lorsque Investcorp avait reçu l'appel téléphonique de Maurizio annonçant qu'il était prêt à vendre, tout était allé très vite. Les documents étaient déjà préparés. Rick Swanson et un autre collaborateur prirent l'avion pour la Suisse. Le prix avait été fixé à 120 millions de dollars.

Dans la banque où l'affaire devait se conclure, « on m'avait enfermé dans une pièce ; Maurizio se trouvait enfermé avec ses avocats dans une autre pièce. Je voulais le voir, raconte Swanson. C'était aussi un ami, et personne ne le voyait depuis des mois. Je passais mon temps à rôder dans le hall en espérant l'apercevoir ». En fin de compte Swanson marcha droit jusqu'à la porte de la salle de conférences et l'ouvrit. Maurizio était là avec quatre ou cinq avocats.

Maurizio, qui marchait de long en large, s'arrêta quand il vit Swanson. Son visage s'éclaira.

— *Buongiorno*, Rick !

Et il vint droit à Swanson qu'il étreignit chaleureusement.

— C'est absurde. Nous sommes amis et je suis enfermé avec ces avocats !

Maurizio sortit bavarder dans le hall avec Swanson.

— Maurizio, dit finalement Swanson en regardant longuement l'homme avec lequel il avait collaboré si étroitement pendant six ans. Je suis désolé de la façon dont les choses ont tourné. Je veux que vous sachiez que nous avons réellement cru en vous et en votre vision de Gucci. Et que nous ferons de notre mieux pour la mettre en œuvre.

— Rick, lui répondit Maurizio, en secouant tristement la tête. Qu'est-ce que je vais faire maintenant ? Des croisières ? Je n'ai plus rien à faire !

14

Une existence luxueuse

Le lundi 27 mars 1995, Maurizio Gucci se réveilla vers 7 heures, comme d'habitude. Pendant quelques minutes, il resta immobile, écoutant respirer Paola enfouie entre les draps à côté de lui. Le lit était un lit Empire massif avec quatre colonnes néo-classiques surmontées d'un baldaquin de soie dorée orné d'un aigle en bois sculpté. C'était un lit majestueux, royal : Maurizio aimait le grandiose. Il avait fouillé tout Paris avec Toto Russo pour trouver ces meubles Empire que son ami lui avait appris à aimer – il les disait « élégants sans être pompeux ».

Ce lit, comme les autres meubles réunis au cours des années, était resté entreposé au garde-meuble jusqu'au moment où, un an plus tôt, Maurizio et Paola Franchi, anciennement Colombo, s'étaient finalement installés dans l'appartement (un triplex) du corso Venezia. À l'époque Paola et Maurizio étaient ensemble depuis déjà quatre ans mais il avait fallu plus de deux ans pour mener à son terme la rénovation de l'appartement. Au cours de cette période Maurizio avait vécu dans un petit logement de célibataire de la place Belgioioso, une place tranquille du XVIIIᵉ siècle entourée d'imposants *palazzi* en marbre, à deux pas du Duomo. Paola, elle, occupait un appartement appartenant à son ex-mari, où elle vivait avec leur fils Charly âgé de neuf ans.

Le corso Venezia, bordé de majestueux immeubles construits au XIXᵉ, est une avenue large et sans arbres qui part de la piazza San Babila et se prolonge au-delà des Giardini Pubblici. L'immeuble, où Maurizio et Paola habitaient au numéro 38, s'élève en face de la station de métro Palestro, non loin des Giardini Pubblici. Sa façade de facture classique, dont le revêtement de stuc est d'un coloris ocre inhabituel, est d'une simplicité qui contraste avec les façades de bien des immeubles de l'avenue.

Maurizio avait rencontré Paola en 1990 à une soirée privée donnée dans une boîte de nuit de Saint-Moritz. Attiré par sa beauté de blonde et sa silhouette longue et souple, il avait bavardé avec elle au bar. Au cours de leur conversation, ils s'étaient aperçus qu'ils se connaissaient depuis l'adolescence, quand ils appartenaient à un même groupe d'amis se retrouvant sur les plages de Santa Margherita. Le comportement détendu de Paola et son sourire spontané plurent à Maurizio – elle était le contraire de Patrizia à tout point de vue. À part sa liaison pendant deux ans avec Sheree, Maurizio n'avait pas eu d'attachement particulier depuis qu'il avait quitté Patrizia. Celle-ci continuait à occuper une place importante dans son existence, même s'ils vivaient séparés. Ils avaient de fréquentes conversations et se disputaient souvent. Maurizio se lassait d'ailleurs de ces conflits incessants, mais le temps et l'énergie lui manquaient pour former de nouveaux liens. En outre, il avait une peur très grande du sida et l'on disait qu'il demandait à ses partenaires féminins de se soumettre à un examen du sang avant de les accueillir dans son lit.

« Maurizio était un des plus beaux partis de Milan, toutefois ce n'était pas un coureur, commente son ami Carlo Bruno. Beaucoup de femmes s'intéressaient à lui, mais ce n'était pas un play-boy. »

De son côté, un astrologue, à qui Patrizia avait demandé d'établir leur thème à l'un et à l'autre, déclarait : « Ni Maurizio ni Patrizia ne pouvaient espérer trouver un partenaire d'une importance égale dans leur vie, encore que le thème de Paola comporte beaucoup de caractéristiques identiques à celles qu'on relève chez Patrizia – ce qui explique l'attraction de Maurizio à son endroit. »

Au moment où elle rencontra Maurizio, Paola était séparée de son mari, industriel important qui avait fait fortune dans le cuivre. La première fois que Maurizio l'invita à prendre un verre avec lui dans un bar, un dîner s'ensuivit et leur conversation ininterrompue ne prit fin qu'à 1 heure du matin.

« Il me raconta toute l'histoire de sa vie, a dit plus tard Paola. Il avait besoin de parler. On aurait dit qu'il souhaitait se débarrasser d'un poids qu'il avait sur le cœur, sur l'esprit. Il donnait l'impression d'être un battant mais il avait en réalité une sensibilité extrême et c'était une personnalité vulnérable. Maurizio voulait présenter sa défense, expliquer son point de vue à propos des scandales qui l'avaient éclaboussé lui et sa famille. C'était un poids écrasant. Il me dit qu'il aurait voulu être un aigle, un être libre d'entraves, capable de tout voir de haut et de tout dominer. »

Au début, ils se rencontraient secrètement dans le petit appartement de la piazza Belgioioso. Paola découvrit que rien ne faisait plus plaisir à Maurizio que de dîner à la maison en toute simplicité. Il découpait les tranches de salami tandis que Paola versait le vin rouge, et les amants s'embrassaient sous le plafond voûté avant de se jeter sur le double lit de fer forgé peint en rouge pompéien.

« Cet appartement était notre petit nid d'amour », avoue Paola. Tandis que Maurizio et Paola se livraient à leurs ébats amoureux, Patrizia bouillait de fureur. En dépit de leurs efforts pour s'aimer dans la discrétion, ils ne pouvaient échapper à la vigilance des espions bénévoles dont les informations parvenaient à Patrizia dans son grand appartement en terrasse de la Galleria Passarella où Maurizio payait toutes les dépenses. Des amis lui apprirent ainsi que l'on voyait Maurizio sortir avec une grande blonde mince. Il ne lui fallut pas beaucoup de temps pour apprendre l'identité de Paola. Patrizia, qui avait ses propres amants, feignait l'indifférence, mais elle surveillait tous les gestes de Maurizio.

C'est Toto Russo qui avait trouvé l'appartement du corso Venezia. Au départ, Maurizio avait espéré s'installer dans une villa, même si cela signifiait qu'il aurait à habiter en dehors de la ville. Cette villa serait une « Casa Gucci », l'incarnation du luxe et du goût que symbolisait la maison Gucci. Mais cette villa de rêve, jamais Maurizio ne la découvrit. Il lui fallut se contenter de l'appartement loué corso Venezia.

Quand Russo fit franchir à Maurizio le grand portail aux panneaux boisés, puis la gracieuse grille de fer forgé et l'amena dans la tranquille cour intérieure, Maurizio apprécia aussitôt le caractère imposant de l'immeuble et son calme relatif. Derrière les épais murs de pierre, les bruits étouffés de l'avenue animée paraissaient lointains. Maurizio admira le pavage de mosaïque multicolore et le grand escalier de marbre qui, à la gauche de la cour, montait vers l'appartement. Il y avait aussi un ascenseur moderne aux portes de bois à panneaux vitrés.

Maurizio était toujours président de Gucci à l'époque, et il jugea que l'emplacement de prestige et le cadre luxueux qu'on lui proposait convenaient à un homme dans sa position. L'appartement se trouvait au premier étage, au *piano nobile*, ainsi désigné parce que les nobles familles qui possédaient dans le temps ces grands *palazzi* habitaient toujours à cet étage. La porte d'entrée faisait accéder à un petit vestibule. Deux portes s'ouvraient sur un long corridor. La cuisine et une grande salle à manger se trouvaient immédiatement à droite, il y avait ensuite une série de petits salons et de pièces de réception sur la droite et sur la gauche d'un grand hall. Au fond la grande chambre à coucher du maître de maison avec ses dépendances donnait sur un jardin luxuriant voisin des jardins Invernizzi. L'appartement était si magnifique que son principal inconvénient ne se voyait pas au premier coup d'œil : il n'y avait qu'une seule chambre à coucher. Quand Maurizio le visita la première fois, il était séparé de Patrizia et vivait seul. C'est plus tard, après sa rencontre avec Paola, qu'il prit la décision de reconstruire sa vie de famille et de faire en sorte qu'Alessandra et Allegra séjournent chez lui le plus souvent possible. Les propriétaires, la famille Marelli, acceptèrent de lui louer, au-dessus du sien, un second appartement qui venait de se libérer. En joignant les deux il aurait assez de place pour ses filles comme pour le fils de Paola. Maurizio les loua et fit construire un escalier intérieur pour les réunir.

« Voici notre future maison », dit Maurizio à Paola, le bras passé autour de sa taille mince en se promenant avec elle dans les pièces vides où retentissait l'écho de leurs pas. Si l'appartement du corso Venezia était digne du P-DG de Gucci, il offrait aussi la possibilité de mener une nouvelle vie de famille, plus paisible que la précédente. Maurizio était heureux à l'idée que leurs trois enfants puissent vivre sous le même toit et avoir chacun leur chambre. Il aspirait à ce que ses filles passent plus de temps avec lui et espérait qu'il en serait ainsi une fois que lui et Paola vivraient ensemble. Des rapports sains avec ses filles lui semblaient irréalisables, tant que Patrizia exerçait une telle autorité sur elles. Malgré les années qui s'étaient écoulées depuis son départ du domicile conjugal, le conflit persistant avec Patrizia avait toujours fait obstacle au rétablissement de relations véritables avec ses filles.

La rénovation et la décoration de l'appartement du corso Venezia durèrent plus de deux ans et coûtèrent plusieurs millions de dollars.

Le style grandiose des travaux fit froncer les sourcils aux Milanais et les commérages allèrent bon train. En fait, très peu de gens purent en juger de visu, car Maurizio recevait peu et ne laissa jamais publier de photos de l'aménagement intérieur. Mais le défilé ininterrompu des ouvriers et les livraisons de meubles précieux, de soies somptueuses, d'accessoires exécutés sur commande, de beaux papiers peints ne pouvaient pas passer inaperçus.

La surface combinée des deux appartements représentait un peu plus de quatre mille mètres carrés sur trois niveaux et le loyer annuel s'élevait à plus de 400 millions de lires soit 250 000 dollars. Pour la décoration et l'ameublement, Maurizio s'adressa à Toto en lui donnant carte blanche. Russo, stimulé par l'enthousiasme et la bonne volonté de son client, se surpassa. La rénovation de l'appartement fut totale : murs abattus et réédifiés, planchers arrachés. Russo commanda des parquets de bois travaillé au laser sur le modèle des parquets d'un palais de Saint-Pétersbourg, il fit faire des boiseries spéciales, une installation électrique sur mesure, choisit les papiers muraux les plus somptueux et de riches tentures. Des spécialistes furent appelés pour restaurer les fresques des plafonds. Maurizio aimait les boiseries : pour la grande salle à manger, il acheta un ensemble original qui avait appartenu au roi d'Italie, Vittorio Emmanuele de Savoie. Ces boiseries, acquises à une vente aux enchères en France, étaient peintes en vert céladon, encadrées de filets d'or, et comprenaient des motifs de fleurs et de vases, et des vitraux en médaillons. Russo et Maurizio passèrent commande d'une table de salle à manger massive en faux marbre, faute de pouvoir en trouver une assez longue chez les marchands. Des rideaux gris pâle d'un délicat éclat lustré et des miroirs enchassés dans les murs complétèrent la décoration de cette pièce. Elle était conçue pour de somptueux banquets, mais ce fut aussi le décor des petits déjeuners matinaux du trio – Maurizio, Paola et Charly.

Maurizio eut la satisfaction d'installer dans l'appartement les meubles qu'il avait rassemblés. Deux obélisques de marbre prirent place sur le palier du grand escalier tandis qu'une paire de centaures de bronze caracolants ornaient le vestibule de part et d'autre de la porte d'entrée. Son meuble favori, une antique table de billard du XIXe siècle, alla se placer dans le dernier salon au bout du corridor à droite. Des masques grimaçants étaient sculptés sur les pieds de cette table qui était assortie aux deux divans jumeaux disposés contre les murs. Les ouvriers qui se préparaient à installer des panneaux et des rayonnages dans cette pièce eurent la surprise de découvrir, derrière des panneaux modernes, un plafond en stuc représentant un motif de labyrinthe. Maurizio accepta de restaurer ce plafond. Pour les rayonnages, quand vint le moment de les garnir, Maurizio, qui lisait peu, acheta des livres anciens au poids.

La décoration de l'appartement du corso Venezia conduisit à de vifs affrontements entre Russo et Paola, laquelle avait travaillé comme décoratrice, et voulait avoir son mot à dire. Chacun était jaloux de l'influence de l'autre sur Maurizio.

Paola agissait en souplesse, mais Russo ne cachait pas ses sentiments. Une scène typique se produisit un matin au cours des travaux de rénovation. Russo, entrant dans l'appartement, cria à pleine voix : « *E arrivata la troia ?* » (La putain est-elle arrivée ?)

Son assistant, Sergio Bassi, se précipita dans la pièce en le suppliant de se taire ! « Chut ! Elle est là-haut et vous a probablement entendu. »

Russo s'en fichait. Il avait fait promettre à Maurizio que Paola ne travaillerait qu'à la décoration de l'appartement du haut, celui des enfants, ainsi qu'à celle de la salle de jeux en bas.

« Elle n'était pas autorisée à intervenir à notre étage, rappelle Bassi. Quand Paola s'est mise à jouer un rôle, cela a changé les rapports entre Maurizio et Toto, et finalement ils se sont violemment opposés. Toto était très napolitain, très possessif. Il se disputait avec Paola et avait des crises de jalousie. »

Maurizio avait demandé à Paola de transformer un long hall voisin de l'escalier de marbre en salle de jeux. Pour Maurizio, cette pièce devint une sorte de cour de récréation personnelle.

« Il était au fond un enfant, a dit Paola des années plus tard. Ses yeux s'éclairaient quand il pensait à cette pièce. Il avait toutes sortes d'idées à ce sujet. »

La pièce devint une sorte de hangar de jeux – jeux vidéo, billard électrique des années 1950, et surtout le jouet favori de Maurizio qui permettait de mimer virtuellement une course de formule 1 avec l'équipement au grand complet, casque, volant, et courses programmées. En retrait, Paola avait installé une salle de TV sur le modèle d'un mini– cinéma, rideau de velours, trois rangées de vrais sièges de salle et un écran géant de télévision. Derrière la grande pièce elle avait créé un saloon de western, une idée venue de Maurizio.

« Je n'avais jamais rien fait de ce genre auparavant, explique Paola en souriant. J'ai pris des livres et je me suis informée. » Elle fit fabriquer un long comptoir de bar incurvé en bois, de hauts tabourets au siège recouvert de cuir, des divans de cuir. Un trompe-l'œil courait le long des murs : désert avec canyons, cactus et ruban de fumée qu'on voyait monter dans le lointain. Sur les portes de bois était peint un cow-boy : le mouvement des battants lui imprimait une démarche chaloupée. Avant même l'achèvement des travaux de rénovation, Maurizio et Paola inaugurèrent la salle de jeux en donnant une réception costumée : les invités devaient se déguiser en Indiens et en cow-boys.

Paola soigna particulièrement la décoration des chambres d'enfants du second étage : elle savait combien Maurizio tenait à avoir ses filles chez lui. Pour Alessandra et Allegra, elle choisit des lits d'adolescentes à baldaquin et des gravures florales s'harmonisant avec le papier mural, en teintes beige, rose et vert. Quant à Charly, elle choisit des couleurs plus appropriées pour un garçon. Le papier peint s'ornait d'un motif de livres très gai – elle l'avait voulu, disait-elle en plaisantant, parce que Charly n'aimait pas les vrais livres. Les enfants avaient à leur disposition tout le second étage – un antre où recevoir leurs amis, une petite cuisine s'ils voulaient préparer un repas, une chambre d'amis, et une entrée séparée pour aller et venir à leur guise. Depuis que, un an auparavant, Maurizio et Paola s'étaient installés dans l'appartement, Charly avait été le seul occupant de l'étage des enfants. Alessandra et Allegra n'avaient pas dormi une seule nuit dans leurs ravissants lits à baldaquin.

Alors que les travaux avançaient rapidement, la tension entre Maurizio et Russo à propos de Paola finit par provoquer une explosion.

« La crise finale intervint le jour où les deux secrétaires se rencontrèrent pour procéder au bilan, raconte Bassi. La secrétaire de Toto dit à Liliana que Maurizio devait à Toto 1 milliard de lires. Liliana lui dit qu'elle était folle : c'était Toto qui devait de l'argent à Maurizio. » Les choses prirent un tel tour que les deux hommes cessèrent de se parler. Paola avait gagné.

Des bruits circulaient à Milan à propos de Toto : on disait qu'il ne contrôlait plus sa consommation de cocaïne et que ses problèmes de santé se multipliaient.

On trouva le corps de Toto dans la chambre d'un hôtel où il lui arrivait de se cacher pendant deux ou trois jours – pour y faire ses orgies secrètes. Mais, cette fois-ci, il était arrivé seul. Le personnel de l'hôtel remarquant que de l'eau passait sous sa porte – un flot qui devenait de plus en plus abondant – entra dans la chambre et le découvrit affalé contre le lavabo, mort d'un arrêt cardiaque. Ses amis jugèrent que c'était un suicide.

Maurizio assista aux obsèques et accompagna le corps jusqu'au cimetière de Santa Margherita. Au moment de l'ensevelissement, les porteurs du cercueil découvrirent que celui-ci était trop grand pour la tombe qu'on avait creusée. Il fallut procéder à un ajustement.

« Même dans la mort, tu es excessif », pensa Maurizio en souriant tristement. Un autre de leurs amis était mort deux mois plus tôt. Maurizio se tourna vers le petit groupe de ses compagnons endeuillés et demanda : « Qui peut savoir quel sera le troisième ? »

À cause de l'importance croissante que Paola prenait dans sa vie, Maurizio avait essayé de couper les liens qui l'attachaient encore à Patrizia. Il continuait à faire de généreux versements mensuels sur le compte en banque de Patrizia – entre 160 et 180 millions de lires, soit 100 000 dollars –, mais il avait voulu lui interdire l'usage des maisons de Saint-Moritz. Paola et lui souhaitaient les redécorer toutes les trois, faire de l'Oiseau Bleu leur retraite à eux et consacrer les deux autres aux enfants, au personnel et aux invités. Cela avait rendu folle Patrizia. Elle considérait l'Oiseau Bleu comme sa propriété et pressait Maurizio de mettre le petit chalet à son nom et de faire donation des deux autres à Alessandra et à Allegra. La pensée que Maurizio y séjourne avec Paola la transportait de fureur et elle menaçait de réduire en cendres la maison. Elle avait même osé demander à un des domestiques de lui préparer deux bidons d'essence et de les laisser près d'un des murs de la maison.

« Placez-les à côté de la maison. C'est tout. Je m'occuperai du reste », ordonna-t-elle au gardien de la propriété. Devant son refus,

Patrizia recourut à une de ses voyantes qui se mit au travail avec des maléfices divers.

Quand, la fois suivante, Maurizio s'était rendu à Saint-Moritz, une impression de gêne et de malaise intense l'avait envahi dès son arrivée. Il avait refusé d'en tenir compte, défait ses valises et voulu s'installer. Mais la sensation de rejet était si puissante qu'il était reparti en voiture la nuit même pour Milan. Le lendemain il avait appelé sa voyante, Antonietta Cuomo, et lui avait expliqué le problème. Quelques jours plus tard, Cuomo se rendit à Saint-Moritz et alluma des bougies dans la maison. De cette façon, dit-elle, elle réussit à évacuer ce qui « n'était pas bien ». Ultérieurement, elle procéda de la même façon pour les appartements de Lugano et de New York. Patrizia était tenace, elle continua dans la cuisine de la Galleria Passarella ses séances de nuit qui effrayaient tant ses domestiques qu'ils finirent par courir piazza San Fedele pour informer Maurizio des étranges manèges auxquels ils assistaient.

Certains des employés de Gucci avaient gardé leur loyauté à Patrizia et la renseignaient. C'est ainsi qu'elle était au courant des décisions de Maurizio dans l'entreprise et se convainquait qu'il était incapable de la diriger. Un employé lui écrivit cette lettre :

« *Signora* Patrizia, il est devenu méconnaissable. Nous ne savons pas vers quoi nous allons. Quand nous essayons de lui parler, nous nous heurtons à un mur. Rien qu'un sourire froid. Aidez-nous ! Prenez la situation en main. »

Grâce à ses espions – des amis communs mais aussi Adriana, la cuisinière de Maurizio et Paola –, Patrizia savait tout de la coûteuse rénovation du corso Venezia, du *Creole*, de la nouvelle Ferrari Testarossa au garage, des avions privés que louait Maurizio pour sillonner le monde. Et, tandis que sa situation financière s'aggravait, ses versements devenaient irréguliers, et Patrizia se trouva parfois dans l'incapacité de payer ses factures. L'épicier et le pharmacien cessèrent de lui faire crédit. Voyant que son compte en banque n'était pas approvisionné, elle téléphonait à Liliana, la secrétaire de Maurizio, qui avait appris à se livrer à de savantes contorsions pour répondre de façon satisfaisante à ses créanciers.

« À la fin de chaque mois, je me demandais avec angoisse comment faire pour trouver assez d'argent pour Patrizia », rappelle Liliana qui devait jongler avec les créanciers de Maurizio et échelonner les paiements à Patrizia. Elle lui annonçait :

— Je vous apporterai une partie de l'argent demain et j'essaierai d'avoir le reste pour la fin de la semaine.

— Quoi ! s'écriait Patrizia avec indignation. Il dépense sans compter pour l'appartement du corso Venezia et il ne peut pas trouver d'argent pour ses filles.

— Non, non, madame. On a arrêté les travaux corso Venezia, inventait Liliana.

— Bon, bon, rouspétait encore un peu Patrizia. S'il faut faire des sacrifices, nous en passerons par là.

Un certain mois, Maurizio se trouva tellement aux abois que son chauffeur Luigi, pour lui permettre de payer Patrizia, lui apporta l'argent qu'il avait puisé dans la tirelire de son fils (8 millions de lires).

En automne 1991, Maurizio, ayant confessé ses problèmes personnels à Franchini, demanda à Patrizia de consentir au divorce. Paola, toujours avec l'assistance de Franchini, cherchait aussi à divorcer de son mari. Ils voulaient s'installer ensemble corso Venezia. Patrizia eut alors l'impression que tout lui échappait. Dévorée de jalousie et de rage, elle se mit à dénigrer Paola qu'elle dépeignait comme une femme superficielle, qui courait après l'argent et un statut social, profitait de Maurizio et était en train de le ruiner. En l'écoutant, certains de ses interlocuteurs se demandaient si cette description ne s'appliquait pas d'abord à Patrizia.

« Patrizia avait une idée fixe, une obsession : les biens, le capital de Maurizio, dit Piero Giuseppe Parodi, un des avocats de Maurizio qu'elle commence alors à appeler régulièrement au téléphone pour avoir une idée précise de ses droits. Elle était convaincue qu'elle avait des droits sur ce qu'il possédait. Cela ne reposait pas sur une base légale, mais sur une base subjective. Elle avait la conviction que le yacht, le chalet de Saint-Moritz lui appartenaient... et elle croyait que le succès de Gucci était dû, pour une large part, à ses conseils. Elle était aussi très préoccupée par ce qu'elle considérait comme son incapacité de gérer l'entreprise. Elle avait le sentiment que son mari était inapte à contrôler ses dépenses de manière normale, et elle vivait dans un état d'anxiété permanente à propos de ses avoirs qu'elle estimait lui appartenir. Elle se préoccupait des conséquences pour elle et pour ses filles. »

Patrizia voyait en Maurizio la source de toutes ses souffrances et s'était juré de le détruire avant qu'il ne détruisît ses deux filles.

« Elle voulait le voir à genoux, confie Maddalena Anselmi, une amie de Patrizia. Elle voulait le voir revenir vers elle en rampant. »

Renonçant aux séances de spiritisme et aux maléfices divers, Patrizia parlait maintenant un autre langage. « Même si c'est la dernière chose que je fais, je veux le voir mort ! » C'est ainsi que, dans sa chambre à coucher, Patrizia s'exprime un jour devant son intendante, Alda Rizzi. « Pourquoi ne demanderiez-vous pas à votre petit ami s'il ne connaît pas quelqu'un qui pourrait me rendre ce service ? » Patrizia répète cette requête avec tant d'insistance que Rizzi et son petit ami finissent par aller voir Maurizio en novembre 1991. Celui-ci enregistre leur témoignage et remet la bande à Franchini.

C'est à cette époque que commencent les maux de tête de Patrizia. Quand elle ne fait pas des achats ou ne fulmine pas contre Maurizio, Patrizia s'enferme pendant des heures dans sa chambre obscure, paralysée par la souffrance ; la nuit ses maux de tête l'empêchent de dormir. Sa mère et ses filles s'inquiètent.

« Maman, lui dit un jour sa fille Alessandra, quinze ans. J'en ai assez de te voir souffrir. Va voir un médecin. »

Le 19 mai 1992, Patrizia entre dans une clinique privée de Milan, Madonnina, celle-là même où Rodolfo avait été traité pour son cancer à la prostate. Les docteurs diagnostiquent une grosse tumeur sur la partie frontale gauche du cerveau. Il fallait opérer immédiatement, lui annonce-t-on. Les chances de survivre à l'opération étaient faibles.

« J'ai eu l'impression que mon univers s'effondrait, dit Patrizia. Je savais que la tumeur était due à la tension permanente dont Maurizio était la cause. À un certain moment j'ai regardé mon chapeau et j'ai vu qu'il était plein de cheveux que je perdais. J'ai eu une crise. Je voulais tout détruire. »

Elle écrit avec amertume dans son journal :

BASTA (ceci en gros caractères tracés avec colère en travers de la page). « Il n'est pas possible qu'un être comme Maurizio Gucci passe son existence sur des yachts de soixante mètres, dans des appartements luxueux ou en Ferrari Testarossa sans qu'on ait le droit de le juger comme un individu vil et méprisable. Mardi, on a diagnostiqué une tumeur qui presse contre mon cerveau, et le Dr Infuso qui m'examinait aux rayons X était très inquiet et craignait que cette tumeur ne fût inopérable. Me voici donc ici, seule, avec deux filles de quinze et onze ans, et une mère inquiète, veuve elle-même, et j'ai un époux qui ne fait pas son devoir et nous a abandonnées parce que ses échecs continuels l'ont amené à réaliser que ce qui lui reste de sa fortune ne peut suffire qu'à lui. »

Le lendemain matin, l'inquiétude peinte sur leurs visages, Silvana (la mère de Patrizia) et Alessandra se rendirent au bureau de Maurizio, piazza San Fedele, pour lui faire part de la nouvelle. Liliana, la secrétaire de Maurizio, vit son patron reconduire les visiteuses à la porte. Il était visiblement secoué et son visage était grave.

« On a diagnostiqué chez Patrizia une tumeur au cerveau de la grosseur d'une boule de billard, dit-il d'une voix tendue à Liliana. Je comprends maintenant pourquoi elle était si agressive. »

Silvana avait demandé à Maurizio s'il ne pouvait pas s'occuper des deux filles pendant qu'elle se consacrait à Patrizia. Il avait répondu que ce serait très difficile. Le corso Venezia était en travaux et il n'avait pas de place pour ses filles dans son appartement de célibataire. En outre, la situation avec Investcorp devenait critique et il voyageait souvent. Il assura qu'il serait pourtant heureux de déjeuner avec ses filles aussi souvent que possible. La déception de Patrizia, quand elle apprit cette réponse, ne put qu'augmenter.

Le matin du 26 mai, Patrizia était couchée sur un lit à roulettes, le crâne entièrement rasé. Elle avait embrassé ses filles et sa mère. Les infirmiers allaient la conduire dans la salle d'opérations, mais elle ne cessait de regarder du côté de la porte. Elle attendait Maurizio qui ne se manifesta pas.

« Je ne savais pas si je sortirais vivante de cette salle et il ne s'est même pas donné la peine de faire un tour, a dit Patrizia plus tard. Nous avions beau être séparés, j'étais quand même la mère de ses filles. »

Quand Patrizia se réveilla plusieurs heures après, encore dans les brumes de l'anesthésie, elle essaya de fixer les visages qui l'entouraient. Elle vit sa mère, Alessandra et Allegra, mais une fois de plus Maurizio n'était pas là. Elle ignorait que Silvana et les docteurs l'avait dissuadé de venir, craignant que sa présence ne perturbât Patrizia.

En fait, incapable de se concentrer, Maurizio avait passé la matinée à arpenter son bureau. À la fin il avait dit à Liliana qu'il sortait pour envoyer des fleurs à Patrizia. Quand Liliana lui avait proposé de le faire à sa place, il avait refusé. Il savait exactement quelles orchidées elle aimait et il voulait les choisir lui-même. En marchant vers Redaelli, le fleuriste à la mode, Maurizio se demandait ce qu'il allait écrire sur le billet qui accompagnerait les fleurs. Craignant que n'importe quel message ne fût mal interprété par Patrizia, il décida finalement de signer simplement son nom : Maurizio Gucci. Lorsque les fleurs arrivèrent dans la chambre d'hôpital, elle les jeta avec colère sur la table, sans même regarder le bouquet. Les orchidées que Maurizio avait choisies avec tant de soin étaient celles mêmes qu'elle avait plantées devant l'Oiseau Bleu – cruel rappel qu'elle n'était plus la bienvenue au chalet. Quand Patrizia revint chez elle une semaine plus tard, elle trouva d'autres orchidées et un mot de Maurizio : « Rétablis-toi vite. » Elle éclata en sanglots et se jeta sur son lit.

« Ce *disgraziato* n'est même pas venu me voir ! » s'écria-t-elle.

Patrizia, à qui les docteurs ne donnaient que quelques mois à vivre, pressa ses avocats d'agir. Ils bloquèrent le premier règlement de divorce conclu avec Maurizio, en faisant valoir que la maladie affaiblissait mentalement Patrizia au moment où elle en avait accepté les termes. Ce document lui attribuait l'appartement de la Galleria Passarella, un des deux appartements des Olympic Towers, une somme globale de 4 milliards de lires (plus de 3 millions de dollars à l'époque), deux semaines de vacances payées dans un des grands hôtels de Saint-Moritz pour elle et ses filles, et 20 millions de lires (16 000 dollars) de pension mensuelle pour les filles. Le nouveau règlement qu'ils renégocièrent comportait des dispositions beaucoup plus généreuses : 1,1 million de francs suisses par an (846 000 dollars), un versement unique en 1994 de 650 000 francs suisses (550 000 dollars environ), le libre usage sa vie durant de l'appartement de la Galleria Passarella, lequel ferait l'objet d'une donation à Alessandra et Allegra. En outre il y aurait pour Silvana, la mère de Patrizia, un appartement à Monte-Carlo et 1 million de francs suisses.

Il apparut, lors d'un diagnostic ultérieur, que la tumeur de Patrizia n'avait qu'un caractère bénin. Patrizia se rétablit ; la pensée de prendre sa revanche sur Maurizio l'aida à retrouver son énergie et ses forces.

Dans son journal, elle écrivit à la date du 2 juin, en citant l'écrivaine féministe Barbara Alberti : « J'avais oublié que la vengeance n'est pas réservée aux seuls opprimés. Les anges peuvent y recourir. Vengez-vous parce que vous avez le droit pour vous. Soyez intransigeants parce qu'on vous a offensés. La supériorité ne consiste pas à passer l'éponge, mais à trouver le meilleur moyen d'humilier l'autre et de vous libérer. » Quelques jours plus tard, elle reprend la plume. « Dès que je serai assez rétablie pour parler à la presse, et si mes docteurs me le permettent, je veux que tout le monde sache qui tu es vraiment. Je passerai à la télévision. Je te persécuterai jusqu'à la mort, jusqu'à ce que je t'aie ruiné. » Elle cracha toute sa fureur dans une bande enregistrée dont elle envoya par porteur la cassette à Maurizio.

« Cher Maurizio, suis-je dans l'erreur, ou bien as-tu perdu ta mère quand tu étais petit garçon ? Naturellement, tu n'as jamais su non plus ce que c'était que d'avoir un père, si l'on en juge par la façon dont tu t'es dérobé à tes responsabilités envers tes filles et envers ma mère le jour de mon opération, quand on pensait que je n'avais qu'un mois à vivre sans cette intervention… Je veux te dire que tu es un monstre, un monstre dont le portrait devrait se trouver à la première page des journaux. Je veux que tout le monde sache qui tu es vraiment. Je me montrerai à la télévision, j'irai en Amérique, je ferai parler de toi là-bas… »

Assis à son bureau, Maurizio écoutait la voix cassante qui sortait du magnétophone, débitant les mots chargés de haine.

« Maurizio, je ne te laisserai pas une minute de paix. N'invente pas d'excuses, ne me dis pas qu'on t'a empêché de venir me voir… Mes petites chéries ont failli perdre leur mère… ma mère a failli perdre sa fille unique. Toi, tu espérais… Tu as voulu m'écraser mais tu n'as pas pu. Maintenant que j'ai vu la mort en face… Tu roules dans une Ferrari que tu as achetée en cachette, parce que tu devais faire semblant de ne pas avoir d'argent et pendant ce temps, ici, les divans blancs deviennent beiges, il y a un trou dans le parquet, il faut remplacer la moquette et repeindre les murs – tu sais que le stuc pompéien se dégrade avec le temps ! Mais il n'y a pas d'argent. Tout est pour *il signor Presidente* ! Et les autres, que fait-on pour eux ?… Maurizio, tu as passé les bornes. Même tes filles ne te respectent pas et ne veulent plus te voir, pour oublier ce traumatisme… Tu es un appendice que nous voulons tous oublier… Maurizio, ton enfer est encore à venir. »

Soudain Maurizio saisit le magnétophone, arracha la cassette et la jeta par terre. Il refusa d'entendre le reste et remit la cassette à

Franchini. Celui-ci l'ajouta à sa collection qui grossissait de jour en jour, et conseilla à Maurizio de prendre un garde du corps. Une fois calmé, Maurizio décida de ne pas s'alarmer. Il ne voulait pas vivre dans la hantise des menaces de Patrizia. En août, il accepta que Patrizia vienne passer sa convalescence à Saint-Moritz, dans son chalet bien aimé, l'Oiseau Bleu. Ce furent de reposantes vacances – au terme desquelles elle réaffirma ses droits sur la propriété.

« *Desidero avere per sempre Oiseau Bleu* », écrivit-elle dans son journal (« Je veux avoir mon Oiseau Bleu pour toujours. »)

En dépit de la généreuse révision des termes du règlement de divorce, Patrizia tint parole : elle prit contact avec la presse. Elle convoqua des journalistes dans son appartement de la Galleria Passarella et donna des interviews au cours desquelles elle fit tout pour salir la réputation de Maurizio, comme homme d'affaires, comme époux, comme père. Maurizio eut même le sentiment que les bruits qui coururent sur son homosexualité – bruits dénués de tout fondement – avaient été lancés par Patrizia.

Elle intervint dans un débat télévisé féminin très suivi, « Harem ». Elle était outrageusement fardée et ruisselait de bijoux. Assise sur le divan du studio, elle se plaignit devant le public de la pingrerie de Maurizio qui avait voulu se débarrasser d'elle avec « un plat de lentilles » – à savoir l'appartement en terrasse de Milan, l'appartement de New York et les 4 milliards de lires.

« Ce qui m'appartient déjà ne devrait pas faire partie du règlement de divorce, déclara-t-elle devant les autres invités qui la regardaient abasourdis, sans compter les nombreux téléspectateurs devant leur poste. Je dois penser à mes filles, qui n'ont pas d'avenir… Je dois me battre pour mes filles. Si leur père veut faire une croisière de six mois sur le *Creole*, c'est son affaire. »

En automne 1993, quand Patrizia comprit que Maurizio risquait de perdre le contrôle de l'entreprise, elle essaya d'intervenir, non qu'elle désirât l'aider, comme elle l'a expliqué plus tard, mais pour sauver la société dans l'intérêt de ses filles. Elle dit avoir joué un rôle d'intermédiaire entre Investcorp et lui, et tenté, en vain, de le persuader d'accepter une présidence honoraire et de renoncer à la direction effective de l'entreprise. Elle aurait également cherché à l'aider à trouver de l'argent. Elle prétend que c'est elle qui envoya l'avocat, Piero Giuseppe Parodi, qui mit Maurizio en contact avec Zorzi et lui obtint le concours financier qui, in extremis, empêcha la vente aux enchères de ses actions de Gucci. Quand Maurizio perdit enfin la bataille et fut forcé de vendre à Investcorp sa part du capital de Gucci, Patrizia prit la chose comme une offense personnelle.

« Es-tu fou, hurla-t-elle. C'est le geste le plus insensé que tu pouvais faire ! »

La perte de Gucci devint une plaie inguérissable.

« Pour elle, Gucci représentait tout, expliqua Pina Auriemma, une ancienne amie. Gucci, c'était l'argent, c'était le pouvoir, c'était une identité pour elle et ses filles. »

15

Paradeisos

Maurizio posa la main sur le réveil et bloqua le mécanisme avant la sonnerie. Paola murmura vaguement dans son sommeil et enfouit plus encore son visage dans l'oreiller. Reposant le réveil sur la table de nuit, Maurizio regarda la grande fenêtre qui occupait toute la surface du mur. La lumière du matin commençait à s'infiltrer doucement à travers les stores et les tentures de soie dorée, qu'ils laissaient toujours entrouverts pour apercevoir les plantes du balcon et le jardin. Les cris des paons parvenaient du jardin Invernizzi voisin, tandis que les bruits de la circulation naissante sur le corso Venezia étaient à peine audibles. Maurizio aimait le sentiment de paix que lui donnait son appartement, bien qu'il fût situé en plein cœur de Milan, à deux pas des boutiques élégantes de la via Monte Napoleone et de la via della Spiga, les rues qui formaient naguère la toile de fond du grand rêve de sa vie.

Pendant les premiers mois qui avaient suivi la vente de sa part du capital de Gucci, il avait vécu en pleine hébétude, en état de choc, comme s'il avait perdu une personne chère. Il blâmait Investcorp, qui ne lui avait pas laissé le temps de mener à bien la réorientation de l'entreprise, Dawn Mello, qui n'était pas restée fidèle à son projet stylistique, De Sole, qui l'avait trahi. Il avait le sentiment qu'on l'avait manœuvré.

« La grande affaire pour Maurizio, a dit Paola, a été l'idée qu'il trahissait son père. Sa grande peur, c'était de trahir tous les efforts accomplis par les générations antérieures. C'était cela qui le torturait. Une fois qu'il a réalisé qu'il n'avait pas d'autre choix que de vendre, il s'est rasséréné. Cela ne dépendait plus de lui. »

269

Ses dettes acquittées, avec plus de 100 millions de dollars à la banque comme solde de la vente du capital Gucci, Maurizio eut l'impression, pour la première fois de sa vie, qu'il n'avait pas de batailles à livrer.

Après la vente, Maurizio acheta une bicyclette qu'il entreposa au sous-sol de l'immeuble du corso Venezia, et il disparut de Milan. Il partit pour Saint-Tropez sur le *Creole*, puis s'enferma seul à Saint-Moritz. À mesure que les semaines passaient, son état dépressif se dissipait. Il réalisait qu'il était débarrassé de son fardeau.

« Pour la première fois de sa vie, il pouvait décider de son avenir comme il l'entendait, explique Paola. Maurizio n'avait pas eu une enfance insouciante. Il avait toujours senti peser sur lui son nom et tout ce que ce nom représentait. Son père lui avait imposé de lourdes responsablités ; Maurizio sentait très fortement que l'on attendait de lui qu'il fît ce qu'il était de son devoir de faire. Et puis il y avait eu les jalousies de ses cousins, parce qu'il avait hérité de 50 % de l'affaire sans avoir rien fait, alors que c'était leur père qui avait bâti l'empire Gucci. »

Au début de 1994, Maurizio revint à Milan et se mit à circuler à vélo entre son appartement du corso Venezia et les bureaux de Fabio Franchini, de l'autre côté de la ville. Là-bas il jetait sur le papier ses idées pour de nouvelles affaires. « Il n'avait nulle part où aller et c'est pour ça qu'il venait chez moi, raconte Franchini. À 8 heures du matin, il était déjà là, débordant de projets. »

Au cours d'un de ses trajets matinaux en vélo, Maurizio s'arrêta piazza San Fedele. C'était un matin froid du début de février 1994 et Pilar Crespi, la directrice des relations publiques, était arrivée de bonne heure, avant tout le monde, au quartier général de la société. Elle était dans son bureau du deuxième étage, en train de feuilleter des revues de mode, le visage concentré, quand soudain quelque chose accrocha son regard. En bas les façades récemment ravalées de l'église et des immeubles entourant la place reflétaient la lumière pâle du matin, et créaient comme un décor fantomatique d'opéra évoquant la Scala voisine. Crespi s'approcha d'un coin de la fenêtre, pour voir sans être vue. Une silhouette solitaire et silencieuse était assise sur un des bancs de marbre en face de l'immeuble et regardait les bureaux de Gucci. C'était un homme aux cheveux châtains, enveloppé dans un manteau en poil de chameau. La silhouette se fondait presque dans le décor environnant de marbre et de pierre, au point que Pilar Crespi faillit ne pas la voir. Un mouvement familier, la main remontant les lunettes sur le nez, attira son attention. Elle sursauta : Maurizio Gucci était assis là, regardant l'immeuble. Il y avait près d'un an qu'elle ne l'avait pas vu. Elle observa Maurizio qui, lui-même, scrutait le bâtiment comme s'il espérait deviner ce qui se passait à l'intérieur. Et, tout en le regardant, elle se sentit envahie par une vague de tristesse. Elle songeait combien il s'était montré patient et généreux avec elle à ses débuts : il avait accepté qu'elle prenne son poste plus tard que prévu pour que le fils de Pilar termine ses études à New York et qu'elle déménage à une date à sa convenance. Elle se souvenait de son dynamisme et de son enthousiasme – jusqu'au moment où le désespoir en avait fait un employeur paranoïaque aux décisions imprévisibles.

« Il y avait sur son visage une telle expression de tristesse ! raconte Pilar. San Fedele, ç'avait été son grand rêve. Il était assis là, les yeux levés. »

« Je suis maintenant mon propre président », devait dire plus tard Maurizio à Paola. Il fonda une nouvelle compagnie, Viersee Italia, et loua des bureaux en face du parc, via Palestro, à quelques pas de chez lui. Paola l'aida à décorer les pièces en mettant aux murs un papier peint de teintes brillantes et en installant des meubles chinois en bois laqué aux couleurs vives. Antonietta lui donna des amulettes et des poudres pour écarter les maléfices de Patrizia. Maurizio savait que Paola désapprouvait son humeur superstitieuse, mais il aimait Antonietta ; elle le rassurait, et il la consultait comme d'autres consultent un expert financier ou un psychologue.

Maurizio avait affecté une somme de 10 millions de dollars à d'éventuels investissements dans n'importe quel secteur, la mode exceptée. Il s'était donné un délai d'un an pour faire son choix. Particulièrement intéressé par le tourisme, il étudia plusieurs projets. On lui avait demandé de participer au lancement d'un port pour des navires historiques à Palma de Majorque, le port d'attache du *Creole*. Il envoya aussi une équipe en Corée et au Cambodge pour examiner de nouvelles possibilités touristiques dans ces pays. En outre, il songea à ouvrir une chaîne de petits hôtels de luxe dans des villes pittoresques d'Europe et investit 60 000 francs suisses – moins de 50 000 dollars – dans un hôtel de Crans-Montana, la station suisse de ski. L'hôtel était un prototype : on trouvait des billards électriques et des machines à sous dans le hall d'entrée.

« Il étudiait très soigneusement tous les projets, dit Liliana, sa secré-taire, qui ne l'avait pas quitté. Il ne jetait plus l'argent par les fenêtres comme chez Gucci. Avant de s'engager dans un nouveau projet, on travaillait très sérieusement. Il était devenu adulte. »

Maurizio retrouvait son charme et son enthousiasme d'antan. Pour la première fois dans sa vie il vivait comme il l'entendait. Il acheta des vêtements adaptés au personnage nouveau qu'il était devenu, laissant dans un placard les complets gris de P-DG, sauf s'il lui fallait se rendre à des réunions d'affaires. Des pantalons de whipcord ou de velours et des chemises de sport constituèrent son nouvel uniforme. Et s'il portait une cravate, c'était avec un pull en cachemire. Il faisait toujours *bella figura*. Quand il joggait dans les allées des Giardini Pubblici, il portait des survêtements achetés aux États-Unis. Quand il faisait du vélo, sa bicyclette était le modèle à la mode, de même que la tenue décontractée qu'il revêtait. D'autre part Maurizio cherchait à passer plus de temps avec ses filles, en dépit du fait que Patrizia faisait toujours des difficultés surtout quand Paola était dans le paysage.

Maurizio se rappelait combien son père tenait serrés les cordons de la bourse quand il s'agissait de son argent de poche. En juin 1994, il remit à Alessandra 150 millions de lires pour son dix-huitième anni-versaire, en spécifiant qu'elle devait les gérer elle-même et que cette somme devait couvrir les frais de sa soirée de débutante, celle qui la lancerait dans le monde.

« Je veux que tu sois responsable de cet argent. Tu en disposeras à ta guise : tu peux donner une grande soirée ou une plus modeste, suivant la manière dont tu entends dépenser cet argent. » En dépit des désirs exprimés par Maurizio, Patrizia prit en main l'organisation de la réception – et elle arrangea une opération de chirurgie esthétique pour la fille et la mère « afin que toutes deux nous soyons en beauté le soir du grand événement ». Patrizia se fit refaire le nez, Alessandra, les seins.

Le soir du 16 septembre quatre cents invités montèrent l'allée éclairée aux chandelles conduisant à la villa Borromeo di Cassandra d'Adda, près de Milan, que Patrizia avait louée pour la circonstance. Après un somptueux dîner, le champagne continua à couler à flots. Les invités poussèrent des cris de plaisir quand ils découvrirent que l'orchestre qui allait animer la soirée était les populaires Gypsy Kings – que Patrizia avait engagés à un tarif exorbitant pour faire une surprise à Alessandra.

Maurizio brillait par son absence, et ce fut le parrain d'Alessandra, Giovanni Valcavi, qui accueillit les hôtes aux côtés de Patrizia et d'Alessandra. Au cours du dîner, Patrizia adressa la parole à Cosimo Auletta, l'avocat qui avait défendu ses intérêts lors du règlement de divorce, et qui était assis à sa table.

— *Avvocato*, lui dit-elle avec une innocence affectée (l'absence de Maurizio la faisait bouillir intérieurement), qu'arriverait-il si je décidais de donner une leçon à Maurizio ?

— Que voulez-vous dire par « donner une leçon à Maurizio » ? demanda l'avocat, surpris et inquiet.

— Je veux dire : que m'arriverait-il si je m'en débarrassais une bonne fois ? précisa Patrizia, accompagnant la phrase d'un battement de cils noircis par le mascara.

— C'est un sujet sur lequel je me refuse à parler, même sur le ton de la plaisanterie, marmonna l'avocat, qui changea de sujet de conversation.

Quand un mois plus tard, dans son bureau, elle attaqua le même thème, Auletta lui fit savoir qu'il ne voulait plus d'elle comme cliente. Il lui écrivit une lettre l'invitant à cesser de tenir de pareils discours, et rendit compte de la conversation à Silvana, la mère de Patrizia, et à Franchini.

Plusieurs jours après la réception, Maurizio convoqua Alessandra dans ses bureaux de la via Palestro. La banque lui avait téléphoné pour lui signaler que le nouveau compte en banque d'Alessandra était à découvert, pour un montant de 50 millions de lires (environ 30 000 dollars).

« Alessandra – le ton de Maurizio était sévère – la banque m'apprend que ton compte a un découvert de 50 millions de lires. Je n'ai pas l'intention de combler ce découvert et je veux une explication sur l'emploi de cet argent. »

Mal à l'aise sous le regard de son père, Alessandra lui répondit qu'elle ne savait pas où était passé l'argent, sa mère s'étant occupée de l'organisation de la fête. Elle s'engagea à regarder les comptes et promit que cette situation ne se reproduirait pas.

Quand elle revint avec les bordereaux de la banque, il apparut clairement qu'outre les chèques remis aux traiteurs et à différents services, Patrizia avait dépensé sans justification 40 millions de lires sur le compte d'Alessandra. Exaspéré, Maurizio finit par renflouer le compte. La leçon n'avait porté aucun fruit.

Le 19 novembre 1994, le divorce de Patrizia et Maurizio devint officiel. Ce vendredi-là, il fit à Paola la surprise de rentrer déjeuner et, quand elle arriva, il l'accueillit avec un grand sourire, et lui tendit un martini.

« Paola, à partir d'aujourd'hui, je suis un homme libre. » Ils choquèrent leurs verres et s'embrassèrent. Un mois plus tôt, Paola avait obtenu son propre divorce. Libéré enfin des problèmes personnels ou d'entreprise qui l'avaient si longtemps absorbé, Maurizio avait le sentiment qu'il lui était loisible, maintenant, de reconstruire sa vie. Il fit savoir à Patrizia que dorénavant elle ne pourrait plus faire usage du nom Gucci. Et il entama les démarches nécessaires pour obtenir la garde de ses enfants. D'après des gens proches de lui, il n'avait pas l'intention de se remarier. Toutefois il demanda à Franchini d'étudier la possibilité d'un contrat de concubinage avec Paola. Paola voyait les choses autrement : elle annonça à ses amis que Maurizio et elle projetaient de se marier à Noël sous la neige, à Saint-Moritz ; il y aurait un traîneau tiré par des chevaux, où s'entasseraient mille fourrures. La nouvelle parvint vite à Patrizia, que la perspective d'un enfant du couple inquiéta vivement.

Elle donna libre cours à sa fureur dans le projet de livre – un manuscrit de cinq cents pages, où la réalité se confondait avec la fiction et intitulé *Gucci contre Gucci* – auquel elle s'était attaquée quand Maurizio avait perdu la société. Elle invita Pina, son amie napolitaine, à la rejoindre à Milan pour l'aider à terminer cette chronique largement imaginaire de ses démêlés avec la famille Gucci. Pina, ruinée à la suite de la faillite d'une boutique de mode ouverte avec une amie, ne demandait pas mieux que de fuir Naples où ses dettes s'amoncelaient. De plus, elle confessa à Patrizia qu'ayant volé 50 millions de lires dans la caisse d'une entreprise appartenant à un neveu où elle avait travaillé quelque temps, elle n'était pas mécontente de décamper. Patrizia lui offrit de l'installer dans un hôtel milanais, mais ne l'invita pas à venir chez elle – Silvana et ses filles n'aimaient pas Pina, qu'elles trouvaient vulgaire et malpropre.

Maurizio se glissa hors du lit en prenant soin de ne pas réveiller Paola. Il se sentait reposé après ce week-end passé à Milan, au lieu de filer à Saint-Moritz comme ils en avaient eu d'abord l'intention. Charly était en visite chez son père. Mercredi, Maurizio était rentré de New York où il avait dû se rendre pour régler une dernière dette avec Citicorp, souvenir de ses jours difficiles chez Gucci. Tout ce qui lui rappelait cette expérience traumatique le déprimait et le fatiguait.

Vendredi, juste en fin de matinée, Maurizio, décidant qu'il était trop fatigué pour les trois heures de trajet en auto jusqu'à Saint-Moritz, avait téléphoné à Paola qui annula le rendez-vous fixé avec le tapissier à Saint-Moritz, tandis que Liliana informait le personnel de maison à Milan et à Saint-Moritz de ce changement de programme. La plupart des familles aisées de Milanais s'absentent en général pendant le week-end qu'elles passent en hiver dans une station des Alpes voisines, en été sur la côte ligure. Maurizio, qui goûtait maintenant des joies simples, aimait rester parfois le week-end chez lui. Vendredi, en quittant son bureau, il avait laissé la table en désordre et fixé sur la porte un message pour la femme de ménage, lui recommandant de ne toucher à rien.

Dimanche, après avoir fait la grasse matinée et pris le petit déjeuner sur la terrasse, Maurizio et Paola s'étaient rendus à la brocante d'antiquités du quartier des Navigli, le long des deux canaux qui conduisent dans la ville. Une fois par mois des antiquaires viennent s'installer sur les trottoirs. Ce week-end, le seul regret de Maurizio avait été de n'avoir pu voir ses filles.

Il avait entrevu Alessandra vendredi, à l'auto-école, où elle devait passer l'épreuve de conduite du permis. Le lendemain, elle lui avait téléphoné, toute joyeuse, pour lui dire qu'elle avait réussi l'examen.

« Fantastique ! avait répondu Maurizio. Le prochain week-end, nous irons ensemble à Saint-Moritz, rien que nous deux. » Ce fut la dernière fois qu'Alessandra parla à son père.

Dimanche soir, Maurizio avait accepté d'aller au cinéma et de dîner ensuite avec un groupe d'amis de Paola. De retour à la maison, Paola et lui s'étaient creusé la cervelle avant de s'endormir pour trouver quel nom donner à la chaîne de petits hôtels de luxe que Maurizio voulait ouvrir. L'œil de Maurizio était tombé sur un recueil de contes chinois qui se trouvait sur sa table de nuit. Le titre en était *Il Paradiso nelle Giarra* : le paradis dans la jarre.

« C'est exactement ce qu'il nous faut, avait dit Maurizio en répétant les mots à plusieurs reprises avant de s'endormir. Le paradis dans la jarre. »

Le lendemain matin, Maurizio prit sa douche dans la spacieuse salle de bains en marbre adjacente à leur chambre à coucher. Il passa en revue son programme de la journée. Son premier rendez-vous, à 9 h 30, dans son bureau était avec Antonietta, dont il voulait connaître l'opinion sur ses projets. Il devait ensuite rencontrer Franchini et avoir un déjeuner d'affaires auquel il avait aussi invité Paola. Mais il souhaitait terminer sa journée de travail de bonne heure. Il avait acheté récemment un jeu de boules et de queues de billard et il voulait rentrer tôt chez lui pour en faire l'essai.

Maurizio revint dans la chambre au moment où Paola, encore couchée, soulevait sa tête échevelée. Il se pencha pour l'embrasser et manœuvra la commande à distance qui faisait remonter automatiquement les stores de la grande baie vitrée. La lumière entra à flots dans la chambre, en même temps qu'apparaissait une oasis de verdure de l'autre côté de la fenêtre : le couple pouvait avoir l'illusion de vivre dans un jardin paradisiaque et non en plein cœur de Milan.

Maurizio s'habilla – il choisit un costume Prince de Galles de laine grise, une jolie chemise bleue, une cravate Gucci de soie bleue. Il n'avait pas voulu renoncer aux cravates Gucci après la vente de la compagnie et ne voyait pas pourquoi il aurait dû le faire. Il envoyait Liliana lui en acheter de temps en temps à la boutique – De Sole lui offrait gracieusement un rabais, alors que jusque-là cela ne se faisait pour aucun des membres de la famille Gucci. Maurizio passa à son poignet le bracelet de cuir de sa montre Tiffany et mit dans la poche de sa veste un petit agenda et les notes qu'il avait préparées pendant le week-end. Il glissa dans la poche de son pantalon un porte-bonheur en corail et en or, et dans sa poche revolver une plaque métallique (sur laquelle on voyait la face de Jésus en émail). Paola s'entortilla dans un peignoir et ils traversèrent le hall pour aller à la salle à manger dans une odeur délicieuse de café qui venait de la cuisine. Adriana, la cuisinière, avait préparé le petit déjeuner que la domestique somalienne leur servit dans la majestueuse pièce. Maurizio jeta un coup d'œil sur le journal, mangea un petit pain et but un café. Paola, attentive à sa ligne comme toujours, se contenta d'un yoghourt.

276

Maurizio, en reposant sa tasse, adressa un sourire affectueux à Paola. « Je te retrouverai vers midi et demi ? » Il posa sa main sur celle de Paola, qui lui sourit à son tour. Maurizio se leva, entrebâilla la porte de la cuisine pour dire au revoir à Adriana, et sortit dans le vestibule, Paola marchant derrière lui. Il endossa son manteau en poil de chameau car l'air du matin était encore vif, serra Paola dans ses bras en l'invitant à se recoucher – elle avait tout le temps avant le déjeuner. Puis il sortit.

Maurizio descendit d'un pas rapide les marches de l'escalier et franchissant le grand portail en bois, mit le pied sur le trottoir. Il était 8 h 30. Il attendit au coin de la rue que les feux de circulation lui permettent de traverser le corso Venezia, et marcha vite dans la via Palestro. Il voulait avoir le temps de mettre de l'ordre dans ses papiers avant l'arrivée d'Antonietta. Il jeta un coup d'œil sur le parc de l'autre côté de la rue, et, comme il l'avait fait cent fois, compta les pas – cent, pas un de plus – qui séparaient la porte de sa résidence de celle de son bureau. Pouvoir se rendre à pied à son bureau était un véritable luxe, songea-t-il en approchant du 20, via Palestro. Il ne remarqua pas l'homme aux cheveux noirs, debout sur le trottoir, qui se tenait devant l'immeuble et regardait la plaque comme s'il vérifiait une adresse.

Maurizio entra dans le hall et salua le concierge, Giuseppe Onorato, en montant les marches d'un pas vif.

— *Buongiorno !*

— *Buongiorno, dottore*, répondit Onorato qui balayait l'entrée.

La femme de chambre fut la seule personne qui vit les sanglots irrépressibles de Patrizia, le matin du 27 mars 1997, lorsqu'elle apprit la mort de Maurizio. Ensuite Patrizia sécha ses larmes et se reprit. Sur son journal on ne lit qu'un mot écrit en lettres capitales : « PARADEISOS » – le mot grec qui signifie jardin et paradis. À la plume elle entoura la date d'une grande bordure noire. À 3 heures de l'après-midi, Patrizia, accompagnée de son avocat, Piero Giuseppe Parodi, et d'Alessandra, sa fille aînée, se rendit de la piazza San Babila où elle habitait, au 38, corso Venezia et demanda à voir Paola Franchi, qui prenait quelques instants de repos.

Ce matin-là, Antonietta éperdue s'était présentée à l'appartement du corso Venezia et avait demandé à parler à Paola. Antonietta avait

277

expliqué qu'elle s'était rendue au bureau de Maurizio mais la foule qui grossissait à la porte l'avait empêchée d'entrer. Elle s'était précipitée aussitôt chez Paola pour lui signaler que quelque chose clochait. Paola s'était habillée à la hâte et avait traversé la rue en courant, bousculant les journalistes qui s'amassaient.

« Je suis sa femme, je suis sa femme », avait-elle crié aux carabiniers qui interdisaient l'accès aux journalistes. Ils s'étaient écartés. Au moment où elle allait franchir les grandes portes du bureau, un ami de Maurizio, Carlo Bruno, l'avait prise par le bras et l'avait retenue.

— Paola, avait-il dit, n'entrez pas. Venez avec moi.

— C'est Maurizio, n'est-ce pas ?

— Oui, avait répondu Bruno.

— Il est blessé ? Je veux le voir.

C'était un gémissement. Paola serrait le bras de Bruno. Ils avançaient le long du parc. Quand ils furent parvenus à l'intersection de la via Palestro et du corso Venezia, Bruno reprit la parole.

— Maintenant on ne peut plus rien faire pour lui.

Paola le regarda d'un air incrédule. Quelques heures plus tard, elle alla à la morgue.

« Il était couché sur le ventre, le visage tourné d'un côté, raconte Paola. Il avait un petit trou à la tempe. À part cela, rien ne se voyait. Il était parfait. C'était ce qu'il y avait d'incroyable. En voyage ou quand il dormait, il était toujours impeccable. Jamais ses vêtements n'étaient chiffonnés, jamais on ne lui voyait un pli ou une ride. »

L'après-midi, un magistrat milanais, Nocerino, avait interrogé Paola à propos du meurtre, et lui avait demandé si Maurizio avait des ennemis.

— La seule chose que je puisse vous dire, c'est que, à l'automne 1994, Maurizio était préoccupé parce qu'il avait appris de son avocat, Franchini, que Patrizia avait déclaré à son propre avocat, Auletta, qu'elle voulait le faire assassiner, expliqua Paola d'une voix morne. Je me souviens que ces menaces avaient l'air d'inquiéter plus Franchini que Maurizio. Franchini lui conseilla de prendre des mesures de protection. Mais Maurizio n'en tint aucun compte.

Nocerino haussa les sourcils d'un air sceptique.

— Et vous, madame, êtes-vous protégée d'une façon quelconque ?

— Non, il n'y avait aucun document, aucun contrat d'aucune sorte entre nous, si c'est ce que vous désirez savoir, répliqua Paola, blessée. Nos rapports étaient de nature purement sentimentale.

Paola était retournée corso Venezia et essayait de dormir quand Patrizia sonna à la porte et demanda à la voir, pour discuter de questions juridiques d'importance. Le domestique répondit que Paola était en train de se reposer. Alessandra se mit à sangloter et s'enquit si elle pouvait au moins emporter un souvenir de son père. Paola refusa de recevoir Patrizia mais donna ordre au domestique de remettre à Alessandra un pull de Maurizio, que la jeune fille reçut avec reconnaissance. Elle y plongea sa tête pour respirer l'odeur de son père.

Paola appela Franchini pour savoir ce qu'elle devait faire. La réponse fut peu encourageante. Franchini lui dit qu'elle ne pouvait que s'effacer. Le contrat de concubinage que Maurizio l'avait chargé de préparer était à l'état de projet dans le bureau de Franchini. Paola n'avait aucun droit sur les biens de Maurizio, qui iraient directement à ses héritières. Elle devait prendre ses dispositions pour évacuer le corso Venezia le plus tôt possible.

Le lendemain matin, Patrizia revint – précédée par un huissier qui venait mettre les scellés sur l'appartement en vertu d'une requête présentée au tribunal la veille à 11 heures du matin par les « héritiers de Maurizio Gucci ». Paola le regarda avec stupeur et protesta : « Hier, à 11 heures du matin, Maurizio Gucci était mort depuis une heure à peine. » Elle réussit à persuader le magistrat de ne mettre les scellés que sur une des pièces de la maison. « Je vis ici avec mon fils. Comment pouvez-vous nous demander de partir dans un délai aussi court ? »

Patrizia n'avait pas perdu de temps, mais Paola n'avait pas montré moins de célérité. Après sa conversation avec Franchini, elle avait passé plusieurs appels téléphoniques et, en fin d'après-midi, une escouade de déménageurs avait chargé les meubles, les lampes, les tentures, la vaisselle, etc., dans trois camions parqués devant l'immeuble du corso Venezia. Le lendemain les avocats de Patrizia donnèrent à Paola l'ordre de retourner tout le lot. En fin de compte elle fut autorisée à garder ce qu'elle disait lui appartenir, dont l'ensemble de draperies de soie verte du salon que Patrizia lui disputa âprement.

En arrivant corso Venezia, le lendemain, Patrizia déclara froidement, quand on l'eut fait entrer dans le salon : « Je ne suis pas ici en tant qu'épouse, mais en tant que mère. Vous devez quitter les lieux le plus tôt possible. Cette maison était celle de Maurizio Gucci. À partir de maintenant c'est celle de ses héritiers. » Et, regardant autour d'elle, elle posa la question : « Que comptez-vous exactement prendre avec vous ? »

Le lundi 3 avril à 10 heures du matin, le fourgon mortuaire, une Mercedes noire, s'arrêta piazza San Babila devant l'église San Carlo, dont la façade jaune se voyait parfaitement de la terrasse de l'appartement de Patrizia. Quatre employés des pompes funèbres en descendirent et portèrent le cercueil de Maurizio à l'intérieur de l'église, où peu de personnes avaient alors pris place. Quand Liliana, venue avec son mari, jeta un coup d'œil dans l'église et vit le cercueil drapé de velours gris et surmonté de trois grandes couronnes de fleurs grises et blanches en face de l'autel, sans personne autour, elle posa la main sur le bras de son mari et lui dit d'une voix tremblante :

— Entrons maintenant. Je ne peux supporter de voir Maurizio ici tout seul.

Paola était restée chez elle, et Patrizia avait organisé elle-même la cérémonie funèbre. Elle joua à la perfection, ce matin-là, son rôle de veuve. Voile noir, lunettes noires, gants noirs. On ne saurait pourtant dire qu'elle cacha ses vrais sentiments.

« Sur le plan humain, je suis navrée, mais sur le plan personnel, je ne puis pas en dire autant. » Cette déclaration désinvolte s'adressait à des journalistes présents.

Patrizia prit place au premier rang des assistants, à côté d'Alessandra et d'Allegra, qui portaient, elles aussi, de larges lunettes noires pour cacher leurs larmes. L'assistance était peu nombreuse, deux cents personnes environ, dont peu d'amis – Beppe Diana, Rina Alemagna, Chicca Olivetti, noms qui appartenaient à l'aristocratie industrielle de l'Italie du Nord. Beaucoup d'autres étaient restés chez eux, effrayés sans doute par l'atmosphère de scandale qui entourait la mort sinistre de Maurizio. C'est probablement pour la même raison que beaucoup de proches ou de connaissances s'abstinrent de faire paraître dans la presse locale les traditionnels faire-part, témoignages de solidarité avec la famille du défunt. Les articles de journaux regorgeaient de spéculations sur un assassinat évoquant une exécution de type mafieux et faisaient courir des bruits sur de louches marchés commerciaux – ce qui mettait en fureur Bruno et Franchini et d'autres proches de Maurizio qui savaient que ses affaires étaient au-dessus de tout soupçon. La plupart des personnes qui assistèrent aux funérailles étaient d'anciens employés qui voulaient dire adieu à Maurizio. Il y avait aussi des journalistes et des curieux. Giorgio Gucci vint en avion de Rome avec sa femme et leur fils, Guccio Gucci. Patrizia, la fille de Paolo, vint aussi. Elle n'avait pas oublié qu'en dépit des conflits avec son père Maurizio avait eu pitié d'elle et l'avait engagée pour travailler au service des relations publiques de Gucci dans les années précédant la vente à Investcorp.

« Nous disons adieu à Maurizio Gucci et à tous les Maurizio qui perdent leur vie à cause des éternels Caïn », déclara le prêtre, Don Mariano Merlo, tandis que deux carabiniers en civil filmaient secrètement la cérémonie et examinaient le registre des signatures dans l'espoir de découvrir un indice qui les mettrait sur la piste du tueur. Après la cérémonie, la Mercedes noire prit la direction de Saint-Moritz où Patrizia avait décidé que Maurizio serait enterré, plutôt que dans le caveau familial à Florence.

Après le service, Antonio, le sacristain, murmura tristement : « Il y avait aujourd'hui plus de caméras de télévision et de curieux que d'amis. »

« L'atmosphère était plus étrange que triste », observa Lina Sotis, du *Corriere della Sera*. La journaliste, titulaire de la chronique mondaine, se demandait avec malice si le meurtrier avait asssisté aux funérailles, comme cela se passe dans les meilleurs romans policiers. Elle remarquait froidement que, en dépit de son nom et de sa fortune, Maurizio n'avait jamais réussi à trouver vraiment sa place à Milan, capitale de l'industrie et de la mode italiennes.

« Maurizio Gucci, dans notre ville, était resté dans une relative obscurité. Tout le monde connaissait son nom, mais peu de personnes le connaissaient, lui. "Milan est une ville trop coriace pour moi", confiait-il à un ami. Ce garçon aux cheveux blonds et aux yeux bleus pouvait s'offrir ce qu'il voulait, excepté une femme aimante à son côté et une ville coriace comme Milan. »

Le lendemain, Paola organisa son service funèbre pour Maurizio dans l'église San Bartolomeo, près des Giardini Pubblici, mais à l'opposé du corso Venezia.

« Tu as su gagner nos cœurs, mais il y avait quelqu'un qui ne t'aimait pas autant que nous, déclara Denis Le Cordeur, cousin de Paola et ami de Maurizio. Quelqu'un qui n'a pas commis un crime unique, mais en a commis dix, vingt, cinquante – autant de crimes que nous sommes de présents ici aujourd'hui, parce que, en chacun de nous qui te connaissions et t'aimions, quelque chose a été tué. »

Quelques mois plus tard, Patrizia emménagea triomphalement au 38, corso Venezia. Elle avait fait disparaître toutes les traces du passage de Paola, laquelle était revenue habiter l'appartement de son ex-mari. Dans les chambres de ses filles, Patrizia avait fait arracher le papier mural à motifs floraux et s'était débarrassée des lits à baldaquin et de leurs fanfreluches. Elle avait redécoré les chambres – meubles vénitiens en bois poli, tissus imprimés –, avait transformé la salle de séjour des enfants en une salle de télévision pour les filles et pour elle aux murs peints en rose saumon vif. Elle y avait installé les divans rose, bleu et jaune avec des rideaux assortis, provenant de l'appartement de la Galleria Passarella. À l'un des murs elle avait accroché un tableau à l'huile, un portrait d'elle plus grand que nature, où l'on voyait son visage encadré par les longues boucles de cheveux bruns qu'elle avait toujours désirés.

En bas elle avait fait le minimum de changements. Elle avait pourtant vendu le billard et redécoré la salle de jeux dont elle avait fait une salle de séjour. Elle dormait dans le majestueux lit Empire et s'éveillait aux cris des paons du jardin Invernizzi sous ses fenêtres. Le matin, après son bain, elle revêtait le confortable peignoir de bain en tissu-éponge de Maurizio.

« Sans doute est-il mort, mais, moi, je commence à vivre », avoua-t-elle un jour à un ami.

Au début de 1996 elle écrivit, au revers de la couverture d'un grand agenda Cartier à reliure de cuir, la phrase suivante : « Peu de femmes peuvent vraiment capturer le cœur d'un homme – et moins encore savent le gérer. »

16

La restructuration

La restructuration commença le 26 septembre 1993 : Investcorp possédait désormais totalement Gucci. Ce lundi matin Investcorp transféra 15 millions de dollars afin de payer les factures les plus urgentes. Rick calcula que la société allait avoir besoin d'environ 50 millions de dollars, les 15 premiers millions inclus, pour payer les dettes et remettre les affaires en marche. Investcorp injecta rapidement cet argent.

« Chaque société (Gucci) avait ses propres problèmes de dette. C'était comme des oisillons affamés qui devaient être tous nourris en même temps », se souvient Swanson.

Bien qu'il se fût rendu à plusieurs reprises au cinquième étage de la Piazza San Fedele, Flanz fut impressionné lorsqu'il prit possession du bureau de Maurizio. Assis dans son fauteuil, il laissa ses mains glisser sur les têtes de lion qui ornaient les accoudoirs et regarda autour de lui avec émerveillement. Le fils du professeur, qui avait grandi aux Yonkers et entretenu des pelouses pour se faire de l'argent de poche, était désormais à la tête d'une des entreprises de luxe les plus célèbres du monde.

Flanz le rappela plus tard : « J'avais travaillé à la Chase Manhattan, souvent rencontré David Rockefeller, rendu visite à des capitaines d'industrie et des chefs d'État partout dans le monde, mais je crois ne jamais avoir vu un bureau plus élégant que celui que j'héritais de Maurizio. »

Ce lundi, où pour la première fois Gucci ouvrait ses portes sans avoir un Gucci à sa tête, était le jour de l'anniversaire de Maurizio : il avait quarante-cinq ans. La veille, Flanz avait eu quarante-neuf ans.

« Ce fut un anniversaire important pour nous deux. Maurizio reçut 120 millions de dollars, et moi la direction de Gucci ! »

Le lendemain, Flanz prit le train pour Florence afin d'aller apaiser les employés de Gucci. Très mécontents, ceux-ci craignaient qu'Investcorp ne se débarrassât de toutes les productions maison et ne transformât Gucci en une grande centrale d'achats qui se serait approvisionnée à l'extérieur.

Une semaine plus tard, Flanz demandait à Maurizio d'assister à une réunion du conseil d'administration de Gucci afin d'officialiser le changement de direction. Investcorp avait nommé Flanz à la tête d'un comité composé de managers de Gucci et d'Investcorp, et lui avait donné tous les pouvoirs exécutifs pour conduire la transition. Ils se rassemblèrent en territoire neutre : chez un de leurs avocats à Milan. À nouveau Maurizio et ses conseillers furent introduits dans une pièce tandis que Flanz et ses collègues s'installaient dans une autre. Mais Flanz décida que cette séparation était absurde et alla à la rencontre de Maurizio.

— Bonjour, Maurizio, lui dit-il avec un bon sourire, il est ridicule de nous comporter comme si nous ne nous connaissions pas.

Maurizio le regarda dans les yeux tout en lui serrant la main :

— Vous allez voir ce que c'est que de prendre le guidon et de pédaler !

— Voulez-vous que nous déjeunions ensemble un de ces jours ? lui demanda Flanz.

— Pédalez d'abord pendant quelque temps et, si vous en avez encore envie, nous déjeunerons ensemble, fut la réponse de Maurizio.

Flanz ne le revit plus jamais.

On peut considérer la bataille perdue par Maurizio sous différents angles. Il avait fait un héritage très compliqué. Son incapacité de poursuivre un plan de façon méthodique et de mobiliser les ressources nécessaires avait porté préjudice à sa grandiose vision de l'avenir de Gucci. Son style de rapport avec les autres, modelé sur l'intense relation qu'il avait eue avec son père, l'avait empêché de trouver et de garder les concours dont il avait besoin dans sa vie professionnelle ou personnelle.

Alberta Ballerini, longtemps coordinatrice du prêt-à-porter Gucci, témoigne : « Maurizio avait un charme et un charisme capables d'entraîner les gens, mais il manquait d'assise. Il était comme quelqu'un qui bâtit une maison sur des sables mouvants. »

Pour Rita Cimino, une ancienne employée : « Maurizio était un génie, il avait d'excellentes idées, pourtant il n'était pas capable de les mener à bien. Il ne savait pas trouver les collaborateurs qu'il lui fallait, c'était son gros défaut. Il faisait de mauvais choix et il s'entichait des gens – il était très sentimental –, et puis soudain il comprenait son erreur, et c'était trop tard. Je pense qu'il était attiré par le cynisme de certains individus et qu'il savait qu'il ne pourrait jamais être comme eux. »

Massetti, quant à lui, précise : « C'est très difficile de tomber amoureux de la personne qui vous convient, cela arrive rarement dans la vie et Maurizio n'était pas particulièrement chanceux. Les gens qui avaient du sens commun l'approchaient rarement et ceux qui le faisaient résistaient peu de temps. »

Selon Domenico De Sole, « c'est l'argent qui a détruit Maurizio. Rodolfo était économe et il a bâti une fortune mais il a été incapable d'apprendre la parcimonie à son fils. Quand Maurizio n'avait plus d'argent, il était désespéré ».

La lutte de Maurizio est emblématique de celle que des centaines d'affaires de famille italiennes furent obligées de mener sur le chemin du marché de la globalisation si elles ne voulaient pas rester au bord de la route ou être dévorées par des multinationales. Il était difficile pour des affaires familiales du genre de Gucci d'attirer le nouveau capital et de séduire des chefs d'entreprise capables de leur permettre de rester dans la course.

« Dans cette industrie il y a trop de sociétés dont le potentiel ne se développe jamais parce que le fondateur est toujours aux commandes. Ces gens ont souvent lancé des idées géniales que leur présence même a empêché de prendre corps. Maurizio a tout mis en mouvement mais en même temps il a bloqué tant de choses », ajoute Mario Massetti qui continua de travailler pour Gucci avec les nouveaux propriétaires.

D'autre part, Concetta Lanciaux, la puissante directrice des ressources humaines de Bernard Arnault pour le groupe LVMH, est sûre que « Gucci aurait disparu s'il n'y avait pas eu la vision de Maurizio Gucci ». Celui-ci avait essayé de la débaucher, en 1989, et de l'arracher à Arnault lorsqu'il imaginait un nouvel avenir pour Gucci. Elle était connue pour savoir détecter de nouveaux talents. Les idées de Maurizio l'avaient fortement impressionnée.

« Il avait convaincu Dawn Mello et m'a presque convaincue, admet-elle. Comme Arnault, il était un véritable visionnaire et la vision est fondamentale pour faire progresser une société. »

Mais contrairement à Arnault, qui a à ses côtés un adjoint loyal et compétent dans la personne de Pierre Godé, Maurizio n'avait jamais trouvé le collaborateur de premier plan sûr et capable de réaliser ses rêves. Une forte relation entre un créateur et un administrateur est une formule qui a fait ses preuves dans d'autres grandes maisons italiennes comme on a pu le voir entre Valentino et Giancarlo Giammetti, Giorgio Armani et Sergio Galeotti, Gianni Versace et son frère Sandro. Pendant des années plusieurs personnes ont tenu ce rôle de façon intermittente auprès de Maurizio. Aucune n'a été en mesure de lui apporter le soutien durable dont ses vues grandioses avaient besoin. Il y a eu Andrea Morante, puis Nemir Kirdar et son groupe d'Invest-corp jusqu'à ce que la situation devienne financièrement insoutenable et enfin, celui qui a duré le plus longtemps, Domenico De Sole. En définitive celui-ci a été le collaborateur le plus dangereux de Maurizio et le véritable survivant de Gucci.

L'avocat de Maurizio, Fabio Franchini, un défenseur passionné de Maurizio, pense qu'Investcorp a éliminé trop tôt celui-ci : « Ils ne lui ont même pas laissé trois ans pour mettre son rêve en place. Ils ont approuvé ses premiers résultats en janvier 1991, et en septembre 1993 l'ont obligé à vendre. » Franchini, qui a conseillé pas à pas Maurizio au cours de la campagne contre Investcorp, était devenu un de ses proches et s'occupe aujourd'hui de l'héritage de Maurizio pour le compte de ses deux filles Alessandra et Allegra : « C'est pour elles que je veux sauver ce qui reste des biens de Maurizio Gucci. C'était un homme extraordinaire mais qui n'était pas fait pour affronter le dur monde des affaires. C'était un véritable gentleman, il n'avait pas le cuir assez épais. Il a toujours été une personne extrêmement correcte, en toutes circonstances. J'ai essayé de lui expliquer qu'il était préférable pour lui d'avoir affaire à ses cousins plutôt qu'à une puissante institution financière. Maurizio Gucci était fichu dès le début parce qu'il était seul, complètement seul avec 50 % ou l'équivalent de zéro. »

Entre-temps Flanz, pour reprendre la métaphore de Maurizio, pédalait sur la bicyclette Gucci. Il engagea un nouveau directeur des ressources humaines, Renato Ricci, afin de l'aider à retrouver la confiance des employés, à se débarrasser du personnel en excédent et à réduire les coûts. En ouvrant le bureau de San Felice, Maurizio avait doublé plusieurs postes qui existaient déjà à Florence. Flanz obtint le départ de quinze des vingt-deux directeurs de l'état-major milanais. Afin d'éviter les antagonismes, Ricci et lui essayèrent de s'expliquer honnêtement avec les syndicats. Si ceux-ci se fâchaient, ils pouvaient tout faire exploser et si la presse s'en emparait cela pouvait mettre par terre toute la restructuration en cours. En Italie, où l'on se débattait avec les problèmes de chômage et de droit du travail, les syndicats étaient assez puissants pour renverser les gouvernements et obtenir des compromis exorbitants de l'industrie privée.

« À ce moment, la seule force de Gucci restait son image, rapporte Ricci. Les syndicats nous auraient violemment attaqués si nous avions eu une mauvaise presse à cause des licenciements, et cela aurait été un désastre. »

À la stupeur du groupe directorial de Gucci, qui s'occupait surtout à réduire les dépenses, Flanz décida, à l'automne 1993, de doubler le budget publicitaire de Gucci. Au cours des trois dernières années les ventes n'avaient pas augmenté et la maison continuait à perdre de l'argent.

« Nous avions de bons produits et nous devions le faire savoir pour que les gens soient au courant de ce que nous avions à vendre », fut l'argument de Flanz.

En janvier 1994, Flanz annonça qu'il allait fermer, au mois de mars, le quartier général de San Fedele – presque quatre ans après que Maurizio l'eut inauguré plein d'ardeur et d'espoir – pour retransporter la direction à Florence.

Le défilé de mode féminine en mars 1994 marqua la fin de la présence de Gucci à San Fedele. Avant le défilé, Tom Ford et un assistant styliste, le Japonais Junichi Hakamaki, accrochèrent seuls les vêtements.

Celui-ci raconte : « Personne ne voulait nous aider : tous les gens savaient qu'ils allaient être mis à la porte. Nous avons travaillé jusqu'à 2 heures du matin et nous sommes revenus à 5 heures du matin pour apporter tous les vêtements à la Fiera. » Le défilé qui comportait des vestes et des tailleurs bien structurés eut de bonnes critiques mais sans plus. Une semaine plus tard, Gucci fermait les portes de San Fedele et seulement une petite partie du personnel déménagea à Florence.

Là, les quelques directeurs qui avaient survécu s'installèrent dans des bureaux d'aspect minable, jamais refaits, et se mirent à échanger des notes pour défendre leurs positions respectives au lieu de s'occuper sérieusement de la maison.

Ricci : « Les employés étaient démoralisés. Ils avaient vécu pendant des mois avec la crainte de ne pas être payés et de voir la maison faire faillite, et maintenant ils avaient peur qu'Investcorp ne les mette à la porte. »

De Sole, qui faisait constamment l'aller-retour entre New York et Florence, ajoute : « La société était paralysée. La direction se partageait entre plusieurs factions, personne ne prenait de décisions et tout le monde avait peur d'être blâmé. Il n'y avait pas de marchandises, on ne connaissait pas les prix, on n'avait pas d'ordinateurs, pas de poignées en bambou. C'était dément ! Dawn Mello avait imaginé de beaux sacs mais la société était incapable de les produire ou de les livrer. »

À l'automne 1994, Flanz donna la responsabilité de la gestion à De Sole et lui demanda de rester à Florence à plein temps. Celui-ci était démoralisé et déprimé. Il avait travaillé pendant dix ans pour Gucci America en tant que directeur général et auparavant en tant qu'avocat. Moins d'un an plus tôt il avait voté avec Investcorp contre l'homme qui l'avait fait entrer dans la société – mesure qui avait permis à la banque d'investissements de prendre le contrôle de l'affaire. Il n'avait rien demandé en échange à Investcorp. En plus Maurizio, toujours blessé par sa trahison, tardait à rendre à De Sole l'argent qu'il lui devait et Investcorp, au moment des accords, n'avait rien fait pour que sa dette fût remboursée.

« Nous étions responsables face à nos investisseurs, expliqua plus tard Elias Hallak, cette dette était une affaire privée entre Maurizio et Domenico. »

Lors de la désignation de Flanz à la tête du comité directeur de Gucci, De Sole, déçu de ne pas être nommé directeur général, avait appelé Bob Glaser à Investcorp et menacé de donner sa démission. « C'est moi qui devrais diriger cette société ! Je donne ma démission demain ! Ceux qui font partie de ce comité sont soit incompétents, soit corrompus ! » explosa-t-il. Glaser, qui admirait et respectait De

Sole et ce qu'il avait fait, le calma et puis lui donna un conseil en or : « Domenico, je sais que vous êtes frustré et que vous devriez avoir ce poste, c'est d'ailleurs le conseil que j'ai donné, mais laissez-moi vous parler en tant qu'ami. S'il est vrai que ceux qui font partie du comité sont incompétents ou corrompus, restez, et vous arriverez au sommet. On reconnaîtra votre mérite. » De Sole suivit ce conseil et il déménagea à Florence avec un petit groupe de gens qu'il connaissait et avec lequel il travaillait bien.

À Florence, De Sole et son équipe se trouvèrent confrontés à un groupe d'employés fort mécontents. Par son attitude désobligeante au début et désenchantée à la fin envers De Sole, Maurizio avait monté les esprits contre celui-ci, qu'il s'agisse de Kirdar et des dirigeants d'Investcorp comme des gens qui travaillaient à Florence. Rick Swanson confie : « On avait l'impression qu'on avait amené l'équipe américaine pour déstabiliser la florentine, mais il fallait bien boucher les trous de la direction. »

Il y eut encore des licenciements à Florence et cette façon de procéder ne fit que renforcer l'amertume de Claudio Degl'Innocenti et des employés florentins qui se braquèrent contre les directives de De Sole, lequel à son tour les qualifia de *mafia fiorentina*.

Ricci explique : « Maurizio avait monté tout le monde contre De Sole et tous le haïssaient. » Cependant, De Sole tint bon. Après en être presque venu aux poings dans le parking de la fabrique avec Claudio Degl'Innocenti, De Sole tira les choses au clair avec son adversaire. « Nous nous sommes assis à une table et j'ai demandé à Claudio : "Pourquoi est-ce que ça ne marche pas ?" Et j'ai compris que c'était par manque de projection et de décisions. Nous avons besoin d'acheter du cuir noir ? Bon, eh bien, commandons-le ! » De Sole se mit à avoir confiance en Degl'Innocenti et il en fit un directeur de production. « Vous étiez mon ennemi et maintenant vous êtes mon ami », dira-t-il plus tard à Degl'Innocenti, qui cachait une intelligence très vive derrière un physique d'ours mal léché.

« De Sole était le meilleur atout de la société, déclara Severin Wunderman quelques années plus tard, bien qu'il n'ait jamais été un fan de De Sole. Il était comme un saule dans la tempête, il pliait mais ne cassait pas. » De Sole avait supporté les humeurs des membres de la famille Gucci que ce fût celles de Rodolfo, Aldo ou Maurizio, puis celles d'Investcorp. Il avait été insulté, bousculé et méconnu, mais il n'avait pas renoncé ou donné sa démission.

D'après Ricci : « Domenico De Sole a été la seule personne qui ait véritablement compris la société, qui ait compris comment elle fonctionnait et comment il fallait la redresser pour la faire marcher. Il savait motiver les gens. »

Massetti : « Il faisait en sorte que les choses arrivent. Il travaillait du matin au soir, il était assommant parce qu'il appelait tôt le matin, tard le soir, le dimanche, à n'importe quel moment. Il était capable d'avoir deux ou trois réunions simultanément, courant de l'une à l'autre, il n'y avait jamais assez de salles de conférences à son goût ! »

Pendant ce temps, Flanz avait décidé de rénover et d'agrandir les bureaux de Scandicci qui étaient devenus minables au cours d'années de négligence. Il fit meubler de façon plus élégante les nouveaux bureaux directoriaux. Il améliora l'équipe des secrétaires. Il mit son point d'honneur à descendre chaque jour de son bureau à la fabrique pour voir travailler les employés et parler avec eux. « Ayant passé la plus grande partie de ma carrière dans les services financiers, j'adorais voir un artisan monter un sac à main, la façon qu'il avait de rouler les différentes peaux sur des formes en bois tout en plaçant des feuilles de papier journal entre les couches de cuir pour les rembourrer légèrement – aujourd'hui il y a des matières synthétiques plus efficaces –, mais l'artisan m'expliquait qu'il utilisait le papier journal par tradition et nostalgie. Ils avaient encore de vieilles piles de journaux dans lesquels ils découpaient soigneusement des morceaux qu'ils glissaient dans les sacs. Quand j'ai remplacé Maurizio, j'ai cessé d'être un membre du comité directeur d'Investcorp et j'ai considéré que mon travail consistait à faire de mon mieux pour que Gucci ait autant de succès que possible. »

Nemir Kirdar comprit assez vite que Gucci était en train de lui ravir un de ses collaborateurs : l'année suivante il devait transférer Flanz en Extrême-Orient pour étudier de nouvelles possibilités d'investissement.

« Trois victimes, ironisait Kirdar en faisant allusion à Paul Dimitruk, Andrea Morante et Bill Flanz. J'étais tombé amoureux de Gucci mais je ne voulais pas que mes hommes fassent de même. À Investcorp nous faisions des douzaines de transactions et si sur chacune d'elles je perdais un homme, il n'y avait plus qu'à fermer boutique ! »

Après que Ricci, le directeur des ressources humaines, en eut terminé avec les licenciements – environ cent-cinquante – sans que les syndicats bronchent, il annonça à Flanz qu'il voulait donner une fête.

« Une fête ! ! » Flanz était abasourdi.

« Tout le monde s'est moqué de moi et de mon côté frivole, dit Ricci, mais nous avons donné une grande soirée à Casellina et cela a été un signe pour tout le monde. »

Des tables furent dressées derrière les bureaux de la fabrique et, le soir du 28 juin 1994, les mille sept cent cinquante invités – employés de Gucci et fournisseurs – furent conviés à un somptueux buffet sur les mêmes pelouses où jadis, lors des bagarres familiales, les sacs avaient voltigé.

« Cette fête a eu une importance considérable, rappelle Alberta Ballerini, elle a signifié le retour dès Gucci à Florence, l'entreprise retrouvait ses racines. »

En mai 1994, Dawn Mello démissionna de son poste de directeur créatif de Gucci pour retourner chez Bergdorf Goodman en tant que présidente, et Investcorp dut lui chercher un successeur. Nemir Kirdar caressa brièvement l'idée d'engager un grand nom – il pensa à Gianfranco Ferré –, mais Sencar Toker, consultant d'Investcorp et membre du conseil d'administration de Gucci, anéantit rapidement ses espoirs : « Je lui expliquai non seulement que Gucci ne pouvait pas se payer quelqu'un de ce calibre mais qu'aucun nom prestigieux ne songerait à rejoindre la maison Gucci dans l'état dans lequel elle se trouvait. Personne ne prendrait le risque d'y ruiner sa réputation. »

Dawn Mello avait recommandé Tom Ford. Bien que celui-ci fût un jeune styliste dont personne n'avait jamais entendu parler, il avait impressionné Toker et d'autres par son intelligence, sa sensibilité, son talent et le fait qu'on pouvait compter sur lui. D'ailleurs, n'avait-il pas dessiné onze collections de Gucci à lui tout seul ! « Tom Ford était sur place ! rappelle Sencar Toker. Jusqu'à l'arrivée de Tom, Gucci n'était pas une maison de prêt-à-porter, c'est lui qui l'a rendue telle et personne ne s'y attendait. »

À cette époque, Tom, fatigué et démoralisé, envisageait lui aussi de quitter le navire. Il en avait assez. Pendant quatre ans il avait dessiné des collections pour Gucci en accord avec ce que Maurizio et Dawn lui avaient demandé. Il y avait eu un débat passionné au sein de l'entreprise : fallait-il que Gucci garde son style classique comme le préconisait Maurizio ou bien fallait-il rajeunir son « look » par quelques audaces d'un ton plus neuf ?

Tom rappelle : « Maurizio avait des idées bien arrêtées : ce qui portait la griffe Gucci était rond, brun et doux au toucher d'une femme. Moi je voulais du noir ! Tous les gens que je consultais me disaient : quitte cette boîte ! » Lors d'un voyage à New York, Tom consulta même une astrologue très courue dans le monde de la mode qui lui donna le même conseil : « Il n'y a plus rien à faire pour vous dans cette maison. »

Et pendant que le débat entre classiques et modernes continuait de plus belle, De Sole et Ford décidèrent discrètement de prendre le chemin de la modernité.

« C'était un risque calculé mais le seul à prendre, rappelle De Sole. Personne n'a besoin d'un blazer bleu marine de plus ! »

Ford comprit que, pour la première fois de sa vie, il avait une totale liberté de design sur tous les produits d'une importante maison de luxe même si le renom de celle-ci était un peu terni : « Les affaires étaient dans un tel état que personne ne se souciait de savoir à quoi allaient ressembler nos produits. J'avais la bride sur le cou. »

Il frémit encore en pensant à sa première collection d'octobre 1994 et se souvient qu'il lui fallut une saison pour se défaire de l'influence de Mello et de Maurizio avant de pouvoir donner libre cours à sa propre inspiration. Le défilé – qui de nouveau eut lieu à la Foire de Milan – présentait des jupes très féminines, avec un motif de pot de fleurs, et de minuscules chandails en mohair inspirés par l'Audrey Hepburn de *Vacances romaines*. « C'était assez affreux », reconnaît-il.

Puis, soudain, le vent tourna. Tous les responsables de magasins Gucci dans le monde s'en rendirent compte immédiatement.

« Six mois à peine après que Maurizio eut plié bagage, les Japonais arrivèrent, raconte Carlo Magello l'ancien directeur de Gucci Angleterre. Pendant un an et demi ils n'avaient acheté que Vuitton et soudain ils se mettaient à acheter Gucci ! »

« La demande explosa, reconnaît Johannes Huth, un jeune dirigeant d'Investcorp qui venait de rejoindre l'équipe Gucci. Brusquement, nos sacs disparaissaient des rayons. » Maurizio avait eu raison. La production n'arrivait plus à suivre.

De Sole, qui sillonnait la campagne florentine à la recherche de nouveaux artisans pour Gucci, savait qu'il devait faire vite. Il persuada d'anciens fabricants déçus par Gucci de retravailler pour la maison et en engagea de nouveaux. Il les motiva, il remania la production afin que le système se remît en marche, commandant à l'avance certains classiques dont la vente était constante. Pendant ce temps Ford, lui, donnait un nouveau look à des produits traditionnels. Il réduisit la dimension du sac à dos imaginé par Richard Lamberston : un grand sac à bretelles avec poignée de bambou et poches extérieures à fermeture de bambou. La version mini eut un énorme succès.

Quand les stocks de bambou – qui était la caractéristique du sac Gucci – vinrent à s'épuiser, on chercha de nouveaux fournisseurs. Le bambou était toujours façonné manuellement, au chalumeau, par les artisans de Scandicci. Une fois, tout un lot de poignées de bambou se redressa brusquement, occasionnant un flot de réclamations de la part des clients et des magasins. Gucci trouva de meilleurs fournisseurs et, peu après, Gucci produisait vingt-cinq mille mini-sacs par semaine !

Depuis 1987, Investcorp injectait des centaines de millions de dollars dans Gucci sans que cela rapportât un sou à ses investisseurs. Ce qu'Investcorp avait envisagé en entrant dans cette affaire européenne de haut niveau ressemblait à la malédiction biblique des sept années noires ! Comme la pression montait et qu'il fallait absolument faire du profit, Investcorp chercha à se défaire de la société. Pressé de trouver une solution rapide, Investcorp considéra sérieusement, en 1994, de fusionner Gucci avec les affaires d'horlogerie de l'inimitable Severin Wunderman, mais l'affaire capota car les deux parties s'opposaient sur la valeur de leurs sociétés et sur le rôle que jouerait Wunderman. À l'automne, Investcorp présenta Gucci à deux acheteurs potentiels, désireux d'investir dans le luxe : Bernard Arnault et la famille Rupert dont la Compagnie financière Richemont contrôlait le groupe de luxe Vendôme et possédait Cartier, Alfred Dunhill, Piaget, Beaume & Mercier entre autres. Mais, malgré la perspective de meilleures ventes – pour la première fois depuis trois ans Gucci avait rapporté 380 000 dollars en 1994 –, les offres n'atteignirent pas les 500 millions de dollars qu'Investcorp demandait.

Toker se souvient de ce qu'on disait alors : « Il reste peut-être encore un peu de jus dans Gucci mais comment l'exprimer ? »

Kirdar songea même sérieusement à demander au sultan du Brunei – celui qui avait acheté les vingt-sept séries de valises – s'il n'avait pas envie d'acheter toute l'affaire en bloc.

Pendant qu'Investcorp réfléchissait sur l'avenir de Gucci, Tom Ford trouvait son rythme et produisait une série de modèles remarquables. Après la réussite des mini-sacs, son sabot Gucci eut du succès et se vendit bien. En octobre 1994, ce que *Harper's Bazaar* appela ses souliers aux « talons imposants et coquins » fut la cause de listes d'attente partout dans le monde.

« Tom avait plus d'un tour dans son sac, fait observer son ex-assistant Junichi Hakamaki. Chaque saison, il produisait au moins deux magnifiques sacs et deux paires de souliers sensationnels. Il avait toujours l'œil ouvert et approvisionnait sa petite équipe de vieux films, de pages prises dans les magazines et d'objets venant des puces. Autant de suggestions de couleurs, formes, ou styles pouvant convenir à Gucci. Il y eut quelques bides comme le sabot en fourrure qui ressemblait à une pantoufle velue et qui nous fit bien rire ! Il était très ambitieux et l'on voyait qu'il voulait réussir. Quand nous avions une réunion, il se sapait comme s'il passait à la télévision : il portait un beau costume, parlait fort. On voyait qu'il voulait promouvoir son image. Quand il a un public, Ford est "allumé". »

Ford commença à développer son propre style : au lieu de proposer seulement quelques articles excitants, il voulait que toutes les catégories de produits témoignent d'une conception unique et forment une collection cohérente. Il était inspiré par le cinéma qui lui permettait de communiquer ses idées à ses assistants. Il lui arrivait de faire passer plusieurs fois le même film pour s'imprégner de l'atmosphère qu'il dégageait. Il s'asseyait et posait à ses assistants les questions suivantes : « Qui est cette fille qui porte ces vêtements ? Que fait-elle ? À quoi ressemble sa maison ? Quelle voiture conduit-elle ? Quelle race de chien a-t-elle ? » Cette approche l'aidait à créer tout un monde et à prendre les centaines de décisions qui lui étaient nécessaires pour créer la nouvelle image de Gucci. Ce processus était à la fois exaltant et épuisant.

Ford voyageait constamment, toujours attentif dans chaque ville à saisir les nouvelles tendances. Le soir il rentrait chez lui à Paris dans l'appartement de la rive gauche où après son départ de Milan il s'était installé avec son ami Richard Buckley. Buckley, qui continuait à travailler en tant que journaliste dans le secteur de la mode, lui rapportait un nombre considérable d'informations, ce qui permettait à Ford de connaître les orientations choisies par les autres maisons. Buckley disséquait les célébrités et ce qu'elles portaient et passait également des heures à la FNAC à écouter de la musique pour choisir celle qui conviendrait au défilé.

« Ce qui va être à la mode demain est déjà ici, maintenant, disait Ford. Il faut faire partie de son temps, être capable de le saisir et le transformer en objet ! »

Il présenta sa première collection à Florence, lors de la Foire Pitti Uomo consacrée à la mode masculine, dans l'immeuble Gucci de l'historique via delle Caldaie. Sous les plafonds peints à fresque des anciens ateliers où jadis les artisans de Gucci cousaient les sacs, et en présence de journalistes assis sur des sièges pliants, Ford fit défiler des mannequins musclés, revêtus de costumes de velours ajustés, brillamment colorés, et chaussés de mocassins vernis métallisés qui étincelaient sous les spots.

« Je n'oublierai jamais l'expression de Domenico quand l'homme au costume rose avança sur la passerelle, se souvient Ford. Il était sous le choc ! Littéralement bouche bée ! »

Comme la presse applaudissait à tout rompre, Tom Ford saisit l'occasion : pour la première fois depuis quatre ans qu'il était chez Gucci, il s'élança sur la passerelle et s'inclina avec le sourire coquin de celui qui est sur le point de raconter une blague.

« J'avais tellement d'énergie refoulée. Je n'avais jamais été autorisé à fouler la passerelle du temps de Maurizio et de Dawn, si bien que j'ai décidé que cette fois-ci c'était ma chance ! Je n'ai demandé de permission à personne ; j'avais fait le défilé, dessiné des vêtements que j'estimais bons et je me suis lancé. Parfois dans la vie il faut savoir s'engager si vous voulez que les choses aillent de l'avant ! »

Ce qui avait scandalisé De Sole avait enthousiasmé la presse. Le lendemain, De Sole, sa femme et ses deux filles parcouraient, ravis, les comptes rendus élogieux des journaux en se rendant à Cortina d'Ampezzo pour leurs vacances d'hiver.

Ce que Ford était en train de construire avec Gucci commençait à intéresser. Au mois de mars, pour la collection de prêt-à-porter féminin, c'est une foule d'acheteurs et de journalistes très animée qui prit place sous les lustres des salons de la Société des Jardins – un club de Milan qui n'ouvrait ses portes qu'au gratin de la société et presque jamais à la faune internationale du monde de la mode (celle-ci avait ses habitudes à la Fiera.) Dans ces mêmes salons vingt-trois ans plus tôt le Tout-Milan avait célébré le mariage de Maurizio et de Patrizia. Mais ce soir-là, tout le monde était curieux de voir ce que Tom Ford réservait comme surprise. Celui-ci avait fait appel au producteur de défilés le plus à la mode : Kevin Krier, et avait engagé pour la première fois des top models.

La pièce plongea dans le noir tandis qu'une musique très rythmée sortait des enceintes et qu'une lumière blanche et crue éclairait la passerelle. À cet instant le mannequin Amber Valletta apparut. L'assemblée retint son souffle. Elle ressemblait à Julie Christie et portait un chemisier de satin vert ouvert jusqu'au nombril et un jean, taille basse, très collant ainsi qu'un manteau de mohair du même vert. Elle avait aux pieds des escarpins de cuir couleur framboise aux talons vertigineux. Sa chevelure ébouriffée pendait sur ses yeux et ses lèvres, légèrement entrouvertes, brillaient d'un rose pâle.

« Oh ! que c'est amusant », pensa Gail Pisano, le vice-président de Saks Fifth Avenue. Le public fit des ah ! et des oh ! tandis que les chaises se balançaient au son de la musique et que les filles défilaient, toutes plus belles les unes que les autres.

« C'était fabuleux, se souvient Joan Kaner, la vice-présidente de Neiman Marcus. Les mannequins avaient l'air de descendre d'un jet privé. Porter ces habits faisait de vous quelqu'un qui vivait à cent à l'heure ! »

Ce look sensuel, ces lèvres humides, ce velours serré, ces blouses de satin et ces vestes de mohair furent sur toutes les couvertures de magazines de mode du monde. « Cette sensualité naturelle figea le public sur son siège », écrivit *Harper's Bazaar* et la critique de mode du *New York Times*, Amy Spindler, décréta que Tom Ford était le nouveau Karl Lagerfeld.

« Dès que j'ai commencé à y travailler j'ai pressenti que la collection ferait un tabac, raconta plus tard Tom Ford. J'y avais mis toute mon énergie, je savais que ça allait marcher. Cela a changé ma carrière. » Mais c'est en pénétrant dans le showroom le jour suivant qu'il comprit à quel point le triomphe avait été grand : « Vous ne pouviez pas passer la porte tant il y avait de monde ! C'était une hystérie totale, les acheteurs affluaient sans rendez-vous ; certains d'entre eux n'avaient même pas assisté au défilé mais le bouche-à-oreille avait fonctionné et ils étaient là. »

La jet-set endossa rapidement les vêtements Gucci : Elisabeth Hurley chaussa bottes noires de cuir verni et de fausse fourrure ; Madonna portait chemise et pantalons de soie Gucci quand elle reçut son prix MTV en novembre 1995 ; Gwyneth Paltrow, dans un ensemble pantalon de velours rouge, faisait se pâmer ses fans ; et les top models elles-mêmes voulaient, en dehors du travail, des tenues Gucci. Tom Ford avait atteint son but.

Après cette victorieuse collection, Tom Ford rentra à Paris et se mit au lit avec de la fièvre et un mal de gorge (comme après chaque collection) puis appela Domenico De Sole : « Domenico, il faut que tu viennes à Paris, j'ai besoin de te parler. » Domenico accepta, inquiet. Ford demanda à sa secrétaire de choisir un bon restaurant, mais pas trop à la mode, propice à une importante discussion d'affaires. Il sortit de son lit et se rendit au Bristol pour rencontrer Domenico De Sole. Quand celui-ci arriva, Tom Ford l'attendait dans le restaurant de l'hôtel. Ce n'était pas le genre d'endroit que Ford fréquentait habituellement : « La salle à manger était vide, les maîtres d'hôtel nombreux, il y avait de la musique, des bougies et des fleurs », se rappelle-t-il. Ils s'installèrent à une table du fond et, après les propos d'usage, Ford voyant son hôte mal à l'aise lui demanda en souriant :

— Je pense, Domenico, que vous aimeriez savoir pourquoi j'ai tenu à vous voir ce soir ?

— En effet, répondit De Sole qui fit un mouvement que Ford apprendrait à connaître, une torsion du cou destinée à libérer la tension nerveuse.

— Domenico, voulez-vous m'épouser ?

Domenico le regarda d'un air ébahi. « Il était abasourdi, se souvient Ford en riant. Il ne connaissait pas encore mon sens de l'humour car on ne travaillait ensemble que depuis fort peu de temps et il ne savait pas où je voulais en venir. »

Ford demanda à De Sole un nouveau contrat et plus d'argent. « Je l'ai sonné. Je lui ai dit : les choses ont changé et je veux vraiment rester avec vous, mais voilà ce que je veux. »

Sans révéler d'autres détails, Tom Ford conclut : « Cela a été un vrai changement professionnel dans ma relation avec la maison. »

Quelques semaines plus tard, Maurizio Gucci était assassiné. Rick Swanson apprit la nouvelle en arrivant au bureau le matin par sa secrétaire d'Investcorp : « J'ai été assommé, c'était tragique comme la mort d'un enfant, d'ailleurs j'ai toujours vu en Maurizio un enfant qui court acheter des bonbons à la boutique du coin. »

Tom Ford apprit la nouvelle à Florence dans son nouveau bureau de la via Tornabuoni, au-dessus du magasin Gucci où il préparait la nouvelle collection 1996. Bill Flanz et Domenico De Sole étaient dans leur bureau à Scandicci. Dawn Mello dormait chez elle à New York, Andrea Morante rentrait de Milan à Londres où il avait fait de nouvelles acquisitions. Nemir Kirdar était chez lui à Londres et s'apprêtait à partir pour son bureau. Tous ceux qui dans le monde avaient connu Maurizio étaient tristes et abasourdis : l'homme qui leur avait permis de s'accomplir venait de mourir d'une façon violente et mystérieuse.

Le bureau des relations publiques de Gucci dut déployer de grands efforts pour éviter un fâcheux amalgame, on répéta inlassablement que depuis près de deux ans Maurizio n'avait plus rien à voir avec la société. Ce qui n'empêcha pas le procureur de Milan, Carlo Nocerino, de venir à plusieurs reprises à la fabrique Gucci de Scandicci compulser les archives à la recherche d'un indice qui pourrait expliquer la mort étrange de Maurizio.

Investcorp se demanda si le meurtre de Maurizio aurait des conséquences sur leur projet d'introduire la société en Bourse. Puis peu à peu le tumulte s'apaisa et l'on ne changea rien au plan initial.

Si Gucci était coté en Bourse, il lui fallait un directeur général. En 1994, Kirdar avait commencé à s'enquérir d'un manager expérimenté dans le domaine du luxe, puis il avait abandonné. Non seulement le bon candidat était difficile à trouver – ceux qui parlaient italien n'avaient pas les qualités requises –, mais encore aucun manager sérieux n'était prêt à s'engager dans une société qu'on allait mettre en vente.

Kirdar se mit alors à rechercher son homme à l'intérieur de Gucci et, grâce aux recommandations de plusieurs directeurs d'Investcorp qui appréciaient la façon de travailler de De Sole, son choix se porta sur lui : « C'était l'homme qu'il fallait. Il était déterminé et capable, et avait d'excellentes relations avec Tom Ford. »

En juillet 1995, Investcorp fit de De Sole le directeur général de Gucci, lui donnant après onze ans de carrière dans la société le titre qu'il méritait.

Il ne fallut pas attendre longtemps pour que le directeur artistique et le directeur administratif s'affrontent. Un jour, peu après sa promotion, De Sole arriva à Scandicci et tomba sur une réunion entre Ford et ses assistants en train de mettre au point une nouvelle collection de sacs à main.

« Pouvez-vous nous laisser seuls, s'il vous plaît ? demanda Ford à De Sole étonné. Nous sommes en train de travailler et je n'arrive pas à me concentrer si vous êtes là. Je vous parlerai plus tard. »

De Sole quitta la pièce. Quand Ford eut terminé sa réunion, c'est un De Sole fou de rage qui le fit monter dans son bureau.

— Comment osez-vous me mettre à la porte d'une réunion ? hurla-t-il au jeune Texan. Je suis le P-DG de cette société ! Vous ne pouvez pas faire ça !

— C'est très bien d'être le P-DG, mais votre présence affaiblit mon autorité et, si vous voulez que je prépare une collection, ne vous mêlez pas du produit ! répliqua Ford furibond.

La dispute continua sur le parking où les deux hommes s'injurièrent copieusement. Aujourd'hui, Ford sourit en pensant à ces accrochages du début et De Sole les écarte d'un haussement d'épaules, mais ces bagarres leur permirent de délimiter leurs territoires respectifs et créèrent les conditions d'une relation de confiance sans précédent entre un créateur et un administrateur qui n'avaient pas fait leurs débuts ensemble et qui n'avaient pas eu de relations personnelles auparavant.

« Après cela, Domenico respecta mes capacités de créateur. Il savait que je croyais en ce que je faisais et il pouvait voir que cette conviction payait. Il a eu confiance en moi, j'ai senti cette confiance, et à mon tour j'ai eu totalement confiance en lui. »

De Sole n'était pas jaloux du domaine de Ford : « J'ai dit à Tom : je ne vais pas dessiner ta collection ; je suis un manager, pas un styliste ! »

Et Ford d'ajouter : « Si nous formons une bonne équipe c'est que nous sommes tous les deux des obsédés. Il veut construire la société, la rendre solide. Cela va marcher et nous serons les premiers ! Je suis prêt à remettre mon avenir dans les mains de Domenico car je sais que dans le domaine des affaires il va gagner ! »

Certains ont critiqué De Sole : on allait identifier Ford avec la société Gucci, celui-ci ferait la pluie et le beau temps et pourrait brandir à tout instant la menace de sa démission. En fait, la suite des événements a montré que tour à tour les deux hommes ont eu une influence prédominante. L'histoire de la rénovation coûteuse du magasin Gucci de Londres pourrait en être une illustration. Ford ne permit à personne d'intervenir dans cette rénovation pour laquelle il suivait son nouveau concept des boutiques Gucci. Or, la décoration une fois achevée, on s'aperçut qu'elle n'était pas en conformité avec les règlements de sécurité. Il fallut tout refaire, ce qui coûta très cher. Les extravagances de Maurizio qu'on critiquait jadis semblent modestes en comparaison.

En 1995, tandis que les boutiques Gucci exposaient la fameuse collection d'été, on commença à préparer plus activement l'introduction de la société sur le marché financier. Pour lancer l'opération, Investcorp avait choisi deux banques d'affaires : Morgan Stanley et le Crédit suisse.

Les ventes avaient augmenté de 87,1 % au cours des six premiers mois de 1995 par rapport à la même époque l'année précédente, ce qui allait au-delà des prévisions les plus optimistes. À la fin de l'année elles dépasseraient les 500 millions de dollars, excédant de beaucoup les projections faites devant LVMH et Vendôme l'année précédente.

« Je me souviens que Maurizio nous disait : "Vous verrez, les ventes exploseront !" et tout le monde ricanait en disant : les ventes n'explosent pas, ce n'est pas comme ça que marche le business ! se souvient Swanson. Eh bien, justement, les ventes explosèrent ! »

En août, un des premiers, Vendôme, proposa 850 millions de dollars, plus du double de la somme proposée l'année précédente. Investcorp se trouva alors face à un dilemme : fallait-il accepter ou attendre l'automne, qui était le moment prévu pour l'entrée en Bourse ? Les conseillers d'Investcorp évaluant la société à plus de 1 milliard de dollars suggérèrent de ne pas se presser.

On appela Kirdar qui passait ses vacances à bord de son yacht sur la Côte d'Azur et qui ne conseilla de vendre que s'il y avait le chiffre 1 devant la somme proposée. Il savait que plusieurs personnes chez Investcorp auraient été ravies de vendre Gucci à Vendôme afin de s'en débarrasser une fois pour toutes. Mais il avait, lui, toujours cru au potentiel de Gucci.

Le 5 septembre, Investcorp annonça son intention d'introduire Gucci en Bourse. Investcorp conservait 70 % des actions et en offrait 30 % sur le marché international. L'étape suivante était la « tournée » destinée à vendre ces actions Gucci aux banques d'investissement européennes et américaines qui, à leur tour, mettraient les actions sur le marché une fois la compagnie enregistrée.

Sachant que les analystes financiers retourneraient De Sole sur le gril et lui poseraient toutes sortes de questions techniques, les dirigeants d'Investcorp engagèrent un coach professionnel pour préparer le directeur général à cette épreuve et lui faire apprendre par cœur un exposé de présentation de la société. « Nous ne voulions pas d'improvisations », dit Huth.

Différents contre-temps réduisirent à deux jours les trois semaines de répétition prévues. La Security Exchange Commission (le gendarme de Wall Street) demanda à la dernière minute une nouvelle rédaction partielle du prospectus, ensuite la commission de la Bourse de Milan refusa d'enregistrer Gucci en prenant prétexte de pertes récentes. « Il était important d'être enregistré en Europe », rappelle Huth qui se mit à la recherche d'une autre place financière disposée à accepter Gucci. Il trouva la Bourse d'Amsterdam, qui donna le feu vert. « C'était comme dans un opéra italien, à la veille de la première, rien n'était prêt, rien ne marchait, tout était dans le chaos le plus complet et, à la dernière minute, tout se mit en place et s'arrangea parfaitement. »

Et l'histoire de Gucci fut ainsi racontée en Europe, en Asie et aux États-Unis, suscitant partout un tel intérêt qu'Investcorp augmenta la quantité des actions offertes : elle en mit en vente 48 %. On fixa le prix de l'action à 22 dollars. Les ordres d'achat une fois enregistrés, on put observer que l'offre avait été couverte quatorze fois, un magnifique succès pour une société qui, deux ans plus tôt, était à genoux !

Le matin du 4 octobre 1995, Domenico De Sole, Nemir Kirdar, des dirigeants de Gucci et d'Investcorp et des banquiers entrèrent par les portes de la majestueuse façade Renaissance de la Bourse de New York. Un drapeau italien flottait à côté du drapeau américain. À l'intérieur De Sole, stupéfait, put voir une bannière Gucci se déployer au-dessus des têtes tandis que sur l'écran se déroulaient les mots suivants : « GUCCI ACTION À SUIVRE ». À 9 h 30, à l'ouverture de la Bourse, un désordre indescriptible eut lieu, dû aux ordres d'achat de dernière minute pour les actions Gucci et, quand à 10 h 5 la cotation reprit, le prix passa instantanément de 22 à 26 dollars. De Sole appela la fabrique Gucci à Scandicci où il avait demandé à tous les employés de se réunir dans la cafétéria et, à travers les haut-parleurs, annonça avec fierté un bonus de 1 million de lires (4 000 francs) pour chaque employé Gucci dans le monde.

Un an plus tôt les dirigeants de LVMH et de Vendôme avaient ricané lorsque l'on prédisait qu'en 1998 les ventes Gucci atteindraient 438 millions de dollars. Or Gucci termina l'année 1995 avec 500 millions de dollars de recette.

En avril 1996, Investcorp vendit la totalité de ses actions avec encore plus de succès. Soixante-quatorze ans après sa création Gucci n'avait plus d'actionnaire majoritaire.

Cette opération fut sans doute facilitée par le fait qu'en mars Tom Ford avait remporté un nouveau triomphe avec sa collection : de simples robes blanches aux coupes audacieuses, soulignées par les ceintures dorées G-Gucci. Gucci était désormais dans les mains d'investisseurs américains et européens, anomalie en Italie où même les compagnies cotées en Bourse sont contrôlées par un syndicat d'actionnaires, et aussi anomalie dans le domaine de l'industrie de la mode où la plupart des sociétés étaient encore privées.

De Sole, l'avocat naturalisé américain, qui avait survécu à toutes les vicissitudes de la maison sous la direction de la famille Gucci et devait désormais piloter les destinées d'une nouvelle société, savait que l'avenir lui proposerait d'autres défis. Il était maintenant responsable devant les actionnaires et le marché financier : « C'est du sérieux, nous devons réussir. Je peux être viré ! »

Grâce à la vente de la totalité des actions, Investcorp engrangea 2 milliards de dollars. Il lui resta 1,7 milliard après avoir payé les différents coûts intermédiaires. La restructuration de Gucci – presque dix ans après qu'Investcorp eut fait son premier investissement – fut son succès le plus spectaculaire et le plus inattendu en quatorze ans d'existence.

Tom Ford, lui, continuait à peaufiner l'image d'une maison Gucci plus moderne, plus sexy. Il imaginait de nouveaux styles pour les produits déjà existants et créait une collection de décoration intérieure dans laquelle on put même trouver une niche de chien en cuir et des bols en Lucite. Il s'évertua à inventer une version années 1990 des articles un peu tapageurs que Gucci proposait dans les années 1960 et 1970 ; Ford qui jugeait que « trop de bon goût est ennuyeux ! » continua de travailler sur la subtile frontière entre le sexy et la vulgarité : « J'ai poussé Gucci aussi loin que je l'ai pu. Je n'aurais pu faire des talons plus hauts, ni des jupes plus courtes. » En 1997, *Vanity Fair* déclara que le string aux deux G était le truc le plus tendance de l'année. Ford l'avait sorti en janvier, lors de la dernière collection pour hommes, et un murmure gêné avait couru dans l'assemblée, ce qui ne l'empêcha pas de le reproposer lors du défilé de mode féminine en mars.

« Jamais un aussi petit nombre de millimètres carrés d'étoffe n'a donné lieu à autant de publicité », écrivit le *Wall Street Journal* à propos du string qui fut vendu partout dans le monde et stimula les ventes d'articles plus conventionnels.

Une fois son style au point, Ford se mit à courtiser le monde de Hollywood. D'abord il se fit admettre dans le milieu. Il était déjà tombé amoureux de Los Angeles qu'il considérait comme une vraie ville du XXe siècle par son architecture, son style de vie et son influence sur la culture contemporaine. Il y acheta une maison, y situa plusieurs campagnes publicitaires pour Gucci et commença à fréquenter des acteurs dont certains devinrent ses amis. Il s'imposa par une fête éblouissante que Hollywood n'oubliera pas : un défilé de mode suivi d'un dîner et d'une soirée dansante qui dura toute la nuit dans un hangar d'avion de l'aéroport de Santa Monica. Gucci sponsorisa la soirée qui permit de réunir des sommes considérables au bénéfice de la campagne antisida de Los Angeles. La liste des invités ressemble à celle de la soirée des Oscars, mais le style et l'organisation étaient signés Tom Ford, notamment les quarante go-go danseurs portant uniquement les strings G-Gucci juchés sur d'immenses cubes en Lucite.

Ford contrôlait de très près tous les aspects de l'image de Gucci : les vêtements et les accessoires, mais aussi la nouvelle conception des boutiques, la publicité, le costume des vendeurs et même les arrangements floraux. Lors du lancement du parfum *Envy* à Milan, il imposa partout le noir, du sol au plafond, des murs du grand hall transformé en élégante salle à manger jusqu'au menu : pâtes noires à la sauce noire de calamars, pain noir, seuls les légumes mettaient un peu de couleur sur les assiettes transparentes.

Lorsque les travaux de rénovation des cinq mille mètres carrés du prestigieux magasin de Sloane Street à Londres furent enfin terminés selon ses plans (partout dans le monde les magasins Gucci allaient être rénovés selon ce modèle), Ford habilla les agents de sécurité aux portes en noir des pieds à la tête et leur fit porter un casque à écouteurs. Vue de l'extérieur, la splendide façade de pierre et d'acier était aussi imposante que celle d'un coffre de banque. À l'intérieur, les sols de travertin, les colonnes acryliques et les projecteurs suspendus créeaient une scène sur laquelle les articles Gucci revus par Ford jouaient le rôle de stars.

De Sole renégocia la licence des parfums Gucci avec Wella après une bataille homérique et racheta la fabrique des montres Gucci : Severin Montres Ltd à Severin Wunderman pour 150 millions de dollars après un long et compliqué marchandage. Ford-De Sole, le nouveau couple formé par un styliste et un homme d'affaires, se plaçait désormais juste derrière le couple Yves Saint Laurent-Pierre Bergé.

Malgré tant de succès, cet attelage n'allait pas avoir la vie facile. Au mois de septembre 1997, juste un mois après que le *Wall Street Journal* eut décrété que Gucci « était ce qui se faisait de mieux dans le monde du luxe aussi bien pour les *fashion victims* que pour les hommes d'affaires » – et après deux années pendant lesquelles ventes et prix des actions n'avaient cessé d'augmenter –, il y eut un brusque coup d'arrêt. De Sole, qui rentrait d'un voyage en Asie, n'avait pas aimé ce qu'il avait vu là-bas. Les meilleurs hôtels et restaurants de Hongkong, ville qui pendant des années avait été le centre du shopping pour les touristes japonais, étaient vides tandis que les ventes s'effondraient à Hawaii – autre endroit fréquenté par les Japonais. Gucci faisait 45 % de son chiffre d'affaires en Asie, et même plus si l'on faisait entrer en ligne de compte les achats des touristes japonais sur d'autres marchés. En 1994, les clients japonais avaient relancé les ventes ; trois ans plus tard, c'étaient eux qui allaient provoquer leur déclin.

Le 24 septembre 1997, De Sole, inquiet, prophétisa une croissance plus lente que prévue pour la seconde moitié de l'année. Il était le premier dirigeant d'une maison de luxe à annoncer que la crise asiatique allait frapper les marchés internationaux dans les mois à venir. Effectivement le prix de l'action Gucci, montée à 80 dollars en novembre 1996, plongea à 31,66 dollars dans les semaines suivantes : une perte de 60 %.

Tom Ford – qui possédait désormais des stock-options valant des millions de dollars – s'émut lorsque les actions baissèrent et blâma, en tête à tête, De Sole : ses déclarations pessimistes avaient éclipsé, disait-il, la bonne nouvelle que constituait l'acquisition de Severin Montres. Mais le cri d'alarme de De Sole se révéla comme un indicateur pour toute l'industrie du luxe, et bientôt Prada, LVMH, et DFS pour n'en nommer que quelques-uns, se trouvèrent tous obligés de lutter pour limiter leurs pertes en Asie.

La baisse du prix de l'action de Gucci signifia que désormais l'on pouvait racheter la société pour quelque 2 milliards de dollars. Le bruit courut que les autres capitaines de l'industrie du luxe, notamment Bernard Arnault de LVMH bien connu comme un spécialiste du rachat, envisageaient une telle opération. En novembre, malgré une campagne intense menée par De Sole, les actionnaires de Gucci rejetèrent une mesure visant à empêcher une OPA hostile : elle consistait à limiter le pouvoir de vote d'un seul actionnaire à 20 %, quelle que fût sa part dans le capital de l'affaire. Cette décision rendit Gucci encore plus vulnérable bien que sur le moment tous les acheteurs potentiels fussent très occupés à consolider leurs propres positions en Asie.

« C'est la prérogative des actionnaires de décider, déclara De Sole en essayant de cacher son désappointement. Quant à moi, j'ai fait mon devoir. »

De Sole, qui avait survécu aux guerres de famille et conduisait Gucci vers un nouvel avenir, devait donc maintenant, comme tout conquérant, se préparer à de nouvelles batailles.

17

Arrestations

Ses beaux cheveux noirs en désordre, Alessandra Gucci repoussa sa mère dans la grande salle de bains du magnifique appartement de corso Venezia, où Patrizia et ses deux filles s'étaient installées quelques mois après la mort de Maurizio. À cet instant, aucun des inspecteurs de police ne pouvait les voir. Alessandra ferma la porte à clé et poussa sa mère tout contre le mur de marbre du fond, assez loin de la porte, pensait-elle, pour que personne ne pût les entendre.

« *Mamma !* » Sa voix était sifflante. Elle tenait sa mère, moins grande qu'elle, par les épaules et la regardait dans les yeux, des yeux qui ne se détournaient pas. « Je te jure que tout ce que tu me diras restera entre nous. Dis-moi, dis-moi si tu as fait cela. Je te promets, de tout mon cœur je te promets, que je ne le dirai ni à grand-mère ni à Allegra. »

À 4 h 30 du matin, le vendredi 31 janvier 1997, deux voitures de police s'étaient arrêtées devant l'immeuble du 38, corso Venezia. Filippo Ninni, le chef de la police criminelle de Milan, était descendu et avait sonné à la porte de l'appartement Gucci, où Patrizia vivait avec ses filles, deux domestiques, une chienne cocker, un mainate bavard, deux canards, deux tortues et un chat.

« Police, ouvrez ! » Personne n'avait répondu à l'appel dans l'Interphone. L'imposant portail de bois était resté fermé. Ninni avait sonné plusieurs fois sans obtenir de réponse. Exaspéré, il avait composé le numéro de téléphone de Patrizia Reggiani sur son portable. Il savait qu'elle était chez elle car ses hommes, qui la suivaient, l'avaient vue rentrer à la maison après un dîner à l'extérieur, et il avait même de bonnes raisons de penser qu'elle ne dormait pas : les écoutes téléphoniques lui avaient appris qu'elle avait eu une longue conversation avec son amant, un homme d'affaires milanais nommé Renato Venona, et que cette conversation n'avait pas pris fin avant 3 h 30 du matin. Patrizia, qui souffrait d'insomnie chronique, discutait souvent au téléphone avec ses amis jusqu'à l'aube et ensuite dormait jusqu'à midi. Enfin, une voix endormie, à l'accent étranger, répondit à l'Interphone – Ninni pouvait entendre le bavardage du mainate en fond sonore.

« Nous sommes de la police. Vous devez ouvrir la porte », avait dit sèchement Ninni. Quelques minutes plus tard, une Philippine mal réveillée ouvrait le portail, laissant Ninni et son équipe d'inspecteurs gravir à sa suite le grand escalier de marbre jusqu'à l'appartement des Gucci. Tandis que les policiers jetaient des regards ébahis sur le luxueux mobilier, la domestique les avait conduits dans le grand salon au fond du hall et était allée prévenir Patrizia.

Calme, la tête froide, en dépit de cette irruption si matinale, Patrizia était entrée dans la pièce quelques minutes plus tard, revêtue d'une robe de chambre bleu pâle. Parmi les inspecteurs réunis, elle n'en avait reconnu qu'un seul, Giancarlo Togliatti, un grand carabinier blond qui avait participé aux interrogatoires après le meurtre de Maurizio. Deux ans s'étaient écoulés depuis lors et aucun suspect n'avait été trouvé. Patrizia avait un contact à la police et lui téléphonait de temps à autre pour s'informer des progrès de l'enquête : l'homme ne lui avait rien signalé. Patrizia avait fait un bref signe de tête à Togliatti, puis avait fixé un regard sans expression sur Ninni, qui était évidemment le chef. Celui-ci s'était présenté et lui avait montré le mandat d'arrêt qu'il portait.

— *Signora* Reggiani, je dois vous mettre en état d'arrestation pour meurtre.

La voix de Ninni grondait comme un tonnerre assourdi. Enquêteur expérimenté, Ninni avait consacré sa carrière à lutter contre le trafic de drogue en pleine expansion à Milan. Il se sentait plus à l'aise quand il traquait un patron de la mafia ou opérait une descente dans un entrepôt abandonné que debout dans le somptueux salon de Patrizia Reggiani. Il plongea son regard dans les yeux clairs et sans expression de la femme.

— Oui, je vois.

Patrizia avait lancé un regard indifférent sur le document que Ninni tenait à la main.

— Savez-vous pourquoi nous sommes ici ? demanda Ninni, que sa nonchalance décontenançait.

— Oui, répondit-elle. C'est à propos de la mort de mon mari, n'est-ce pas ?

— Je regrette, *signora*. Vous êtes en état d'arrestation. Vous devez nous suivre.

Quelques minutes après, Alessandra s'était réveillée terrifiée dans sa chambre. Elle avait devant elle deux inspecteurs qui lui expliquèrent que sa mère venait d'être arrêtée et allait les suivre à la police.

« Ils ont fouillé partout dans ma chambre, ont examiné mes animaux empaillés, mon ordinateur. Puis nous sommes descendus à l'étage inférieur. » Allegra, aussi affolée que sa sœur, les avait rejoints en bas, accompagnée par un autre inspecteur. Tandis qu'Allegra sanglotait doucement dans le salon, Ninni avait ordonné à Patrizia de s'habiller et de partir avec lui. C'est à ce moment-là qu'Alessandra avait suivi sa mère et l'avait entraînée dans la salle de bains. La mère et la fille – physiquement si semblables l'une à l'autre – s'étaient regardées un instant.

« Je te jure, Alessandra, je te le jure, je n'ai pas fait ça », dit enfin Patrizia, comme un inspecteur frappait à la porte. Patrizia s'habilla sous la surveillance d'une femme inspecteur, tandis que ses collègues fouillaient dans tout l'appartement et saisissaient des papiers et toute une pile des journaux personnels de Patrizia dans leur reliure de cuir. Patrizia s'était couverte de bijoux et avait revêtu un manteau de vison qui tombait jusqu'au sol. De ses mains manucurées elle prit un sac à main Gucci.

« Eh bien ! je suis prête », dit-elle devant une assistance stupéfaite.

En embrassant ses filles, elle leur annonça : « Je serai de retour ce soir », et sortit en posant des lunettes de soleil noires sur ses yeux, plus pâles et vulnérables que jamais sans l'habituel coup de pinceau protecteur d'eye-liner et le mascara.

À cet instant se dissipa le peu de compassion que Ninni pouvait encore ressentir pour Patrizia. « Où croit-elle que nous allons ? À un bal masqué ? » se demanda-t-il en la précédant dans l'escalier de marbre, puis dans la cour intérieure.

Mince et vigoureux, l'œil noir perçant, la moustache sévère, Ninni avait la réputation d'être un enquêteur déterminé, qui ne s'en laissait pas conter, et que son travail de policier passionnait. Ses principaux adversaires, c'étaient les « familles » du sud du pays qui avaient émigré à Milan pour profiter du trafic sans cesse croissant de la drogue en provenance des Balkans. Nombre de ces familles avaient quitté leur province d'origine parce que la guerre des clans avait tourné à leur désavantage, ou bien étaient venues chercher du travail à Milan et avaient trouvé plus rémunérateur le commerce de la drogue.

Ninni était, lui aussi, originaire de l'Italie du Sud. Il venait d'une petite ville proche de Taranto, dans les Pouilles. Gamin, il dévorait les romans policiers, voyait tous les films de gangsters, et étudiait déjà les techniques utilisées par les policiers. Lors des réunions de famille, il bombardait de questions sur leur travail deux de ses parents qui appartenaient à la police. Plus tard il quitta l'université de Rome en cours d'études pour s'inscrire à l'académie de police. Cette décision indigna son père, qui travaillait dans un chantier naval.

« Es-tu fou ? Veux-tu donc te faire tuer ? » Son père était vraiment furieux, cependant Ninni persista. Non seulement le métier de policier lui inspirait une authentique passion, mais il aspirait à être financièrement indépendant. Son père devait pourvoir à l'entretien de ses deux frères adolescents qui vivaient encore au foyer familial, et Ninni ne voulait pas continuer à lui demander de l'argent pour ses manuels. Finalement le père s'inclina, et l'accompagna à Rome le jour de son entrée à l'académie de police. Au bout de la première semaine, le père revint à Rome pour voir comment s'en tirait son fils. Dès qu'il eut sous les yeux les traits tirés de Filippo, il lui dit de faire ses valises et de rentrer à la maison avec lui. L'autre refusa sans hésiter.

« Non, dit-il à son père. J'ai réussi à me faire admettre ici, je savais que ce serait dur, mais je ne partirai que lorsque j'aurai mon diplôme, à moins, bien sûr, qu'on ne me chasse avant. »

Non seulement Ninni tint bon jusqu'au bout, mais il opéra sa première arrestation avant même sa première nomination – ce fut dans le train de Rome à Milan. Une jeune gitane venait de faucher le portefeuille d'un carabinier et se débattait en criant et en donnant des coups de pied tandis que le jeune gradé essayait en vain de l'arrêter et de reprendre possession de son bien.

« Je vais te montrer comment il faut faire », dit Ninni, qui arracha à la gitane son sac et le jeta sur le quai de la gare. La fille se précipita pour sauver son sac ; Ninni en profita pour l'arrêter et récupérer le portefeuille.

Les arrestations suivantes ne furent pas toutes aussi simples. À Milan, Ninni eut à combattre les clans calabrais de Salvatore Batti et Giuseppe Falchi qui se faisaient la guerre – et cette guerre donnait lieu à des fusillades quotidiennes. Mais le sens pratique, les nerfs d'acier et les qualités morales de Ninni lui gagnèrent le respect de ses collègues aussi bien que des clans. Au cours de la seule année 1991, Ninni avec une modeste équipe de quatre policiers avait réussi à opérer plus de cinq cents arrestations. Ninni traitait de façon digne les gens qu'il arrêtait : il pensait qu'il fallait respecter même les criminels. Son humanité lui valut des compliments publics de la part d'un des plus dangereux seigneurs de la drogue de la région milanaise. Au cours d'un procès le boss calabrais, Salvatore Batti, le regarda et lui lança « *Dotto' Ninni, se voi non fuste una persona onesta, avesse la morte* » – « Si vous n'étiez pas un honnête homme, vous seriez déjà mort. »

Quand Patrizia eut pris place sur la banquette arrière, la voiture de police fonça à travers les rues vides jusqu'au quartier général de la police criminelle, piazza San Sepolcro, place historique derrière la Bourse, dont l'origine remonte à l'époque romaine. Qui s'attendrait à trouver un poste de police dans le palais Castani, dont les trois étages entourent une cour centrale, le long de laquelle s'étend un élégant portique, et qui date de la Renaissance ?

Ninni et ses hommes firent entrer Patrizia par le passage voûté en pierre ; elle s'avança entre les profils sculptés de deux empereurs romains, Hadrien et Nerva. Une inscription en latin avait été burinée sur une haute poutre en surplomb. On pouvait lire : « *Elegantiae publicae, commoditati privatae* » – « Pour l'élégance publique, et le bien-être privé ». Une autre inscription (en grec, celle-là) souhaitait bonne chance à tous ceux qui entraient dans le palais.

Ninni confia Patrizia à son bras droit, l'inspecteur Carmine Gallo, petit homme râblé aux tendres yeux noirs. Gallo conduisit Patrizia dans une pièce austère meublée de bureaux et de fichiers métalliques. Pendant que Gallo procédait aux formalités d'usage, Patrizia eut le loisir de contempler les fenêtres haut placées aux épais barreaux. Au mur leur faisait face une photographie représentant les deux juges assassinés par la mafia : Giovanni Falcone et Paolo Borsellino. Peu après arriva la mère de Patrizia, Silvana, avec Alessandra et Allegra. On les fit entrer dans le bureau, tandis que Ninni apparaissait à son tour. En regardant Patrizia resplendissant d'or, étalée dans sa fourrure, il eut une réaction de dégoût.

« J'ai toujours essayé d'aider les gens que j'arrêtais, a-t-il raconté plus tard. Mais j'ai éprouvé, en regardant cette femme, un sentiment qui m'était jusque-là inconnu. Je voyais une femme qui n'avait rien en elle, qui se définissait par les choses qui l'environnaient, qui pensait que l'argent pouvait tout acheter. Je ne suis pas fier de ma réaction, cependant je n'ai pas pu me forcer à lui parler – c'est une chose qui ne m'était jamais encore arrivée dans ma carrière. »

Ninni se tourna vers Silvana.

— Madame, ce n'est pas une bonne idée que votre fille aille en prison dans ces vêtements et avec tant d'objets de valeur.

— Ils lui appartiennent. Si elle veut les emporter avec elle, ça la regarde et personne ne peut l'en empêcher, rétorqua Silvana en fronçant les sourcils.

— Faites comme vous l'entendez, mais la direction de la prison les confisquera dès son arrivée. On ne l'autorisera pas à les conserver.

Sur ces mots, Ninni tourna les talons et sortit de la pièce.

— Tu ferais mieux de me laisser emporter cela.

Ce disant, Silvana collecta les lourdes boucles d'oreilles en or et les bracelets massifs en or et en diamants ; elle fit aussi glisser des épaules de sa fille le grand manteau de vison qu'elle jeta sur son propre vison. Elle examina ensuite le contenu du sac à main Gucci.

— Mais qu'as-tu donc là-dedans ? lui demanda-t-elle avec irritation, en extrayant des rouges à lèvres et des pots de make-up et de crèmes pour le visage. Tu n'en auras pas besoin là-bas.

Comme Patrizia semblait frissonner de froid, l'inspecteur Gallo lui offrit sa propre veste, un anorak vert, qu'elle accepta bien volontiers.

— Elle me faisait pitié, dira Gallo. Elle était arrivée au bout de son voyage. Elle avait fait tout ce qu'elle avait pu. Elle était au bout du rouleau.

Ce même matin, on arrêta à Milan et ailleurs quatre autres personnes, inculpées pour participation au meurtre de Maurizio Gucci. L'amie de longue date de Patrizia, Pina Auriemma, fut arrêtée à Somma Vesuviana, près de Naples par une escouade de policiers en civil ;

dans la même journée elle fut transférée à Milan. Ivano Savioni, le concierge d'un hôtel milanais, et Benedetto Ceraulo, un mécanicien, furent conduits tous deux au quartier général de la police criminelle, piazza San Sepolcro. Orazio Cicala, gérant de restaurant en faillite, se trouvait déjà emprisonné dans la banlieue milanaise pour trafic de drogue ; le mandat d'amener lui fut notifié le lendemain.

La nouvelle surprenante s'étala en première page de tous les journaux italiens : deux ans après les faits, l'ex-femme de Maurizio Gucci et quatre complices inattendus avaient été arrêtés pour le meurtre de celui-ci.

Or, deux mois plus tôt, l'enquête sur la mort de Maurizio Gucci piétinait. Carlo Nocerino, le magistrat milanais, avait demandé un nouveau délai, mais il était découragé. Les semaines passaient et aucune piste sérieuse ne se présentait – jusqu'à un certain mercredi, le mercredi 8 janvier 1997. Ce jour-là, à une heure tardive Filippo Ninni travaillait dans son bureau, comme à son habitude, quand le veilleur de nuit l'appela pour lui signaler que quelqu'un voulait lui parler au téléphone.

— Chef, il y a un type en ligne. Il ne veut pas donner son nom mais il dit que c'est urgent et il ne veut parler qu'à vous.

À cette heure-là tous les autres bureaux du quartier général de la Criminelle étaient dans l'obscurité. Ninni avait allumé la lampe de sa table et étudiait les dossiers étalés sur la plaque de verre formant le plateau du grand bureau, au milieu des ordinateurs qu'il avait réclamés pour accélérer son travail. Au mur on voyait tous les diplômes et certificats, plus de vingt, qu'il avait obtenus au cours de sa carrière. Au centre de la pièce un divan de cuir usé était flanqué de deux fauteuils disposés autour d'une petite table basse sur laquelle Ninni avait placé l'objet auquel il tenait le plus : un échiquier sculpté à la main en pierre à savon ou stéatite. Il aimait en manier les pièces et défiait volontiers ses inspecteurs. Faire une partie, de temps à autre, lui paraissait un excellent moyen de se maintenir mentalement en forme.

Il rangea le dossier qu'il étudiait et dit au veilleur de nuit de lui passer la communication.

— C'est à Ninni que je parle ? interrogea une voix basse, râpeuse, qui faisait penser à une grille métallique qu'on traînerait sur du ciment

— Oui, qui est à l'appareil ?

— Je dois vous voir, reprit la voix râpeuse.

312

Ninni crut deviner un sentiment d'urgence, plus la peur d'un individu aux abois.

— Oui, j'ai des informations importantes à vous communiquer. Je vous dirai tout ce que je sais.

Ninni était intrigué et perplexe. Il demanda :

— Qui êtes-vous ? Comment savoir si je peux me fier à vous. J'ai des ennemis… Dites-moi au moins de quoi il s'agit ?

— Ça vous suffit si je vous dis qu'il s'agit du meurtre Gucci ?

La respiration de l'individu à l'autre bout du fil devenait sifflante.

Aussitôt, Ninni devint tout ouïe. Ses collègues chez les carabiniers enquêtaient sur le meurtre mystérieux de l'homme d'affaires milanais sans faire le moindre progrès depuis deux ans. L'année précédente, le magistrat chargé du dossier, Nocerino, était rentré de Suisse, où il avait enquêté sur les affaires de Gucci là-bas, mais n'avait découvert aucune piste. Des bruits avaient couru : Maurizio Gucci aurait investi de l'argent dans une chaîne de casinos, or Nocerino avait pu constater qu'il s'agissait seulement d'un hôtel de luxe dans une station suisse, avec quelques machines à sous dans le hall. Rien de louche là-dedans. Quant aux autres projets envisagés par Gucci, depuis qu'il avait vendu l'affaire familiale, ils en étaient tous à la phase initiale. Nocerino avait même pris l'avion pour Paris, afin d'interroger Delfo Zorzi. Celui-ci avait accepté de répondre à certaines questions sur l'attentat de la piazza Fontana, et il avait même bien voulu parler du prêt à Gucci. Zorzi avait confirmé que Gucci avait entièrement remboursé les fameux 40 millions de dollars « trouvés sous le plancher ». Nocerino avait clos en mai l'enquête sur la piste « affaires » du meurtre Gucci, mais il n'avait pas d'autre piste. Ce matin même, Ninni avait lu dans la presse que Nocerino venait d'obtenir un délai supplémentaire pour poursuivre ses investigations.

L'affaire intéressait Ninni. Le matin de l'assassinat, il passait dans le voisinage et, sur la radio de sa voiture de service, il avait appris très vite la nouvelle. Il avait ordonné à son chauffeur de faire un détour par la via Palestro. À son arrivée les carabiniers grouillaient sur le lieu du crime. Il avait vu le corps étendu en haut des marches et la foule refluer quand Nocerino avait renvoyé tout le monde. Dans les semaines, puis les mois qui avaient suivi, il avait recommandé à ses hommes de demander des informations sur le meurtre chaque fois

313

qu'ils arrêtaient un membre du milieu milanais. Si l'assassin était un tueur professionnel, se disait Ninni, la *malavita* milanaise serait au courant un jour ou l'autre, et il apprendrait quelque chose. Mais les truands interrogés secouaient la tête : ils ne savaient rien. Ninni était maintenant convaincu que ce n'était pas un professionnel et pensait qu'il fallait chercher ailleurs.

— *Dottor* Ninni, j'ai peur, disait la voix. Je sais qui a tué Maurizio Gucci.

— Peux-tu venir à mon bureau ?

— C'est trop dangereux. Retrouvez-moi à la *gelateria* de la piazza Aspromonte.

Il s'agissait d'un glacier à peu de distance de la gare centrale de Milan.

— J'ai quarante-neuf ans, je suis plutôt costaud… Je porterai une veste rouge… Mais venez seul.

Ninni hésita une seconde, puis donna son accord.

— Je serai là-bas dans une demi-heure.

Ninni sauta dans sa voiture. Quand celle-ci approcha de la piazza Aspromonte, il dit à son chauffeur de s'arrêter à quelques pâtés de maisons de leur destination, et fit le reste du chemin à pied, à travers des rues encombrées d'hôtels bon marché que fréquentaient les prostituées et les immigrants illégaux désireux de refaire leur vie en Italie. Il vit de loin, devant la *gelateria* qu'on lui avait indiquée, une silhouette corpulente, mal fagotée dans une veste trop longue, que l'éclairage au néon rendait verdâtre. Les deux hommes se saluèrent avec prudence et se mirent à faire le tour du petit parc au centre de la piazza Aspromonte. Ninni reconnut la voix râpeuse quand l'homme se présenta sous le nom de Gabriele Carpanese. Trop gros et en mauvaise santé, il marchait lentement et respirait avec difficulté. Ninni, qui savait vite évaluer les gens, sympathisa avec son mystérieux interlocuteur et décida en quelques minutes qu'il pouvait lui faire confiance. Il lui indiqua sa voiture et invita Carpanese à l'accompagner à son bureau, où il faisait chaud et où l'on était à l'abri des curieux qui rôdaient autour de la place.

Une fois confortablement installé sur le divan de cuir, Carpanese raconta son histoire à Ninni. Il était retourné en Italie avec sa femme quelques mois auparavant, après un double échec à l'étranger. Ils avaient essayé sans succès d'ouvrir une trattoria italienne à Miami, puis au Guatemala. De plus on avait diagnostiqué un cancer du sein à sa femme et lui-même souffrait de diabète. Ils avaient donc décidé de revenir se faire soigner l'un et l'autre dans le cadre de la sécurité sociale italienne. En attendant mieux, ils avaient trouvé à se loger à bon marché dans un hôtel une étoile proche de la piazza Aspromonte. Carpanese s'était lié avec le portier, Ivano Savioni, un homme de quarante ans qui était le neveu de la propriétaire de l'hôtel. C'était un type trapu aux lourdes mâchoires et au cou épais, qui coiffait en arrière ses cheveux noirs ondulés en les plaquant avec de la brillantine. L'homme était affable, mais il était constamment endetté et devait recourir à toutes sortes de combines pour rembourser ses innombrables créanciers. Il profitait des absences de sa tante pour introduire des prostituées dans l'hôtel et se faire ainsi un peu d'argent. Comme Carpanese n'en avait jamais soufflé mot, il lui en était reconnaissant, et lui accordait des rabais sur sa note ou lui refilait en douce une bouteille du bar.

Les maigres économies de Carpanese fondant peu à peu et ses espoirs de trouver un travail diminuant chaque jour, son imagination endormie se réveilla. À l'intention de Savioni, il inventa une belle histoire de trafic de drogue sud-américain qui faisait de lui un gros trafiquant recherché par les polices de plusieurs pays, y compris le FBI américain. Carpanese expliqua à Savioni qu'il avait des millions de dollars dans des banques aux États-Unis et qu'il pourrait payer largement sa chambre dès qu'il aurait résolu ses problèmes juridiques.

« Dès que mes avocats auront mis de l'ordre dans mes affaires, je pourrai te remercier comme il convient et te repayer au centuple ta généreuse hospitalité. » Cette promesse fit grande impression sur Savioni qui persuada sa tante de loger gratuitement le malheureux couple pendant quelques mois encore. Savioni, qui avait vendu un peu de drogue à la sauvette, espérait bien que Carpanese lui donnerait accès au monde des vrais opérateurs.

Par une chaude soirée du mois d'août 1996, expliqua Carpanese, il se trouvait avec Savioni assis à une table de café sur la rue. Les deux hommes fumaient et buvaient de la bière. Dans la rue on ne voyait passer que de rares voitures, les appartements aux volets clos attendaient le retour de leurs occupants partis en vacances, et même, nombre d'hôtels du quartier avaient fermé leurs portes. Il n'y avait à peu près rien à faire dans la ville désertée, mais il faisait trop chaud et trop humide pour dormir. Savioni s'était renversé sur son siège, avait

315

tiré longuement sur sa Marlboro en lançant un regard à Carpanese. Lui aussi, avait-il dit en confidence à Carpanese, il avait été mêlé à une grosse affaire, une affaire dont on avait parlé dans les journaux. Son regard ne quittait pas Carpanese pour voir sa réaction.

Peu à peu, Savioni avait lâché des bribes de son histoire. Puis il avait jeté sa bombe : c'était lui qui avait recruté les meurtriers de Maurizio Gucci. D'abord Carpanese n'avait pas voulu le croire : il ne jugeait pas l'homme particulièrement astucieux et, en dépit de ses combines et de ses vantardises, ne le voyait pas en contact avec des tueurs professionnels.

— Tu te prends pour un parrain, ou quoi ?

— Pense ce qu'il te plaît, avait répliqué Savioni, déconfit devant le scepticisme de son ami qu'il voulait tant impressionner.

Au cours des semaines suivantes, Savioni avait raconté dans le détail comment avait été organisé le meurtre de Maurizio Gucci.

Ce fut un choc pour Carpanese : il n'arrivait pas à croire que Savioni ait pu tremper dans une affaire aussi grave. Il avait eu des débats de conscience qui avaient duré des semaines. À la fin, il avait décidé de rapporter aux autorités toute l'histoire. Il savait que cela leur ferait perdre leur logement, à sa femme et à lui, mais il se disait qu'il y aurait peut-être des compensations. À la veille de Noël 1996, il avait téléphoné d'une cabine publique au palais de justice de Milan et demandé à parler au magistrat chargé de l'affaire Gucci. Son cœur battait pendant qu'il attendait la communication. Il n'avait eu au bout du fil qu'un répondeur avec un message d'attente. Au bout de cinq minutes, à court de jetons, il avait raccroché. Il avait recommencé quelques jours plus tard, mais l'opératrice lui avait dit, cette fois, qu'elle ne connaissait pas le nom du magistrat compétent. Il avait alors contacté les carabiniers, qui avaient refusé de donner suite à son appel parce qu'il ne voulait pas dire son nom. Enfin, un soir de janvier, se trouvant dans la salle de télévision de l'hôtel, il avait suivi distraitement une émission sur le crime organisé à laquelle Ninni participait. Carpanese avait apprécié les manières franches et les commentaires raisonnables de Ninni, et pensé que c'était un homme à qui on pouvait se fier. Il trouva son numéro dans l'annuaire et courut lui téléphoner d'une cabine publique.

Les détails que Carpanese donna sur la préparation du meurtre ne pouvaient être connus que des acteurs. Ninni eut la certitude que Carpanese lui disait la vérité.

C'était Patrizia Reggiani, affirmait Carpanese, qui avait commandité le meurtre de Maurizio Gucci. Il lui en avait coûté 600 millions de lires (soit environ 375 000 dollars). Sa vieille amie Pina Auriemma avait joué le rôle d'intermédiaire entre Patrizia et les assassins : c'était par son canal que passait l'argent et circulaient les informations. Pina s'était adressée à Savioni, un vieil ami. Savioni à son tour avait recruté Orazio Cicala, un Sicilien âgé de cinquante-six ans, propriétaire d'une pizzeria à Arcore, dans la banlieue milanaise. Savioni savait que les dettes de jeu avaient ruiné Cicala, et que celui-ci avait besoin d'argent. Cicala avait déniché le tueur, et piloté la voiture qui avait permis à l'assassin de s'enfuir : cette voiture, une Clio verte, était celle de son propre fils (car la voiture volée exprès pour l'occasion avait disparu, récupérée par la police ou volée elle-même !). L'assassin s'appelait Benedetto, c'était un ancien mécanicien, qui vivait derrière le restaurant de Cicala. Benedetto s'était procuré le Beretta 7,65 qui avait servi à tuer Maurizio. Il avait fabriqué un silencieux au moyen d'un cylindre de métal doublé de feutre, avait acheté les balles en Suisse et avait ensuite détruit l'arme.

Que s'était-il passé depuis le meurtre ? Patrizia s'était installée corso Venezia, et jouissait pleinement de la considérable fortune laissée par Maurizio – via ses filles qui étaient les héritières de leur père.

Pendant ce temps, le gang des meurtriers éprouvait une profonde frustration, dit Carpanese. Ils avaient couru tous les risques pour une bouchée de pain tandis que la dame qui avait commandité l'assassinat vivait dans le luxe. Ils voulaient la faire chanter pour obtenir plus d'argent.

Ninni écoutait Carpanese tout en maniant l'une des pièces de son jeu d'échecs. Un plan était en train de prendre forme dans sa tête.

— Serais-tu disposé à rentrer à ton hôtel avec un microphone ?

Carpanese eut l'air gêné, mais acquiesça. Ninni, qui avait été touché par l'honnêteté et le sens de la justice de cet homme, en dépit de tous ses malheurs, promit de l'aider s'il en avait la possibilité. De fait, il lui procura un nouveau logement, un travail, et des vêtements – et lui rendit régulièrement visite pour s'informer de sa santé et de celle de sa femme.

« D'accord, Ninni, si tu penses que ça peut marcher, vas-y. » Carlo Nocerino parlait à contrecœur. Cela se passait dans son étroit bureau du quatrième étage du labyrinthique palais de justice de Milan où Ninni venait de lui rendre compte de sa conversation avec Carpanese et de lui expliquer son plan : il avait l'intention d'envoyer sous une fausse identité un inspecteur avec mission de tendre un piège à Savioni et ses complices. Ninni avait trouvé l'homme adéquat, un jeune détective, Carlo Collenghi, qui parlait couramment l'espagnol. Carlo se ferait passer pour « Carlos », tueur endurci au service du cartel de la drogue de Medellin, actuellement en visite à Milan « pour affaires ». Carpanese présenterait Carlos à Savioni comme la personne idéale pour « persuader » Patrizia de leur donner plus d'argent. Borelli, le plus haut magistrat milanais, avait recommandé à Nocerino de donner son aval au plan de Ninni : « Si Ninni le propose, tu peux être sûr que c'est sérieux. »

Le plan de Ninni fut un succès. Le lendemain, Carpanese invitait Carlos à l'hôtel Adry, où il le présenta à Savioni. Celui-ci l'examina des pieds à la tête, nota la chevelure blonde bouclée, les yeux bleus au regard de glace, la chemise de soie noire à col ouvert, et la lourde chaîne d'or entourant le cou.

— *Buenos dias,* dit Carlos.

Un diamant rose brilla quand il tendit la main à Saviano. Sous la chemise de soie noire se dissimulaient deux petits microphones scotchés à la poitrine du jeune homme. À quelques rues de distance, dans un fourgon de la police bourré de matériel d'enregistrement, des agents du service de Ninni étaient à l'écoute.

— Où habitez-vous ? demanda Savioni.

Carpanese traduisait les questions et les réponses.

— Dis à ton ami que je ne réponds pas à des questions de ce genre.

Savioni balbutia une excuse et en conçut encore plus de respect pour le « Colombien » aux yeux froids. Les trois hommes s'installèrent dans la salle de télévision : ils pourraient y parler plus à l'aise. Savioni apporta du café pour tout le monde.

— Combien de sucres ? s'enquit-il.

Carlos feignant de ne pas comprendre, Carpanese dut traduire. Ensuite Carpanese expliqua en espagnol à Carlos ce que Savioni attendait de lui. À la fin de l'échange il se tourna vers le portier.

— Savioni, ne te fais pas de bile. Carlos va résoudre tous tes problèmes. Malgré son air de jeunesse, c'est un tueur professionnel qui travaille pour les grands patrons de la drogue de Medellin. Il a tué plus de cent personnes. S'il y a quelqu'un qui est capable de donner une bonne leçon à la *signora*, c'est lui.

Un grand sourire éclaira le visage épais de Savioni.

— Pourquoi n'appelles-tu pas Pina pour en discuter avec elle ? dit Carpanese. Nous, nous devons partir maintenant. Carlos a une question à régler.

Savioni se leva d'un bond. Il était épanoui, impressionné et désireux de complaire.

— Naturellement, naturellement. Je suis sûr que Carlos doit être très occupé. Pourquoi ne prendriez-vous pas ma voiture ? Et ce soir, le dîner est à mes frais.

Il fourra un billet de 100 000 lires dans la main de Carpanese.

Carpanese se mit au volant de la vieille Cordoba rouge délabrée, un modèle bon marché de la marque espagnole Seat, et s'engagea via Lulli, en s'assurant grâce au rétroviseur que seul le fourgon de police les suivait. Carlos communiquait avec ses collègues par le microphone qu'il avait sur la poitrine. « *Ragazzi !* On a une drôle de veine. On va bourrer de micros cette vieille bagnole !! »

Dans la cour intérieure du QG de la piazza San Sepolcro, l'équipe de Ninni installa des micros cachés partout dans la voiture. Sous le tableau de bord on colla une puce qui permettait via satellite de suivre la voiture à la trace. Les téléphones de tous les suspects furent placés sur écoute.

L'après-midi même, Savinio appelait Pina dans la maison de sa nièce près de Naples. « Pina, tu dois venir à Milan dès que possible. J'ai la solution à notre petit problème. Il faut que nous en parlions. »

Le lendemain soir, les bobines de la police au centre d'écoute enregistrèrent une autre conversation, cette fois Pina appelait Patrizia de Naples.

— *Ciao.* C'est moi. As-tu vu la nouvelle, il y a quelques semaines ?

— Oui, répondit Patrizia. Mais il vaut mieux ne pas en parler au téléphone. Nous devons nous voir.

Pina arriva à Milan le 27 janvier. Savioni alla la chercher à l'aéroport de Linate, près de Milan, avec la vieille Seat rouge dont la police suivait les mouvements sur ses écrans. Pina avait été jolie dans sa jeunesse. Elle avait maintenant cinquante et un ans et son existence difficile l'avait marquée : des mèches désordonnées de cheveux blonds tombant sur ses épaules, des yeux de chien battu avec de grandes poches, un front creusé en permanence de longs sillons. Savioni arrêta la voiture sur une place voisine de l'hôtel Adry pour parler tranquillement.

— *Gesu mio !* Ivanio ! – Pina se tordait les mains et serrait contre elle son imperméable. – Quand j'ai lu, il y a quelques semaines, que l'enquête allait se poursuivre, j'ai cru m'évanouir sur mon journal. Ils avaient déjà décidé une première prolongation des recherches pendant six mois et n'avaient rien trouvé. Que peuvent-ils donc avoir ? Quelle idée ont-ils donc ?

— *Dai, stai tranquilla !*

Savioni lui disait de se calmer. Il lui offrit une cigarette qu'elle accepta avec plaisir.

— Ils n'ont rien. C'est la routine, rien d'autre.

Et il lui alluma sa cigarette.

— J'ai cessé de t'appeler, parce que je crois que mon téléphone est sur écoute, continua Pina en se tordant toujours les poignets. Je crois aussi qu'on *la* suit. Si cette affaire commence à sentir mauvais, dis-le-moi tout de suite. Je partirai à l'étranger, autrement nous risquons de nous retrouver en prison. Mon amie Laura dit qu'on ne nous trouvera jamais – la seule chose, c'est que nous devons tous faire très attention. Un seul faux pas et patatras ! Ce sera la catastrophe.

— *Ascoltami !* Pina. Écoute, ce que j'ai à te dire est important. J'ai rencontré un Colombien, un vrai dur. Tu devrais voir ses yeux : on dirait de la glace. Ce type a tué plus de cent personnes. Carpanese me l'a présenté. Tu vois, j'ai toujours dit que le loger gratuitement finirait par rapporter. Bon, eh bien, ce gars peut nous aider avec la *signora*. Il la fera cracher au bassinet.

Pina lui lança un regard en coin.

— Es-tu sûr que c'est le meilleur moment pour ça ? S'ils ont décidé de continuer l'enquête… peut-être devrions-nous garder profil bas. Suppose qu'elle soit suivie ?

Savioni fronça les sourcils et secoua la tête.

— Pina, il est temps d'en finir, s'exclama-t-il. Tu reçois une pension mensuelle, mais pense aux autres !

Pina riposta :

— Une belle somme, en effet ! Trois millions de lires par mois ! Tu crois qu'on peut vivre avec ça ? Et que se passera-t-il si elle change

320

d'avis ? Je suis finie. Tu sais bien que je vois les choses comme tu les vois. Nous prenons tous les risques et elle ramasse tous les bénéfices. Tu as peut-être raison. Je devrais sans doute lui parler, lui dire : « Nous avons fait la chose ensemble, maintenant tu dois nous donner ce qui nous revient »...

— Et si elle refuse, interrompit Savioni, nous demanderons au Colombien aux yeux de glace de nous apporter sa tête sur un plateau d'argent !

Les jours suivants, au QG de la police criminelle, le bourdonnement des bobines ne cessa pas. Toutes les conversations entre Patrizia, Pina et Savioni furent enregistrées. Ninni en riait de plaisir : sur la bande on entendait Savioni et Pina évoquer leur machination criminelle. Il y avait même une conversation entre Savioni et Benedetto Ceraulo, le tueur présumé, et une autre, entre Savioni et Pina, où il était question de Cicala, le probable conducteur du véhicule qui avait permis à l'assassin de s'enfuir. Il ne lui manquait que la *signora*, et il aurait toutes les cartes en main. Mais la *signora* était roublarde et, bien qu'elle téléphonât sans arrêt, rien de ce qu'elle disait ne pouvait être utilisé contre elle. Ninni était patient et avait appris avec les années à ne pas s'enthousiasmer trop vite quand une enquête faisait un bond décisif en avant.

« Si vous êtes sur une bonne piste, le mieux est souvent de la suivre jusqu'au bout, devait-il dire plus tard. Toutes nos mesures avaient été prises : "Carlos", les téléphones sur écoute, les micros dans la voiture – nous savions qui étaient les coupables et ce qu'ils avaient fait. Ils n'avaient plus qu'à parler. »

Mais le 30 janvier un agent des écoutes le fit appeler au service.

— Chef, je pense que vous devriez entendre ceci.

Et il lui fit écouter une conversation enregistrée dans la matinée entre Patrizia et un de ses avocats.

« Il y a des nuages sombres qui s'amoncellent sur votre famille », disait l'avocat sur un ton sinistre et d'autant plus inattendu que l'appel téléphonique concernait en apparence une dette banale de Patrizia auprès d'un bijoutier. Une réunion d'urgence au sommet (avec Nocerino et ses supérieurs) décida de passer à l'action sans poursuivre l'enquête : les preuves réunies étaient suffisantes. Les arrestations auraient lieu le lendemain 31 janvier à l'aube.

« Nous avions l'impression que Patrizia avait eu vent de notre opération, dira Ninni. Nous avions peur qu'elle ne file à l'étranger et que nous ne puissions jamais remettre la main sur elle. »

Quand, le matin du 31 janvier, les agents amenèrent Savioni dans les locaux de la police criminelle, piazza San Sepolcro, Ninni le fit conduire dans son bureau. Savioni – il portait des menottes – s'écroula sur un siège en face de Ninni. Celui-ci lui fit ôter les menottes et lui offrit une cigarette.

— Tu as perdu, dit-il, nous avons une manche d'avance. Nous savons tout. Ton seul espoir, c'est d'avouer. Si tu le fais, ce sera mieux pour toi.

— Je pensais vraiment que c'était un ami, dit Savioni, en tirant sur sa cigarette et en secouant la tête ; il avait deviné que Carpanese était allé à la police. Je suis sûr que c'est lui. Il m'a vendu. Il m'a trahi.

À ce moment-là on frappa à la porte. Ninni vit apparaître la tête blonde de l'inspecteur Collenghi.

— Regarde qui est là, Savioni. Un de tes amis, je crois, continua Ninni un sourire malicieux aux lèvres.

Savioni se retourna et reconnut « Carlos », le Colombien aux yeux glacés.

— Pas possible, Carlos, on t'a arrêté, toi aussi ?

— *Ciao*, Savioni, dit « Carlos » dont l'accent était parfait. Je suis l'inspecteur Collenghi.

Savioni se frappa le front du poing.

— Quel idiot j'ai été ! s'exclama-t-il.

— Comme tu peux le voir, nous avons bien mené notre affaire, dit Ninni. Veux-tu entendre tes propres paroles ? Je peux te faire passer la bande. Ton seul espoir, c'est d'avouer, je te le répète, la cour sera plus indulgente à ton égard.

18

Le procès

Juste avant 9 h 30 du matin, le 2 juin 1998, la porte située à la droite du juge s'ouvrit et cinq gardiennes coiffées d'un coquet béret bleu firent leur entrée avec Patrizia, dans la salle d'audience bondée du palais de justice de Milan. Un murmure parcourut la foule. Les photographes et les cameramen de la télévision se précipitèrent en avant. Patrizia avait le regard affolé d'une biche éblouie par les phares d'une voiture. Ses avocats, dans leurs majestueuses robes noires galonnées, se levèrent pour la saluer.

Le procès avait commencé depuis plusieurs jours, mais c'était la première apparition de Patrizia devant le tribunal. Pendant les préliminaires, elle avait préféré rester dans sa cellule de San Vittore, comme c'était son droit. Patrizia échangea deux mots avec ses avocats, deux maîtres du barreau, spécialisés dans les affaires criminelles. Gaetano Pecorella était un homme à cheveux blancs d'allure distinguée qui serait élu au Parlement avant la fin du procès, tandis que Gianni Dedola, dont on admirait le bronzage permanent, était le défenseur attitré des grands industriels, y compris le magnat de la télévision, ancien et futur Premier ministre, Silvio Berlusconi. Les deux avocats avaient insisté auprès de Patrizia pour qu'elle assiste à l'audience bien avant le moment où elle aurait à venir à la barre. Cela lui permettrait de s'habituer à l'atmosphère du tribunal.

Patrizia passa devant le procureur, Carlo Nocerino, et les rangées de journalistes et d'avocats installés derrière Nocerino, avant de prendre la dernière banquette. Au-delà, les assistants curieux, qui se penchaient pour mieux la voir, devaient se presser contre la barrière de bois séparant du public les acteurs du procès. À la droite de Patrizia, des journalistes l'observaient avidement pour la décrire à leurs lecteurs. Plus trace, notaient-ils, de l'assurance et des bijoux tapageurs de la reine de la société milanaise. La Patrizia de cinquante ans, pâle et peu soignée, qui venait d'entrer dans la salle du tribunal, avait l'air désorientée. Jamais on ne l'avait autant regardée, jamais pourtant elle n'avait été moins préparée à affronter la situation à laquelle elle devait faire face. Ses cheveux noirs coupés court et non peignés encadraient un visage que les médicaments avaient bouffi. Les yeux baissés, elle évitait les regards, et tortillait autour de son poignet droit les grains vert pâle du rosaire que lui avait donné *monsignore* Miligno, un prêtre populaire, réputé pour être guérisseur. Au poignet gauche, elle portait une Swatch de plastique bleu. Cette femme dont les placards, corso Venezia, regorgeaient des plus belles robes de grands couturiers, portait ce matin un pantalon de toile bleue, une chemise polo et un sweat de coton à rayures blanches et bleues jeté sur ses épaules. Patrizia, qui, on le sait, était de petite taille, chaussait des mules minuscules de cuir blanc avec des talons hauts de six centimètres.

Au cours des semaines précédant le procès, les journaux et les télévisions italiennes (dont les camions, tous moteurs ronronnant, étaient parqués à l'extérieur de l'énorme bâtisse édifiée par Piacentini à l'époque mussolinienne) avaient longuement annoncé le face-à-face attendu de la « Veuve noire », comme ils l'appelaient, et de la « Sorcière noire », surnom donné à Pina Auriemma en dépit de ses véhémentes protestations contre toute imputation de pouvoirs occultes. En mars, deux mois avant l'ouverture du procès, Pina avait rompu le silence total où elle s'était enfermée depuis quinze mois, et était passée aux aveux. Elle avait déclaré que Patrizia lui avait fait passer un message, lui offrant de « l'arroser d'or dans sa cellule » si elle prenait sur elle toute la responsablité du meurtre de Maurizio. Pina, offensée et furieuse, avait fait dire à Patrizia d'aller au diable, avant de demander à son avocat de prendre contact avec Nocerino.

— Je suis une vieille femme et je vais rester ici longtemps ! À quoi me serviraient 2 milliards de lires en prison ?

Pina, qui avait eu cinquante-deux ans en mars, était hors d'elle.

Pina et Patrizia avaient été incarcérées dans la section des femmes de la prison San Vittore. Savioni et Ceraulo, le tueur présumé, s'y trouvaient également détenus, tandis que Cicala, l'ancien propriétaire de pizzeria, était enfermé dans la prison de Monza, à l'extérieur de Milan. Deux mille prisonniers vivaient à l'intérieur des murs gris de San Vittore, bâtiment construit en 1879 pour y recevoir huit cents personnes. La prison était la copie de celle de Philadelphie, longtemps un modèle du genre, et consistait en une tour centrale dont rayonnaient en étoile quatre ailes de pierre. Parmi les détenus, il n'y avait que cent femmes. Elles étaient logées à part dans un bâtiment bas en ciment qui faisait face à l'entrée semblable à une forteresse médiévale. Des pierres de couleur rose bordaient la grande porte voûtée ainsi que les fenêtres du dessus, des créneaux garnissaient le haut du bâtiment principal.

San Vittore était devenue le symbole de Tangentopoli, du nom donné dans la presse à un énorme scandale touchant la corruption des milieux d'affaires et de l'administration. Des magistrats pleins de zèle avaient fait arrêter des politiciens connus et des capitaines d'industrie et les avaient jetés en prison pour leur faire avouer les pots-de-vin qu'ils avaient versés ou reçus. Mais, avant même tout procès, cette incarcération de notables, aux côtés de trafiquants de drogue ou de mafieux, avait suscité de vives controverses. Les droits de l'homme étaient bafoués, avait-on dit. Et les protestataires affirmaient que les conditions de détention avaient causé deux suicides parmi les politiciens et les industriels emprisonnés.

Les avocats de Patrizia s'étaient battus pour que son emprisonnement fût transformé en assignation à résidence. Ils faisaient valoir des raisons médicales et psychologiques, citant ses attaques périodiques d'épilepsie, suite de l'opération de sa tumeur cérébrale. Ces efforts avaient été vains, et chaque jour passé à San Vittore éloignait davantage Patrizia du monde doré dans lequel elle avait réussi à se faire une place.

Au début, Patrizia avait eu des rapports conflictuels avec les autres détenues. « Pour elles, je suis une privilégiée qu'on a toujours gâtée et à qui on n'a rien refusé, et elles trouvent normal que je le paie. » De fait, on la conspua, on lui cracha dessus, et on lui lança à la tête un ballon de volley-ball lors d'une pause de détente dans la cour principale. Patricia fit valoir ces incidents pour demander la permission de s'isoler dans un autre jardin aux heures de récréation. Le directeur de San Vittore était un homme compréhensif qui essayait de soutenir le moral des détenus, en dépit de l'encombrement de la prison. Il donna donc son accord. Mais quand Patrizia sollicita l'autorisation d'installer un réfrigérateur dans sa cellule (c'était pour y conserver les pâtés à la viande et autres mets recherchés que sa mère lui apportait le vendredi), il opposa un refus. Refus réitéré, lorsqu'elle offrit de faire don d'un réfrigérateur pour chaque cellule. Patrizia soupira, se résigna à la triste nourriture de la prison, et regarda la télévision – parfois jusqu'à une heure avancée de la nuit – dans sa cellule aux murs gris.

Cette cellule ne mesurait pas plus de six mètres carrés. Deux lits superposés, deux lits d'une personne, deux chaises, une table et deux placards s'alignaient le long des murs, laissant au milieu un étroit passage. Une petite entrée au bout de la cellule donnait sur une pièce minuscule : évier et toilettes dans un coin, table et chaises au coin opposé pour les repas que le personnel de la prison apportait trois fois par jour et qui transitaient par une ouverture dans la porte en fer de la cellule. Patrizia passait ses journées en chien de fusil sur l'un des deux litsgigognes, celui du bas. Elle avait collé au mur une photo de Padre Pío, futur béatifié dont l'image circulait partout.

Au début, elle refusa de frayer avec ses codétenues : Daniela, emprisonnée pour banqueroute frauduleuse, et Maria, une Roumaine accusée de prostitution. S'isolant sur sa couche, elle feuilletait des revues et en arrachait les photos de toilettes qui lui plaisaient. Silvana la dorlotait au maximum, lui apportant des chemises de nuit, de la lingerie en soie et en mousseline, des crèmes pour le visage, du rouge à lèvres et son parfum favori, Paloma Picasso. Patrizia écrivait des lettres très affectueuses à ses filles. Les enveloppes étaient closes par un autocollant orné de cœurs et de fleurs et portant le nom de Patrizia Reggiani Gucci, qu'elle refusait d'abandonner. Elle interdisait à Alessandra et Allegra de lui rendre visite, excepté à Noël et à Pâques : la prison, selon elle, n'était pas l'endroit où deux jeunes filles devaient rendre visite à leur mère.

Deux fois par semaine, les gardiens la conduisaient jusqu'au bout du grand hall où se trouvait une cabine téléphonique à jetons. Outre sa bibliothèque, ses ateliers de couture et sa chapelle, San Vittore avait un salon de coiffure. Une fois par mois, Patrizia, par autorisation spéciale du directeur, y recevait la visite d'un spécialiste renommé du cheveu, Cesare Ragazzi, qui soignait l'implant qu'on lui avait fait après son opération au cerveau pour cacher la cicatrice. La nuit, Patrizia avait des insomnies et lisait des bandes dessinées pour s'endormir. Elle ne pensait qu'au procès qui approchait.

Pina, craignant que Patrizia ne rejetât tout le blâme sur elle, rompit leur pacte de silence et raconta à Nocerino toute l'histoire sordide du crime : elle insista sur le rôle de Patrizia, seul auteur du plan criminel. La confession de Pina était une confirmation de ce que Savioni avait déclaré à Ninni, le jour de son arrestation. Nocerino fut enchanté. Malgré la peine inutile qu'il avait prise, deux ans durant, à enquêter sur les affaires de Maurizio, il eut le temps, avant l'ouverture du procès en mai 1998, d'accumuler une quantité impressionnante de témoignages contre Patrizia – cela remplissait cinquante-trois cartons de dossiers. Les avocats de la défense durent dépenser une petite fortune pour photocopier toutes les pièces, et les employés du tribunal transportaient infatigablement ces cartons sur des chariots de métal. Outre les confessions de Pina et de Savioni, Nocerino avait des milliers de pages de transcriptions d'appels téléphoniques – dont ceux de Patrizia et de ses coaccusés – sans compter les dépositions d'amis, de serviteurs, de voyants, et de médecins ou d'avocats qui avaient connu le couple Gucci. En automne 1997, il y eut même une perquisition dans la cellule de Patrizia qui permit de découvrir un relevé bancaire de Monte-Carlo, au nom de code « Lotus », qui attestait des retraits correspondant aux sommes que Pina et Savioni affirmaient avoir reçues. En marge du document, Patrizia avait écrit la lettre P – pour Pina. Nocerino avait pu consulter les journaux personnels de Patrizia, confisqués par la police lors de son arrestation. Mais il n'avait pas obtenu d'aveux de la bouche de Patrizia, aucune déclaration concernant sa participation au crime. Et cela l'ennuyait profondément.

De sa place, Patrizia regardait d'un air absent la cage d'acier peinte en marron – c'est désormais un élément normal du décor des tribunaux italiens – installée le long du mur de droite de la salle au plafond élevé. Car en Italie, même si l'accusé est présumé innocent jusqu'à preuve du contraire, les gens inculpés pour un crime de sang doivent assister à leurs procès dans ces cages. Dedans, Benedetto Ceraulo, le tueur présumé, et Orazio Cicala, le conducteur présumé de la voiture dans laquelle Ceraulo avait pris la fuite, les bras accrochés aux barreaux, examinaient la foule de journalistes, d'avocats et de curieux. Ceraulo, un homme de quarante-six ans, vêtu sous sa veste d'une chemise à col boutonné, les cheveux noirs récemment coupés et peignés avec soin, lançait des regards mauvais à la foule. Il avait proclamé son innocence

– l'on n'avait pas de preuve directe de son rôle dans le meurtre, même si Nocerino croyait avoir rassemblé assez de présomptions pour obtenir sa condamnation, y compris la confession de Savioni qui désignait Benedetto comme étant l'assassin. À côté de lui, se tenait Cicala : cet homme voûté et chauve de cinquante-neuf ans était affublé d'une veste trop grande qui avait l'air de pendre sur un cintre : deux ans de prison avaient fait perdre au marchand de pizza banqueroutier plus de quinze kilos et presque tous ses cheveux.

Assise en avant de Patrizia, exhibant une chevelure flamboyante et un dessin de tigre sur son sweat, Pina refusait de regarder son ex-amie. De temps en temps, elle se penchait pour glisser un mot à son avocat, Paolo Traini, un type corpulent et souriant qui ponctuait ses discours en brandissant des lunettes bleu vif – cette gestuelle fut imitée par d'autres avocats à la cour de Milan. Ivano Savioni, le portier de l'hôtel Adry, le visage morose, les cheveux noirs plaqués en arrière avec du gel, en chemise rose et complet noir, restait silencieux, affalé sur la banquette, à la droite de Patrizia.

Une sonnerie se fit entendre, les murmures s'arrêtèrent et le juge Renato Lodovici Samek entra d'un pas rapide dans la salle, suivi de son assistant vêtu comme lui de la robe noire traditionnelle. Après les deux magistrats, vinrent les six jurés et leurs deux suppléants : tous en costume de ville avec une grande écharpe, en travers de la poitrine, aux couleurs du drapeau italien, blanc, rouge et vert. Les nouveaux arrivants se placèrent en file indienne derrière l'estrade qui faisait face à la salle d'audience. Samek et son assistant s'assirent, et les jurés s'installèrent de part et d'autre. Les gardes du tribunal firent alors évacuer les cameramen et les photographes : ils n'avaient pas le droit d'assister aux débats proprement dits.

— Si j'entends encore la sonnerie d'un portable, son propriétaire sera prié de quitter la salle, déclara Samek en jetant des regards furieux au public, après avoir tenté, en vain, de commencer l'audience dans le bruit des *telefonini*.

D'apparence soignée, le front légèrement dégarni, l'air toujours imperturbable, Samek s'était rendu célèbre le jour où, en 1988, des coups de feu avaient retenti dans la salle d'audience de haute sécurité installée sous la prison San Vittore, tandis qu'il y dirigeait le procès d'un parrain de la mafia, Angelo Epaminonda – homme des plus dangereux qui avait à son actif toute une série de meurtres. Cherchant à se mettre à l'abri, les avocats et ses collaborateurs plongeaient sous les tables et les chaises, mais Samek s'était levé d'un bond en réclamant à grands cris le retour à l'ordre, se retrouvant seul debout dans toute la salle. Au cours de la fusillade – un règlement de comptes entre factions rivales – deux carabiniers avaient été sérieusement blessés. Déterminé à bien montrer que l'État n'avait cure de ces débordements de violence, Samek avait suspendu momentanément les débats, qui reprirent l'après-midi même.

Au cours du procès Gucci, Samek se révéla un meneur de jeu tyrannique. Il imposa à la cour un emploi du temps intensif : trois jours d'audience par semaine, les autres jours étant consacrés à des rencontres avec les jurés pour passer en revue les éléments de preuve apportés par les débats. Samek, qui devait aider les jurés à prendre leur décision, comme le veut la loi italienne, exigea que, d'un bout à l'autre, le procès fût un modèle de clarté et de précision. Il ne supportait pas les questions mal formulées ni les réponses évasives, et il lui arriva de conduire lui-même l'interrogatoire de témoins. Les avocats de la défense comparaient *sotto voce* Samek au grand bas-relief en marbre de saint Ambroise, le saint patron de Milan, qui dresse sa silhouette menaçante sur le mur derrière la tribune. Dans sa main droite, il tient un fouet de cuir à sept lanières, dont il cingle deux gros balourds.

Pendant des semaines, des mois, l'Italie fut absorbée par le procès Gucci dont la presse et la télévision lui rendaient compte. Lecteurs et téléspectateurs voyaient peu à peu se dérouler une fresque épique où se mêlaient l'amour, la désillusion, le pouvoir, la richesse, le luxe, la jalousie et la cupidité.

Ce procès devint l'équivalent italien du procès O.J. Simpson aux États-Unis. « Ce n'est pas une affaire de meurtre, murmurait Dedola, l'avocat de Patrizia. Par comparaison, la tragédie grecque est un conte pour enfants. »

Le procès mit en lumière le contraste entre les existences passionnées et excessives de Maurizio et Patrizia d'un côté et celles, grises et sordides, de Pina et ses trois complices. L'abîme entre les pauvres et les riches, les très riches…

C'est ainsi que, quelques jours avant l'apparition de Patrizia au tribunal, des millions d'Italiens suivirent avec fascination à la télévision les exposés préliminaires de l'accusation et de la défense. Nocerino, le séduisant procureur à la chevelure sombre, faisait face à l'estrade où trônaient les juges, et aux caméras voisines – Samek avait accepté leur présence pour les séances d'ouverture et de clôture du procès. Nocerino donc décrivit Patrizia comme une femme en proie à une obsession, une divorcée remplie de haine, qui avait froidement, avec détermination, orchestré le meurtre de son mari pour s'approprier sa très considérable fortune.

— Je me propose de prouver que Patrizia Martinelli Reggiani a négocié le prix à payer pour l'organisation et l'exécution du meurtre de Maurizio Gucci, déclara-t-il. J'établirai que cette somme a fait l'objet de paiements échelonnés et qu'il y a eu un premier acompte, comme il y a eu un versement final pour solde de tout compte.

Les avocats de la défense, Pecorella et Dedola, ne niaient pas la haine maniaque de Patrizia pour Maurizio, et ils reconnaissaient qu'elle l'avait rendue publique partout, mais ils la dépeignaient comme une femme riche et malade manipulée par sa vieille amie, Pina Auriemma. C'était Pina et non Patrizia, affirmaient-ils, qui avait organisé le meurtre ; ensuite elle avait fait chanter Patrizia en la menaçant et avait ainsi obtenu son silence. Les 150 millions de lires (soit 93 000 dollars) que Patrizia avait versés avant le meurtre étaient un prêt généreux fait à une vieille amie dans le besoin. Les 450 millions de lires payés ultérieurement lui avaient été extorqués par ladite amie, à force de menaces visant Patrizia et ses enfants. La preuve, disait encore Dedola de sa belle voix de baryton, c'était une lettre de trois lignes, écrite et signée par Patrizia puis déposée par elle dans le coffre d'un notaire en 1996, lettre dont il donna lecture : « J'ai été forcée de payer des centaines de millions de lires pour ma sécurité et celle de ma famille. Si quelque chose devait m'arriver, ce serait parce que je connais le nom de la personne qui a tué mon mari : Pina Auriemma. »

L'éloquence de Dedola et la lettre de Patrizia ne devaient pas suffire à parer le coup sévère que reçut la défense en ce matin gris – une confession coup de théâtre d'Orazio Cicala, le conducteur de l'auto qui avait permis la fuite de l'assassin. La stratégie de la défense perdit toute son efficacité en face de la bizarre histoire que Cicala raconta très simplement dans son dialecte sicilien. C'était l'histoire d'une princesse qui voulait se venger, Patrizia, et d'un pauvre homme, lui-même.

Les gardes avaient fait sortir Cicala de sa cage et lui avaient permis de prendre place à côté de son avocate. Ils formaient un couple curieux à voir : la jeune et brillante avocate qui tenait l'auditoire sous le charme de sa voix richement modulée et de sa beauté brune, et la triste figure de Cicala émacié et voûté, Cicala ruiné par le jeu et sous le coup d'une accusation de meurtre.

Offrant à la cour le trou béant de sa bouche édentée, Cicala évoqua le jour où Savioni était venu lui dire qu'il connaissait une femme qui voulait faire assassiner son mari. « D'abord je lui ai répondu que cela ne m'intéressait pas, mais le lendemain il est revenu à la charge, et cette fois je lui ai répondu : "Oui, mais cela coûtera cher." Quand il m'a demandé : "Combien ?" Je lui ai dit : "À peu près un demi-milliard de lires." Ils sont revenus me voir et m'ont dit : "D'accord." J'ai dit que je voulais une moitié avant et l'autre après. »

Cicala, qui était accablé de dettes, fut ravi, confia-t-il, de recevoir de Pina et Savioni 150 millions de lires au cours de l'automne 1994. Le paiement fut échelonné : il recevait l'argent dans des enveloppes scellées. Mais Cicala ne fit rien pour organiser le meurtre. Quand Pina et Savioni mirent la pression sur lui, il mentit pour gagner du temps. Il expliqua que les tueurs qu'il avait engagés s'étaient fait arrêter, que la voiture qu'il avait volée en vue de l'opération avait disparu.

« Quand ils m'ont demandé de rendre l'argent, je leur ai dit que je l'avais déjà remis à ces gens et que je ne pouvais rien faire. »

Patrizia, qui écoutait impassible sur sa banquette, parut soudain se sentir mal et une infirmière se précipita auprès d'elle, une seringue à la main, voulant savoir si elle désirait qu'elle lui fît une piqûre. Patrizia prenait des médicaments pour soigner les crises auxquelles elle était sujette depuis son opération et ses avocats s'étaient arrangés pour qu'une infirmière assistât Patrizia pendant le procès. Ils espéraient aussi que l'uniforme de l'infirmière influencerait le public et les jurés en sa faveur.

Habituée à jouer le personnage de la femme forte, Patrizia refusa la piqûre, et réclama un simple verre d'eau.

Cicala décrivit la rencontre avec Patrizia qui précipita les événements. Jusqu'à la fin de 1994, Patrizia n'avait eu de rapports qu'avec Pina, qui ensuite transmettait les informations et faisait passer l'argent à Savioni et à Cicala. Mais au début de 1995, Patrizia, frustrée de voir que l'on en était au point mort, et se demandant avec inquiétude si on ne l'escroquait pas, décida de passer par-dessus la tête de Pina et de prendre l'affaire en main.

— Un après-midi – ce devait être fin janvier ou début février, car il faisait froid – j'étais chez moi et l'on a sonné à la porte. C'était Savioni. Je suis descendu avec lui et il m'a glissé à l'oreille : « Elle est dans la voiture. »

— Lui avez-vous demandé ce qu'elle faisait là ? s'enquit Nocerino, de sa place, à la gauche du tribunal.

— Non, je n'ai rien dit. J'ai ouvert la porte arrière et je suis entré dans l'auto : sur la banquette avant il y avait une dame avec des lunettes noires qui s'est présentée : c'était Patrizia Reggiani.

Cicala expliqua au procureur qu'à ce moment-là il savait que c'était elle qui voulait tuer son ex-mari, Maurizio Gucci.

— Elle s'est retournée et m'a demandé combien j'avais reçu d'argent, ce que j'en avais fait et où en était l'affaire. Je lui ai répondu que j'avais reçu 150 millions de lires, que j'avais trouvé les gens, mais qu'ils avaient été arrêtés et qu'il me fallait plus d'argent et plus de temps. Alors elle a répliqué : « Si je te donne plus d'argent, tu dois me garantir que la chose sera faite, parce que nous avons peu de temps pour agir. Il se prépare à partir en croisière et il sera absent pendant des mois. »

Cicala respira profondément, demanda un verre d'eau et ajouta :

— Nous en arrivons au point capital.

Il regarda l'auditoire comme s'il attendait une confirmation.

— S'il vous plaît, continuez, dit Nocerino.

— Elle me répondit que ce n'était pas une question d'argent. La question, c'est que le travail devait être bien fait. Alors je lui ai demandé : « Si je fais le travail moi-même et qu'il m'arrive quelque chose, quelle sera ma situation ? » Et elle m'a dit : « Écoute, Cicala, si tu t'arranges pour qu'on ne parle pas de moi et que l'on t'arrête, les murs de ta cellule seront matelassés d'or. » Alors, je lui ai expliqué que j'avais cinq enfants, cinq enfants que j'avais réduits à la rue. Là-dessus, elle ajouta : « Il y aura assez d'argent pour toi, pour tes enfants et pour les enfants de tes enfants. »

Cicala leva les yeux et supplia la cour, le procureur et son avocate de bien vouloir l'excuser pour ce qu'il allait dire :

— À ce moment, j'ai compris que j'avais enfin la chance d'assurer une bonne fois le sort de ma famille, de mes enfants que j'avais ruinés.

À partir de cet instant j'étais bien décidé à faire la chose. Quand et comment, je ne le savais pas, mais j'étais décidé à la faire.

Au cours des semaines suivantes, Pina lui téléphona tous les jours et l'inonda d'un flot d'informations sur les déplacements de Maurizio Gucci, expliqua Cicala. « On ne parlait plus que de lui. »

Convaincu qu'il ne pourrait pas exécuter le meurtre lui-même, Cicala fit appel aux services d'un homme de main, qu'il décrivit comme un trafiquant de drogue au petit pied qu'il connaissait. Samek lui jeta un coup d'œil sceptique, tandis que Nocerino avait l'air consterné. Cicala nia en effet que Benedetto Ceraulo – l'homme dans la cage qui jetait des regards mauvais autour de lui – fût l'assassin. Il prétendit qu'il avait peur de donner le nom de l'homme car celui-ci était toujours en liberté. Personne ne le crut, mais il n'y avait rien à faire : en Italie un accusé qui dépose dans son propre procès n'est pas tenu de dire la vérité, toute la vérité, rien que la vérité.

Le soir du dimanche 26 mars, Pina, qui savait que Maurizio venait de rentrer d'un voyage d'affaires à New York, appela Cicala. Elle ne prononça que quelques mots : un message crypté. « *Il pacco è arrivato.* » Le paquet est arrivé.

Le lendemain matin, Cicala vint chercher le tueur en voiture et ils roulèrent jusqu'à la via Palestro, pour y attendre l'arrivée de Maurizio.

— Nous attendîmes à peu près quarante-cinq minutes, puis nous le vîmes traverser le corso Venezia et s'engager sur le trottoir de la via Palestro.

Cicala avait jeté un coup d'œil sur sa montre : elle indiquait 8 h 40.

— Le tueur me demanda : « C'est le type ? » et j'ai acquiescé.

Cicala avait reconnu l'homme qui avançait d'un pas alerte d'après une photo que Pina lui avait donnée.

— Alors le tueur est sorti de la voiture et a pris position près de la porte de l'immeuble comme s'il voulait vérifier l'adresse. J'ai mis l'auto en marche et... c'est à ce moment que cela a eu lieu, avoua Cicala en regardant le public silencieux. Je n'ai rien vu, rien entendu ; je faisais avancer l'auto. Puis le tueur a sauté à côté de moi, et nous sommes partis en empruntant le parcours que nous avions programmé pour notre fuite. Il m'a dit qu'il pensait avoir aussi tué le concierge. Je l'ai laissé quelque part, et à 9 heures j'étais chez moi.

Quand Pina témoigna quelques semaines plus tard, elle expliqua comment Patrizia lui avait demandé d'organiser le meurtre de Maurizio.

— Nous étions comme des sœurs. (Pina portait maintenant un pull avec un motif de roses.) Elle aurait voulu agir seule, mais n'en avait pas le courage. Étant donné sa mentalité de femme du Nord, elle était persuadée que nous tous, Italiens du Sud, nous avions des liens avec la *camorra*.

Or la seule personne que Pina connaissait à Milan, où elle aidait Patrizia à mettre au point son manuscrit, était Savioni, le mari d'une de ses amies. Pina évoqua la pression permanente que Patrizia faisait peser sur elle.

— Pour elle, chaque jour qui passait était un jour de perdu. Elle me torturait quotidiennement et moi, à mon tour, je torturais Savioni, qui torturait Cicala. Je n'en pouvais plus.

Pina déclara qu'après la mort de Maurizio elle s'était effondrée. Quelques jours avant l'enterrement, elle s'était reprise et avait appelé Patrizia.

— Alors, tu as de bonnes nouvelles ? avait-elle dit.

— Oui, je me sens en pleine forme. La forme avec un grand F. Je suis finalement en paix avec moi-même, je suis sereine et les filles sont sereines. Cette chose m'a apporté une tranquillité et une joie formidables.

Pina avait confié à Patrizia qu'elle était si déprimée qu'elle prenait des tranquillisants et pensait au suicide.

— Reprends-toi donc, avait froidement répliqué Patrizia. Cette affaire est terminée, calme-toi, conduis-toi raisonnablement et ne disparais pas dans la nature.

Pina s'était installée à Rome où elle vivait grâce aux 3 millions de lires que Patrizia lui envoyait mensuellement. Une fois ses nerfs avaient lâché et elle s'était confessée à une amie. « Patrizia a acheté mon malheur », avait-elle déclaré. Cette phrase revint constamment dans les journaux et les débats, comme un refrain du procès.

Au cours des débats, Pina se mit en colère à plusieurs reprises devant les efforts de Patrizia pour lui faire porter la responsabilité du meurtre. Elle tenta même une fois de lui rendre la pareille. Elle demanda l'autorisation de témoigner spontanément devant la cour. Samek ayant donné son accord, Pina se leva et accusa la mère de Patrizia, Silvana, d'avoir été au courant du projet d'assassinat, et même d'avoir pris contact, plusieurs mois avant le meurtre, avec un Italien nommé Marcello, qui avait des liens avec les gangs chinois, nombreux à Milan. Comme on n'était pas parvenu à s'entendre sur le prix, cette tentative avait été vaine. Nocerino, de son côté, avait reçu un message d'Enzo, le demi-frère de Patrizia, depuis longtemps installé à Saint-Domingue, dans lequel il accusait Silvana d'être non seulement la complice de Patrizia, mais d'avoir dans le passé hâté la mort de *papa* Reggiani pour mettre la main sur sa fortune. Enzo, qui avait de permanents problèmes financiers, avait jadis intenté un procès à Silvana pour obtenir une part plus importante de la fortune de son père – et il l'avait perdu. Silvana avait rejeté avec vigueur les allégations de son beau-fils et soutenu qu'au contraire ses soins avaient permis à son époux défunt de vivre plus longtemps que ne le prévoyaient les médecins.

Les journaux sautèrent sur l'histoire, et parlèrent de ce couple mère-fille qui formait une équipe de *prédateurs*, tandis que le procureur lançait une enquête pour examiner le bien-fondé des accusations contre Silvana. Finalement, il ne sortit rien des dites accusations et Silvana nia toute participation dans le meurtre de Maurizio comme dans celui de son mari.

Certaines dépositions émurent le public – l'éphémère collectivité d'avocats, de journalistes, de collaborateurs divers, et de curieux présents chaque jour à l'audience. Ainsi Onorato, le portier de la via Palestro, qu'on fit venir de Sicile, et qui glaça tous les assistants par son compte rendu de témoin oculaire décrivant le meurtre ainsi que le coup de feu tiré contre lui, auquel il avait survécu par miracle. Alda Rizzi, l'ancienne intendante de Gucci, stupéfia l'auditoire quand elle évoqua sa conversation téléphonique angoissée avec Patrizia, le matin du meurtre : sur le fond sonore d'une musique classique jouée à plein régime, elle avait entendu la voix sereine et indifférente de Patrizia. Antonietta Cuomo, la voyante de Maurizio, raconta comment elle tentait de le protéger contre les mauvais esprits et de le rassurer sur ses projets d'affaires. Paola Franchi – qui n'avait rien pu obtenir de la succession – narra dans tous les détails (pendant quatre heures, et sans jamais regarder Patrizia qui suivait son exposé l'air indifférent) ses amours avec Maurizio et leurs projets de mariage. Au cours du procès, les deux femmes désignèrent Maurizio comme leur mari, alors qu'il n'était marié ni à l'une ni à l'autre au moment de sa mort. Vêtue d'une robe de lin richement brodée, faisant briller ses boucles d'oreilles et ses bagues en diamant, Paola croisait et décroisait ses longues jambes bronzées, tandis que le public fasciné suivait des yeux le bracelet d'or que sa cheville fine balançait de façon provocante.

« Ce qui peut maintenant arriver de mieux à Patrizia, déclara Paola aux journalistes après sa déposition, c'est qu'on l'oublie complètement. »

Les audiences se poursuivirent. Policiers et enquêteurs reconstituèrent le crime et rappelèrent qu'au cours de sa première phase l'enquête s'était égarée et qu'on avait recherché le criminel parmi les relations d'affaires de Maurizio, jusqu'au moment de la volte décisive, deux ans plus tard, grâce à Carpanese et à l'inspecteur Ninni. Ensuite, un banquier venu de Monte-Carlo vint décrire les paquets de billets qu'il remettait personnellement à Patrizia dans son appartement de Milan – selon elle c'était un prêt à sa bonne amie Pina.

— S'il s'agissait d'un prêt, pourquoi ne faisiez-vous pas opérer un virement de banque à banque ? demanda l'un des deux avocats de Pina, Paolo Trofino, Napolitain grand et maigre, aux longs cheveux tombant sur les épaules.

— Je ne sais même pas ce que c'est qu'un virement de banque à banque, répondit Patrizia avec nonchalance lors de son témoignage. Je fais toutes mes opérations bancaires en espèces.

Des médecins parlèrent de la maladie de Patrizia, des avocats détaillèrent les articles de son règlement de divorce, des amis rapportèrent les propos vengeurs qu'elle tenait contre Maurizio. Les témoins se succédaient à la barre tandis que Patrizia écoutait et rassemblait ses forces.

En juillet, elle fit elle-même sa déposition. Bien coiffée, les ongles faits, elle portait un élégant ensemble vert pistache de grand couturier. Patrizia témoigna trois jours de suite ; préparée à l'avance, sa déposition réfutait ingénieusement toutes les charges portées contre elle. Elle avait retrouvé son style d'antan : elle se montra orgueilleuse, tranchante, arrogante, catégorique, et d'une lucidité comparable à celle de Nocerino. Trois psychiatres, désignés par la cour, assistaient au procès. Ils devaient diagnostiquer ensuite un trouble narcissique de la personnalité et la déclarèrent égocentrique, prompte à s'offenser, et portée à exagérer ses problèmes à cause d'un sens hypertrophié de sa propre importance. S'était-elle disculpée elle-même ? Répugnait-elle à confesser devant ses deux filles la vérité, à savoir qu'elle avait tué leur père ? Ou disait-elle la vérité et Pina avait-elle effectivement pris la situation en main ? Les psychiatres avaient vite tranché la question.

— Nous pouvons comprendre ses actions, déclara l'un d'entre eux à la barre, mais nous ne pouvons pas les excuser. Ce n'est pas parce qu'on a un désordre de la personnalité qu'on a le droit de tuer les gens.

Patrizia décrivit les treize premières années de son mariage comme des années de bonheur parfait. Ce bonheur avait pris fin, disait-elle, quand Maurizio avait commencé à moins l'écouter et à subir l'influence d'une série de conseillers financiers.

— Les gens disaient que nous étions le plus beau couple du monde, rappela Patrizia, mais après la mort de Rodolfo, quand au lieu d'exécuter les décisions de son père Maurizio dut prendre ses décisions lui-même, il se tourna vers une série de conseillers. Maurizio était comme un coussin qui prend la forme de la dernière personne qui s'est assise dessus, ajouta-t-elle d'un ton méprisant.

Elle détailla les règlements de séparation puis de divorce. Maurizio, explique-t-elle, lui versait des centaines de millions de lires par mois mais lui refusait tout droit sur les actifs qu'elle convoitait.

— Il me donnait des os à ronger pour ne pas me donner la chair du poulet.

Patrizia raconta qu'un jour – c'était après le jugement de divorce – elle était allée à Saint-Moritz avec ses filles et qu'elle avait trouvé la maison fermée et les serrures changées.

— Cela m'a quelque peu contrariée et j'ai appelé la police. Ils m'ont fait entrer et j'ai changé les serrures. Puis j'ai appelé Maurizio. « Qu'est-ce que c'est que cette histoire ? » lui ai-je demandé. Il m'a répondu : « Tu ne savais pas que quand un couple se sépare, on change les serrures ? » Alors j'ai expliqué : « Très bien, je viens de changer les serrures, moi aussi. On verra qui va les changer la prochaine fois. »

Patrizia reconnut qu'au cours des années sa haine de Maurizio avait pris un caractère obsessionnel.

— Pourquoi ? lui demanda Nocerino. Est-ce parce qu'il vous avait quittée ou parce qu'il vivait avec une autre femme ?

Après un court silence, Patrizia déclara :

— Je n'avais plus de respect pour lui. Il n'était plus l'homme que j'avais épousé, il n'avait plus le même idéal.

Puis, elle raconta combien elle avait été bouleversée par la façon dont Maurizio avait traité Aldo, par son départ du domicile conjugal et ses échecs en affaires.

— Mais alors pourquoi notiez-vous dans votre journal tous ses appels téléphoniques, toutes ses rencontres avec vos filles ? poursuivit Nocerino, qui lut devant la cour quelques passages du journal.

— Peut-être… peut-être parce que je n'avais rien de mieux à faire, répondit-elle sans conviction.

— On n'a pas l'impression, du moins d'après les passages que je viens de lire, que Maurizio avait abandonné sa famille, ses filles, remarqua Nocerino.

— Il pouvait leur témoigner un très vif intérêt. Il appelait ses filles et leur disait : « Entendu, je vais vous conduire au cinéma cet après-midi. » Elles se rendaient au cinéma, elles l'attendaient et il n'apparaissait pas. Et le soir, il téléphonait et disait : « Oh ! mes chéries, je suis désolé, j'ai oublié. Si on se voyait demain ? » Et cela continuait comme ça indéfiniment.

— Et ces mentions sur le journal : « *Paradeisos* », le jour du meurtre, et dix jours avant le meurtre : « Il n'y a pas de crime que l'on ne puisse acheter avec de l'argent. » Comment les expliquez-vous ?

— Depuis que je travaillais sur mon manuscrit, répliqua froidement Patrizia, je notais sur mon journal les mots, les citations qui m'intéressaient ou m'intriguaient, rien de plus.

— Et les menaces que l'on trouve écrites dans votre journal, la cassette que vous lui avez envoyée, où vous disiez que vous ne lui laisseriez pas un moment de paix ?

— Quelle serait votre réaction si vous étiez à l'hôpital, que les docteurs ne vous donnent que quelques jours à vivre, que votre mère conduise vos filles chez votre mari pour lui dire : « Ta femme est mourante » et que le mari réponde « Je suis trop occupé, je n'ai pas le temps de venir » – et vos filles vous voient partir sur une civière sans savoir si elles reverront leur mère vivante ? Oui, quelle serait votre réaction ?

— Et la liaison avec Paola Franchi ? insista Nocerino.

— Chaque fois que nous nous parlions, Maurizio me disait : « Tu sais, je vois maintenant une femme qui est le contraire de toi. Elle est grande, blonde aux yeux verts, et marche trois pas derrière moi. »

338

D'après mes informations, il avait eu d'autres grandes blondes qui le suivaient à trois pas derrière. Je ne leur ressemblais pas.

— Et l'idée qu'ils puissent se marier ne vous ennuyait pas ?

— Non, parce que Maurizio m'avait dit que, le jour où il obtiendrait le divorce, il ne voudrait plus d'une femme à ses côtés.

Patrizia déclara qu'elle n'avait appris par Pina le complot ourdi pour le meurtre de Maurizio que quelques jours après l'événement. Les deux femmes se promenaient ; elles s'étaient arrêtées devant les jardins Invernizzi, derrière l'appartement du corso Venezia, pour observer les flamants roses allant et venant sur les pelouses bien entretenues.

— « Alors, m'a dit Pina, tu es contente du cadeau que nous t'avons fait ? Maurizio a disparu. Tu es libre. Savioni et moi, nous n'avons pas une lire. Tu es la poule aux œufs d'or. »

Pina – son amie de plus de vingt-cinq ans, la femme qui était à son côté lors de la naissance d'Allegra, qui l'avait assistée à l'occasion du départ de Maurizio, et de son opération – était devenue « arrogante, brutale et vulgaire », et l'avait menacée, elle et ses filles, si elle ne payait pas 500 millions de lires pour la mort de Maurizio.

— Je me suis sentie mal, je lui ai demandé si elle n'était pas devenue folle. Je lui ai dit que j'irais à la police. Elle m'a répondu que, si je le faisais, ce serait elle qui m'accuserait : « Tout le monde sait que tu as raconté partout que tu cherchais un assassin pour te débarrasser de Maurizio. » Et puis elle a ajouté : « N'oublie pas, il y a eu un mort, mais il pourrait facilement y en avoir trois (une allusion à Patrizia et aux deux filles). » Et elle m'a dit qu'elle voulait 500 millions de lires.

De sa place, à quelques banquettes de là, Pina poussait des grognements très audibles en levant les bras au ciel et en secouant la tête d'un air écœuré.

— Pourquoi ne pas vous être révoltée ? Pourquoi ne pas être allée à la police ? demanda Nocerino.

Patrizia le regarda comme si la réponse allait de soi.

— Parce que j'avais peur du scandale qui allait éclater, comme on peut le voir aujourd'hui. Et, en outre (sa voix était nonchalante), la mort de Maurizio était ce que je désirais depuis tant d'années. Ce qu'elle demandait me paraissait un prix raisonnable à payer pour sa mort.

Nocerino rappela à Patrizia que, dans les mois qui avaient suivi la mort de Maurizio, Pina et elle s'étaient parlé presque quotidiennement au téléphone, qu'elles étaient parties ensemble en croisière sur le *Creole*, et qu'elles avaient passé quelques jours de vacances à Marrakech.

— Vos relations offraient l'image parfaite d'une amitié intime entre deux femmes, ce n'étaient pas les rapports de la victime d'un chantage avec son maître chanteur, souligna-t-il.

— Pina m'avait signalé que nos téléphones étaient probablement sur écoute, et que ni ma voix ni mes discours ne devaient laisser deviner la moindre tension entre nous : notre comportement devait sembler normal, expliqua Patrizia sans ciller.

En septembre, Silvana vint à la barre pour témoigner en faveur de sa fille. Elle portait un pantalon marron, une veste à carreaux assortie et avait rejeté en arrière ses cheveux roux. D'après elle, Pina faisait ce qu'elle voulait de Patrizia, et « décidait tout : ce qu'elles mangeraient à dîner comme l'endroit où elles iraient en vacances ». Appuyant ses doigts noueux sur sa canne à pommeau d'argent et promenant autour d'elle le regard éteint de ses yeux bruns, elle déclara :

— Pina avait vampirisé son cerveau.

Mais elle reconnut que Patrizia parlait ouvertement de sa recherche d'un tueur pour liquider Maurizio et que, pour sa part, elle ne s'en inquiétait pas.

— Elle en parlait comme elle aurait dit : « Veux-tu que nous allions prendre le thé quelque part ? » Je n'ai jamais attaché beaucoup d'importance à ses paroles, malheureusement…

Samek regarda Silvana par-dessus ses lunettes.

— Pourquoi *malheureusement ?*

— Parce que j'aurais dû l'empêcher de dire de pareilles sottises, répliqua Silvana.

— Hum (Samek avait l'air de penser à voix haute), ce *malheureusement* ne me convainc pas vraiment.

Fin octobre, Nocerino prononça son réquisitoire final qui dura deux jours. Il ne négligea aucun détail de l'affaire. Samek avait retiré ses lunettes ; renversé dans son fauteuil de cuir au dossier élevé, il écoutait avec attention. La caméra de la télévision avait reparu et filmait Nocerino.

— Patrizia Martinelli Reggiani a rejeté catégoriquement l'accusation qui pèse sur elle, à savoir qu'elle aurait commandité le meurtre de Maurizio Gucci. (Les mots de Nocerino retentissaient sous la haute voûte de la salle d'audience.) Elle nous a proposé sa version des faits : Pina Auriemma lui aurait fait cadeau de ce meurtre et l'aurait menacée pour obtenir qu'elle paie les meurtriers. Telle est sa défense. Mais c'est une position indéfendable. (La voix de Nocerino baissa un instant puis reprit de la puissance.) Patrizia Martinelli Reggiani était une dame de la bonne société dont l'orgueil avait été profondément blessé par son mari. *Seule la mort de celui-ci pouvait cautériser cette blessure.* (Nocerino cria presque ces mots, tourné vers la cour.) Et, après cette mort, elle parle de sérénité retrouvée, elle écrit le mot *Paradeisos* sur son journal et cela nous éclaire quant à son état d'esprit.

En conclusion de son réquisitoire, Nocerino réclama, pour les cinq accusés, la peine la plus sévère qu'autorise la loi italienne : la prison à perpétuité. Patrizia annonça aussitôt qu'en guise de protestation elle ferait la grève de la faim.

Quand ses défenseurs prononcèrent leurs plaidoiries, les filles de Patrizia, Alessandra et Allegra, vinrent à l'audience pour la première fois depuis le début du procès. Serrées contre leur grand-mère, elles avaient pris place sur la dernière banquette, alors que Patrizia était assise au premier rang, entre ses avocats.

Dedola prit la parole, sa voix vibrante de baryton remplissant la salle.

— Une voleuse s'est approprié le désir que Patrizia avait de voir son mari mort, une voleuse a pris l'affaire en main, cette *voleuse* est dans la salle. Cette voleuse, c'est Pina Auriemma !

Pendant les pauses qui ponctuèrent la plaidoirie de Dedola, Patrizia vint embrasser ses filles, qu'elle n'avait vues qu'à de rares reprises depuis son arrestation. Les flashs des paparazzi, qui avaient envahi la salle, crépitèrent quand Patrizia étreignit ses filles. Celles-ci tendirent à Patrizia un sac de carottes qu'elles lui avaient apporté pour qu'elle ait quelque chose à manger pendant sa grève de la faim. Vu la foule des curieux, aucune véritable intimité n'était possible, et les trois femmes ne purent qu'échanger à mi-voix des propos embarrassés.

Le 3 novembre, dernier jour du procès, le ciel, le bâtiment et les rues étaient d'un gris uniforme. Samek ouvrit la séance à 9 h 30 et annonça que le verdict serait rendu dans l'après-midi. Puis il autorisa chacun des accusés à faire une déclaration.

La première à se lever fut Patrizia. Elle portait un tailleur Yves Saint Laurent à très fines rayures noires, sur lequel elle avait jeté une parka à capuche de vinyle doublée d'un tissu argenté. Elle avait écarté le projet de déclaration élaboré par ses avocats et décidé de parler comme elle l'entendait.

— Je me suis montrée naïve au point que c'était de la stupidité pure et simple. Je me suis laissé embobiner contre ma volonté, et je nie absolument toute complicité dans le crime.

Ensuite, Patrizia répéta un vieil adage qu'elle affirma tenir d'Aldo Gucci :

— Ne laissez jamais entrer dans votre poulailler un loup qui se dit votre ami. Tôt ou tard, il aura faim.

L'attitude de Silvana laissait voir qu'elle désapprouvait l'entêtement de sa fille et son refus de lire la déclaration préparée par ses avocats.

Roberto et Giorgio Gucci qui, ce soir-là, regardèrent la télévision – l'un à Florence, l'autre à Rome – eurent chacun une crise de fureur quand ils entendirent Patrizia invoquer leur père dans l'affaire sordide dont elle portait la responsabilité.

Dans l'après-midi, un flot de journalistes, de cameramen, de camions de la télévison se dirigea vers le tribunal. Les murmures montèrent dans la salle lorsque les gardes firent entrer Patrizia et ses quatre coaccusés. Patrizia, pâle, cireuse, des yeux immenses, prit place entre ses avocats, tandis que Nocerino posait sa main sur le bras de Togliatti, le jeune carabinier qui avait travaillé à ses côtés pendant les trois dernières années. Il lui murmura à l'oreille :

— *Mi raccomando*, quoi qu'il arrive, contrôle-toi. Ne te laisse pas aller.

Nocerino savait que Togliatti, qui était très émotif, s'était totalement investi dans l'enquête sur le meurtre Gucci, et Nocerino ne voulait de sa part aucune manifestation intempestive de joie ou de déception.

Tous les yeux suivaient la collaboratrice de Samek qui faisait la navette entre la salle et le bureau du juge. La salle était comble, seules Silvana, Alessandra et Allegra étaient absentes. En fin de matinée, après les ultimes déclarations des accusés, elles étaient allées se recueillir à Santa Maria delle Grazie, où des milliers de touristes viennent admirer chaque année la *Cène* de Léonard de Vinci. Elles y avaient allumé trois cierges : un cierge pour Sant'Espedito, le saint patron des promptes indulgences (comme Patrizia le leur avait demandé) ; un deuxième pour Patrizia, et le dernier pour Maurizio. Tandis que Silvana et Allegra revenaient du corso Venezia, Alessandra partait pour Lugano, où elle avait son propre appartement et suivait les cours de préparation aux affaires de la succursale locale de la célèbre université milanaise, la Bocconi. Elle glissa dans sa manche trois images saintes (Sant'Espedito, la madone de Lourdes, saint Antoine) et voulut aller en salle de cours. Mais les images de sa mère, des avocats, du juge, l'empêchaient de se concentrer, alors elle revint chez elle. Elle regarda son film favori – *La Belle et la Bête*, de Disney – et pria.

À 17 h 30, après sept heures de délibérations, la sonnerie retentit, et Samek entra d'un pas rapide, suivi de son assistant et des six jurés. Pendant quelques secondes les photographes et les cinéastes de la télé opérèrent avec frénésie, dans un crépitement de flashs.

Samek jeta un bref regard sur la foule avant de lire la feuille de papier qu'il avait à la main : « Au nom du peuple italien… »

Patrizia et ses quatre complices étaient jugés coupables du meurtre de Maurizio Gucci. Samek donna lecture des sentences : Patrizia était condamnée à vingt-neuf ans de prison, Orazio Cicala à vingt-neuf ans, Ivano Savioni à vingt-six ans et Pina Auriemma à vingt-cinq ans. En dépit des efforts de Nocerino, seul Benedetto Ceraulo, l'exécutant, était condamné à la prison à perpétuité. La foule murmura.

Les caméras de la télévion étaient braquées sur Patrizia. Quand Samek, dont elle ne lâchait pas le visage, avait lu la sentence qui la frappait, elle avait eu un battement de cils et son regard s'était abaissé, pour ensuite se relever. Elle était restée impassible tandis qu'il finissait la lecture du document, pliait le papier et sortait de la salle à pas rapides. Il était 17 h 20.

La foule se précipita vers les premiers rangs. Les journalistes et les caméras entourèrent Patrizia blottie entre les robes noires de ses avocats

— La vérité est fille du temps, dit-elle.

Elle se refusa à tout autre commentaire. Dedola appela sur son portable l'appartement du corso Venezia où Silvana et Allegra attendaient le verdict.

Au moment où Samek avait lu le verdict, le sang était monté au visage de Togliatti. Il ne connaissait pas de cas où le commanditaire d'un meurtre avait été frappé d'une peine inférieure à celle de l'exécutant. Il jeta un regard à Nocerino, ravala sa colère et s'enfuit de la salle d'audience, tout en se livrant à un bref calcul : vingt-neuf ans ? Cela voulait dire que Patrizia pourrait sortir de prison dans douze à quinze ans. Elle aurait entre soixante-deux et soixante-cinq ans. Togliatti, qui avait suivi bien des affaires de meurtre, se sentit écœuré.

Dans sa cage, Benedetto Ceraulo, de plus farouche humeur que jamais, s'accrochait aux barreaux et cherchait dans la foule sa jeune femme qui venait d'être mère et s'était évanouie.

— Je savais que cela finirait comme ça, cria Ceraulo. On dirait qu'ils ont découvert l'Amérique ! Je ne peux que crier mon innocence. Je suis juste un singe dans sa cage.

En dépit des lourdes peines de prison qu'on leur avait infligées, Pina, Savioni et Cicala poussèrent un soupir de soulagement : ils avaient échappé à la perpétuité. Ils se consultaient avec leurs avocats. Avec des remises de peine pour bonne conduite, ils pouvaient se trouver en liberté dans quinze ans ou moins encore.

Un document écrit, diffusé ultérieurement par Samek, fait connaître le raisonnement qui motive chacune des sentences. Dans le cas de Patrizia, Samek insiste sur la gravité de son crime, tout en reconnaissant l'impact sur sa conduite du trouble « narcissique » de la personnalité diagnostiqué par les psychiatres. C'est ainsi qu'il justifie la peine de vingt-neuf ans au lieu de l'emprisonnement à perpétuité.

« Maurizio Gucci a été condamné à mort par son ex-femme, laquelle a su trouver des gens prêts à satisfaire les exigences de sa haine en échange d'argent… Elle a cultivé cette haine jour après jour, n'a montré aucune pitié pour un homme – le père de ses enfants – qui était jeune, en bonne santé, et finalement serein – un homme qu'elle avait aimé. Maurizio Gucci avait certainement ses défauts : il n'était peut-être pas le plus présent des pères, ni le plus attentionné des ex-époux. Mais il avait surtout un tort impardonnable aux yeux de sa femme : il l'avait dépouillée, par leur divorce, d'un formidable patrimoine et d'un nom qui jouissait d'une audience internationale, sans compter le statut, les avantages et les prérogatives diverses qui s'y rattachaient. Et cela, Patrizia Reggiani n'entendait pas y renoncer. »

Samek disait que ce qui rendait le comportement de Patrizia particulièrement inexcusable, c'était la gravité du crime, la très longue préméditation, la motivation économique, l'indifférence complète pour les liens affectifs qui l'unissaient à Maurizio (et qui persistaient encore, du fait de leurs filles), et le sentiment de libération et de sérénité qu'elle reconnaissait avoir éprouvé après sa mort.

Les troubles de la personnalité de Patrizia ne s'étaient manifestés que lorsque la vie avait déçu ses rêves et ses attentes, soulignait Samek. « Durant la longue période où la vie s'est montrée généreuse à son égard, elle n'a donné aucun signe d'une personnalité perturbée. Mais, à l'instant où ce mécanisme s'est grippé, ses réactions et sa conduite ont passé toutes les bornes de l'admissible... Patrizia Reggiani ne doit pas sous-estimer la gravité de ce qu'elle a fait – à savoir un acte d'une violence extrême, dû uniquement au fait que quelqu'un ne respectait pas ses désirs, ne satisfaisait pas son ambition, ne remplissait pas son attente. »

Maurizio Gucci était mort à cause de son nom et de sa fortune et non à cause de ce qu'il était.

Dans le salon aux murs roses de l'appartement du corso Venezia, Silvana se balançait sur les coussins rebondis du divan qui faisait face au grand portrait de Patrizia, dont les yeux bruns regardaient par-dessus la tête de sa mère.

« Vingt-neuf ans, vingt-neuf ans », répétait-elle. Comme si en les répétant elle pouvait exorciser le sens de ces mots. Allegra embrassa sa grand-mère avant d'appeler Alessandra à Lugano pour lui annoncer la nouvelle. À peine eut-elle raccroché que la sonnerie du téléphone retentit sans relâche : c'étaient des parents, des amis qui les appelaient pour les consoler.

La semaine où Patrizia fut condamnée, les boutiques Gucci dans le monde entier exposaient toutes en devanture une paire de menottes en argent – encore que, pour reprendre le terme employé par un porte-parole interrogé à ce sujet, ce ne fût qu'une « coïncidence ».

19

OPA

Le mercredi matin, 6 janvier 1999, De Sole s'apprêtait à faire une petite sieste dans sa maison de Knightsbridge après le vol qui l'avait ramené des États-Unis. Il rentrait du Colorado après des vacances de ski passées avec sa femme et leurs deux filles.

L'automne précédent, Tom Ford et lui avaient transféré les bureaux de Gucci à Londres, la production restant à Scandicci et le siège légal de la compagnie à Amsterdam comme par le passé. Ce déplacement avait eu lieu cinq ans après que Bill Flanz, convaincu qu'il était important de réunir la tête de la compagnie avec son cœur, eut fermé San Fedele (à Milan) et transporté les bureaux à Florence. Mais en cinq ans, beaucoup d'eau avait coulé sous les ponts ; Ford et De Sole pensaient que ce nouveau déménagement serait positif pour Gucci. Avoir les bureaux de la société à Londres permettrait de recruter des managers de haut niveau : il était difficile de trouver des gens qualifiés désireux de s'installer à Florence. Et puis Tom Ford voulait vivre à Londres, ville qu'il considérait plus vivante, plus à la mode et plus propice aux nouvelles tendances. Il n'avait pas trouvé Paris accueillant. « J'avais envie de vivre dans un endroit dont je parlais la langue », avoua-t-il. Eleanore, la femme de De Sole, était ravie. Depuis longtemps elle voulait quitter Florence où De Sole garderait un bureau.

Ce matin-là, De Sole voulait prendre un peu de repos avant de se rendre au bureau. La journée devait être calme car il s'agissait d'un jour férié en France et en Italie. Pour la première fois depuis le mois de juin, quand la maison Prada avait acheté 9,5 % du capital de Gucci, il se sentait détendu. Prada était devenu le plus gros actionnaire du groupe

346

mais avait voté avec la direction lors du dernier conseil d'administration. De Sole pensait que Gucci était hors de danger.

Prada avait secoué le monde du luxe et perturbé De Sole lorsqu'il avait annoncé sa prise de participation. Nombreux furent ceux qui pensèrent que Prada, plus petit que Gucci et peu versé dans les OPA, était le poisson-pilote d'un plus grand groupe. Puis, comme les mois passaient, De Sole pensait que Prada n'avait pas la force financière ni les alliances qui lui permettraient d'acquérir Gucci, qui valait à l'époque plus de 3 milliards de dollars.

En plus de dix ans, Patrizio Bertelli, le Toscan si doué marié à la styliste Miuccia Prada, descendante de Mario Prada, avait transformé la manufacture de bagages inconnue et sans prestige en une maison de mode et d'accessoires de luxe qui devenait une des plus menaçantes rivales de Gucci. Bertelli, qui connaissait tout sur le cuir et avait été un des fournisseurs de Gucci, s'irritait de l'essor de cette société et du contrôle grandissant qu'elle exerçait sur l'artisanat régional. Prada développa ses bureaux à Milan et sa production à Terranova près d'Arezzo. Gucci et Prada avaient tous les deux commencé à demander des contrats d'exclusivité à leurs fournisseurs afin d'assurer leur production et de décourager les copies et les imitations. Mais Bertelli sentait que Gucci empiétait sur son terrain et n'aimait pas cela. Comme la maison Gucci avait le vent en poupe, Bertelli ne tarissait pas de critiques sur son concurrent florentin : Dawn Mello était arrogante, et Ford copiait ce qui avait fait le succès de Prada, notamment son fameux sac noir en nylon. Admirateur de Bernard Arnault, Bertelli rêvait d'agrandir Prada, en procédant à des acquisitions dans le secteur du luxe. Il jeta d'abord son dévolu sur Gucci, prenant un malin plaisir à voir le trouble de De Sole face à ce nouvel actionnaire. Bertelli l'appela et suggéra que les deux groupes s'entendent pour trouver les meilleurs emplacements de magasins ou pour obtenir la publicité la plus efficace dans les médias. De Sole refusa :

— Je ne suis pas le propriétaire de la société, Patrizio. Il me faut en référer à mon conseil d'administration. Nous ne pouvons pas faire cette pizza ensemble.

Le camp Gucci minimisa l'importance de cette crise et surnomma Prada : « Pizza ». Un employé de Gucci envoya à De Sole un bandage pour les rhumatismes, que l'on trouve communément dans les pharmacies italiennes, appelé bande-Bertelli. Elle fut collée sur un carton où l'on pouvait lire en grosses lettres : « Le seul Bertelli dont nous ayons peur. » Cette pancarte était exposée dans le bureau de De Sole à Scandicci que Bertelli visitait régulièrement.

À l'automne, le prix de l'action Gucci tomba à 35 dollars à cause de la crise asiatique. Bertelli, mécontent, voyait fondre l'argent qu'il avait investi mais ne profita pas de la baisse pour acheter davantage d'actions. En janvier, la situation commença à s'améliorer en Asie et les analystes prédirent un avenir radieux à Gucci. En effet, l'action remonta à 55 dollars. De Sole poussa un soupir de soulagement : le prix de l'action était désormais trop haut ; les chasseurs de bonnes affaires iraient voir ailleurs. Le danger semblait écarté.

Quelques minutes après que le couple De Sole se fut installé dans sa chambre pour y faire une petite sieste, le téléphone sonna. Constance Klein, l'assistante de De Sole à Londres, était au bout du fil. Sa voix était tendue :

— Monsieur De Sole, je suis désolée de vous déranger mais c'est urgent.

— Pardonne-moi, chérie, dit De Sole à sa femme en changeant de pièce.

Eleanore n'allait revoir son mari que lorsque celui-ci, accablé et épuisé, rentrerait à minuit passé, après la plus dure journée qu'il lui eût été donné de vivre dans ses quatorze années de carrière chez Gucci.

Klein l'avait appelé pour lui annoncer un appel urgent d'Yves Carcelle, président de Louis Vuitton et précieux collaborateur de Bernard Arnault, le brillant P-DG du groupe LVMH. Carcelle et De Sole avaient de bonnes relations et se consultaient souvent. Mais cet appel urgent, passé un jour férié, ne disait rien de bon à De Sole. Il comprit instantanément que Carcelle ne l'appelait pas pour bavarder. Il avait raison. Carcelle lui annonçait que LVMH avait acquis 5 % du capital Gucci et qu'une annonce officielle allait être faite dans l'après-midi. D'une voix qui se voulait rassurante, il lui expliquait qu'Arnault, impressionné par les performances de Gucci, avait décidé de faire une offre d'achat purement « amicale ».

De Sole raccrocha, accablé. Le moment qu'il avait tant redouté était arrivé. LVMH était non seulement la plus grosse entreprise du luxe au monde, mais sa profitable division Louis Vuitton concurrençait directement Gucci. Au cours des dernières années, Vuitton avait adopté les mêmes stratégies que Gucci. Ils avaient engagé un jeune et brillant styliste – l'Américain Marc Jacobs – pour créer une nouvelle ligne de prêt-à-porter et avaient ouvert un magnifique magasin sur les Champs-Élysées afin d'offrir à leurs vêtements un écrin digne d'eux.

Cet après-midi, de son bureau au troisième étage de la maison de Grafton Street louée par Gucci en attendant que leur nouvel immeuble soit prêt, De Sole parla avec le bras droit d'Arnault, Pierre Godé, élégant avocat aux yeux bleus et à la mèche blanche, installé, lui, dans des bureaux de LVMH, avenue Hoche. Godé lui tint le même langage que Carcelle :

— Il s'agit d'un investissement passif.

— Mais pardonnez-moi, Pierre, demanda De Sole, quel est précisément le nombre d'actions que vous possédez ?

Et comme Godé prétendait en ignorer le chiffre exact, De Sole comprit que la situation était grave. « Ça y est, nous y sommes », se dit-il.

Il appela immédiatement Morgan Stanley, pour apprendre que son banquier de confiance, James Mc Arthur qui s'était occupé du problème Prada l'été précédent, partait la semaine suivante pour une année sabbatique en Australie. De Sole, qui avait besoin d'avoir une entière confiance dans les gens avec qui il travaillait, sentit le désespoir l'envahir. Mc Arthur appela son chef Michael Zaoui, un Français de quarante-deux ans qui, quelques minutes plus tard, arrivait à Grafton Street.

L'élégant banquier, dont le pain quotidien était les batailles entourant les OPA inamicales, se mit à raconter à De Sole ce qu'il savait sur Arnault.

Né en province, Arnault était le fils du patron d'une grosse entreprise de travaux publics. Il avait renoncé à une carrière de pianiste pour entrer à Polytechnique avant de se rendre aux États-Unis afin d'y développer les affaires immobilières de la famille. Ce déplacement, provoqué par l'élection de François Mitterrand, lui avait donné une nouvelle vision du monde des affaires. Revenu en France en 1984, il avait acheté, avec 15 millions de dollars donnés par sa famille, une affaire textile déliquescente : Boussac, qui possédait un bijou, à savoir : Christian Dior. En moins de dix ans, il deviendrait le prince du monde du luxe, réunissant sous sa houlette des noms aussi prestigieux que Givenchy,

Louis Vuitton, Christian Lacroix, la Veuve Cliquot, Hennessy, Château Yquem, Guerlain et Sephora. « LVMH est sa création, et c'est lui qui la dirige. Le boss, c'est lui », dit Zaoui.

Mais les familles au désespoir, les campagnes de diffamation et les mises à la retraite anticipées qu'il laissait dans son sillage lui avaient valu des surnoms peu flatteurs dans la presse française. On l'avait appelé « Terminator » ou le « Loup vêtu de cachemire » pour avoir introduit les méthodes américaines dans le monde policé des affaires françaises. Cet homme mince et élégant, à la chevelure grise et au nez aquilin, avait également été surnommé Tintin à cause de ses sourcils en accent circonflexe. Malgré la fantaisie et le charme dont il faisait parfois preuve, l'image qu'il projetait était celle d'un homme impitoyable et sévère. Son pouvoir grandissant avait fait de lui une figure du monde parisien. En 1991, il épousait en secondes noces une pianiste canadienne, Hélène Mercier, qui restait perplexe lorsqu'elle lisait dans la presse que son mari était un homme sans pitié. Elle ne reconnaissait pas le compagnon charmant et le père affectueux qui trouvait souvent le temps de mettre au lit l'un ou l'autre de leurs trois enfants.

Mais ce n'est pas le portrait d'un père consciencieux que Zaoui décrivait à De Sole : « Il est intelligent, rapide, possède un esprit stratégique et, comme un joueur d'échecs, est capable de prévoir vingt coups d'avance. Sa tactique consiste à planter des jalons successifs jusqu'au contrôle complet de l'affaire. » Zaoui était sûr que tel était son dessein pour Gucci. Car, bien qu'Arnault eût l'habitude de tenir des propos rassurants aux directeurs des sociétés sur lesquelles il avait jeté son dévolu, une fois celles-ci rachetées, il les flanquait généralement à la porte. La bataille qu'il avait menée pour la possession de Louis Vuitton, en s'alliant tout d'abord avec son président Henri Racamier, avait été si violente que le président François Mitterrand avait réprimandé les deux parties publiquement et demandé à la COB de faire une enquête. En quatre ans chez Christian Dior, il avait mis six directeurs à la porte, secouant chaque fois le monde de la mode.

Zaoui avait également observé de près la tactique d'Arnault lors de l'affaire Guinness-Grand Met. En 1997, la brasserie Guinness, dans laquelle LVMH possédait une importante participation, se trouva en désaccord avec Arnault sur une fusion avec Grand Met, une société d'agroalimentaire anglaise. La presse française observa que, si Arnault ne réussissait pas bloquer la fusion, il pourrait vendre sa participation de Guinness pour 7 milliards de dollars et acheter une autre société. On put lire dans *Le Monde* : « Cela serait suffisant pour acheter Gucci, le grand rival de Vuitton », ce qui généra une série de rumeurs.

Finalement, Arnault avait cédé et les deux sociétés, Guinness et Grand Met, fusionnèrent pour devenir un grand groupe de boisson appelé Diageo dont LVMH fut le plus gros actionnaire avec 11 % des parts. Par la suite, il réduisit sa participation.

Une lutte tenace pour le contrôle des Duty Free Shops (DFS) succéda à la bataille avec Guinness, contribuant au portrait d'un Arnault conquérant et impitoyable. Pendant toutes ces campagnes, Pierre Godé tenait auprès du napoléonien Arnault le rôle de Talleyrand. « Arnault venait avec l'idée, Godé apportait les munitions », écrit Marie-France Pochna dans son *Bernard Arnault : Tout le monde en parle.*

Arnault s'en était voulu d'avoir dédaigné Gucci en 1994 sous prétexte que l'affaire ne valait rien. À l'époque, il digérait l'acquisition de LVMH qui avait nécessité de grands mouvements financiers. « Nous avions d'autres priorités, admet Pierre Godé. Aujourd'hui, tout le monde dit que Gucci est une affaire merveilleuse, mais à l'époque, la maison était dans un triste état. Son redressement pouvait ne pas réussir. »

Arnault se concentrait sur la rénovation des maisons qu'il avait achetées. Il sut faire renaître l'intérêt pour Christian Dior, Givenchy et Louis Vuitton grâce à une nouvelle génération de stylistes et à de vigoureuses campagnes de publicité. De toutes les marques, Vuitton fut celle qui obtint le plus grand succès commercial. LVMH ayant une position dominante en France, il était normal qu'Arnault cherchât à étendre son pouvoir à l'étranger. Jusqu'alors, l'industrie française du luxe considérait l'Italie comme un pays de fournisseurs, mais avec le retour de Gucci, la montée en force de Prada et le succès constant d'un Giorgio Armani, Arnault comprit que l'Italie était mûre pour des acquisitions et des alliances.

« L'Italie est un pays avec lequel nous devons avoir des liens », déclara Concetta Lanciaux, la très influente directrice des ressources humaines d'Arnault – celle-là même que Maurizio Gucci avait essayé d'embaucher et qui avait découvert la plupart des nouveaux talents engagés par LVMH ces dernières années. « C'est évident. Cela ne concerne pas seulement Gucci mais le leadership dans l'industrie européenne du luxe. »

Tout le monde s'attendait, à l'automne 1997, à ce que Arnault fît un mouvement dans la direction de Gucci, mais il n'avait pas bougé, trop occupé par l'affaire Guinness-Grand Met et par sa nouvelle acquisition des Duty Free ébranlée par la crise financière asiatique.

En 1998, le marché se redressait et Arnault posait finalement son regard sur Gucci. Une société fantôme, portant l'adresse parisienne de LVMH, avait acheté discrètement des actions pour un total d'environ 3 millions.

— S'il veut l'affaire, qu'il la prenne ! s'exclama De Sole très énervé en marchant de long en large devant Zaoui. Ma femme en a par-dessus la tête. Je ferai du bateau. Et puis je veux passer plus de temps avec mes filles.

Il se rendait bien compte qu'il allait devoir livrer une nouvelle bataille. Il n'était pas sûr d'en avoir envie.

Zaoui regarda De Sole dans les yeux :

— Domenico, lui dit-il, c'est la guerre. Pour gagner il faut être très déterminé, il faut vraiment le vouloir.

— OK, Michael ! Qu'est-ce qu'on fait ? Je n'ai encore jamais eu à subir une menace d'OPA, mais je sais me battre.

Zaoui demanda de l'encre et du papier.

— Quelles sont les mesures de protection de la société ?

D'après la réponse de De Sole, Zaoui comprit qu'elles étaient nulles. Il n'existait que des dispositions particulières protégeant les intérêts de De Sole et Ford – les deux plus importants salariés de Gucci – au cas où la boîte changerait de mains. L'équipe de Morgan Stanley avait appelé ces dispositions « la bombe Dom-Tom » ou « la pilule de poison humain ». Ces clauses permettaient à Tom Ford de quitter Gucci en empochant un nombre considérable de stock-options dans l'éventua-lité où un actionnaire posséderait 35 % du capital. Il avait également le droit de suivre De Sole si celui-ci quittait la maison. Si De Sole le faisait de son propre chef, Ford devait attendre un an avant de pouvoir le suivre. Quant au contrat de De Sole, on pouvait l'interpréter de différentes façons : le directeur général de Gucci pouvait s'en aller si un actionnaire prenait le contrôle effectif de la société.

Deux jours plus tard, la salle de conférences de Gucci à Grafton Street était transformée en ministère de la Guerre. De Sole avait réuni un petit groupe de cadres supérieurs qui, au cours des mois à venir, serait sa force de frappe. Parmi eux, il y avait un vieil ami de De Sole, Allan Tuttle, conseiller général de Gucci ; Bob Singer, le financier de la maison, et Rick Swanson, l'homme qui avait soutenu De Sole chez Investcorp. Tous étaient de loyaux soldats, De Sole savait qu'il pouvait compter sur eux. Zaoui leur exposa la situation. Il n'y avait que deux solutions : soit négocier avec Arnault, soit trouver un « chevalier blanc » avec lequel fusionner pour le repousser.

La lutte pour le contrôle de Gucci captiva le monde international de la mode qui observa, fasciné, comment De Sole et son groupe organisaient la plus surprenante et efficace défense qu'il eût été donné à Arnault de rencontrer au cours de ses quinze années dans le monde des affaires.

Bien que cette bataille prît place dans la vague d'OPA qui balayait l'Europe et qu'elle fût assez modeste, elle marqua une nouvelle étape pour Gucci. La petite maroquinerie familiale de Florence, devenue une entreprise de mode et de produits de luxe, aiguisait l'appétit du très craint et respecté prince du rachat. En 1998, les ventes de Gucci dépassèrent le milliard de dollars, cinq ans auparavant les pertes se chiffraient par dizaines de millions.

Ce jeudi de janvier, De Sole considéra qu'Arnault mettait en doute sa capacité d'exercer la direction d'un des plus brillants groupes de luxe au monde. De Sole avait véritablement songé à prendre sa retraite mais l'attaque d'Arnault le remit en selle : « Oui, j'avais songé à la retraite, admet-il, mais je n'allais laisser personne me pousser dehors. Je ne cherche pas la bagarre, mais si on me cherche, on me trouve. Je suis capable de cogner aussi fort qu'un autre. » Ce qu'il fit.

De Sole avait survécu à toutes les guerres Gucci. Au début, il avait été un simple soldat au service des différentes factions familiales, puis, plus tard, un instrument qui avait permis à Investcorp de terrasser Maurizio. Chemin faisant, il s'était créé ses propres ennemis et détracteurs. Ceux-ci le décrivaient comme un mercenaire impitoyable, doué de l'inquiétant talent qui consistait à confondre ses propres intérêts avec ceux de l'entreprise qu'il servait, adoptant ainsi un comportement apparemment désintéressé. En même temps, De

Sole était le personnage de l'histoire Gucci qui avait le plus changé. Au fil du temps le subalterne gauche et mal fagoté s'était transformé en un P-DG imposant, aux manières aisées. Le magazine *Forbes* mit sur sa couverture de février 1999 le portrait d'un De Sole, au regard d'acier et à la barbe parfaitement taillée, pour illustrer son article de fond : « Les bâtisseurs de marques ».

De Sole avait mené la lutte de Rodolfo contre Aldo, celle d'Aldo contre Paolo puis celle de Maurizio contre Aldo et ses cousins. Il avait agi de façon décisive dans la guerre entre Investcorp et Maurizio, et, après des années de dur labeur chichement reconnues, Investcorp l'avait finalement récompensé. Maintenant, la campagne mise en place pour repousser l'attaque d'Arnault allait l'engager sur un terrain où sa meilleure arme serait sa connaissance exhaustive de la législation. Il se prépara avec délectation à la bagarre.

— Ce type [Arnault] s'est invité à dîner sans se faire annoncer ! déclara-t-il avec indignation.

En étudiant de près le règlement intérieur de Gucci, Zaoui et son équipe de juristes découvrirent que les statuts de la compagnie avaient été conçus pour faciliter un rachat. En effet, quand Investcorp cherchait une porte de sortie en 1995, l'OPA semblait une solution commode. Ces dispositions laissaient la porte ouverte aux intrus !

En 1996, De Sole avait lancé le Projet *Massimo* afin d'examiner les moyens de défendre la société contre des raids éventuels. Les banquiers et les avocats de Gucci avaient passé au crible tous les dispositifs de sécurité imaginables : protection du capital, fusion partielle ou totale avec d'autres sociétés (y compris Revlon), mais sans résultat. Après le rejet de la limitation de vote concernant les 20 % en 1997 par les actionnaires, il n'y avait plus grand-chose à faire. « On était tous là, à attendre que quelqu'un veuille bien nous racheter, c'était très frustrant », se souvient Tom Ford.

Au cours de l'été 1998, après que Prada eut acquis des actions, De Sole et Ford avaient rencontré Henry Kravis, le roi du LBO, et envisagé l'achat de la société pour eux-mêmes. Mais très vite ils s'étaient rendu compte que ce genre d'achat était trop onéreux et trop risqué pour eux et qu'il pouvait éventuellement inciter un grand groupe concurrent à surenchérir.

Lors de la présentation de la mode masculine en janvier, les mannequins de Gucci, le visage blanc et la bouche sanglante à la Dracula, défilèrent à grandes enjambées au son de la musique de *Psychose* comme pour dire : « Bas les pattes ! » à Arnault. Le jour suivant, Zaoui appela un banquier de LVMH à Londres et lui dit : « Ceci est un message officiel : arrêtez immédiatement ! »

Le 12 janvier, à la surprise générale, Arnault fit une apparition au défilé de Giorgio Armani, les journalistes et les paparazzi l'entourèrent comme une star. Le monde de la mode découvrit avec surprise qu'Arnault et Armani étaient en tractations. En s'attaquant à une aussi large proie, Arnault consolidait sa réputation de requin. Finalement, ces tractations ne donnèrent rien, de même que les discussions, peu connues, entre Armani, Ford et De Sole. L'idée de fusionner les deux sociétés en un puissant consortium de la mode, aussi compétitif dans le domaine vestimentaire que dans celui des accessoires, était mort-née.

Les jours suivants, le monde des affaires et de la mode, impressionné, observa avec quelle promptitude Arnault achetait de gros paquets d'actions Gucci aux investisseurs institutionnels privés et sur le marché ouvert. À la mi-janvier, Bertelli vendit à Arnault ses 9,5 % de Gucci, faisant *una simpatica plusvalenza* de 140 millions de dollars au passage. Du jour au lendemain « Pizza » devint un génie aux yeux de ses pairs.

Pendant les neuf mois suivants, Bertelli s'ingénia à concrétiser son rêve : diriger la première industrie italienne du luxe. Il acheta des participations majoritaires dans la maison de la styliste allemande Jil Sander, connue pour son style raffiné et minimaliste, et dans celle de l'Autrichien Helmut Lang. À l'automne 1999, il s'allia à LVMH pour arracher la majorité de la maison Fendi sous le nez de Gucci au cours de ce qui était devenu une furieuse guerre des enchères. Dans le domaine du luxe on ne s'occupait plus seulement de qualité, de style, de communication ou de magasins, c'étaient désormais des luttes sans pitié entre sociétés, ce que soulignait l'importance grandissante des enjeux.

Fin janvier 1999, Arnault possédait 34,4 % de Gucci pour environ 1,44 milliard de dollars. Au cours des trois dernières semaines qui s'écoulèrent après l'annonce du premier achat, l'action Gucci gagna 30 %. La presse suivait de près chaque mouvement. Le *New York Times*, qui en avait vu d'autres, parlait du « plus fascinant suspense qui ait jamais cloué sur place l'industrie de la mode ».

Arnault essayait de tempérer ses opérations agressives en faisant intervenir Yves Carcelle, qui avait prévenu personnellement De Sole ; ou Bill McGurn, un vieil ami de De Sole du temps de Harvard, qui travaillait à Paris pour un cabinet d'avocats représentant LVMH. En parlant avec McGurn, Pierre Godé avait acquis la conviction qu'une transaction à l'amiable était possible.

Pendant ce temps, De Sole cherchait désespérément son « chevalier blanc », c'est-à-dire une société avec qui entrer en partenariat pour faire obstacle à la progression de LVMH. Il eut des contacts avec au moins neuf sauveteurs potentiels, mais sans résultat. Aucun acheteur sensé n'allait s'allier avec une société qui semblait destinée à passer sous le contrôle de LVMH. Et chaque fois que De Sole, plein d'espoir, contactait un partenaire éventuel, Arnault achetait un autre paquet d'actions.

« C'est David contre Goliath », laissa un jour échapper avec lassitude De Sole, regrettant d'avoir écarté Bertelli. Arnault souriait. Dans ses bureaux de l'avenue Hoche, il était au courant de la moindre manœuvre de De Sole car ceux qui avaient refusé de l'aider l'appelaient.

Finalement, De Sole, résigné, accepta de rencontrer Arnault. On discuta une semaine pour se mettre d'accord sur le lieu et l'heure du rendez-vous. Arnault proposait un repas pour donner une touche plus personnelle à la rencontre, mais De Sole choisit le rendez-vous d'affaires.

« Je l'avais invité à déjeuner, commenta Arnault, et lui m'a invité chez Morgan Stanley ! »

La rencontre du 22 janvier dans le bureau parisien de Morgan Stanley, pour laquelle les deux hommes s'étaient longuement préparés, manqua de chaleur. Ils s'étudièrent. « Ils étaient à l'opposé l'un de l'autre, raconta Zaoui, qui assista à l'entrevue, Arnault était emprunté et mal à l'aise ; De Sole, naturel, direct et loquace. »

Arnault ne cessa de complimenter De Sole et Ford, expliquant que son intérêt pour Gucci n'était pas hostile. Il conseilla à De Sole de prendre en considération l'avantage que Gucci pourrait retirer de la prise de contrôle de LVMH et demanda à avoir des représentants au conseil d'administration. De Sole refusa invoquant le conflit d'intérêts. Il eut un haut-le-corps à la pensée que LVMH aurait ainsi accès à toutes les informations confidentielles. Il demanda à Arnault de cesser d'acheter des paquets d'actions ou alors d'acheter toute la société. La crainte de De Sole était en effet qu'Arnault pût acheter un nombre suffisant d'actions pour contrôler effectivement la société sans avoir à faire une offre équitable à tous les actionnaires.

Gucci se trouvait dans un *no man's land* : ses statuts laissaient la société sans défense (les efforts pour la protéger, on s'en souvient, n'avaient pas reçu le soutien de ses propres actionnaires). De plus, elle était enregistrée auprès de deux Bourses (New York et Amsterdam) qui avaient choisi de ne pas imposer de limitations aux OPA.

De Sole essaya de convaincre Arnault de mettre un terme à ses achats. « Il y avait de la bonne volonté des deux côtés, se souvient Zaoui, De Sole apporta même au deuxième rendez-vous un sac Gucci pour la femme d'Arnault. »

De Sole offrit à Arnault deux places au conseil d'administration de Gucci à condition qu'il réduisît ses droits de vote de 34,4 % à 20 %. Mais, au troisième rendez-vous, Arnault rejeta la proposition et menaça de poursuivre personnellement De Sole et les membres du conseil s'ils n'acceptaient pas ses conditions. La frustration montait des deux côtés. Le 10 février, rappelant ses droits d'actionnaire, Arnault envoya une lettre à De Sole exigeant une assemblée générale extraordinaire pour désigner un représentant LVMH au conseil d'administration. Cette démarche rendit De Sole fou de rage.

« Nous étions convaincus que cette proposition allait être bien reçue », raconta plus tard Godé. LVMH avait choisi un candidat extérieur, sans liens avec LVMH et n'avait présenté qu'un candidat au lieu des trois auxquels il avait droit. On considérait que c'était un geste de bonne volonté.

Mais la rage de De Sole était due à une information qui venait de lui parvenir : un cadre de LVMH avait raconté à un actionnaire de la maison que LVMH désirait avoir « ses propres yeux et ses propres oreilles » au conseil d'administration pour arriver à son objectif d'une prise de contrôle totale. De Sole n'allait pas laisser le loup entrer dans la bergerie. « J'ai compris alors qu'ils n'avaient jamais eu l'intention de faire une offre honnête pour la société », confie De Sole.

Le dimanche 14 février, des dirigeants de Gucci et des banquiers se rassemblèrent dans la petite salle de réunion de Grafton Street. Depuis que Prada avait acheté des actions Gucci, un avocat, nommé Scott Simpson, qui travaillait dans le bureau londonien du puissant cabinet new-yorkais Skadden, Arps, Slate, Meagher & Flom (connu pour s'occuper des OPA), avait étudié la possibilité d'utiliser un stratagème risqué qui pourrait faire l'affaire : il s'agissait de tirer parti d'une lacune dans la réglementation de la Bourse de New York. La création d'une ESOP (plan d'actionnariat salarié) permettrait à Gucci d'émettre un gros paquet d'actions à l'intention des salariés de la société et de réduire du même coup le pourcentage de la participation d'Arnault. Il ne disparaîtrait pas mais son pouvoir serait neutralisé. De Sole garda cette carte dans sa manche et essaya une dernière fois d'obtenir d'Arnault un accord écrit de non-agression lui interdisant légalement d'acheter davantage d'actions s'il ne voulait pas acquérir toute la société. La réponse d'Arnault arriva par fax le 17 février : il voulait que Gucci fournisse une « raison valable » au conseil d'administration de LVMH avant d'accepter l'accord de non-agression. De Sole, qui avait été peu enclin à déclarer la guerre, sauta au plafond.

— Il veut une raison ? Il en aura une ce soir ! hurla-t-il.

Le lendemain, le 18 février, Gucci annonça qu'une ESOP avait été émise, consistant en 37 millions d'actions pour les salariés de Gucci. Ce nouveau paquet d'actions ramenait instantanément la part d'Arnault à 25,6 % et neutralisait son pouvoir de vote. De Sole avait tiré le premier.

« Il commençait à s'amuser, explique Zaoui, il avait bien l'intention de gagner. »

Quand la nouvelle de l'ESOP éclata, ni Arnault ni Godé ne savaient très bien de quoi il s'agissait. Arnault fut informé à New York par un fax qu'il reçut dans sa chambre d'hôtel ; il demanda immédiatement des explications à Godé qui révéla à son chef ainsi qu'aux journalistes, qui avaient couru aux nouvelles, que l'ESOP contrevenait clairement aux règles de la Bourse de New York. Avant de monter l'opération Gucci, les avocats new-yorkais de LVMH avaient assuré à Arnault qu'aucune société, cotée à la Bourse de New York, ne pouvait émettre de nouvelles actions pour un montant supérieur à 20 % du capital. Ce n'est que plus tard, après une série de coups de fil, que LVMH apprit ce que les avocats de Gucci savaient : le veto contre l'émission de nouvelles actions ne s'applique pas aux sociétés étrangères qui sont régies par les lois de leurs propres pays. La société italienne était officiellement cotée à la Bourse d'Amsterdam et le droit hollandais ne reconnaissait pas ces restrictions.

« Nous fûmes très surpris lorsque nous découvrîmes cette horrible mesure, admit par la suite Godé. Ces actions fantômes apparaissaient soudain, n'appartenaient à personne et étaient financées par la société. Leur nombre était très exactement égal au nombre d'actions que nous possédions. Ce n'était pas une coïncidence ! »

Il y avait une autre surprise en réserve pour LVMH. Lors de son enregistrement à la SEC, Gucci avait révélé les clauses qui permettaient à Ford et De Sole de partir dans l'éventualité d'un changement de direction. Or le tandem était l'atout majeur de la société, sans eux l'OPA sur Gucci apparaissait bien moins intéressante. Les avocats de Gucci affirmèrent que LVMH avait été mis au courant. Pourtant, celui-ci soutenait qu'il ignorait tout de ces « parachutes en or » permettant à la « dream team » de lever des millions de dollars en stock-options.

Arnault contre-attaqua, sommant Gucci de bloquer l'ESOP et l'accusant de se comporter de façon indigne : l'idée émise par De Sole qu'il y aurait conflit d'intérêts si un directeur de LVMH entrait au conseil d'administration n'était qu'un prétexte pour faire de la société une chasse gardée. Une semaine plus tard, un tribunal d'Amsterdam décida de geler à la fois les actions de LVMH et également les actions ESOP. Une fois de plus le sort de Gucci se trouvait dans les mains de la justice, ses avoirs gelés et sa direction en état de siège. Et, bien qu'un juge hollandais eût ordonné aux deux parties de négocier en bonne foi, les deux camps étaient meurtris et fâchés. Dans la presse française De Sole traita de fasciste James Lieber, avocat américain, conseiller d'Arnault. Il ne croyait plus un mot de ce que lui disait Arnault.

« L'affaire prit un tour très personnel », se souvient Zaoui.

La tension monta. De Sole faisait régulièrement vérifier les bureaux de Grafton Street pour s'assurer qu'aucun microphone n'y était caché. Tom Ford remarqua qu'un homme dormait dans une voiture sous les fenêtres de l'appartement qu'il partageait à Paris avec Buckley et pensa qu'il s'agissait d'un détective privé appartenant au cabinet d'investigations Kroll de New York qu'Arnault aurait engagé pour l'espionner !

Sans se laisser démonter, Arnault se mit à envoyer des messages d'un ton conciliant à Tom Ford dans l'espoir de le détacher de De Sole et de l'entraîner dans son camp. Si De Sole quittait Gucci, Arnault pouvait trouver un autre directeur pour le remplacer, mais si Ford partait, l'image de Gucci partirait avec lui.

« Il y a beaucoup d'administrateurs mais peu de stylistes », déclara un dirigeant de LVMH dans une conférence de presse.

Puis Arnault envoya une journaliste française, amie de Ford, dîner avec lui à Milan. Au milieu du repas, Ford découvrit qu'elle travaillait pour Arnault et avait accepté d'appeler celui-ci après leur entrevue.

« Il a employé toutes sortes de façons pour m'approcher, sauf la bonne : la directe. » Ford accepta finalement de déjeuner avec Arnault à Londres. Le jour du rendez-vous, la nouvelle d'une rencontre, prétendue secrète entre les deux hommes, filtra dans le *Financial Times*, ainsi que des révélations sur le nombre de stock-options de Ford, qui auraient avoisiné les 80 millions de dollars. Ford blâma LVMH pour la fuite et décommanda le déjeuner. Les efforts déployés pour séparer Ford et De Sole n'avaient fait que rapprocher les deux hommes.

L'opération ESOP avait apporté un moment de répit à Gucci mais n'avait pas changé fondamentalement sa vulnérabilité aux OPA et, de toute façon, le résultat final était entre les mains de la justice néerlandaise. Gucci devait toujours trouver son « chevalier blanc ».

Domenico De Sole n'avait jamais entendu parler de François Pinault bien qu'il fût un des hommes les plus riches de France. En juin 1998, *Forbes* avait placé Pinault à la trente-troisième place des hommes les plus riches du monde avec une fortune estimée à 6,6 milliards de dollars. Parti de sa scierie familiale en Normandie, Pinault se trouvait désormais à la tête du plus grand groupe de distribution européen : Pinault Printemps Redoute SA (PPR). La holding comprenait les magasins du Printemps, la FNAC et la Redoute. Il possédait à l'étranger la salle de ventes Christie's, les chaussures Converse et les bagages Samsonite. Au cours d'une conversation avec l'un des banquiers de Morgan Stanley, Pinault avait dressé l'oreille à la mention du nom Gucci. Depuis un certain temps, il songeait aux produits de luxe. Après s'être rendu à New York, où il avait visité incognito le magasin Gucci de la Cinquième Avenue, il avait demandé un rendez-vous à Domenico De Sole. Ils se rencontrèrent à Londres chez Morgan Stanley le 8 septembre. De Sole expliqua, dans un discours désormais parfaitement au point, comment Ford et lui-même avaient, en cinq ans, transformé une affaire qui rapportait 200 millions de dollars en une affaire rapportant 1 milliard. Mais les deux hommes savaient que ce qui leur avait permis d'arriver à cette somme ne leur permettrait pas de la doubler. Or leur rêve était de transformer Gucci en une société multimarques. C'était exactement ce que Pinault avait envie d'entendre.

— J'aime bâtir, répondit en souriant Pinault. Nous avons là une occasion pour créer un groupe global.

Pinault, qui n'avait pas fait d'études supérieures, possédait tous les symboles traditionnels du succès en France : les vignes, les médias et l'amitié du président Chirac. Il voulait maintenant attaquer le territoire d'Arnault, et Gucci lui en donnait l'occasion.

« Dans le monde du luxe il y a de la place pour deux, explique Pinault. Gucci avait la corde au cou, le nœud était serré, le compte à rebours avait commencé. Ce n'était plus qu'une question de temps avant qu'il ne tombe dans l'escarcelle de LVMH. »

Pinault invita De Sole et Ford dans son appartement du VIᵉ arrondissement avec Serge Weinberg, son directeur général, et Patricia Barbizet, son bras droit. Ils déjeunèrent parmi les tableaux et les sculptures de Henry Moore, Picasso, Rothko, Pollock et Warhol. De Sole et Ford apprécièrent le ton direct, l'ouverture d'esprit et la simplicité de leur hôte dont le style leur parut bien différent des ruses et des faux-fuyants d'Arnault.

« J'ai aimé son regard, le contact fut immédiat », se souvient Ford, qui admira la façon qu'avait Pinault d'écouter les opinions de ses collaborateurs sans rien perdre de son autorité.

Et Weinberg, qui avait quitté, dix ans auparavant, le service public pour travailler auprès de Pinault, d'ajouter : « Il y a eu une chimie personnelle instantanée, nous parlions le même langage. »

Cette sympathie mutuelle joua un rôle déterminant dans le succès de la négociation qui, malgré de grandes difficultés, fut menée avec une rapidité qui surprit les participants. On avait peu de temps. Pinault avait fixé une date limite : le 19 mars, date à laquelle, sur injonction de la justice, les négociations entre Gucci et LVMH devaient reprendre. Si Pinault et Gucci ne parvenaient pas à un accord en une semaine, l'affaire ne se ferait pas.

Le soir même, un escadron d'avocats et de banquiers représentant les deux parties se mirent au travail pour forger les maillons de l'alliance Gucci-Pinault. Comme il est d'usage dans ces affaires ultra-secrètes, les participants prirent des noms de code : « Gold » pour Gucci, « Platinum » pour Pinault et « Black » pour Arnault.

Un discret petit hôtel dans la rue Miromesnil, sans room-service ni bar, devint le lieu de rendez-vous, les hommes d'affaires entrant et sortant discrètement par les sorties de service. De Sole fut très exigeant en matière de prix et de contrôle de l'affaire tant il craignait que Pinault ne fît marche arrière. Mais celui-ci n'y songeait pas. Il avait encore un as dans sa manche. Il fit venir De Sole et Ford et leur déclara que, s'ils étaient d'accord, il était prêt à acheter Sanofi-Beauté, propriétaire d'Yves Saint Laurent ainsi que dune série de parfums, et de confier le tout à Gucci. Arnault avait refusé, avant Noël, d'acheter Sanofi parce qu'il trouvait l'affaire trop chère.

« Si nous sommes d'accord ! » s'exclama Ford tandis que De Sole lui lançait un regard qui voulait dire : dans quoi sommes-nous en train de nous embarquer ? « Bien sûr, YSL est le numéro un mondial de la mode ! »

Ford s'était lui-même inspiré de Saint Laurent, – surtout de ses collections des années 1970 – pour ses tailleurs pantalons et sa touche bohémienne. L'idée de ce que YSL pourrait devenir dans les mains de Ford et de De Sole excita tous les assistants. Une semaine à peine après avoir échappé de justesse aux dents acérées de LVMH, Gucci se trouvait à la tête d'une affaire qui portait la valeur de la société à 7,5 milliards de dollars et recevait en sus 3 milliards à la banque. YSL était la première « perle » dont pouvaient s'enorgueillir les dirigeants de Gucci, qui rêvaient de faire de leur société un groupe multimarques.

Le 19 mars, sous le crépitement des caméras, Pinault et Gucci annoncèrent leur alliance : Pinault acceptait d'investir 3 milliards de dollars pour une participation de 40 % (élevée plus tard à 42 %) de Gucci et leur confiait l'affaire de Sanofi qu'il venait d'acheter 1 milliard. Cet accord fit monter l'action de Gucci à 75 dollars (augmentation de 13 % sur le prix moyen des dix jours précédents) et poussa Gucci à émettre 39 millions de nouvelles actions pour Pinault. Cet accord réduisit les 34,4 % de participation d'Arnault à 21 % et l'écarta de toute décision. Gucci accepta d'élargir son conseil d'administration, qui passa de huit à neuf membres, et y donna au groupe de Pinault quatre représentants, en plus de trois sièges sur cinq au comité stratégique nouvellement créé pour évaluer les futures acquisitions. De Sole et Ford qualifièrent leur nouveau partenariat : « Un rêve devenu réalité. » Ils expliquèrent à la presse qu'ils avaient accepté de donner à Pinault ce qu'ils avaient refusé à Arnault parce que PPR n'était pas un concurrent direct et que Gucci allait ainsi devenir la base de départ d'opérations stratégiques dans l'industrie du luxe au lieu de n'être qu'un département dans un grand groupe comme LVMH. Pinault avait accepté toutes leurs conditions et signé un accord de non-agression en promettant de ne pas augmenter sa prise de capital au-delà de 42 %.

Quand Arnault apprit la nouvelle de l'accord Gucci-PPR, il était en séminaire avec un groupe de dirigeants de LVMH à Euro Disneyland. Il rentra immédiatement à Paris. Ses deux collaborateurs, Godé et Lieber, étaient à Amsterdam à l'hôtel Krasnapolsky où ils attendaient à 11 heures Allan Tuttle, le conseiller de Gucci, avec lequel ils avaient rendez-vous.

— Qu'est-ce qu'on fait maintenant ? demanda Lieber à Godé.

— Nous maintenons notre rendez-vous, répondit Godé en en fulminant.

Lorsque Tuttle arriva, il refusa poliment de donner des détails sur l'accord Pinault, ce qui augmenta la rage des deux hommes. L'après-midi même, ils étaient avenue Hoche à Paris. La veille, au cours d'une conférence d'analystes LVMH, Arnault avait affirmé qu'il n'avait aucunement l'intention de faire une offre d'achat total pour Gucci. À la lumière de cette nouvelle alliance, Arnault comprit qu'il n'avait que deux options : rester en tant qu'actionnaire minoritaire, sans aucun pouvoir, dans une affaire contrôlée par une direction hostile ou tenter d'acheter immédiatement Gucci. L'après-midi même, il offrait 81 dollars par action, évaluant la société à plus de 8 milliards de dollars, un chiffre étonnant si l'on songe que, à peine six ans plus tôt, Gucci était au bord de la banqueroute.

De Sole était au téléphone, dans son hôtel, en train d'expliquer à un journaliste les détails de l'accord Pinault lorsqu'il entendit la nouvelle. Il raccrocha et se mit à crier : « Ma position reste inchangée ! Ma position reste inchangée ! » Finalement, Arnault avait fait ce que De Sole lui avait demandé tout du long : une offre pour la totalité de Gucci.

L'offre supposait l'annulation de l'accord Gucci-Pinault. Mais l'équipe Gucci avait pris toutes ses précautions et l'accord était intouchable, les transactions bancaires ayant été effectuées. Si bien que les offres subséquentes d'Arnault, prêt à offrir 85 dollars l'action et même, selon certains, 91 dollars, n'eurent pas de suite. Arnault lança une nouvelle série de procès pour essayer d'annuler l'accord. Le 27 mai, le tribunal de commerce d'Amsterdam confirma l'accord de Gucci avec PPR. Il condamna l'ESOP, stratagème qui avait donné à Gucci le temps nécessaire pour trouver son « chevalier blanc ». De Sole appela immédiatement Ford à Los Angeles pour lui annoncer la bonne nouvelle et organisa aussitôt une fête. C'est ainsi que les membres de l'équipe Gucci, épuisés mais radieux et soulagés, descendirent en bateau les canaux d'Amsterdam en trinquant joyeusement avec du champagne qui n'appartenait pas au groupe LVMH !

Pansant leurs plaies, Arnault et Godé se replièrent dans leurs bureaux de l'avenue Hoche, reconnaissant, penauds, qu'ils étaient peut-être allés un peu trop loin. Mais ils refusèrent de quitter la scène. Bien que la sagesse commandât à Arnault de vendre discrètement ses actions Gucci, il n'en fit rien dans l'espoir qu'avec le temps il parviendrait à ses fins.

« Nous restons là où nous sommes, assure Godé à l'époque. Ce n'est pas tous les jours qu'on peut regarder, bras croisés, les autres travailler pour vous. Si les choses se déroulent autrement que prévu, nous serons aux premières loges. » Son sourire impliquait que LVMH était prêt à foncer pour protéger ses intérêts.

Pour Domenico De Sole la bataille avec LVMH prit véritablement fin en juillet 1999 quand une série de nominations de routine au conseil d'administration Gucci fut approuvée malgré l'opposition LVMH lors de l'assemblée générale des actionnaires à Amsterdam. « Tous les actionnaires indépendants votèrent en notre faveur, explique-t-il. Arnault pensait qu'il était le maître de l'Univers. Eh bien, il a été battu ! »

Pourtant, comme Godé l'avait promis, LVMH ne lâchait pas De Sole, attaquant l'accord avec Pinault puis l'acquisition de Saint Laurent à travers Sanofi.

Arnault n'était pas le seul Français auquel De Sole allait avoir affaire. Il y eut d'abord Pierre Bergé, le fringant directeur et cofondateur de YSL. Il avait un contrat inattaquable jusqu'en 2006 qui lui donnait un droit de veto sur toutes les décisions créatives prises par la maison et il n'était pas question de l'écarter. Bergé n'était d'ailleurs pas du tout disposé à laisser des nouveaux venus pénétrer dans le saint des saints de Saint Laurent, avenue Marceau, l'hôtel particulier où se trouvaient les bureaux, l'atelier et les spacieux salons aux rideaux verts.

« Cet immeuble et ces bureaux sont intouchables. Nous sommes ici dans le royaume de la haute couture », proclamait-il.

En face, De Sole et Ford étaient tout aussi résolus. Ils devaient pouvoir exercer le contrôle complet, sinon il n'y aurait pas d'accord.

L'autre Français dont De Sole devait tenir compte, c'était son sauveur et son partenaire, François Pinault, qui avait acquis YSL à travers sa holding familiale Artémis SA et qui avait hâte de le transférer à Gucci.

« J'avais de très dures négociations avec mon principal actionnaire. Nous devions trouver une formule qui donne le contrôle complet à Gucci. Il fallait pouvoir gagner l'adhésion de tous les membres indépendants du conseil », rappelle De Sole.

Armando Branchini, consultant pour les produits de luxe et vice-président d'Intercorporate, basé à Milan : « La force du tandem Ford-De Sole était leur vision globale sur les produits, la communication et le concept des boutiques. Les en priver aurait été une erreur. »

Au moment où la situation était au point mort, Pinault apporta une solution élégante : il garderait la haute couture, achetée par sa compagnie Artémis, et Gucci aurait le reste. En effet, Sanofi possédait Roger & Gallet, les parfums Van Cleef & Arpels, Oscar de la Renta, Krizia et Fendi. Chez YSL il y avait déjà une division entre la haute couture, qui était dessinée par Yves Saint Laurent, et les collections de prêt-à-porter Rive Gauche dessinées par deux jeunes stylistes : Alber Elbaz, pour la collection femme, et Hedi Slimane, pour celle des hommes. La séparation officielle de l'affaire en deux compagnies distinctes semblait donc naturelle et faisable. La solution de dernière heure imaginée par Pinault donnait à chacun ce qu'il désirait. Yves Saint Laurent et Pierre Bergé gardèrent le contrôle complet sur la maison de haute couture, chroniquement dans le rouge, qui employait cent trente personnes et avait un chiffre d'affaires de 40 millions de francs, et ils cédèrent la marque Yves Saint Laurent à De Sole et Ford pour 70 millions de dollars. Pinault accepta d'avaler cette pilule amère pour faire avancer l'autre transaction, nettement plus importante.

« Je suis très patient, certaines personnes prennent cela pour de la faiblesse, affirme De Sole. Je ne suis pas faible, simplement je sais ce que je veux. »

De Sole avait fait preuve de son sens de la négociation au cours de ces derniers mois lorsqu'une nouvelle guerre d'enchères explosa au sujet d'une entreprise romaine d'accessoires de luxe, Fendi, qui avait inventé le sac baguette en 1997 et dont le succès fut tel qu'il disparaissait des magasins plus vite qu'il n'y arrivait. Fendi était dirigé par cinq sœurs pleines d'allant, filles de la fondatrice de la société, Adele Fendi. Comme il y avait de nombreux prétendants, le prix se mit à monter bien au-delà de la valeur réelle de la cote d'une marque de luxe. De Sole, qui avait fait une offre de minorité de blocage, évaluait la société à environ 680 millions de dollars. Lorsque le joaillier Bulgari et le fonds américain Texas Pacific Group se retirèrent des enchères, il pensa que l'affaire était dans le sac. Sur ce, Patrizio Bertelli, P-DG de Prada, qui avait longtemps fourni en cuir Fendi, bondit sur la scène avec une offre de 840 millions de dollars. De Sole voulait vraiment acheter Fendi. Il pensait que Ford et lui pourraient faire merveille avec la fourrure, le cuir et les accessoires de la firme italienne dont les origines étaient presque les mêmes que celles de Gucci. De Sole enchérit à 870 millions de dollars. Bertelli alors fit exploser sa bombe : il s'allia à LVMH battant Gucci par une offre de plus de 900 millions de dollars, plus de trente-trois fois le chiffre d'affaires de Fendi. À cette époque, dans l'industrie du luxe, vingt-cinq fois le chiffre d'affaires représentait déjà un prix considérable. La transaction Fendi sortait du domaine du raisonnable et De Sole eut l'impression que ses deux pires ennemis s'étaient liés contre lui. Il expliqua à son conseil d'administration : « On peut enchérir sur l'offre Prada-LVMH, mais, d'après moi, le prix est beaucoup trop élevé. » Ce qui le faisait également reculer, c'étaient les conditions de la famille Fendi : il s'agissait d'engager les jeunes membres de la famille ainsi que leurs épouses de façon définitive. « Je traite bien les gens, mais je ne peux promettre de job à personne. Faire partie de la famille n'est plus suffisant, il faut être à la hauteur. »

Gucci ne fit pas l'opération Fendi mais De Sole en sortit gagnant sur deux tableaux : il avait démontré qu'il était un négociateur posé, capable de quitter la table des négociations s'il n'obtenait pas ce qu'il désirait, et puis il avait réduit à néant l'argument d'Arnault soutenant que Gucci était en train de payer trop cher Sanofi, ce qui fit baisser la pression qui entourait cette transaction.

Le 15 novembre 1999, Gucci put enfin annoncer l'acquisition de Sanofi Beauté ainsi que de la griffe historique d'Yves Saint Laurent, suscitant au passage la remarque suivante de Pierre Bergé : « La seule personne que je voulais protéger c'était M. Yves Saint Laurent. Si d'autres personnes veulent venir appliquer leurs techniques de marketing et de communication, qu'elles viennent. Nous n'y connaissons rien. Nous avons créé la plus grande maison de haute couture qui soit, quant au marketing, ce n'est pas notre affaire. »

Avec l'acquisition d'YSL, Gucci n'avait pas seulement posé la première pierre d'un groupe multimarques, mais il l'avait fait avec un des noms les plus prestigieux de l'industrie de la mode et du luxe. Le 19 novembre Gucci annonça qu'il avait également pris une participation de contrôle dans l'industrie de luxe de la chaussure en payant 100 millions de dollars pour 70 % de la société Sergio Rossi, laissant 30 % à la famille Rossi. D'autres acquisitions suivraient, comme celle du joaillier Boucheron en mai 2000.

« Avec Tom, nous considérons que notre métier consiste à réparer et à rectifier, dit De Sole. Nous sommes des managers de marques. Quand nous sommes attirés par une société, nous ne nous disons pas : "Achetons-la" mais "Que peut-on en faire ?" Nous ne sommes pas des investisseurs après tout. » C'était exact et aucun des deux n'appartenait à la race des marchands florentins qui avait créé Gucci mais ils apportaient leur énergie, leur détermination. Et leur dynamisme continuait à faire progresser Gucci, entreprise internationale, vers les sommets.

En janvier 2000, Tom Ford fut nommé directeur artistique d'Yves Saint Laurent, comme prévu, en plus de ses responsabilités chez Gucci. L'annonce arriva juste à temps pour que Ford puisse assister au défilé de haute couture de Saint Laurent à Paris. Gucci avait fait savoir en novembre la nomination de leur étoile montante, le jeune patron du merchandising Gucci aux États-Unis – il avait trente-six ans –, Mark Lee, comme nouveau directeur général d'Yves Saint Laurent Couture, titre que porterait désormais l'affaire. Lee avait travaillé chez Saks Fifth Avenue, Valentino, Armani et Jil Sander avant d'arriver chez Gucci ; tous ses collègues le respectaient pour son attitude discrète et sa conscience professionnelle. La tâche de Tom Ford consisterait à redonner du lustre à YSL, celle de Lee à faire marcher jour après jour le prêt-à-porter, les parfums et les accessoires de la griffe.

*

De Sole et Ford mirent sur pied une stratégie qui fit sensation : elle consistait à prendre des participations dans des maisons de mode dirigées par de jeunes et prometteurs stylistes. L'opération échoua avec Hedi Slimane – le styliste de prêt-à-porter hommes, auparavant chez YSL et désormais chez Christian Dior –, mais ils mirent 51 % dans l'affaire du talentueux styliste anglais Alexander McQueen en décembre 2000, à la barbe de Bernard Arnault qui l'avait employé chez Givenchy et dont il venait de renouveler le contrat. De Sole déclara à la presse que cette affaire n'avait rien à voir avec les continuelles batailles juridiques entre Gucci et LVMH. Givenchy néanmoins annula son défilé couture de janvier et celui du prêt-à-porter de mars, réservant ses nouvelles collections à un petit groupe de clients et de journalistes tandis qu'Arnault et McQueen échangeaient des piques dans la presse.

« Il passe son temps à se plaindre », déclarait un Arnault dépité au *New York Times*, ajoutant que LVMH ne l'avait pas mis immédiatement à la porte « parce que nous sommes polis ».

« La maison grattait les fonds de tiroir », rétorquait McQueen dans *Time magazine*, décrivant l'atmosphère de LVMH comme « vacharde » et la société comme « peu solide ».

Au début d'avril 2001, Gucci annonçait un accord avec un autre jeune styliste, Stella McCartney, fille de Paul et Linda McCartney, dont les créations pour Chloé montraient un talent prometteur.

Mais, en même temps, l'année précédente Gucci avait commencé à dégraisser le merchandising Saint Laurent en faisant passer les licences de cent soixante-sept à cent afin de pouvoir exercer le maximum de contrôle sur la production et la distribution. Gucci restructura les fabriques d'YSL, fusionna des opérations qui se chevauchaient et rénova les magasins existants en les repeignant et en exposant les articles de façon différente. « Il y avait des trous dans les tapis ! » d'après De Sole.

La saisissante campagne publicitaire conçue par Tom Ford pour relancer *Opium*, le parfum historique d'Yves Saint Laurent, eut aussitôt un grand retentissement. On vit partout dans les journaux, sur les murs, dans les abribus la même image : l'actrice Sophie Dahl, les cheveux teints en rouge, le masque blafard, posant nue – si l'on excepte ses diamants et ses talons aiguilles – couchée sur le dos, et promenant sur son corps, un corps aussi lisse en apparence qu'une statue de marbre, ses doigts alanguis. Cette campagne fut primée en Espagne, et souleva une vague de protestations partout ailleurs : publicité gratuite pour le groupe Gucci.

De Sole avait également arraché une escouade de brillants managers aux concurrents de Gucci. Son coup le plus fameux fut celui d'engager Giacomo Santucci de Prada afin d'en faire le nouveau président de la division Gucci. Chez Prada, Santucci avait été le second du P-DG Patrizio Bertelli et surtout la cheville ouvrière de l'expansion du groupe en Asie, ainsi que de ses débuts dans le monde des cosmétiques avec une innovation pour les produits concernant les soins de la peau : le paquet mono-dose. Il avait arraché Thierry Andreatta à Céline, qui faisait partie de LVMH, pour diriger les nouvelles activités de Gucci merchandising. Et Massimo Macchi quittait Bulgari pour venir s'occuper des bijoux et des montres. Le management à l'américaine de Gucci, avec ses primes au mérite, ses bons salaires, son programme de stock-options était désormais connu dans le milieu.

« Les gens veulent travailler chez Gucci, confie De Sole au cours d'une interview. Notre capital ce sont les gens. Je peux maintenant engager qui je veux ! »

L'événement le plus attendu dans la semaine du 12 mars 2001 à Paris, où les stylistes présentaient leur collection de prêt-à-porter automne-hiver, n'était pas un défilé de mode mais l'ouverture le mardi soir de l'exposition « Les Années Pop » au Centre Pompidou sponsorisée par le groupe Gucci, qui faisait ainsi son entrée sur la scène culturelle et mondaine. L'exposition rassemblait plus de cinq cents œuvres allant des années 1956 à 1968 (nouveau réalisme, assemblagistes américains, artistes pop de Grande-Bretagne et des États-Unis), parmi lesquelles on pouvait voir des robes de Courrèges, Cardin, Paco Rabanne et la célèbre robe Mondrian d'Yves Saint Laurent. Tom Ford, dont la réputation de styliste allait dépendre de la collection de prêt-à-porter Yves Saint Laurent Rive Gauche qu'il présenterait l'après-midi suivant, s'éclipsa assez tôt, laissant un exubérant De Sole s'entretenir avec de multiples visiteurs.

En effet, les deux hommes savaient que leur objectif, se faire une place dans la mode parisienne, n'était pas facile à atteindre. En octobre 2000, la première collection de Ford pour YSL avait reçu des comptes rendus mitigés dans la presse. Sous prétexte de revenir aux origines du nom d'Yves Saint Laurent, il avait présenté des tailleurs-pantalons blancs et noirs, étroits, aux épaules bien charpentées, mêlés à quelques robes très simples. Ford et De Sole avaient invité Saint Laurent et Pierre Bergé à assister au défilé qui se tenait dans une grande tente noire en forme de boîte, que Gucci avait érigée dans le jardin du musée Rodin.

Les critiques déclarèrent que le défilé s'apparentait plus au style brillant et sexy de Gucci qu'à l'héritage d'Yves Saint Laurent. Peut-être que Ford n'était pas de taille à dessiner à la fois la collection Gucci et celle de Saint Laurent, murmurèrent les journalistes de mode.

« Je savais que cela allait être dur, dit Ford plus tard. L'habit est trop grand pour moi ? Mais je n'ai pas du tout envie de le porter, je n'essaie pas d'être Yves. » En fait le véritable défi avait été de pouvoir mettre sur pied le défilé. Toute l'équipe de dessinateurs et toutes les petites mains étaient restées avec Yves Saint Laurent et Pierre Bergé après la séparation de la haute couture, et Ford avait dû, pour créer sa première collection de prêt-à-porter, se débrouiller avec son équipe de stylistes et les fabriques Gucci. Depuis, Ford avait fait venir Stefano Pilati, de chez Prada, un jeune créateur et constitué une nouvelle équipe de stylistes pour YSL.

La tension était montée lorsque Yves Saint Laurent, qui n'avait pas assisté aux débuts de Ford, s'était rendu au premier défilé de Hedi Slimane pour la collection homme de Christian Dior en janvier 2001. Il avait été filmé, au premier rang, en train de bavarder avec Bernard Arnault et on l'entendait dire qu'il avait « souffert comme un martyr » et aussi que « c'était terrible, terrible », puis il avait ajouté : « Sortez-moi de cette magouille, monsieur Arnault ! » On avait pu voir cette scène sur Canal Plus en février et aussi comment Pierre Bergé interrompait Yves Saint Laurent en lui disant : « Pas un mot, Yves ! Il y a des micros partout ! » Bien qu'on ne sût pas à quoi il faisait référence, tout le monde en déduisit qu'il parlait de la vente du prêt-à-porter YSL à Gucci et on attendit avec gourmandise le prochain épisode de cette fascinante guerre du luxe qui rappelait 1989 et la bataille entre Arnault et Vuitton.

L'après-midi du 14 mars 2001, De Sole observait la foule animée des journalistes de mode, des acheteurs et des photographes qui prenaient place tandis que Ford jetait un dernier coup d'œil sur sa troupe de mannequins avant de les envoyer sur le podium. Après avoir salué François Pinault et Serge Weinberg, le directeur général de PPR, De Sole se replia à son poste d'observation près du podium. Malgré le brillant succès de l'exposition des « Années Pop » la veille, le véritable test pour Ford se déroulerait dans les vingt minutes qui allaient suivre sur le podium d'YSL. La lumière baissa, la musique se fit plus forte, les mannequins défilèrent et ce fut un ébouriffant tribut à l'époque du chic bohémien d'Yves Saint Laurent. À l'exception des deux premières robes en soie, l'une rose et l'autre mauve, le reste de la collection était totalement noir. Des blouses paysannes sexy bouffaient sur des corsets et des jupes à volants ; des péplums glissaient par-dessus d'exotiques jupes en foulard retombant sur des sandales à fines lanières, des vestes de smoking brillantes descendaient sur des jupes de flamenco. Cette vision moderne de l'esprit Saint Laurent fit un tabac. De Sole poussa un soupir de soulagement. La critique, le monde de la mode et les acheteurs enthousiastes décrétèrent que c'était la meilleure collection de la saison. Tom Ford et Gucci étaient à nouveau au sommet de la vague, mais l'euphorie fut de courte durée.

En effet, le lendemain, Bernard Arnault fit une annonce inattendue qui fit passer au second plan le succès du défilé. LVMH venait d'engager un styliste gallois inconnu, Julian McDonald, pour remplacer McQueen chez Givenchy. Et, malgré le triomphe du défilé de Tom Ford, c'est cette nouvelle qui fit les gros titres dans la presse internationale le jour suivant.

La compétition et les batailles judiciaires entre Gucci et LVMH avaient atteint de nouveaux sommets. LVMH continuait son expansion en faisant d'autres acquisitions : la griffe italienne Emilio Pucci, la société californienne de produits de beauté Hard Candy, les montres Tag Heuer et Ebel, le chemisier Thomas Pink, les cosmétiques BeneFit, Donna Karan ainsi qu'une joint-venture avec la De Beers, le géant du diamant. Arnault avait également recruté de nouveaux talents en la personne de Pino Brusone, l'ancien directeur de Giorgio Armani SpA, qui devenait le vice-président pour les acquisitions et le développement de la mode pour LVMH. En mars, LVMH annonça un résultat record pour l'année 2000 avec une augmentation des ventes de 35 % pour atteindre 10,9 milliards de dollars de chiffre d'affaires.

Quelques semaines plus tard, Gucci fit savoir que ses résultats avaient dépassé toutes les projections pour l'an 2000 : les ventes avaient fait un bond de 83 % et atteignaient 2,26 milliards de dollars, chaque action rapportant 3,31 dollars au lieu des 3,10, 3,15 dollars de l'estimation initiale. Le profit net restant inchangé à 336,7 millions de dollars.

« 2000 a été une année critique, déclara De Sole aux journalistes réunis au Hilton d'Amsterdam pour le rapport annuel. Les changements les plus dramatiques dans l'histoire de la société, depuis que nous sommes cotés en Bourse, ont eu lieu cette année. Gucci est désormais un groupe multimarques et nous avons prouvé que nous sommes capables de diriger une entreprise mieux que les autres. Nous avons montré que la caractéristique de notre gestion, c'est la rapidité et l'agressivité. »

Ces propos optimistes ne doivent pas faire oublier que le combat juridique continue. À l'automne 2000, Gucci avait déposé une plainte auprès de la Commission anti-trust de la Communauté européenne en accusant LVMH de violer les lois européennes de la concurrence. D'après eux, LVMH abusait de sa position d'actionnaire pour contrecarrer leur stratégie d'acquisitions et ils demandaient que LVMH vende les 20,6 % de participation qu'il possédait. En janvier 2001, LVMH était retourné devant les tribunaux pour se déclarer prêt à accepter l'offre faite par PPR en mai/juin 2000 d'acheter des parts à 100 dollars l'action. PPR répondit que l'offre n'était « plus à l'ordre du jour ».

Les excellentes acquisitions de Gucci, ses succès grisants dans la mode et les astucieuses défenses légales ne les ont pas préparés au coup terrible du 8 mars 2001. Ce jour-là, le juge Huub de la Chambre des entreprises, le tribunal de commerce d'Amsterdam, décidait finalement de diligenter une enquête concernant l'accord de Gucci avec PPR, qui lui avait permis d'écarter les avances de LVMH en 1999.

« C'est ce que nous attendions depuis deux ans, avoue James A. Lieber, le directeur des entreprises LVMH, lorsqu'il apprit la nouvelle. Nous pensons que cette décision est le premier pas vers l'annulation de la transaction. » La cour demanda également à Gucci de financer l'enquête qui serait menée par trois enquêteurs indépendants nommés par la cour pour environ 100 000 dollars. Si le jugement était annulé, LVMH promettait de ne pas augmenter sa part d'actions, qui était de 20,6 %, de ne pas chercher à avoir un représentant au conseil d'administration de Gucci et de ne se mêler ni du management ni de la stratégie des acquisitions. LVMH offrait aussi de réunir un groupe international de sociétés pour permettre une augmentation de capital de 3 milliards de dollars afin que Gucci ne soit pas privé de l'argent qu'il avait reçu lors de son accord avec PPR.

« Grâce à l'annulation de la transaction PPR et à l'engagement de LVMH Gucci redeviendra la société indépendante qu'elle était jadis, tandis qu'aujourd'hui, avec les 44 % de PPR, elle est sous son contrôle », selon James Lieber. Ainsi la société peut devenir l'objet d'une enchère par un tiers à un prix qui inclurait la prime de contrôle, ce qui bénéficiera à tous les actionnaires de Gucci y compris LVMH. La décision du tribunal d'enquêter sur les fautes de gestion commises par Gucci cassait un jugement rendu précédemment en mai 1999 quand le tribunal avait confirmé l'accord Gucci-PPR, estimant que Gucci avait le droit de se défendre. LVMH a donc réussi à faire casser ce jugement par la Cour suprême des Pays-Bas qui avait ordonné qu'en septembre la Chambre des entreprises réexamine le cas Gucci-PPR et se livre à une enquête. Annonçant son intention de coopérer, Gucci se ravisait fin mars 2001, et décidait de faire appel.

D'autre part, les avocats de LVMH ont accusé Tom Ford et Domenico De Sole de s'être fait attribuer secrètement des stock-options pour soutenir l'accord de Gucci avec Pinault-Printemps-Redoute. Gucci réfutait cette allégation, disant qu'il n'y avait « aucune relation » entre l'accord avec PPR et l'attribution d'options, dont Gucci soutenait qu'elles avaient été proposées en juin 1999 après que la Chambre des entreprises eut confirmé l'accord. LVMH cite un document confidentiel subtilisé dans le dossier de l'avocat de Gucci, Allan Tuttle, qui prouve qu'il y avait bien eu un pacte secret dans l'attribution des options. À la mi-mai 2001, Gucci acceptait de coopérer avec les enquêteurs pendant que ses avocats préparaient sa défense.

Postface

La maison de couture Gucci et sa famille fondatrice n'ont jamais cessé d'inspirer, de surprendre et d'étonner. Revenons sur quelques faits marquants survenus au cours des vingt dernières années, depuis la publication de *La Saga Gucci*.

La famille Gucci

Patrizia Reggiani

Par une chaude soirée d'été 2010, un chauffeur de taxi milanais nommé Davide prit une course sur la piazza San Babila, une grande place au cœur du quartier des boutiques de luxe de la ville. Les deux femmes en tenue de cocktail qui sortaient de l'inauguration d'un magasin privé lui demandèrent de les conduire à San Vittore, « mais derrière ». San Vittore, c'était la prison, située près du centre-ville. Tout en conduisant, Davide se posait des questions. Il savait qu'il n'y avait ni habitations ni magasins dans la rue derrière la prison.

Elles le prièrent de se garer au pied du mur du bâtiment carcéral. Des caméras étaient braquées sur deux petites portes situées sous la tour de garde. À l'arrière du taxi, l'une des femmes ôta sa tenue de soirée, la fourra dans un sac qu'elle remit à son amie et enfila une combinaison. Puis elle sortit et se dirigea vers l'une des portes. Son amie, restée dans le véhicule, demanda à Davide d'attendre qu'elle soit entrée.

Cette femme, expliqua-t-elle, était Patrizia Reggiani, soixante et un ans, condamnée à vingt-neuf ans de prison en 1998 pour avoir commandité le meurtre de son ex-mari, Maurizio Gucci. Ayant déjà purgé plus de dix ans, elle bénéficiait de courtes permissions sous surveillance. Elle-même devait s'assurer que Patrizia revenait saine et sauve à l'intérieur.

Dans les années qui avaient suivi sa condamnation, Patrizia s'était installée dans une routine à San Vittore. Elle jardinait dans l'une des cours intérieures de la prison, et on lui avait permis d'avoir un animal de compagnie – un furet nommé Bambi. Chaque semaine, sa mère âgée, Silvana Barbieri, et ses filles, Alessandra et Allegra, encore adolescentes à l'époque de sa condamnation, venaient lui rendre visite.

À l'automne 2011, elle refusa fermement sa remise en liberté conditionnelle parce que cela aurait impliqué de prendre un emploi à temps partiel. « Je n'ai jamais travaillé un seul jour de ma vie, aurait-elle déclaré. Pourquoi devrais-je commencer maintenant ? »

Patrizia fut libérée en 2014, après avoir purgé seize des vingt-neuf ans de sa peine, réduite pour bonne conduite. Pina Auriemma et les autres complices du meurtre de Maurizio furent également remis en liberté, à l'exception du tueur, Benedetto Ceraulo, qui purgeait sa perpétuité dans un établissement de haute sécurité.

Peu de temps après sa libération, des paparazzi repérèrent Patrizia qui se promenait avec une amie dans la via Monte Napoleone, au cœur du quartier des boutiques de luxe du « Triangle d'or » de Milan, avec son perroquet Boh posé sur son épaule. Les équipes de télévision lui tendaient souvent des embuscades dans la ville pour la bombarder de questions. L'une d'elles lui demanda : « Patrizia, pourquoi avez-vous engagé un tueur à gages pour tuer Maurizio Gucci ? Pourquoi ne l'avez-vous pas tué vous-même ? » Elle répondit par une boutade : « Ma vue baisse, je ne voulais pas rater mon coup ! »

En 2014, elle changea d'avis sur le fait de ne pas travailler et prit un poste de consultante pour une marque de mode, Bozart, afin de se plier aux conditions de sa remise en liberté conditionnelle. Elle contribua au développement d'une collection de sacs et de bijoux aux couleurs de l'arc-en-ciel, inspirée par son perroquet. La collection fut présentée le jour même où Gucci organisait son propre défilé de mode à quelques pas de là.

Après sa libération, Patrizia s'installa chez sa mère, via San Barnaba, dans le centre de Milan, non loin du palais de justice où elle avait été jugée et condamnée pour avoir commandité le meurtre de Maurizio. Elle se déclara officiellement sans ressources et vivait avec 300 à 400 euros par mois, une allocation de l'État. Les relations avec sa mère se dégradèrent. Elles se parlaient à peine et ne partageaient pas leurs repas.

Silvana craignait que Patrizia gère mal son héritage. En avril 2019, juste avant de mourir, elle avait demandé qu'un administrateur judiciaire soit nommé pour superviser les affaires de sa fille. Quelques années auparavant, en 2016, Patrizia confiait au *Guardian* que trois jours après sa sortie de prison elle avait « trouvé un homme dans la maison avec une lettre de [s]a mère affirmant qu['elle était] incompétente ».

Par la suite, Patrizia a déclaré à *Il Giorno* : « Sa demande était motivée par l'amour – pas pour moi, mais pour son argent. Si elle le pouvait, elle emporterait son magot avec elle pour sa prochaine vie. »

Patrizia, qui avait surnommé San Vittore « La Résidence Victor », a évoqué en termes positifs le temps qu'elle y avait passé. « Parfois, j'aimerais être de retour à La Résidence Victor, car ma mère est très difficile. Elle me sermonne tous les jours sans raison », affirmait-elle au *Guardian*.

Et les relations avec ses filles étaient également tendues. Comme Alessandra et Allegra, qui étaient toutes deux mariées et mères, vivaient en Suisse, elle ne les voyait pas beaucoup. À l'automne 2018, ces dernières demandèrent à un tribunal suisse d'annuler la pension à vie que Maurizio avait accepté de lui verser en 1993, après leur divorce. La rente s'élevait à environ 1 million de francs suisses par an et, selon les médias, ses filles lui devaient autour de 26 millions de francs suisses, y compris les arriérés de paiement liés à son séjour en prison. Une cour d'appel italienne estima que Patrizia avait droit à sa rente. Cette décision a fait l'objet d'un appel, et l'affaire a été portée devant la Cour suprême italienne, laquelle n'a pas encore rendu son verdict.

Puis Patrizia a décidé qu'il était temps de faire amende honorable. En novembre 2019, dans une interview à la télévision italienne, elle a annoncé qu'elle avait indemnisé le portier de Maurizio, Giuseppe Onorato, touché au bras pendant l'attaque, avec l'argent de l'héritage de sa mère. Elle a ajouté qu'elle acceptait de payer Paula Franchi, la petite amie de Maurizio au moment du meurtre, qui avait également fait une demande d'indemnisation. « Je veux faire ce qui est juste », a-t-elle déclaré.

Patrizia affirme avoir fait une proposition à ses filles : elle renoncerait à sa rente en échange d'une allocation mensuelle et de l'utilisation un mois par an de la maison de Maurizio à Saint-Moritz, l'Oiseau Bleu. Elle a aussi demandé à pouvoir faire des sorties sur le voilier historique de Maurizio, *Creole*, que les filles entretiennent toujours, et à pouvoir passer du temps avec ses petits-enfants.

La marque Gucci

Renaissance

Pendant ce temps, la marque Gucci a prospéré sous la direction créative du designer italien Alessandro Michele, un ancien assistant de studio nommé à la tête de l'entreprise en 2015, après le départ brutal de Frida Giannini, qui la dirigeait depuis longtemps. Michele, un Romain embauché par Ford et De Sole en 2002 pour concevoir des sacs à main, a développé un style néo-romantique à la fois fluide et sexué qui a charmé critiques et clients, faisant de Gucci, selon la critique de mode du *New York Times* Vanessa Friedman, « probablement la marque la plus influente de ces cinq dernières années ». Robin Givhan, critique de mode au *Washington Post*, a déclaré dans une interview que Michele « semblait vraiment en phase avec le changement de définition des genres et l'accent mis sur une acceptation à bras ouverts de la diversité ».

Le 25 mai 2020, trois mois après le début du confinement lié à la Covid-19 en Italie, Michele a organisé une conférence de presse vidéo depuis son studio de Rome. Il a annoncé que la marque prévoyait de réduire le nombre de ses défilés de mode – deux au lieu de cinq par an – et d'estomper les lignes entre les vêtements pour hommes et pour femmes.

« Nous avons besoin d'un nouvel oxygène pour permettre à ce système complexe de renaître », a-t-il déclaré en balançant lentement un grand éventail noir devant son visage.

Depuis des années, l'imposante tournée de quatre semaines qui se déplace de New York à Londres, de Milan à Paris, pendant les mois de septembre-octobre et de février-mars, pesait sur l'industrie. Mais la pandémie ayant entraîné la fermeture des magasins, perturbé les circuits d'approvisionnement, forcé des licenciements et réduit les bénéfices, des changements attendus depuis longtemps dans la façon dont les marques de mode présentent leurs produits sont devenus impératifs.

« Je compte abandonner le rituel usé des saisonnalités et des défilés pour retrouver une nouvelle cadence plus proche de mon inspiration », a écrit Michele dans son journal pendant sa mise en quarantaine durant les premiers mois de la pandémie. Gucci a publié en ligne certains extraits de ce journal, intitulés « Notes from the Silence ». Michele a ajouté : « Nous nous rencontrerons seulement deux fois par an, pour partager les chapitres d'une nouvelle histoire. »

En annonçant la rationalisation du calendrier des défilés, Michele a rétabli Gucci comme un pionnier du secteur. Alors que d'autres marques avaient déjà annoncé des changements dans les projets de défilés de mode en raison de la pandémie, Gucci a été le premier à les pérenniser.

Comment Gucci a-t-il réussi sa troisième renaissance en cinq décennies (presque un siècle) ?

Exit Tom & Dom

Le début des années 2000 s'est révélé être la dernière période de Tom Ford et Domenico De Sole dans la maison de couture Gucci. De l'avis général, Tom & Dom, comme ce duo de designer-P-DG avait été surnommé par les médias de la mode, formaient l'une des meilleures équipes de créateurs-managers de l'histoire du secteur. En moins de dix ans, ils ont fait d'une entreprise florentine de maroquinerie peu rentable un conglomérat mondial de luxe coté en Bourse.

Tom Ford a poussé sa vision du design « sex sells » (le sexe vend) à des niveaux sans précédent, notamment au printemps 2003, avec une campagne controversée photographiée par le photographe de mode Mario Testino, aujourd'hui discrédité, qui mettait en scène le mannequin Carmen Kass avec un G rasé dans ses poils pubiens (Testino, même s'il a nié ces allégations, a été accusé de harcèlement sexuel en 2018, ce qui a mis fin à sa carrière de photographe de mode).

Ford a également fait bouger les choses avec une publicité pour le parfum *Opium* d'Yves Saint Laurent, où apparaissait Sophie Dahl, la plantureuse mannequin anglaise. La petite-fille de l'auteur de livres pour enfants Roald Dahl a été photographiée allongée sur du velours noir, ne portant que des bijoux en or, du fard à paupières vert et une paire de sandales YSL à talons hauts.

Après que le financier français François Pinault a sauvé Gucci en 1999 d'une tentative de rachat hostile par le président de LVMH Bernard Arnault, Pinault a encouragé Tom & Dom à faire du nouveau groupe Gucci un empire du luxe multimarques pour rivaliser avec celui d'Arnault. Ford et De Sole ont récupéré et relancé des marques, telles que Balenciaga et Boucheron, que la mode avait laissées pour mortes. Ils en ont financé de nouvelles, comme celles de Stella McCartney et Alexander McQueen, qu'ils ont poussés à quitter la maison de couture Givenchy, propriété de LVMH. Leur travail a incité la fondatrice de Net-a-Porter, Natalie Massenet, à surnommer Ford le « défibrillateur de la mode ».

Mais le mandat de Tom & Dom chez Gucci Group n'était pas destiné à durer. Après avoir transformé Gucci, qui était au bord de la faillite, en une marque de luxe à succès avec un chiffre d'affaires annuel de près de 3 milliards de dollars, Ford et De Sole ont entamé des négociations difficiles – et finalement infructueuses – avec le propriétaire français de la maison, désormais dirigé par le fils de François Pinault, François-Henri Pinault.

Lors de ces négociations, qui ont duré plus d'un an, Ford et De Sole insistaient pour garder le contrôle de la création et de la gestion. Serge Weinberg, à l'époque directeur général de PPR, a déclaré que l'entreprise n'aurait jamais pu justifier une telle demande auprès de ses actionnaires.

À l'automne 2003, Ford et De Sole ont annoncé qu'ils quitteraient la société en avril 2004, ce qui a fait plonger le cours des actions PPR. La nouvelle de leur départ imminent a également déclenché une flambée des ventes, les aficionados se précipitant pour acheter les derniers modèles Gucci conçus par Ford.

À l'époque, Rita Clifton, du cabinet de conseil londonien Interbrand, a déclaré : « C'est l'heure de vérité pour Gucci. L'intérêt d'avoir une marque forte est qu'elle puisse survivre à ce genre de changements de direction. »

Par la suite, Ford a affirmé qu'il n'avait jamais rêvé de quitter Gucci et qualifié l'expérience de « dévastatrice ». Il prévoyait d'abandonner complètement la mode et de se concentrer sur la réalisation de films – son rêve depuis longtemps.

« Je n'étais pas prêt à affronter ce que vous ressentez lorsque vous aviez une vie et un emploi du temps aussi chargés que les miens et que votre identité est en quelque sorte effacée, a-t-il déclaré dans une interview de 2016 avec Jess Cagle de *People Magazine*. J'avais des pages blanches sur mon agenda. Il m'a fallu beaucoup de temps pour trouver un projet de film qui me parlait. »

Mais le partenariat Tom & Dom était à l'aube d'un nouveau défi : Ford a convaincu De Sole de l'aider à lancer la marque Tom Ford, ce qu'ils ont fait en 2005, un an seulement après avoir quitté Gucci. « Une nouvelle marque ? raconte De Sole. J'avais décidé que je voulais prendre ma retraite. J'étais épuisé, je voulais faire ZÉRO ! Tom m'a dit : "Tu es fou, nous devons nous remettre au travail !" » Ford et De Sole ont commencé par des licences de parfums et de lunettes avec Estee Lauder et le fabricant italien de lunettes Marcolin. Ils ont progressivement développé la marque, en l'étendant à presque toutes les catégories de produits : vêtements pour hommes, collection pour femmes, produits de beauté, accessoires, etc., créant ainsi un nouvel empire du luxe dont la valeur est estimée à quelque 2 milliards de dollars de ventes au détail, avec des magasins en propre et des *shop-in-shops* dans des villes du monde entier, de New York à Shanghai.

En 2010, Ford a lancé sa ligne de vêtements pour femmes, avec un petit défilé dans son vaisseau amiral de Madison Avenue, qui mettait en vedette les mannequins Beyoncé, Daphne Guinness et Lauren Hutton.

Aujourd'hui, De Sole vit avec sa femme Eleanore dans la maison de rêve qu'ils ont construite sur la côte, en Caroline du Sud. Outre son travail avec Tom Ford, De Sole est président de Sothebys et fait partie, entre autres, du conseil d'administration du fabricant italien de vêtements pour hommes Ermenegildo Zegna.

En 2005, Ford a créé une nouvelle société de production cinématographique, Fade to Black Productions, et a réalisé deux films primés. Le premier, *A Single Man*, sorti en 2009, était basé sur le roman de Christopher Isherwood, avec Colin Firth et Julianne Moore. En 2016, il a produit et réalisé *Nocturnal Animals*, un thriller sombre avec Amy Adams et Jake Gyllenhaal. Ford a deux projets de films en préparation dont il a refusé de révéler les détails, disant qu'il se concentre sur son entreprise de mode.

En 2009, Ford a discuté avec la rédactrice en chef Tina Brown de son travail dans la mode et le cinéma : « Je suppose que je dois me considérer comme une marque, mais pour moi, ce sont deux choses très très différentes, a-t-il déclaré. Je ne suis pas sûr que les gens auraient jugé différemment mon travail dans la mode si je n'avais pas été capable de faire un film à succès. »

Ford et Richard Buckley – son compagnon de longue date et aujourd'hui son mari – ont accueilli leur fils, Alexander John Buckley Ford, le 23 septembre 2012. Ford et Buckley préservent Jack, comme ils l'appellent, des projecteurs des médias. Mais Ford a partagé quelques anecdotes sur le penchant de Jack pour les baskets lumineuses et pour les vêtements noirs. En 2019, Ford a vendu pour 20 millions de dollars sa maison conçue par le célèbre architecte Richard Neutra, dans le quartier de Bel Air, à Los Angeles. Désormais, Ford, Buckley et Jack vivent dans une demeure de neuf chambres à coucher qui appartenait autrefois à la mondaine californienne Betsy Bloomingdale, toujours à Los Angeles, et qu'il a achetée pour 39 millions de dollars.

En juin 2019, Ford a été nommé président du Conseil des créateurs de mode d'Amérique, en remplacement de la créatrice Diane von Furstenberg. Sa première grande mission : s'attaquer aux retombées dévastatrices de la pandémie de coronavirus sur l'industrie de la mode. Ford s'est associé à la rédactrice en chef de *Vogue*, Anna Wintour, pour lancer « A Common Thread », une initiative visant à collecter des fonds pour les entreprises de mode touchées par la pandémie et à raconter leur histoire. Ford a également lancé plusieurs programmes de soutien au mouvement Black Lives Matter.

Gucci après Ford

Le fils de François Pinault, François-Henri, a officiellement pris les rênes de PPR en 2005. Le jeune Pinault a fait évoluer le groupe, rebaptisé Kering en 2013, de la vente au détail généraliste vers une concentration exclusive sur les marques de luxe. En chemin, il a cédé les actifs moins rentables de PPR, tels que le Printemps et la Fnac.

Pinault a également modifié la stratégie des marques, en redonnant le pouvoir à Gucci et aux autres marques du groupe – et en s'éloignant des créateurs, comme cela avait été le cas pendant le règne de Tom Ford.

Lorsque Tom & Dom ont quitté Gucci, PPR a choisi de ne pas remplacer Ford par une autre star, mais de recruter au sein de l'équipe de design existante. La société a nommé trois designers pour reprendre la direction créative de Gucci : Frida Giannini pour les accessoires, Alessandra Facchinetti pour la mode féminine et John Ray pour la mode masculine.

Mais les créations de Facchinetti ont suscité des critiques peu enthousiastes et elle est partie au bout de deux saisons seulement. Ray a démissionné peu après, invoquant des raisons personnelles. En 2005, Giannini a donc été nommée unique directrice de la création de Gucci. Elle avait travaillé pour la maison de mode romaine Fendi avant de rejoindre Gucci en 2002 en tant que créatrice d'accessoires, sous la direction de Ford et De Sole. L'une de ses premières initiatives a été de réintroduire le motif emblématique Flora dans une ligne complète de sacs, une idée qu'elle avait proposée à Ford à plusieurs reprises par le passé et qu'il avait rejetée. Elle a également lancé une collection pour hommes avec l'imprimé Flora. Mais malgré de bonnes ventes, ces modèles ne furent pas plébiscités par les critiques.

En 2008, Pinault confia la direction de Gucci à Patrizio di Marco, un dirigeant expérimenté dans le domaine de la mode qui avait orchestré la renaissance d'une autre propriété de Gucci, la marque italienne de maroquinerie Bottega Veneta. Le défi de di Marco était de maintenir la croissance alors que le marché du luxe marquait le pas à la suite de la crise financière de 2008.

M. di Marco a élaboré une proposition de cent cinquante pages sur ce qu'il comptait faire et l'a présentée à François-Henri Pinault lors d'une réunion de trois heures à Londres. « Il y avait une faiblesse dans cette proposition, a déclaré di Marco dans une interview, et c'était Frida. »

Frida Giannini, qui avait entendu des rumeurs selon lesquelles di Marco n'était pas satisfait du produit, était prête à l'affronter lorsqu'il est arrivé dans son bureau à Florence pour leur première rencontre. Elle a poussé le géant de plus d'un mètre quatre-vingts sur un canapé bas et lui a remis un dossier décrivant ses collections et sa vision de la marque. Ce rendez-vous s'est transformé en une communion d'esprit de huit heures, au cours de laquelle ils ont parlé de logos, d'image de marque et de produits de luxe en fumant cigarette sur cigarette. Cette rencontre a marqué le début d'un nouveau duo de créateurs et de directeurs chez Gucci. Un an plus tard, le partenariat est devenu plus intime lors d'un voyage d'affaires à Shanghai. « Je suis tombé amoureux de Frida, a confié di Marco. C'était le grand amour. » Leur fille Greta est née deux semaines seulement après que Giannini a présenté la collection automne-hiver 2013 de Gucci et ils se sont mariés à Rome en 2015. Giannini portait une robe rose pâle de Valentino, maison dont les directeurs de création étaient ses amis.

Les premiers doutes de di Marco sur les talents de styliste de Giannini se sont révélés prémonitoires. Depuis plusieurs années, les critiques avaient des avis mitigés sur ses défilés. Bien que la collection Flora ait été assez bonne d'un point de vue commercial, elle n'a pas séduit les médias de la mode. La croissance des ventes a ralenti et les consommateurs du marché chinois du luxe, en plein essor, qui étaient autrefois de fervents clients de Gucci, optaient désormais pour des modèles moins ornés de logos. Bien que Gucci représente près d'un tiers du chiffre d'affaires annuel de Kering, la croissance des ventes de marques plus petites dans l'écurie du groupe, comme Yves Saint Laurent et Bottega Veneta, était supérieure.

Dans sa chronique de la collection printemps 2009 de Gucci, Robin Givhan, critique de mode au *Washington Post*, a écrit : « Gucci a perdu son panache. Le label qui faisait autrefois frémir l'industrie de la mode se transforme, avec une hâte presque urgente, en une simple entreprise de plus qui fournit des sacs à main et des chaussures à ceux qui sont plus intéressés par un nom de marque que par un grand style. »

En décembre 2014, Kering a annoncé que le couple P-DG-directeur créatif s'en allait, dans ce que le *New York Times* a décrit comme le « plus grand bouleversement depuis que Tom Ford et Domenico De Sole ont quitté Gucci en 2004 ». M. Pinault a déclaré que ces changements étaient destinés à insuffler un « nouvel élan » à la marque Gucci.

À Florence, di Marco s'est adressé au personnel de la cafétéria de l'entreprise pour un adieu plein d'émotion et a rédigé un mémo de trois mille mots à l'intention des employés, dans lequel il qualifie ses ennemis de *nani* (nains).

« Contre ma volonté, je laisse ma cathédrale inachevée », a-t-il écrit dans ce mémo dont des extraits ont été publiés dans le *New York Times*.

Di Marco a quitté ses fonctions le 1er janvier 2015, remplacé par un vétéran de l'industrie du luxe, Marco Bizzarri, qui était déjà à la tête de la division couture et maroquinerie du groupe. Giannini était censée rester en poste jusqu'à la présentation de sa collection pour femmes, fin février. Mais le 9 janvier, elle a été subitement licenciée et escortée à l'extérieur du bâtiment, ce qui a mis fin au projet.

Alors que les spéculations allaient bon train quant à l'identité de la personne qui occuperait ce poste tant convoité chez Gucci, les noms de jeunes étoiles montantes ont fait surface, comme Riccardo Tisci, le directeur de la création du couturier Givenchy à Paris, propriété de LVMH, ou Hedi Slimane, qui travaillait chez Yves Saint Laurent, propriété de Kering. Mais Pinault a stupéfié tout le monde de la mode en nommant le designer associé de Giannini, Alessandro Michele. Frappé à la fois par la vision créative de Michele pour la marque et par sa connaissance de celle-ci, Pinault a décidé de prendre un risque.

« Au XXIe siècle, ce qui fait de vous une marque de luxe, c'est votre capacité à apporter de la créativité sur le marché, a affirmé Pinault. La marque n'est pas créative par elle-même – la créativité est une caractéristique humaine, le fruit d'un esprit créatif, d'un individu. »

Si dans les milieux d'affaires français Pinault a eu très tôt une image de play-boy milliardaire – image qui s'est renforcée lorsqu'il a eu un enfant hors mariage avec l'ancien mannequin star Linda Evangelista et un autre avec l'actrice Salma Hayek, qu'il a épousée par la suite –, il a donné tort aux sceptiques, en réussissant à transformer Kering en un groupe de luxe avec un chiffre d'affaires de près de 19 milliards de dollars et une valeur boursière d'environ 87 milliards de dollars en 2019.

Le premier défilé de Michele – qu'il a monté en cinq jours, après le licenciement de Frida – s'écartait radicalement de l'image de Gucci et a captivé les critiques en délivrant de l'inattendu. Un mannequin masculin portait un chemisier rouge avec un nœud en forme de chatte et des sandales décontractées à bout ouvert. Les femmes ont défilé dans des costumes aux imprimés graphiques. Tous arboraient des bagues aux doigts – un look privilégié personnellement par Michele – et des mocassins coulissants doublés de fourrure, qui sont devenus des best-sellers. Les modèles transgenres comprenaient un haut en dentelle rouge transparent et des blouses à col et manches froncés.

Dans son numéro d'octobre 2019 sur la masculinité, *GQ* écrit que le défilé « l'a consacré comme l'un des plus grands provocateurs de la mode. Le changement dans la mode masculine amorcé par Michele est sismique, et ce premier ensemble étrangement séduisant augure d'une demi-décennie de révolte luxueuse ».

Malgré le succès du redémarrage de Michele, Gucci n'a pas évité les problèmes. Les autorités italiennes ont enquêté sur la maison pour avoir prétendument fait transiter des revenus par une société suisse de 2011 à 2017 afin de se soustraire à des taux d'imposition plus élevés en Italie. Fin 2017, les bureaux de la société à Milan et Florence ont été perquisitionnés par la police italienne. En mai 2019, Kering a accepté de payer 1,25 milliard d'euros pour mettre un terme à ces poursuites.

In Memoriam

Roberto Gucci, le plus jeune fils d'Aldo, est décédé en octobre 2009, à l'âge de soixante-seize ans, dans sa propriété de Bagazzano, située dans les contreforts de Florence.

Dawn Mello, directrice de la création de Gucci sous Maurizio, est décédée en février 2020 à New York à l'âge de quatre-vingt-huit ans. Dawn Mello a été l'une des premières femmes à accéder à des postes de direction dans le commerce de détail, devenant finalement présidente de l'empire du luxe new-yorkais Bergdorf Goodman, un poste qu'elle a quitté en 1989 pour Gucci et auquel elle est retournée en 1994. Son esthétique d'élégance discrète « a contribué à modifier le paysage de la mode américaine », a écrit Ruth La Ferla dans le *New York Times*. Un livre retraçant sa carrière, *Dawn : The Career of the Legendary Fashion Retailer Dawn Mello*, de John A. Tiffany, a été publié en juin 2019. Dans sa préface, Tom Ford écrit : « C'est une visionnaire. Elle était en avance sur son temps de tant de façons. »

Nemir Kirdar, fondateur d'Investcorp, la banque d'investissement basée à Bahreïn qui avait acheté 50 % de Gucci dans les années 1980, s'était associé à Maurizio. Puis Kirdar lui avait racheté ses parts et avait introduit la société en Bourse. Il est décédé à Antibes en juin 2020, en

France, à l'âge de quatre-vingt-trois ans. Kirdar avait dirigé Investcorp pendant trois décennies et supervisé des investissements dans d'autres marques, notamment Saks Fifth Avenue et Tiffany & Co. En 2019, Investcorp avait accumulé plus de 30 milliards de dollars d'actifs sous gestion, avec des bureaux dans des villes comme New York, Londres et Mumbai. Le *Washington Post* l'a qualifié de « père de l'investissement en capital-risque dans le golfe Persique ».

Tout est Gucci

Au fil des ans, la marque Gucci s'est développée, a décliné puis a refait surface. Les membres de la famille Gucci se sont aimés, se sont battus et se sont encore battus. À travers tout cela, Gucci a réussi à se frayer un chemin dans le lexique contemporain. Aujourd'hui, l'expression « Tout est Gucci » signifie en argot que tout est bon, que tout va bien. Comme l'écrit Givhan dans le *Washington Post* : « C'est une marque italienne, déjà forte de cette mythologie culturelle. C'est une marque qui a toujours représenté la bonne vie, la vie en grand, les loisirs et le merveilleux. »

Et aujourd'hui, alors que Gucci s'apprête à célébrer le 100ᵉ anniversaire de sa fondation par Guccio Gucci en 1921, il ne fait aucun doute que la marque continuera d'exister.

Remerciements

Nombreux sont ceux qui ont partagé avec moi leur connaissance de la famille et de la maison Gucci lors de la rédaction de ce livre, qui se concentre sur la fin des années 1990. La confiance qu'ils m'ont témoignée me paraît d'autant plus précieuse que leur lien avec les Gucci s'accompagne d'inévitables implications émotionnelles. Parmi les personnes clés ayant contribué à l'élaboration de cet ouvrage figurent Domenico De Sole, directeur général de la firme, et Tom Ford, directeur de la création, qui m'ont accordé de multiples entretiens entre 1998 et 2000. Dawn Mello, ancienne directrice de la création, a également accepté de me rencontrer à plusieurs reprises, à New York, Milan ou Paris, pour me décrire son travail aux côtés de Maurizio Gucci. Andrea Morante m'a fourni des renseignements inestimables, notamment concernant la personnalité des principaux acteurs de cette saga. Le fondateur d'Investcorp, Nemir Kirdar, m'a raconté comment il en était venu à financer le projet de Maurizio, pour s'apercevoir que tout espoir de réaliser ce rêve était perdu. Cadre dans cette même société, Bill Flanz m'a généreusement transmis son expérience et mise en contact avec certains individus qui, à leur tour, ont ajouté leur contribution à cette histoire. Rick Swanson, qui fut employé chez Gucci et ancien membre du personnel d'Investcorp, m'a brossé un tableau précis et vivant de l'interaction entre les deux entreprises. Robert Singer, directeur financier de Gucci, m'a expliqué le processus d'introduction en Bourse de la société. Parmi les autres cadres dirigeants d'Investcorp, qui m'ont aidée dans mes recherches, j'aimerais citer Paul Dimitruk, Bob Glaser, Elias Hallak, Johannes Huth et Sencar Toker. Je tiens également à remercier Larry Kessler, Jo Crosslan et toute leur équipe.

À Florence, Aurora Fiorentini, historienne spécialisée dans la mode, a effectué de fastidieuses recherches dans les archives de la maison Gucci et m'a fait part de ses précieuses découvertes, issues de documents officiels et de témoignages individuels d'anciens clients et artisans locaux. Le service de presse de chez Gucci, supervisé par Giulia Masla, m'a permis de retrouver d'innombrables articles et photographies et de coordonner une impressionnante série d'entretiens. Claudio Degl'Innocenti m'a décrit sa vision singulière des aspects relatifs à la production et à la fabrication, tandis que Dante Ferrari m'a permis de mieux comprendre le fonctionnement de la société autrefois. Et je n'oublie pas tous ceux, dont je ne citerai pas le nom ici et qui m'ont gratifiée de leurs témoignages.

Je tiens à adresser un remerciement tout particulier à Roberto Gucci pour sa coopération, malgré l'aspect douloureux de certains souvenirs. Giorgio Gucci m'a également procuré d'édifiants documents concernant son père Aldo et l'entreprise familiale. Patrizia, fille de Paolo Gucci, a fourni des éclaircissements édifiants à certaines de mes interrogations.

Malgré le refus des autorités pénitentiaires italiennes de m'accorder l'autorisation de rendre visite à Patrizia Reggiani Martinelli, lorsqu'elle était incarcérée à la prison milanaise de San Vittore, j'ai pu entretenir avec la détenue une précieuse correspondance depuis sa cellule, et sa mère, Silvana, n'a jamais rechigné à répondre à mes innombrables questions. Paola Franchi m'a également invitée chez elle à plusieurs reprises, pour évoquer sa vie au côté de Maurizio.

Certains des souvenirs les plus précieux m'ont été fournis par deux personnes remarquables, qui ont joué un rôle protecteur et amical auprès de Maurizio : sa loyale assistante Liliana Colombo et son chauffeur Luigi Pirovano. Son avocat, Fabio Franchini, a mis à ma disposition des informations précises et m'a permis de mieux cerner la personnalité vulnérable et passionnée de cet homme qu'il aimait profondément et qu'il s'efforçait d'aider. Severin Wunderman a passé des heures en ma compagnie, à me relater d'innombrables anecdotes, qui contribuèrent à enrichir ma vision de Maurizio, d'Aldo et d'autres protagonistes de cette saga. Logan Bentley Lessona, première responsable des relations publiques pour Aldo Gucci, m'a donné accès à ses souvenirs et à ses dossiers. Enrica Pirri a partagé avec moi son vécu de vingt ans auprès de la famille Gucci, avec laquelle elle conserve encore des liens très profonds.

Concernant l'enquête et le procès pour meurtre de Patrizia Reggiani, Filippo Ninni, ancien chef de la police criminelle, le procureur Carlo Nocerino, Giancarlo Togliatti et le juge Renato Lodovici Samek m'ont aidée à reconstituer les événements et m'ont initiée aux complexités du système judiciaire italien. Par sa présence, mon ami et collègue

Damiano Iovino m'a apporté un précieux soutien durant les longues heures d'entretiens et de témoignages.

Toutes ces recherches n'auraient jamais abouti à l'élaboration d'un livre sans mon agent Ellen Levine et mon éditrice Betty Kelly, qui ont su saisir l'attrait potentiel de la saga Gucci pour le public et m'ont manifesté une attention inestimable.

Je tiens également à remercier : mes parents, David Forden et Sally Carson, pour leurs constants encouragements, et notamment ma mère pour ses conseils avisés concernant la rédaction de cet ouvrage ; pour son appui permanent, mon époux, Camillo Franchi Scarselli, qui m'a incitée à me lancer dans cette aventure et m'a épaulée tout au long de cette entreprise ; pour sa compréhension, notre fille Julia qui a su accepter avec grâce mon investissement dans ce travail.

Mon cher ami Alessandro Grassi m'a procuré un bureau accueillant pour écrire ce livre. Enfin, je tiens à remercier mes nombreux amis et collègues qui m'ont accueillie durant mes divers déplacements : à New York, Eileen Daspin et Marina Luri ; à Londres, Anne et Guy Collins, Constance Klein, Karen Joyce et Marco Frattini ; à Paris, Janet Ozzard, Gregory Viscusi et Penny Horner. Merci également à Teri Agins, Lisa Anderson, Stefano et LeeAnn Bortolussi, Frank Books, Aurelia Forden et Thomas Moran pour leur aide et leurs encouragements, ainsi qu'à mes assistantes, Chiara Barbieri et Marzio Tisio, qui ont retranscrit des heures d'entretiens enregistrés. À Rome, Dennis Redmont, le responsable du bureau de l'agence de presse Associated Press, et le sénateur Francesca Scopelliti ont fait tout leur possible pour m'obtenir une interview avec Patrizia Reggiani. À Paris, Marie-France Pochna m'a fourni de précieux renseignements concernant deux hommes d'affaires, Bernard Arnault et François Pinault. Merci à Patrick McCarthy et aux éditions Fairchild, mes anciens employeurs, qui m'ont accordé le congé nécessaire à l'élaboration de cet ouvrage, et notamment à Melissa Comito et à Gloria Spriggs pour leurs recherches diligentes d'archives et de photos. Enfin, merci à certains de mes inoubliables professeurs d'université, à Mount Holyoke College, qui m'ont fait découvrir les plaisirs de l'écriture : Carline Collette, Richard Johnson, Mark Kramer et Mary Young.

Personnes interviewées

Carlo Bacci
Alberta Ballerini
David Bamber
Silvana Barbieri Reggiani
Sergio Bassi
Aureliano Benedetti
Logan Bentley Lessona
Patrizio Bertelli
Carlo Bonini
George Borababy
Armando Branchini
Carlo Bruno
Richard Buckey
Roberta Cassol
Rita Cimino
Liliana Colombo
Aldo Coppola
Pilar Crespi
Enrico Cucchiani
Antonietta Cuomo
Vittorio D'Aiello
Gianni Dedola
Claudio Degl'Innocenti
Rafaelle Della Valle
Domenico De Sole
Paul Dimitruk
Lisa Fatland
Franco Ficramosca
Aurora Fiorentini
Stefania Fiorentini
Dante Ferrari
Nicole Fischelis
William Flanz

Tom Ford
Paola Franchi
Fabio Franchini
Carmine Gallo
Francesco Gittardi
Bob Glaser
Pierre Godé
Giorgio Gucci
Guccio Gucci
Patrizia Gucci
Roberto Gucci
Orietta Gucci
Junichi Hakamaki
Elias Hallak
Johannes Huth
Joan Kaner
Claire Kent
Nemir Kirdar
Richard Lambertson
Concietta Lanciaux
Eleanore Leavitt
Carlo Magello
Cedric Magnelia
Maria Mannetti Farrow
Mario Massetti
Dawn Mello
Suzy Menkes
Nando Miglio
Andrea Morante
Alberto Morini
Filippo Ninni
Carlo Noccrino
Giuseppe Onorato

Carlo Orsi
Luigi Pagano
Gaetano Pecorella
Anita Pensotti
Gian Vittorio Pillone
Franca Pinzauti
Enrica Pirri
Gail Pisano
Luigi Pirovano
Carmello Pistone
Marie-France Pochna
Patrizia Reggiani Martinelli
Dante Razzano
Renato Ricci
Renato Lodovici Samek
Franco Savorelli
Robert Singer

Chantal Skibinska
Amy Spindler
John Studzinsky
Cristina Subert
Rick Swanson
Burt Tansky
Salvo Tersta
Giancarlo Togliatti
Sencar Toker
Pietro Traini
Paolo Trofino
Allan Tuttle
Franco Uggeri
Dominique Vananty
Serge Weinberg
Severin Wunderman
Michael Zaoui

Pour tous renseignements complémentaires concernant les sources et la bibliographie, se référer à l'édition américaine.

Table des matières

Composé et édité par HarperCollins France.

Achevé d'imprimer en octobre 2021

MARQUIS

À Louiseville, Québec

Pour limiter l'empreinte environnementale de ses livres, HarperCollins France s'engage à n'utiliser que du papier fabriqué à partir de bois provenant de forêts gérées durablement et de manière responsable.

Imprimé au Canada